ANDRÉ CHÉNIER

Poésies

*Édition de Louis
Becq de Fouquières*

GALLIMARD

Ce volume reproduit en fac-similé l'édition critique que Louis
Becq de Fouquières (1831-1887) a publiée en 1872 chez Charpentier ; il s'agit de la deuxième édition de Becq de Fouquières, revue et
corrigée, la première ayant paru, également chez Charpentier, en
1862.

PEINT A St LAZARE
LE 2º MESSIDOR L AN 2
PAR JB SUVÉE

HENRIQUEL DUPONT DEL.

CYPRIEN JACQUEMIN SC.

andré Chénier

POÉSIES

DE

ANDRÉ CHÉNIER

ÉDITION CRITIQUE

ÉTUDE SUR LA VIE ET LES ŒUVRES D'ANDRÉ CHÉNIER
BIBLIOGRAPHIE DES ŒUVRES POSTHUMES
APERÇU SUR LES ŒUVRES INÉDITES
VARIANTES, NOTES, COMMENTAIRES ET INDEX

PAR

L. BECQ DE FOUQUIÈRES

———

DEUXIÈME ÉDITION
REVUE ET CORRIGÉE
ORNÉE D'UN PORTRAIT D'ANDRÉ CHÉNIER

———

PARIS

CHARPENTIER ET Cⁱᴱ, LIBRAIRES-ÉDITEURS
28, QUAI DU LOUVRE
—
1872

AVERTISSEMENT

———

En publiant, après plusieurs années d'intervalle, une SE-
CONDE ÉDITION CRITIQUE des Poésies d'André Chénier, nous
espérons accomplir, moins imparfaitement que dans la première, le vœu littéraire formé, il y a plus de vingt ans, par
M. Sainte-Beuve.

La gloire a consacré irrévocablement André Chénier parmi
les premiers de nos poëtes ; aussi ne croyons-nous pas nécessaire de justifier l'ambition que nous avons eue de donner de
ses œuvres une édition qui pût, sans trop de désavantage,
figurer à côté des éditions de nos classiques français, que
d'habiles et doctes critiques ont illustrées de leurs notes.
Dans ce but poursuivi de tous nos efforts, et dont peut-être
nous avons approché, nous avons revu notre travail avec les
plus grands soins ; nous l'avons corrigé, modifié en bien des
points et souvent amélioré, nous l'espérons du moins. C'est
donc plus et mieux qu'une réimpression que nous offrons au
public : c'est un livre tout nouveau dans plusieurs de ses
parties.

Dans l'Étude sur la vie et les œuvres d'André Chénier, après avoir caractérisé nettement sa tentative littéraire, tentative dans laquelle on avait d'abord cru voir un essai de renaissance gréco-latine, et qui est une renaissance éminemment nationale, nous avons cherché à faire ressortir les influences qu'exercèrent sur André Chénier les littératures antiques et la littérature française, celles qu'il reçut, au point de vue littéraire et politique, de sa famille, de ses amis, enfin des événements, nous efforçant ainsi de le suivre dans le développement de son double caractère de poëte et de citoyen.

La partie biographique a reçu de nombreuses additions. Mieux informé sur les événements principaux de la vie d'André, nous avons corrigé quelques erreurs et comblé d'importantes lacunes. C'est ainsi que le lecteur trouvera dans cette édition un récit détaillé et une appréciation toute nouvelle des malheureuses circonstances qui ont amené l'arrestation de Chénier et des événements fatals qui l'ont conduit le 7 thermidor sur les gradins de Fouquier-Tinville.

A la suite de cette Étude, on trouvera, dans un premier Appendice, l'histoire complète et détaillée de la publication des Œuvres posthumes, et, dans un second, un Aperçu sur les œuvres encore inédites.

Quant au texte même des poésies, pour lequel nous avons suivi en général celui de l'édition de 1819, le plus exact et le plus pur, nous l'avons revu avec la plus grande attention et nous avons pu corriger quelques leçons manifestement vicieuses, dues sans doute à une lecture trop rapide des manuscrits. Dans l'ensemble de l'œuvre, les divisions générales

des précédentes éditions ont été conservées. Nous rappellerons qu'au titre d'*Idylles* nous avons substitué celui de
Poésies antiques; celles-ci ont été subdivisées en *Petits
Poëmes, Élégies, Idylles, Épigrammes, Études et Fragments*, et nous y avons joint les *Petits Fragments*, publiés
en 1839 par M. Sainte-Beuve. Les *Élégies* ont été réparties
en trois livres : le premier comprend toutes les pièces qu'ont
inspirées l'amitié, les arts, ainsi que les joies, les souffrances
intimes et les voyages du poëte ; le second renferme toutes
les élégies adressées à Lycoris, à Camille, à D'.r. ; et le troisième, les pièces d'un rhythme nouveau, où le poëte a célébré Fanny, la plus chaste des Muses. Aux *Épîtres* sont
venues se joindre quelques pièces rangées à tort dans les
Élégies. Dans *l'Art d'aimer* sont entrés plusieurs morceaux,
qui prennent ainsi une importance qu'ils n'avaient pas dans
les fragments d'élégies. Enfin, plusieurs pièces composées en
grande partie à Saint-Lazare ont été réunies sous le titre de
Dernières Poésies.

Quant à l'*Hermès*, profitant du travail de M. Sainte-Beuve
et de la publication récente de M. Egger, nous avons essayé,
dans cette édition, d'en coordonner les fragments et de reconstruire ce poëme sur le plan que paraît en avoir tracé
André Chénier.

Toute classification trop absolue a été écartée, comme pouvant être contraire à la vérité ; nous avons tâché de concilier
l'importance, la nature, le genre et la date présumée des différentes pièces. Il ne faut pas d'ailleurs l'oublier : ici tout
est factice, comme dans toute œuvre posthume dont la publication n'a pas été préparée par l'auteur lui-même. Que

serait-il en effet advenu des mille projets que le temps n'a
pas permis à André Chénier de réaliser? Nul ne le sait ; et
même aurions-nous sous les yeux ses manuscrits et les quelques indications qu'on y rencontre, qu'il serait présomptueux
de décider dans quel ordre et sous quels titres il eût publié
ses poésies.

Quant aux notes, nous n'en dirons que peu de mots. On
verra que nous y avons relevé les variantes, et tous les passages des poëtes anciens imités par André Chénier, sans oublier d'indiquer ceux qui l'avaient été, avant lui, par nos
principaux poëtes lyriques et élégiaques. Elles ont été l'objet
d'une révision sévère et l'on en trouvera un grand nombre de
nouvelles. C'est ainsi qu'une lecture plus attentive d'Aristophane nous a fait découvrir quelques imitations curieuses qui
nous avaient primitivement échappé.

Ces notes se rapportent tour à tour à l'érudition, à la pensée, à la diction poétique, à la langue. Le désir d'être exact
et utile nous a fait une loi de remonter toujours à la source
antique et de puiser toutes nos explications, de quelque nature qu'elles fussent, dans les écrivains grecs et latins, si fa-
miliers à André Chénier, le plus érudit des poëtes français.

Quant au Lexique, nous avons cru devoir le supprimer dans
cette édition que son format destinait à être portative. Mais
nous avons dressé un index des variantes que présentent les
différentes éditions et des corrections que nous avons nous-
même introduites dans le texte d'André Chénier. La table des
matières elle-même a été modifiée : nous y avons donné pour
chaque pièce la date de la première publication. On reconnaîtra enfin, nous l'espérons, que nous n'avons reculé devant

aucun effort, devant aucune recherche pour rendre cette nouvelle édition digne du bienveillant accueil que la critique
française avait fait à notre précédent travail.

La longue intimité dans laquelle nous avons de nouveau
vécu avec ce jeune et puissant génie n'a fait que confirmer
notre admiration première. Les œuvres d'André Chénier pénètrent l'âme, car elles sont enflammées d'une éloquente vie.
La lecture en est salutaire : elle forme, fixe ou ravive le goût,
ramène au saint amour des lettres, au culte de la forme dans
les arts ; et, à un point de vue plus élevé, plus grave, au milieu des inquiétudes morales et politiques de notre époque,
elle doit ranimer dans tous les cœurs l'amour de la vertu et
de la liberté.

Partout, au nom du poëte, nous avons trouvé les plus en-
courageantes et les plus chaleureuses sympathies. C'est un
devoir pour nous de rappeler tout ce que nous devons à l'illustre critique qui n'est plus. Nous ne pouvons oublier que
les travaux de M. Sainte-Beuve, en éclairant et la route et le
but, ont assuré nos premiers pas ; et que, dans un désintéressement littéraire, digne d'être remarqué, il a mis à notre
disposition le manuscrit qui contenait les précieuses notes de
M. Boissonade.

Il nous est impossible encore de ne pas nous souvenir de la
grâce charmante avec laquelle Madame la comtesse Hocquart
nous a livré les traditions d'une noble famille, où vit encore
le souvenir d'André, et nous a permis de contempler l'image
adorée de Fanny, cette chaste Muse des derniers beaux jours
du poëte.

Plusieurs personnes ont eu la bonté de nous rappeler la

promesse que nous avions faite, dans l'Avertissement de notre
première édition, de nous consacrer à la publication des Œuvres en prose d'André Chénier. Malgré le désir que nous en
avions, des circonstances indépendantes de notre volonté ont
jusqu'ici retardé cette publication ; mais nous n'avons pas
oublié notre promesse et il ne tiendra pas à nous qu'elle ne
reçoive son accomplissement dans un avenir peu éloigné.

Paris, février 1870.

ANDRÉ CHÉNIER

———

I

Les œuvres d'André Chénier ont eu, sur la littérature de notre époque, une influence déjà maintes fois signalée ; aussi, avant de retracer les événements auxquels André fut mêlé, comme poëte et comme citoyen, est-il important de rechercher dans le passé quelles causes générales contribuèrent au développement de son génie. Ce sera en quelque sorte découvrir le secret de la renaissance de la poésie française au dix-neuvième siècle, que de montrer le vieil Homère guidant le premier pontife de cet art nouveau dans les retraites des Muses et des Grâces. Et, puisque les époques de l'esprit humain s'enchaînent l'une à l'autre, nous devrons examiner en même temps quel est le lien intime qui unit André Chénier au seizième et au dix-septième siècle, et comment il avait sa place marquée dans l'histoire de la littérature française.

Or il nous semble qu'on caractériserait nettement la tentative littéraire d'André Chénier en disant qu'au dix-huitième siècle, pour ranimer la poésie, qui dans son immortalité ne plaît aux hommes que par un rajeunissement perpétuel, il fallait, sévèrement averti par Malherbe et Boileau, renouveler la tentative de Ronsard avec le goût pur de Racine ; c'est-à-dire importer dans la poésie française les qualités de lyrisme, de grâce, de vérité, de liberté, inhérentes à la poésie grecque ; en savoir discerner les véritables richesses ; surtout chercher et retrouver, dans la langue nationale, tous les éléments nécessaires pour atteindre à la beauté, à la pureté, à la sensibilité de l'art hellénique, sans forcer les lèvres françaises à reparler une langue morte avec les pensées et les mœurs d'un autre âge.

En effet, sur André Chénier s'exercent deux influences constantes et également puissantes : celle des littératures antiques et celle de la littérature française.

C'est Homère qui, le premier, du haut de son Olympe poétique, lui verse la sainte inspiration. Homère domine l'œuvre d'André et la pénètre jusque dans ses replis les plus cachés. Les beautés franches et les grâces naïves, tantôt y coulent abondamment comme de la bouche même de l'aveugle divin, tantôt, plus adoucies et plus molles, s'y répandent, non plus comme les flots d'une mer retentissante, mais comme les eaux pures d'un Mincius, au milieu d'ombrages charmés. C'est ainsi que le grand art d'Homère envahit brusquement le sein du poëte, ou s'y insinue par l'art savant et perfectionné de Virgile et de Théocrite. Si, dans d'autres genres encore, André cherche à se rapprocher d'Horace, son émule chez les Latins, de Catulle, de Tibulle, d'Ovide, de Properce, c'est qu'il reconnaît en eux la forte empreinte d'une poésie grecque, lyrique et élégiaque, dont ils ont recueilli les débris, et qui, elle-même, avait subi l'influence homérique. C'est là, au sein même de la poésie latine, qu'il retrouve un art grec, oublié, perdu, dont l'école alexandrine avait distillé la fleur, art tout de grâce, de molle passion, de sentiments choisis. Il se plaît à recomposer une anthologie, qu'il ne recueille pas ainsi que Méléagre, mais qu'il imagine, qu'il crée, mettant, comme un sourire, toutes les délicatesses helléniques aux lèvres de la poésie française rajeunie.

Pénétré d'Homère, de Pindare, de Théocrite, André Chénier a su plier aux grâces ioniennes et doriennes la langue à laquelle étaient restés fièrement fidèles Rabelais, Amyot, Corneille, Pascal et La Fontaine. Son but constant, son ambition était, tout en s'inspirant de l'indulgente philosophie d'Horace et de la mélancolique tendresse de Virgile, de contraindre les Muses françaises à allier, aux suaves accents de Racine, le naturel et l'ample grandeur d'Homère, ainsi que la poétique simplicité de Théocrite.

Si André n'a pas atteint jusqu'au poëte thébain, si, comme inspiration lyrique, il n'est pas allé au delà d'Horace, en ajoutant toutefois à sa lyre la corde indignée d'Archiloque, il faut reconnaître, ce que nous démontrerons amplement plus loin, que sa Muse s'essaye à ce vol hardi, et que la poésie française, lyrique et élégiaque au seizième siècle, dramatique et didactique au dix-septième, tend, avec André Chénier, à redevenir ce qu'elle sera de plus en plus, élégiaque et lyrique.

De ces influences que nous venons de signaler, il n'en est pas une qu'André n'ait volontairement et librement recherchée. La belle forme antique est, pour ainsi dire, un moule qu'il prépare aux pensers nouveaux qu'il veut y verser et y fondre. Mais, si nous le voyons, à tous les instants de sa carrière poétique, préoccupé d'atteindre à la pureté de l'art grec, nous le voyons aussi rassembler avec soin toutes les ressources que peuvent offrir la langue et l'esprit français.

Chénier ne se fait l'imitateur des anciens que pour devenir leur rival. Tableaux, pensées, sentiments, il s'empare de tout, cherchant, poëte français, à les vaincre, du moins à les égaler, sur leur propre terrain. Si Homère, Théocrite, Virgile, Horace, n'avaient eu à lui apprendre la langue, la diction poétique, à l'initier à ce qu'il y a de plus difficile, de plus exquis, de plus délicat dans tous les arts, à la forme, peut-être ne leur eût-il donné qu'une attention d'érudit, sachant bien, lui, philosophe et moraliste, que sciences, mœurs, coutumes, tout a changé depuis l'antiquité, et que désormais la lyre ne doit prêter ses accords qu'à des pensers nouveaux.

Dans chaque genre qu'il aborde, sa préoccupation constante est donc, contrairement à ce qu'on a pu croire dans le principe, de se dégager des anciens, à mesure que, dans les luttes qu'il leur livre, il sent ses reins s'assouplir et ses forces s'accroître. C'est pourquoi il ne faut point voir dans la tentative d'André Chénier une renaissance gréco-latine; c'est véritablement une renaissance française, conséquence des seizième et dix-septième siècles, avec cette différence que le seizième siècle avait vu la Grèce à travers l'afféterie italienne, le dix-septième, à travers le faste de Louis XIV, tandis qu'André Chénier a, dans l'âme de sa mère, respiré la Grèce tout entière ; il parle la même langue que Racine, mais trempée d'une grâce byzantine, attique même, naturelle et innée, et dans laquelle se fondent heureusement l'ingéniosité grecque et la franchise gauloise.

Tandis qu'on croit sa pensée errante aux bords de l'Eurotas, elle est aux rives de la Seine. Disciple studieux de nos grands siècles littéraires, il poursuit dans ses changements, dans ses progrès, dans ses appauvrissements, notre vieille langue nationale, à laquelle il veut faire honneur. Toutefois, c'est surtout dans les prosateurs, dans Montaigne, dans Amyot, dans Rabelais [1], qu'il la recherche et qu'il l'étudie. Il en reçoit une influence semblable à celle qu'en reçut Régnier, dont il se rapprochera par l'énergie, tandis que, par par l'harmonie, il se rapprochera plutôt de Malherbe, fondant ces deux langues, si l'on peut parler ainsi, dans une langue nouvelle, fécondée par le lyrisme grec et plus élevée d'un ton. Quant à la poésie antérieure, c'est, le plus souvent, à travers Malherbe et Boileau qu'il la voit et la juge. Il lisait peu Ronsard ; son commentaire sur Malherbe le prouve. En effet, s'il l'eût mieux connu, il n'eût pas été sans remarquer que toutes les expressions qu'il admire comme traduites heureusement du latin, ou qui lui rappellent le grand Corneille, se trouvent aussi dans Ronsard. Mais l'étude de la poésie du seizième siècle n'était pas indispensable à André ; car, remontant jusqu'à la source grecque elle-même, il y puisait un breuvage plus pur que celui dont la coupe de Ronsard aurait trempé ses lèvres. Et, d'ailleurs, sa tentative différait justement de celle de Ronsard par des qualités, essentiellement grecques, de règle, de choix, de mesure, de goût, et surtout par le fini du travail auquel l'avaient habitué les écrivains du dix-septième siècle.

---

[1] André avait lu Rabelais en poëte ; il comprenait certainement toute sa portée philosophique et littéraire. M. Sainte-Beuve, *Portr. litt.*, nous en a transmis un témoignage. « M. Piscatory père, qui a connu André Chénier avant la Révolution, l'a un jour entendu causer avec feu et se développer sur Rabelais. Ce qu'il en disait a laissé dans l'esprit de M. Piscatory une impression singulière de nouveauté et d'éloquence. »

André Chénier est sous l'influence directe de Racine. Tous deux, ils conçoivent de la même manière l'art de la poésie ; quand ils composent, ils préparent soigneusement leur œuvre. Le vers est, pour eux, la dernière expression, la forme parfaite d'une pensée méditée que les nombres viennent animer. Aussi André préparait-il d'abord ses idylles en prose, comme Racine ses tragédies. Et il ne faut pas voir là seulement un parti pris, un caprice d'écrivain, mais, ce qui est plus important, une grande probité littéraire. Sans doute André avait remarqué les défauts de la poésie dramatique et didactique du dix-septième siècle. Les écrivains de Louis XIV n'avaient pas vu la Grèce avec ses yeux ; surtout ils n'avaient pas compris que, si le peuple d'Athènes parlait la langue de ses poëtes et de ses orateurs, ceux-ci, par conséquent, parlaient la langue du peuple, langue sans restrictions ni conventions. Mais ce n'est pas le génie dramatique de Racine qui eut quelque influence sur lui : c'est le génie élégiaque, en un mot le cœur de Racine, le côté pur et virgilien.

Si nous voulions aussi rechercher sous quel rapport on peut rapprocher André de La Fontaine, nous dirions d'abord, à un point de vue philosophique, que, bien qu'ils sacrifient encore aux Muses de l'Hélicon, aux Dieux, *à la beauté plus divine qu'eux-mêmes*, la vérité scientifique pénètre leur poésie, et que, pour eux, le soleil est immobile *et la terre chemine* ; ensuite nous verrions comme l'art exquis d'André sait découvrir dans La Fontaine, pour en faire son profit, l'élégante précision d'Horace et les grâces champêtres du pasteur de Sicile.

On le voit, soumis à des influences diverses et multiples, le génie d'André Chénier est complexe et formé de ce qu'il y a de plus délicat, de plus subtil, de plus mollement gracieux dans cette abstraction qu'on nomme le beau. Partout, dans Virgile, dans Racine, dans La Fontaine, ce sont les secrets de l'art grec qu'il surprend. Partout il va recueillir les moindres gouttes de miel qu'ont çà et là déposées les abeilles envolées de l'Hymette ; partout, comme Horace, il respire ces légers parfums, nourriture ambrosienne, qui s'étaient dissipés dans les airs avec l'âme des Ptolémées.

Certes, l'essence même d'un tel génie était la liberté. Or, à l'époque où vint André, la doctrine littéraire de Boileau, clair reflet de Port-Royal, était puissante encore ; et elle était d'autant plus difficile à ébranler, qu'elle s'appuyait sur la raison, base essentielle de toutes les productions de l'esprit. Il fallait donc non pas détruire, non pas nier cette doctrine, mais l'élargir, l'assouplir, lui rendre en grâces ce qu'on lui ôtait en austérité ; en un mot, retremper la raison inflexible de Boileau au libre génie d'Horace. L'avoir osé est une des plus brillantes gloires d'André, et l'on peut dire que l'*Art poétique* et l'*Invention* sont pour longtemps les deux livres sacrés de la littérature française. Ils se complètent, se corrigent l'un l'autre, et, présentés ainsi dans une union intime et indissoluble, ils forment un poëme didactique admirable, écrit par un sage et par un poëte, et tel qu'aucune nation ancienne ou moderne ne peut en offrir un pareil. Peut-être l'influence de la littérature anglaise, celle de Pope en particulier, contribua-t-elle à le pousser dans cette nouvelle voie. Il avait, du reste, besoin pour lui-même d'une liberté plus grande au moment d'entreprendre, aux flambeaux de Lucrèce et de Newton, et sous l'influence contemporaine de Buffon, ce grand poëme de l'*Hermès*, que devait animer l'esprit nouveau.

Au dix-huitième siècle, après Voltaire, une passion s'était emparée de tous les esprits, celle de l'universalité. André n'y pouvait échapper ; aussi le voyons-nous de bonne heure appliqué à acquérir toutes les connaissances humaines. Les quelques fragments de l'*Hermès* que nous possédons témoignent des efforts constants du poëte dans cette direction. Mais, vers 1780, d'autres influences avaient modifié celles des encyclopédistes, et des travaux purement scientifiques n'auraient pu satisfaire une âme, qui, avec Jean-Jacques Rousseau, avait bu aux sources vives de la nature. Même avant cette époque, la mode avait été aux bergeries, aux églogues ; la contagion était devenue générale, et André n'en fut pas toujours à l'abri.

En un mot, Chénier fut de son siècle par ses tendances philosophiques et par son amour pour la nature. C'est en le suivant dans cette double direction qu'on mettrait à découvert certains défauts, communs à tous les hommes de son siècle, et qui se sont insinués parfois jusque dans ses inspirations les plus poétiques.

Ainsi, pour nous résumer, avec André Chénier, les idées philosophiques du dix-huitième siècle, quelques-unes de celles du dix-neuvième déjà pressenties, vont avoir un poétique interprète ; la vieille langue nationale va de ses propres richesses se refaire une parure nouvelle ; et ces idées et cette langue vont se tremper d'une grâce légère, que ne nous avaient point revélée les débris de marbre de la Grèce, et que cependant alors les cendres déblayées d'Herculanum commençaient à faire revivre à nos yeux, comme pour nous dédommager de l'*Anthologie* perdue de Méléagre.

Telles sont, rapidement exposées, les influences qui étaient comme suspendues au-dessus du berceau du poëte. A côté de ces influences, pour ainsi dire latentes, difficiles à préciser, il en est d'autres aussi puissantes, plus directes, et qui s'exercent dans tout le cours de la vie d'un homme, par sa famille, par les personnes qui l'entourent et par les événements. Celles-là sont inséparables de la biographie.

II

La famille de Chénier est, dit-on, originaire du Poitou ; elle aurait pris son nom d'un hameau situé sur la lisière du Poitou et de la Saintonge. Les Chénier occupèrent longtemps la place d'inspecteur des mines du Languedoc et du Roussillon. Le père d'André, Louis de Chénier, naquit, le 3 juin 1722, à Montfort, actuellement commune du canton d'Axat, arrondissement de Limoux, département de l'Aude. Assez jeune, il quitta la France et alla à Constantinople, comme député de la nation, pour protéger les intérêts du commerce du Languedoc. Toutefois, quelques intérêts de négoce personnels durent certainement l'attirer aussi loin de sa patrie. Son caractère droit et inflexible lui acquit, au bout de peu de temps, l'amitié du comte Desalleurs, alors ambassadeur auprès de la Sublime Porte. Celui-ci lui fit remplir les fonctions de consul général, fonctions qui lui furent bientôt confirmées par la cour de France, et qu'il conserva sous le comte de Vergennes qui, en 1755, après la mort du comte Desalleurs, fut nommé ambassadeur en Turquie.

Ce fut à Constantinople que M. de Chénier se maria ; il épousa une jeune Grecque, Mademoiselle Santi-l'Homaka, qui était, on le sait, la sœur de la grand'mère de M. Thiers. Pendant les dix premières années de son mariage, qu'elle passa à Constantinople, Madame de Chénier eut quatre fils et quatre filles. Trois filles moururent à Constantinople; la quatrième, Mademoiselle Hélène de Chénier, épousa, vers 1787, M. le comte Latour de Saint-Igest [1].

André-Marie de Chénier naquit le 30 octobre 1762, à Galata, Pereh-bazar, dans la maison du consulat de France [2].

En 1765, Louis de Chénier reprit, avec sa femme et ses enfants, le chemin de la France, où il espérait continuer sa carrière diplomatique. En effet, vers 1767, il partit pour l'Afrique avec le comte de

[1] Voici aussi exactement que possible le tableau généalogique de la famille de Chénier:

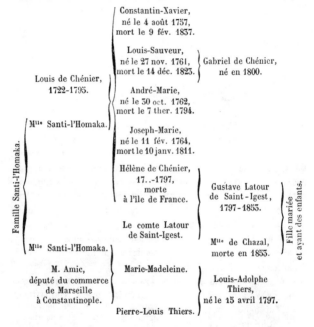

Constantin-Xavier, né le 4 août 1757, mort le 9 fév. 1837.

Louis-Sauveur, né le 27 nov. 1761, mort le 14 déc. 1823. } Gabriel de Chénier, né en 1800.

Louis de Chénier, 1722-1795.

André-Marie, né le 30 oct. 1762, mort le 7 ther. 1794.

Mlle Santi-l'Homaka.

Joseph-Marie, né le 11 fév. 1764, mort le 10 janv. 1811.

Hélène de Chénier, 17..-1797, morte à l'île de France. } Gustave Latour de Saint-Igest, 1797-1855.

Le comte Latour de Saint-Igest. } Mlle de Chazal, morte en 1855.

Mlle Santi-l'Homaka.

M. Amic, député du commerce de Marseille à Constantinople. } Marie-Madeleine. } Louis-Adolphe Thiers, né le 15 avril 1797.

Pierre-Louis Thiers.

Famille Santi-l'Homaka.

Fille mariée et ayant des enfants.

[2] Cette maison, bâtie en énormes pierres de taille, a échappé aux incendies qui ont si souvent ravagé Constantinople et ses faubourgs. Elle porte encore l'écusson de pierre aux fleurs de lis. C'est la banque ottomane qui l'occupe aujourd'hui; la pièce où est la caisse, grande et voûtée, est celle même où André Chénier vint au monde.

Brugnon. Madame de Chénier resta à Paris avec ses enfants, dont elle dirigea elle-même la première éducation. Vers 1770, André alla passer quelques mois chez sa tante, à Carcassonne, sous le beau ciel du Languedoc [1]. Enfin, André et ses trois frères durent entrer, vers 1773, au collége de Navarre. M. de Chénier, après sa mission en Afrique, avait été nommé chargé d'affaires auprès de l'empereur du Maroc, mais Madame de Chénier resta toujours en France, auprès de ses enfants. Elle demeurait alors rue Culture-Sainte-Catherine, en face les Filles-Bleues [2].

A seize ans, André savait déjà très-bien le grec ; de cette époque nous avons une traduction d'un fragment de Sappho ; et bien que depuis on ait dit le contraire, nous devons en croire André Chénier, qui nous l'affirme dans son *Épître au marquis de Brazais :*

> A peine avais-je vu luire seize printemps,
> . . . .
> Ma jeune lyre osait balbutier des vers.
> Déjà même Sappho, des champs de Mytilène,
> Avait daigné me suivre aux rives de la Seine.

On le voit ; s'il s'intéressait déjà par instinct à d'autres livres que ceux que l'éducation universitaire lui mettait entre les mains. Il est

[1] Il en conserva de longs souvenirs. Voici une note où il s'est plu à retracer une impression d'enfant et un vœu de poëte : « En me rappelant les beaux pays, les eaux, les fontaines, les sources de toute espèce que j'ai vus dans un âge où je ne savais guère voir, il m'est revenu un souvenir de mon enfance que je ne veux pas perdre. Je ne pouvais guère avoir que huit ans, ainsi il y a quinze ans (comme je suis devenu vieux !) qu'un jour de fête on me mena monter une montagne. Il y avait beaucoup de peuple en dévotion. Dans la montagne, à côté du chemin, à droite, il y avait une fontaine dans une espèce de voûte creusée dans le roc ; l'eau en était superbe et fraîche, et il y avait sous la petite voûte une ou deux madones. Autant que je puis croire, c'était près d'une ville nommée Limoux, au bas Languedoc. Après avoir marché longtemps, nous arrivâmes à une église bien fraîche, et dans laquelle je me souviens bien qu'il y avait un grand puits. Je ne m'informerai à personne de ce lieu-là, car j'aurai un grand plaisir à le retrouver, lorsque mes voyages me ramèneront dans ce pays. Si jamais j'ai, dans un pays qui me plaise, un asile à ma fantaisie, je veux y arranger, s'il est possible, une fontaine de la même manière, avec une statue aux Nymphes, et imiter ces inscriptions antiques : *de Fontibus sacris*, etc.

[2] Adresse trouvée sur le carnet de Vernet, qui appelle Madame de

naturel aussi de penser qu'il dut, à cette époque, s'essayer à traduire quelques passages de Virgile ou d'Homère. En 1778 il était en rhétorique[1] ; il redoubla sans doute cette classe, fit, selon l'usage d'alors, deux années de philosophie, et sortit du collége en 1781. Il y avait contracté de précieuses amitiés ; c'est du collége, en effet, que date sa liaison avec les Trudaine et avec les de Pange.

A peine sorti du collége, André dut choisir une carrière. La modeste fortune de M. de Chénier le père ne permettait pas à ses enfants de s'oublier dans de trop longs loisirs ; l'aîné, Constantin-Xavier, avait embrassé la diplomatie, où son père espérait pouvoir le pousser rapidement ; les trois autres furent destinés à l'état militaire. Dans l'année 1782[2], André Chénier fut, en qualité de cadet-gentilhomme[3], attaché au régiment d'infanterie d'Angoumois[4] et envoyé à Strasbourg.

Chénier : Madame Chénier la Grecque. Voy. *Les Vernet, Joseph Vernet et la peinture au dix-huitième siècle.*

[1] Dans la liste des élèves couronnés au collége de Navarre, le nom d'André Chénier ne paraît qu'en l'année 1778, où il remporta le premier prix de discours français et un premier accessit en version latine.

[2] C'est la seconde moitié de l'année 1782 qu'il passa au régiment ; au mois d'avril il était encore à Paris. Une de ses élégies porte cette mention : « *Fait le 23 avril 1782, avant d'aller à l'Opéra.* »

[3] C'est au même titre que Louis-Sauveur était entré en 1780 au régiment d'infanterie de Bassigny, et que Marie-Joseph entra en 1783 au régiment de dragons de Montmorency. Ce fut cette position de volontaire qui permit à André et à Marie-Joseph de quitter le service quand ils le voulurent. Sauveur, qui seul poursuivit sa carrière militaire, devint rapidement adjudant général. — La position de cadet-gentilhomme était une sorte de stage par lequel passaient les jeunes gentilshommes avant d'être nommés officiers. Organisés d'abord en compagnies par Louis XIV et Louis XV, les cadets-gentilshommes furent, en vertu d'une ordonnance du 25 mars 1776, répartis entre tous les régiments de France, excepté celui du roi qui n'en avait pas. Il y en avait dix dans chaque régiment, un par compagnie. Exempts des corvées, ils recevaient l'éducation militaire du soldat, puis remplissaient les fonctions de bas officiers. On ne leur devait pas obéissance, mais, ainsi que le dit la formule de réception, on devait les respecter comme s'ils avaient été officiers. Leur costume était un compromis entre celui de soldat et celui d'officier ; ils portaient pour marque distinctive une épaulette d'or ou d'argent. Ils recevaient une paye de douze sous par jour.

[4] Le régiment d'Augoumois était commandé par le marquis d'Usson, et avait pour mestre de camp en second le chevalier de Narbonne, qui de-

Dans les longues heures de liberté que lui laissaient les exercices militaires, André reprit ses études, en compagnie du marquis de Brazais. C'est à Strasbourg qu'il écrivit deux belles épîtres, en réponse à celle que lui avait adressée Le Brun, lors de son départ pour le régiment [1]. Strasbourg était la patrie de Brunck, le seul érudit que la France pût alors opposer à l'Allemagne et à l'Angleterre. Les *Analecta* avaient paru en 1776. Brunck avait été officier comme André, et l'on aimerait à penser qu'ils se rapprochèrent, qu'ils se lièrent, et que ce fut Brunck lui-même qui lui mit entre les mains ce livre qui ne devait plus le quitter.

Mais André, éloigné du cercle brillant qu'il avait à peine entrevu chez sa mère, entre sa sortie du collége et son entrée au service militaire, ne pouvait se plier à l'isolement; l'ennui le gagnait parmi les occupations futiles du régiment; au milieu des camps, pouvait-il

> adorer et Vertumne et Palès?
> Il faut un cœur paisible à ces dieux de la paix.

Il ne put longtemps supporter cette existence. Six mois après son arrivée à Strasbourg, il quittait l'armée et retournait près des siens savourer sa libre pauvreté.

D'ailleurs, c'est vers cette époque qu'il ressentit les premières atteintes de la douloureuse maladie dont il souffrit toute sa vie. Il est à croire qu'elle ne fut pas étrangère à la prompte résolution que prit André d'abandonner le service militaire. Elle était incompatible avec les fatigues et les privations. Il revint à Paris souffrant et se plaignant de *sables brûlants*. Il lui fallait une vie calme, soumise à un régime sévère, hélas! bien difficile à un âge où s'éveillent en même temps toutes les passions d'une forte jeunesse. Aussi n'est pas probable qu'il ait été en Angleterre au mois de décembre 1782,

---

puis fut ministre de la guerre. Presque tous les grades étaient occupés par les plus grands noms de France. Dans ce régiment servait, comme lieutenant, de La Tour-d'Auvergne Corret, célèbre depuis sous le nom de premier grenadier de France.

[1] On a toujours dit, à tort, que l'épître de Le Brun était une réponse à celle d'André. Voy. à ce sujet la première note de la première épître, page 303.

comme semblent le témoigner des vers qui portent cette date dans
les éditions précédentes, et où il se peint lui-même

> Sans parents, sans amis et sans concitoyens,
> . . . .
> Par les vagues jeté sur cette île farouche?

La date de 1782 n'est-elle pas une mauvaise lecture; n'est-ce pas
plutôt 1787? D'ailleurs, qu'eût-il été faire à Londres? Nous étions à
cette époque en guerre avec l'Angleterre.

Les premiers mois de l'année 1783 furent donc pénibles. En
proie à une maladie douloureuse [1], dangereuse même, il inquiéta
cruellement sa famille et ses amis; mais les soins de ceux qui l'entouraient, la sollicitude maternelle le ramenèrent à la vie. Ce n'était
pas assez; l'abandonner à sa vie studieuse et renfermée, c'était le
condamner à une rechute certaine. Il fallait d'incessantes distractions à cet esprit que dévorait une activité fiévreuse; une vie facile
et libre, au grand air, la nature, les arts pouvaient seuls lui rendre
le calme qui lui manquait. C'est alors que les frères Trudaine lui
proposèrent de les accompagner dans un grand voyage. L'espoir de
se voir bientôt transporté au milieu de cette Rome antique où il a si
souvent vécu par la pensée, le ranime; l'Italie lui apparaît comme la
fin de ses maux, et il s'écrie :

> C'est là qu'un plus beau ciel, peut-être, dans mes flancs,
> Éteindra les douleurs et les sables brûlants,

et, dans son enthousiasme, il s'adresse à la Fortune Libératrice.
Bientôt il s'enflamme du désir de revoir la Grèce, cet idéal à peine
entrevu des bords de son berceau, et les voyageurs décident de
s'embarquer à Marseille pour aller visiter successivement l'Italie,
l'Asie Mineure et la Grèce. Ce fut un beau projet, dont André appelait la réalisation de tous ses vœux; deux années ne devaient pas
être trop pour le mettre à exécution. Près de partir, il adressa aux

---

[1] Il avait des coliques néphrétiques; ce fut Geoffroy, le médecin de sa
famille, qui lui donna d'abord des soins; ensuite il se borna à suivre un
régime approprié à sa maladie. Dans le courant de sa carrière, on le voit
tantôt en Savoie, tantôt à Forges, tantôt à Passy, où il faisait probablement
usage des eaux thermales qui s'y trouvent.

frères de Pange de touchants adieux, où son âme semble se partager
entre les amis qui l'emmènent et ceux qu'il va quitter.

De ce voyage il ne reste que peu de notes d'André; il vit beaucoup
et écrivit peu. Dans les poésies qu'il composa plus tard, on aperçoit
les traces d'une admiration très-vive pour la Suisse. A Rome, où il
fit un long séjour, après les longues journées passées dans l'étude
des monuments antiques, il allait le soir écouter, au théâtre Apollo,
la musique enchanteresse de Cimarosa et de Paesiello, ou bien il
allait dans le monde, partout admis et recherché, dans cette société
romaine si resplendissante alors, et que traversaient incessamment
les hommes les plus considérables de l'Europe. Il ne put fréquenter
sans enthousiasme[1] le salon littéraire et artistique de la signora Maria
Pezelli, alors encore dans tout l'éclat de sa gloire, ce salon où l'année précédente vibrait la lyre altière d'Alfieri, et où avait passagère-
ment trôné la comtesse d'Albany[2]. Dans ce cercle brillant, sous la
séduisante influence de cette Muse artiste et poëte, on s'élançait vers
l'espoir d'une renaissance littéraire, et André, sous le charme, comme
tant d'autres, trouvait peut-être des accents émus pour célébrer la
belle Florentine.

Après plusieurs mois passés à Rome dans l'enchantement, il alla
à Naples. Mais, hélas! il lui fut refusé de revoir la Grèce. Sa santé,
ébranlée de nouveau, lui conseilla le retour, et le voyage se borna
à l'Italie. L'imagination d'André, seule, s'élança au delà des bornes
qui lui étaient imposées, et de loin salua cette Grèce si longtemps
espérée :

> Salut, dieux de l'Euxin, Hellé, Sestos, Abide,
> Et nymphes du Bosphore, et nymphe Propontide! etc.

A son retour, vers la fin de 1784, ou plutôt dans les premiers mois
de 1785, il éprouva une véritable émotion en touchant le sol de la
France

> Que ses yeux n'osaient plus espérer de revoir ;

et ce n'est pas sans attendrissement qu'il revit les bords où il avait
laissé les meilleurs et les plus chers amis de sa jeunesse :

---

[1] Voy. *Élégies*, I, xii.
[2] *La comtesse d'Albany,* par M. Saint-René Taillandier, p. 70.

> O des fleuves français brillante souveraine,
> Salut ! ma longue course à tes bords me ramène, etc.

Les années 1785, 1786 et 1787, qui suivirent, furent des années de calme et d'étude, qu'il passa tantôt à Paris, chez sa mère, tantôt à la campagne, chez les de Pange et chez les Trudaine. Plus tard, alors qu'il voyait déjà fuir ses *jours couronnés de roses*, il se souvenait avec émotion de ces premières années si doucement écoulées,

> Soit sur ces bords heureux, opulents avec choix,
> Où Montigny s'enfonce en ses antiques bois,
> Soit où la Marne, lente, en un long cercle d'îles,
> Ombrage de bosquets l'herbe et les prés fertiles ;

— beaux jours regrettés, où il avait su *savourer à longs traits*

> Les Muses, les plaisirs, et l'étude et la paix.

Ne devons-nous pas, nous aussi, profiter de ce moment de calme dans la jeunesse du poëte, pour arrêter nos regards sur le monde au milieu duquel il est destiné à vivre, et dire sous quelles influences son caractère et son talent se formèrent et se développèrent ?

M. Louis de Chénier était d'une assez grande taille et fortement constitué ; c'était un caractère énergique et droit. Il avait à la fois dans l'esprit de la vigueur et de cette finesse nécessaire au diplomate. A une instruction étendue il joignait une élocution facile ; et ce qui dominait en lui, c'était une grande sûreté de jugement et un dévouement éclairé au pays qu'il représentait [1]. Mais le portrait de M. de Chénier serait incomplet si nous n'y ajoutions un trait : il avait une volonté inébranlable et inflexible. On sentait, a dit très-justement M. de Vigny, sa politesse à fleur d'eau et un roc au fond. C'est sans doute cette roideur de caractère qui fut cause de l'animosité des bureaux, dont quelques intrigues lui avaient fait perdre sa place vers 1784.

---

[1] Les deux ouvrages qu'il écrivit (*Recherches historiques sur les Maures*, 1787 ; *Révolutions de l'empire ottoman*, 1789) se distinguent par un style simple et clair ; c'est un historien qu'inspire la seule vérité, qui aime son pays et qui croit devoir le servir jusque dans ses heures de loisir.

Madame de Chénier était belle, spirituelle et séduisante. Il y avait en elle un peu de la poétique et gracieuse mobilité athénienne. Instruite, érudite même, parlant également bien la belle et antique langue attique et la langue dégénérée de Byzance, bientôt savante de cette langue française qui lui était pourtant étrangère, elle aimait les réunions, les plaisirs du monde, la conversation, où elle brillait par son esprit à la fois juste et vif, par son imagination riche et délicate, par son parler sonore aux douceurs souveraines, qu'elle devait à sa langue maternelle. Son âme était facilement impressionnable, sensible aux plaisirs et aux jouissances des arts et des lettres. Jeune, elle aimait le chant et la danse; plus âgée, elle s'abandonnait volontiers aux plaisirs de l'esprit. Il semblait qu'à travers les siècles elle eût conservé cette fleur de poésie éclose au penchant d'Hélicon, dans le jardin des Muses, dont André, en grandissant dans ses bras, devait respirer l'antique et brûlant parfum. De tous ses enfants, André fut le mieux partagé ; ce fut à ses lèvres qu'elle versa la goutte de lait sacré.

André tint de sa mère la sensibilité, l'enthousiasme, la vivacité d'esprit et d'intelligence, l'amour passionné du beau ; il eut l'énergie et la roideur de son père.

A l'âge d'homme, il était de taille moyenne ; ses cheveux châtain foncé frisaient naturellement à partir des oreilles, surtout derrière la tête ; il les portait courts. Son front était vaste et complétement chauve. Ses yeux étaient gris bleu, petits, mais très-vifs. Madame la comtesse Hocquart, qui l'avait beaucoup connu et dont nous reparlerons dans la suite, disait qu'il était à la fois rempli de charme et fort laid, avec de gros traits et une tête énorme.

De bonne heure il avait fait deux parts de sa vie : l'une appartenait aux plaisirs, au monde, aux réunions brillantes, aux relations politiques ; l'autre, plus renfermée, appartenait tout entière à la poésie, à l'étude, à la méditation. Il avait à la fois la pudeur du poëte et la fougue du publiciste. Mais ce n'est que plus tard, vers 1791, que les événements doivent éveiller le publiciste. Poëte, il s'enveloppa de silence, chercha le calme, le repos de la campagne ; il évita toute célébrité, le bruit qui se serait facilement fait autour de son nom. Son père, sa mère, quelques amis furent les seuls initiés. Il n'y eut pas, du reste, un instant d'hésitation dans le talent d'André. Le génie de la poésie se développa en lui spontanément. Il eut conscience de lui-même, de son but, de ses efforts, de sa valeur.

On se tromperait singulièrement si l'on voyait en lui un inconnu dont il devait être réservé à notre siècle de découvrir le génie. Plus d'un de ses contemporains devina et présagea sa gloire poétique. Lié avec tout ce que les arts, les sciences, les lettres, la politique avaient de noms éminents, André Chénier fut un homme considéré à son époque, et presque considérable. Un moment il fut, sans qu'il l'eût cherché, la tête d'un parti et l'organe de l'opinion publique; son nom eut du retentissement en Allemagne, jusqu'à la cour du roi de Pologne.

Ce ne fut qu'à force de volonté qu'il parvint à faire le silence autour de ses travaux poétiques. L'obscurité fut chez lui le résultat d'une résolution inébranlable. S'il l'eût voulu, ses vers, publiés dans tous les recueils, lui eussent donné, comme à Le Brun, une cour de flatteurs et d'ennemis; mais il visait plus haut qu'à une gloire contemporaine, trop souvent éphémère.

Son éducation se continua bien au delà du collége. Quand il en sortit, à dix-neuf ans, ce fut chez sa mère qu'il entra de plain-pied dans le monde. L'avenir était sombre, et bien des pressentiments agitaient et troublaient les esprits. On sentait le besoin de se rapprocher, de s'unir, de causer; chaque salon était un foyer d'où s'échappaient quelques étincelles, précurseurs de l'incendie prochain. Les deux grandes ombres de Voltaire et de Rousseau semblaient présider aux réunions d'alors. Tout le monde, les femmes surtout, avaient un peu et de l'âme de Jean-Jacques et de l'esprit de Voltaire.

Lorsque Madame de Chénier se fut fixée à Paris, il se forma rapidement autour d'elle un cercle choisi; son salon fut recherché. Au milieu de diplomates, de magistrats, qui tous devaient jouer un rôle dans la Révolution, on y rencontrait Le Brun, David, Lavoisier, Palissot, Vigée, le musicien Lesueur, Guys, qui, pour son *Histoire de la Grèce*, dut à Madame de Chénier deux lettres charmantes où la grâce déguise l'érudition. Alfieri dut y être présenté quand il vint à Paris en 1787.

Le poëte Le Brun y trônait un peu; on l'encensait : c'était le Pindare de l'époque. Plus âgé qu'André de trente-trois ans, il joua avec lui, de bonne foi du reste, le rôle d'un maître, d'un initiateur, et

son influence est souvent visible. On peut en remarquer de nombreuses traces dans les œuvres d'André ; mais presque toujours ce
sont des défauts qui étaient aussi ceux de l'époque.

Il y avait entre David et André une moins grande différence d'âge.
Si ce ne fut pas David qui lui donna les premières leçons de peinture, il dut certainement aider de ses conseils les premiers essais
d'André [1] ; car celui-ci était peintre, comme il nous l'apprend en
plusieurs passages de ses œuvres. Il avait le sentiment exquis de
tous les arts. C'est de sa mère qu'il tenait ce goût pour la musique,
que développa encore son voyage en Italie.

On aimerait à rester plus longtemps sous le charme de ces premières amitiés. David et Le Brun, causant dans le salon de Madame
de Chénier, regardant avec intérêt se développer le talent naissant
d'André, ne pensaient pas aux terribles revirements des choses
humaines, et David ne prévoyait pas que ce jeune homme qu'il ac-
cueillait en protecteur devait bientôt le rappeler au respect de soi-
même et à des sentiments plus humains.

Les personnes dont nous venons de parler formaient, surtout dans
ces premières années, le cercle de Madame de Chénier. André avait
le sien composé de jeunes gens de son âge : le marquis de Brazais,
avec lequel il se trouvait à Strasbourg, poëte aussi, « et des leçons
d'Ascra studieux interprète ; » les deux Trudaine [2], conseillers au
parlement, dont l'un s'essayait parfois, mais sans beaucoup de succès, dans la poésie ; les deux frères de Pange, François, l'aîné, qui

---

[1] André visitait souvent l'atelier de David ; et celui-ci parfois ne négligeait pas ses avis. Voici un fait rapporté dans l'*Histoire des peintres,*
par M. Charles Blanc. Dans son tableau de *la Mort de Socrate,* David
avait d'abord représenté Socrate tenant la coupe que lui offrait l'esclave
en pleurs : « Non, non, lui dit André Chénier, Socrate ne la saisira que
lorsqu'il aura fini de parler. »

[2] L'aîné des Trudaine avait épousé une demoiselle de Courbeton ; il
avait peut-être moins de moyens et d'esprit que le plus jeune, Trudaine
de la Sablière, mais son caractère était aussi attachant. Ce dernier tirait
son nom de son aïeule, petite-fille de Madame de la Sablière, l'amie de
La Fontaine. Ils étaient fils tous les deux de Trudaine de Montigny
(Jean-Charles-Philibert, 1733-1777), et de Mademoiselle de Fourqueux,
et petits-fils de Trudaine (Daniel-Charles, 1703-1769), celui qui avait été
directeur des ponts et chaussées sous Louis XV (voy. *l'Hymne à la
France,* v. 40-50).

avait abandonné la poésie légère pour l'étude de l'histoire, attiré sans
doute vers la tragédie [1], et Abel, le second, « doux confident de ses
jeunes mystères ; » enfin Marie-Joseph. Ils avaient les uns pour les
autres une amitié antique que semblait animer le souffle de Platon.
Toutes ces liaisons avaient leurs racines dans l'enfance. Ils formaient
un étroit cénacle littéraire que présidait Le Brun. On lisait des vers,
on se faisait part de mutuelles espérances, on s'encourageait. Marie-
Joseph s'en affranchit trop tôt ; avide de célébrité, n'ayant pas l'expérience prématurée qu'André puisait dans l'étude, il devint le jouet
de fausses idées littéraires, et s'abandonna trop tôt aux séductions
de la popularité. Plus tard, désillusionné et douloureusement averti
par de tragiques malheurs, il se releva digne, grand et vraiment
poëte. André, au contraire, se recueillit, se renferma dans son atelier de fondeur. Même avec ses amis, il était réservé dans ses con-
fidences littéraires, et se faisait souvent prier pour leur lire « des
vers, non sans peine obtenus de sa voix. »

Patient et laborieux, il se levait avant le jour, reprenant chaque
matin ses projets de la veille, achevant une ébauche, esquissant une
idylle ou une élégie. Ses papiers témoignent de la multiplicité et en
même temps de la diversité de ses travaux [2]. Sans cesse il revenait
à ses chers auteurs grecs [3], à son Homère, à son Pindare, à son Aristophane, pour lequel il avait une prédilection. Il les étudiait, les
annotait, se promettant d'imiter ce passage, de développer cette
pensée, de s'approprier telle ou telle expression ; souvent il en faisait des extraits : c'est ainsi qu'on a plusieurs pages de sa main qui

---

[1] Voy. *Élégies*, I, III. — Joubert était lié avec M. de Pange. Voici ce
qu'à la date du 26 avril 1795 il écrivait à Madame de Beaumont (*Pensées,
essais et maximes*, t. II, p. 239) : « Je vois à Passy M. de Pange avec
une grande utilité. Son esprit est austère et fort, et son rire même est
profond. En m'en retournant, je pense volontiers à tout ce qu'il m'a dit ;
mais, en allant, je me sens plus pressé du désir de l'entendre que de
celui de lui parler. » Voy. une notice sur François de Pange dans les
Œuvres de Rœderer, t. IV, p. 194.

[2] Voy. l'*Appendice* II.

[3] Dans l'étude qu'il faisait de la langue grecque, qui était réellement
sa langue maternelle, il descendait jusqu'aux détails de la métrique.
On a conservé dans ses papiers une liste très-nettement rédigée des
trente-huit principaux mètres en usage chez les poëtes grecs. Voy. Egger,
Hist. de l'hellénisme, II, p. 339.

contiennent de nombreux extraits de *Daphnis et Chloé* [1]. Mille
projets le tentaient : dans ses notes on distingue le plan bien arrêté
d'écrire des bucoliques *italiennes, halieutiques*, etc.; pour ces derniers il devait puiser dans les *Dialogues maritimes* de Lucien [2].
Abeille diligente, il butinait partout, chez les Grecs et les Latins,
chez les Anglais et les Italiens, dans les traductions d'auteurs alle--
mands et même chinois.

Ce n'est pas toujours en vers français que s'exhalaient les sentiments divers de son âme, souvent agitée « d'ardeurs inquiètes. »
Tantôt rival de Méléagre, tantôt de Tibulle, il a laissé maints
brouillons de vers grecs, qui à la vérité ne sont guère que des pastiches de l'*Anthologie*, et des vers latins écrits avec une verve déjà
plus libre des entraves de l'imitation [3]. Mais il revenait toujours à
cette langue française, à laquelle il voulait faire honneur. Il en
poursuivait l'étude avec le soin, l'exactitude qu'on met à approfondir
une langue ancienne. Ses *Commentaires* sur Malherbe étaient com-
mencés en 1781, et il est présumable qu'il ne s'en tint pas là. Son
Rabelais, son Montaigne, son Corneille, son Racine, devaient être
couverts de notes semblables [4]. Il s'abandonna d'abord à l'ivresse de
compositions épiques et didactiques ; il nous le dit lui-même :

> Jadis, il m'en souvient, quand les bois du Permesse
> Recevaient ma première et bouillante jeunesse,
> Plein de ces grands projets, ivre de chants guerriers,
> Respirant la mêlée et les cruels lauriers,
> Je me couvrais de fer, et, d'une main sanglante,
> J'animais au combat ma lyre turbulente.

Ce fut aussi à cette époque de sa première jeunesse qu'il conçut
ce grand poëme de l'*Hermès*, qui devait occuper le restant de sa
vie. Et que d'autres encore dont il a esquissé le plan : *Suzanne,
l'Art d'aimer, l'Amérique, la Superstition*, etc.! Tous les genres le

---

[1] Egger, *Hist. de l'hell.*, II, p. 341.
[2] *Ibid.*, p. 342.
[3] C'est le jugement qu'en porte M. Egger, *Hist. de l'hell.*, II, p. 346.
[4] Si d'ailleurs, bibliophile et homme de goût, André n'écrivait pas sur
tous ses livres, il plaçait dans tous, ce qui revient au même, quantité de
fiches de papier où il consignait ses notes, ses réflexions, ses projets et
parfois ses imitations mêmes.

tentaient. On a retrouvé dans ses papiers l'indication d'un sujet de
tragédie, et l'on sait qu'il traça quelques projets de comédie. On
peut douter qu'il eût réussi dans ce dernier genre ; mais il ne se mé-
prenait pas sur les conditions mêmes du grand art des Aristophane
et des Molière. Dans un fascicule de projets et de pièces ébauchées, se
trouvent ces lignes, nouvellement publiées[1], qui en sont un curieux
témoignage : « Il n'y a guère eu que Molière, chez les modernes, qui
eût un véritable génie comique, et qui ait vu la comédie en grand.
Plusieurs autres ont fait chacun une ou deux excellentes pièces ;
mais lui seul était né poëte comique... Il faut refaire des comédies
à la manière antique. Plusieurs personnes s'imagineraient que je
veux dire par là qu'il faut y peindre les mœurs antiques. Je veux
dire précisément le contraire. » On voit que cette manière de sentir, très-juste et très-fine, rentre dans les théories générales qu'il
a développées dans son poëme de l'*Invention*.

André ne s'adonna pas seulement à la lecture des poëtes antiques;
les historiens, les philosophes, furent pour lui l'objet d'une étude
constante et sérieuse. De bonne heure Platon et Socrate animent
les pensées de cette jeune âme, ardente au bien et à la vertu ; c'est
par Tacite, « le sage et le vertueux Tacite, » qu'il pénètre dans
l'histoire. Ces mâles lectures font d'André un homme antique,
amant de la liberté, et prêt à fuir volontairement l'esclavage jusque
dans la mort. Inflexible comme les héros qu'il admire, ayant comme
eux une foi inébranlable dans l'amitié, il veut sur de grandes âmes
façonner la sienne. Ses antiques modèles, c'est « Brutus, le plus
grand des Romains ; Caton, grand général, grand orateur, le premier homme de son temps dans la philosophie et dans les lettres ;
Phocion, homme constant et irréprochable en conduite et en amitié, homme inébranlable dans les maximes de la morale et de la
vertu. »

André, nous l'avons déjà dit, est entraîné par un désir commun
aux hommes de son époque, le désir du savoir, la passion de l'universalité. Il lisait et retenait tout. Jamais il ne se reposa. Après les
littératures anciennes, qu'il épuisa jusqu'aux *Catastérismes* d'Ératosthène, après les littératures de l'Angleterre, de l'Italie, de l'Alle-

---

[1] Egger, *Hist. de l'hell.*, II, p. 340.

magne, il accorda de longues heures aux écrits contemporains de
Buffon, de Mably, 'de Bailly, de Raynal, de Condorcet, de Burke,
de Payne, etc.; mais, dans ces innombrables lectures, il n'est pas
emporté par un désir confus d'érudition; un but logique, fixe, l'attire, le maintient toujours dans la même ligne, et ce but, il nous l'a
dévoilé lui-même. « *Savoir lire et savoir penser, préliminaires
indispensables de l'art d'écrire.* » Du reste, une des qualités d'André Chénier, qualité qu'il possédait à l'égal des plus grands esprits,
était une rectitude de jugement remarquable.

Durant ce travail obstiné qui altérait parfois sa santé, il sortait
souvent de sa solitude. Il aimait le monde distingué, et il le trouvait chez sa mère. Ce qu'il recherchait dans les réunions, c'était une
conversation instructive; il y voulait de l'intimité, de la franchise,
et haïssait ce que dans les sociétés polies on appelait le bon ton,
qui, disait-il, n'était que « des épigrammes sentimentales ».

L'amour devait, on s'en doute, jouer un rôle dans cette première
jeunesse du poëte. « Amoureux, avec l'âme et la voix de Tibulle, »
il cherchait de molles inspirations aux pieds de Lycoris.

C'est aussi pendant ces belles années de liberté qu'il s'éprit d'une
passion très-vive pour une charmante et spirituelle personne qu'il
chanta sous le nom de Camille. C'était, comme l'a dit M. Labitte,
Madame de Bonneuil [1], dont la fille épousa, en 1795, Regnault

---

[1] On trouve beaucoup de renseignements sur la famille de Bonneuil dans
les *Souvenirs d'un sexagénaire* par Arnault (1833, 3 vol. in-8). Madame de Bonneuil, sœur de Madame d'Espréménil, avait épousé un homme
beaucoup plus âgé qu'elle, M. de Bonneuil, premier valet de chambre de
Monsieur. Elle eut trois filles qui devinrent Madame Buffaut (la mère
de Madame de Cubières), Madame Arnault et Madame Regnault de Saint-
Jean-d'Angely. Au deuxième volume, p. 178, Arnault raconte le fait suivant : « Peu de jours après les événements de vendémiaire, an III, Regnault,
qui était compromis dans la révolte des sections, alla à l'Opéra-Comique
en loge découverte avec sa femme, dont la beauté attirait tous les regards. Chénier (c'est Marie-Joseph) fit appeler au foyer Arnault, qui était
dans la loge de Regnault : « N'êtes-vous pas, dit-il, avec Regnault de Saint-
Jean-d'Angely ? — Oui — Quel intérêt prenez-vous à lui ? — Celui que
je n'ai jamais cessé de porter à la famille où il est entré en épousant une
demoiselle de Bonneuil. — Cette belle personne qui est avec lui ? — Oui,
la fille d'une dame que votre frère André a éperdument aimée. — Allez
donc dire à son mari de sortir d'ici sans perdre un moment. — Et pourquoi ? — Ignorez-vous qu'il est gravement compromis dans l'affaire des

de Saint-Jean d'Angely. Cette passion fut traversée, au moins dans
le cœur du poëte, par de continuels orages. Il convient, d'ailleurs,
de dire que toutes les élégies où se trouve le nom de Camille ne
doivent pas se rapporter à Madame de Bonneuil. Il y a là une distinction délicate, qu'il n'est pas toujours aisé de faire, mais dont
il est juste que le lecteur soit prévenu. Le nom de Camille cache plus
d'une passion, et si parmi les pièces de ce recueil il nous fallait citer
une de celles qui s'adressent évidemment à Madame de Bonneuil,
nous désignerions l'élégie VIII du livre II, écrite pendant une absence momentanée de Camille. Non loin de la forêt de Sénart se
trouvait la terre de Bonneuil. C'est là qu'André se rendait souvent
pendant la belle saison, là que peut-être il faisait des séjours plus ou
moins prolongés. A cette date (1786) il faut s'imaginer André Chénier, à vingt-quatre ans, dans toute l'ardeur et dans tout l'enthousiasme de la jeunesse, en costume Louis XVI, peut-être l'épée au
côté, et (tableau charmant que le temps a vieilli) agenouillé presque
aux pieds de Madame de Bonneuil, qui soupire, en s'accompagnant
de la harpe, la nouvelle romance de Dalayrac :

> Quand le bien-aimé reviendra
> Près de sa languissante amie...

A cette époque, l'étude et les plaisirs se partageaient la vie d'André. Quand il s'arrachait à ses travaux, ce n'était pas toujours aux
pieds de Madame de Bonneuil qu'il portait ses vœux et ses fictions
de poëte ; Glycère, Rose, Amélie étaient souvent les passagères rivales de Camille. Il faisait alors de soudaines apparitions dans un
monde étrange d'artistes, de grands seigneurs, de grandes dames et
de courtisanes, dont Rétif était l'indiscret historien, et qu'allait
bientôt décimer la hache révolutionnaire. Dans ce monde mélangé et
bizarre, André rencontrait la marquise de Clermont-Tonnerre, la
duchesse de Mailli, la princesse de Chalais, la comtesse d'Argenson,
Madame de Luynes, la comtesse Beauharnais [1] ; le duc de Mailli, le

---

sections? Il y a ordre de l'arrêter partout où on le trouvera... » Regnault
se hâta de profiter de l'avis que lui donnait un homme qu'il aimait peu et
qui ne l'aimait pas.

[1] Fanny Beauharnais, celle que Le Brun désigne dans son épigramme.
Églé, belle et poëte, etc.

duc de Montmorency, le prince Czartoriski, le comte Potocki, le prince de Gonzague, le marquis de la Grange, des abbés grands seigneurs; enfin des artistes, des poëtes, Beaumarchais, Pons de Verdun, Sénac de Meilhan, Pelletier des Forts, Mercier, Fontanes, Joubert, Andrieux, Dorat-Cubières, etc. La Reynière [1] donnait alors des soupers fameux, et souvent d'*amoureuses orgies*, où se trouvaient des courtisanes et parfois de grandes dames (dont quelques-unes étaient, dit-on, légères). Chénier et les Trudaine y assistaient avec plusieurs de ceux que nous venons de nommer. On s'excitait avec du café; Mercier politiquait, Fontanes récitait des vers; l'amour se glissait entre la politique et la poésie, et André oubliait Camille dans les yeux de Glycère. Toutefois ce n'étaient que de passagers éclairs de plaisir au milieu de sa vie studieuse et souvent tourmentée par la douleur [2]. De grandes pensées l'animaient et l'inspiraient. *La Liberté*, la plus belle de ses idylles, date du mois de mars 1787.

C'est vers la fin de cette même année qu'André Chénier se lia avec Alfieri. Le poëte venait d'arriver à Paris et s'était fixé momentanément sur le boulevard extérieur, au bout de la rue Montparnasse. A peine installée, et avant même d'avoir une résidence plus digne

---

[1] Rétif, après avoir peint lui-même ce monde étrange et si divers, a inséré, dans plusieurs de ses ouvrages, des correspondances de la Reynière, où les noms des Trudaine et de Chénier reviennent souvent. Dans *Monsieur Nicolas*, tome XI, xie partie, p. 3078, la Reynière dit que Chénier et les Trudaine avaient assisté au second souper qu'il donna en février 1784. Dans le *Drame de la vie*, p. 1307, on retrouve encore Chénier et les Trudaine à souper chez la Reynière, le 9 mars 1786.

[2] M. Gabriel de Chénier, mettant en avant la mauvaise santé d'André, a voulu infirmer ce que nous disions ici des soupers de la Reynière. Chacun est libre évidemment de révoquer en doute les témoignages de Rétif et de la Reynière ; mais il est certain, ce qui est ici l'important, qu'André Chénier, qui à table était *épicurien*, se livrait volontiers, dans les intervalles de la maladie, à tous les plaisirs d'une jeunesse qu'agitaient les passions. Sur ce point nous en appellerons à André lui-même. Les passages de ses poésies qui s'y rapportent sont si nombreux qu'il est inutile de les citer. Mais on trouve, à la page 252 des *OEuvres en prose*, ces lignes qui, tombant au milieu d'un ouvrage médité et sérieux, emportent pleine et entière conviction : « Je me livrai souvent aux distractions et aux égarements d'une jeunesse forte et fougueuse. » Plus bas, continuant à parler de lui-même, il mentionne « les chaleurs de l'âge et des passions ».

d'elle, la comtesse d'Albany avait ouvert ses salons, impatiente de
créer une cour autour de *son poëte*. André Chénier et Alfieri s'ap-
précièrent ; tous deux, amants enthousiastes de la liberté, devaient
plus tard se rencontrer encore dans leur haine commune pour la
tyrannie populaire : André, calme et réfugié dans les hauteurs se-
reines d'une philosophie platonicienne ; Alfieri en proie à toute la
démence d'une haine dans laquelle il enveloppait indistinctement
tous les Français. L'affabilité, l'instruction de la comtesse d'Albany
plurent à André. Il fréquenta sans doute assidûment le salon de
cette reine sans trône, qui, malgré les airs de souveraine qu'elle af-
fectait avec ses inférieurs, joignait à une simplicité native une liberté de manières tout étrangère, contractée pendant son séjour
en Italie.

Mais les nécessités d'une existence peu fortunée l'enlevèrent encore à sa chère indépendance. En décembre 1787, il partit pour
Londres, où il devait rester trois années. En janvier 1788, il fut attaché à M. de la Luzerne, qui venait d'être nommé à l'ambassade
d'Angleterre, et qui bientôt eut à s'apercevoir de l'excès de fierté
d'André. Il y avait peu de travail à l'ambassade, les affaires de France
étant partagées entre M. Barthélemy, ministre plénipotentiaire, et
M. de la Luzerne, ambassadeur du roi. André, n'ayant presque aucune occupation, crut devoir ne pas toucher son traitement. M. de la
Luzerne lui adressa quelques paroles sévères à cet effet, tout en admirant sans doute ce fier désintéressement[1].

André Chénier ne se plut jamais en Angleterre. Tout en estimant
les Anglais, tout en appréciant leur génie positif et leur gouvernement, il eût voulu une grandeur plus désintéressée à cette nation
« avide, entreprenante, calculatrice et constante dans ses projets. »
Il ne put jamais complétement se plier à ses mœurs et à ses usages
aristocratiques. Il souffrit beaucoup de l'orgueil des grands, et,
blessé dans ses sentiments et dans ses pensées, il s'attacha plus fortement encore à la cause de la liberté. Cependant il y avait en Angleterre, à cette époque, un grand mouvement libéral ; beaucoup
d'écrits philosophiques respiraient un ardent amour de l'humanité.

---

[1] C'est M. Aragon, premier secrétaire de M. de la Luzerne, qui a raconté
ce fait au beau-père de M. Gérusez.

André, blessé par la hauteur de l'aristocratie anglaise, conçut, au contraire, une grande sympathie pour quelques philosophes, entre autres pour les docteurs Priestley et Price.

Ce fut pendant son séjour à Londres qu'il étudia à fond la littérature anglaise. En général, il goûtait peu les poëtes anglais : il les trouvait incultes, sombres et pesants. Toutefois son poëme de *Suzanne* témoigne de son admiration pour Milton,

> Grand aveugle dont l'âme a su voir tant de choses !

Il lut Shakspeare, peu goûté en France à cette époque. Le drame tel que le conçoit Shakspeare, si éloigné de la tragédie grecque et de la tragédie française, ne devait pas plaire complétement à l'esprit d'André ; cependant il en remarqua les beautés de premier ordre. Marie-Joseph, dans une lettre datée du mois de février 1788, le trouvait même indulgent pour Shakspeare.

Son existence à Londres était régulière et monotone : le jour il travaillait, le soir il allait dans le monde ou dans les clubs. Absent de Paris, il n'en suivait pas avec moins d'intérêt le mouvement politique et littéraire ; son père et son frère lui envoyaient les publications nouvelles. Il est à remarquer qu'il ne s'isola jamais des productions de son temps. Son frère lui adressait les ouvrages qu'il composait, et, de son côté, André envoyait parfois à son père et à Marie-Joseph quelques vers, « de ces beaux vers (disait Marie-Joseph) comme vous savez les faire. »

Mais le séjour de Londres, au bout de deux longues années, commençait à peser à André, dont l'âme ardente ne pouvait se passer d'affections. Toujours seul, souvent froissé, dédaigné dans la haute société par des gens qui valaient moins que lui, il devint triste et chagrin. Un soir, dans une taverne, il confia à une feuille de papier, les sentiments amers dont il semblait se plaire à ranimer le fiel. C'est un monument curieux qui atteste à la fois sa candeur et sa fierté.

On était au 3 avril 1789 ; tous les esprits étaient dans l'attente des événements qui se préparaient en France. La réunion des états généraux semblait devoir ouvrir à la France une ère de bonheur et de liberté au delà de laquelle on n'apercevait que peu de points noirs. André Chénier était resté en relation avec Alfieri et avec la comtesse d'Albany. Les deux poëtes appelaient également de leurs vœux cet avenir prochain de prospérité, si riant à son aurore de brillantes promesses : « Tout Paris *solonise* (lui écrit Alfieri[1] dans le courant d'avril); ils crient pour les états, et quand ils auront leurs états et qu'ils gagneront en persévérance, le règne du despotisme pourra arriver à sa fin. Je ne sais pas ce qui adviendra ; mais le soir le plus sombre ne peut pas être plus sombre que la nuit qui enveloppait la France. » Trois mois plus tard, ajoute le biographe allemand de la comtesse d'Albany, comme Pindemonte et comme André Chénier, il chantait Paris *débastillé*.

A la veille d'un événement si considérable, on comprend l'impatience patriotique d'André Chénier. Il souffrait, dans ces circonstances graves, d'être éloigné de Paris, où s'agitaient les destins de la France. Mais son attente ne fut pas longue : tout se précipita. La réunion des états généraux, la séance du Jeu de paume, l'ouverture de l'Assemblée nationale le transportèrent. La Révolution ne le prit pas à l'improviste : il était prêt, il avait étudié, réfléchi, médité ; depuis de longues années, il était imbu des grandes idées de liberté. Mais trop tôt il devait s'apercevoir que « le moment des révolutions n'est jamais celui des hommes droits et invariables dans leurs principes. »

Depuis les événements du mois de juin, André supportait péniblement l'éloignement. Il obtint un congé de quelques jours, à l'expiration duquel il dut encore retourner à son poste. Le 18 novembre, il s'embarqua pour Londres, où il ne devait plus rester que quelques mois. La lettre suivante qu'il écrivit à son père après son arrivée témoigne bien de l'état d'inquiétude dans lequel il vivait loin de Paris, où tant d'événements pouvaient chaque jour menacer les siens :

                         « Londres, 24 novembre 1789.

    « Je suis arrivé ici le 19, mon très-cher père, après un voyage qui
« n'a rien eu de remarquable, et le plus douloureux passage de mer que
« j'aie encore eu ; je n'ai pas tardé à regretter Paris, car ici les inquié-
« tudes sur nos affaires ne sont pas moindres et sont plus désagréables,
« parce qu'elles sont plus vagues et qu'on est plus longtemps à savoir à

---

[1] *Die Gräfin von Albany*, von Alfred von Reumont, tome Ier, page 313.

« quoi s'en tenir. Ajoutez que les mauvaises nouvelles sont toujours gros-
« sies et exagérées, non-seûlement par la mauvaise volonté des Anglais,
« mais encore par la plupart des Français qui sont ici, et qui ne voient
« pas que leur odieuse animosité envers leur patrie les rend méprisables
« et ridicules.

« Hier on nous a annoncé que des lettres en date du 19 ou du 20, ar-
« rivées par un courrier extraordinaire, portaient que, ce jour-là même,
« tout Paris était en combustion, que les tocsins sonnaient de toutes
« parts, etc. Je fais tout ce que je peux pour douter de ces funestes nou-
« velles, et il me tarde bien d'être éclairci, car ceux qui nous ont annoncé
« ce soulèvement ne disaient aucun détail, ni ne lui assignaient aucune
« cause, ni enfin n'ajoutaient rien qui pût donner un objet déterminé
« aux alarmes qu'ils faisaient naître. Il n'y a ici aucune nouvelle qu'on
« puisse vous mander. Les affaires de France sont, ici comme en France,
« l'objet qui occupe seul la conversation.

« Adieu, mon très-cher père ; je prie ma mère d'agréer l'assurance
« de mon respect. J'embrasse mes frères de tout mon cœur, et vous
« prie de compter à jamais sur ma respectueuse tendresse[1].

« CHÉNIER DE SAINT-ANDRÉ. »

Le 19 janvier 1790, il est encore à Londres ; mais dans le commencement de février il vient à Paris, dont il repart de nouveau du
15 au 20. Enfin c'est au printemps de cette année qu'il paraît avoir
quitté définitivement son poste diplomatique, soit qu'il ait été mis
en disponibilité, soit qu'il ait obtenu un congé illimité[2] ; il revient à
Paris, bien décidé à vivre désormais dans la retraite. Le 9 juillet,
nous le retrouvons sur les bords du Rhône ; il contemple avec émotion ces illustres cités du Dauphiné, Vienne, Romans, Valence, qui
donnèrent avant 1789 le signal de la liberté.

[1] Nous devons cette lettre à l'obligeance de M. Feuillet de Conches.
Le cachet est un camée antique, un peu effacée. La lettre est adressée
à *M. de Chénier, ancien chargé d'affaires à Maroc, rue du Sentier,
n° 24, Paris.* — On remarquera la signature. Dans la famille on n'appelait jamais André Chénier que Saint-André.
[2] Le moment précis de son retour définitif en France est un point
encore douteux pour nous. Tout nous porte à croire que c'est au printemps de 1790 qu'il rentra dans la vie privée ; cependant M. Egger, *Hist.
de l'hellénisme*, II, p. 354, vient de signaler parmi les œuvres inédites
d'André une lettre adressée à de Pange l'aîné, et datée de Londres, fin
mai 1791.

De retour à Paris, rentré parmi les siens, heureux de sa médiocrité [1], il reprit avec ses amis les entretiens, les courses et la vie
d'autrefois que la politique allait trop tôt détourner de son cours.
Après la longue solitude de Londres, il retrouva avec joie cette société parisienne si vive, si enjouée, bien qu'assombrie déjà par les
préoccupations de l'avenir. Aimant le monde, non pour les fades galanteries qui s'y débitent, mais pour l'esprit qui s'y répand et la
science qui parfois s'y fait jour, il était partout attiré et recherché.
Tantôt c'était chez Le Brun, qui lisait parfois à ses amis assemblés
les fragments de son *Poëme de la Nature* ; tantôt dans l'atelier de
David, au Louvre, au milieu des toiles et des esquisses dont la vue
enflammait l'imagination d'André ; souvent chez les Trudaine, qui
demeuraient place Vendôme ; dans la belle saison, à Cernay, chez Madame Broutin ; là il se rencontrait avec Lacretelle, de Tracy, Desmeuniers et Morellet [2]. Enfin, il fréquentait les salons de la comtesse
d'Albany, alors installée dans son hôtel de la rue de Bourgogne : là
se réunissait l'élite de la société parisienne [3] ; à côté des Necker, des
Montmorin, on y rencontrait les représentants de toutes les puissances de l'Europe. Madame de Staël y venait assidûment : elle venait
alors de publier ses *Lettres sur Jean-Jacques.* C'est chez la comtesse d'Albany que Malesherbes fit la connaissance d'André Chénier
et apprit à apprécier sa nature sympathique et pleine de charme.
La littérature italienne était représentée d'abord par Alfieri et ensuite
par Pindemonte, le poëte de Vérone. Vicq-d'Azyr y développait les
merveilles et les découvertes de la science. Ce fut au milieu de cet
auditoire choisi qu'en février 1791 Beaumarchais lut son drame de
la Mère coupable. André Chénier dut certainement assister à cette
lecture, car il était de ces *hommes pour qui le cœur n'est pas une
chimère,* tel enfin que Beaumarchais avait désiré que fussent ses auditeurs.

Mais déjà la destinée d'André Chénier s'accomplissait. Ce n'était
plus l'heure des molles élégies, des chimères d'amour ; déjà se dres-

---

[1] Son père lui faisait une petite pension de 800 francs à 1,000 francs
par an. C'est lui-même qui nous apprend ce détail dans l'interrogatoire
que lui fit subir Guénot lors de son arrestation.

[2] Morellet, *Mémoires sur le dix-huitième siècle,* I, p. 389.

[3] *La Comtesse d'Albany,* par M. Saint-René Taillandier, p. 99 et suiv.

saient à l'horizon les bourreaux *barbouilleurs de lois*; bientôt toutes les forces du poëte allaient s'épuiser à la défense d'une royale infortune.

C'est de l'année 1790 que date l'*Avis aux Français; le Jeu de paume* est de 1791. On le voit, la politique n'est pas longue à arracher le poëte au calme d'une vie vouée aux lettres et à l'amitié, et à animer les cordes de sa lyre.

Quelle était alors la pensée politique d'André et quelle ligne allait-il suivre?

Voici un document très-curieux, qui en quelques lignes nous trace un tableau frappant de la situation morale des membres de la famille. C'est un passage d'une lettre que M. de Chénier adresse, à la date du 24 décembre 1791, à sa fille Madame Latour de Saint-Igest, alors à l'île de France. La préférence que Madame de Chénier avait pour Marie-Joseph, ainsi que celle de M. de Chénier pour André, s'explique par une communauté d'opinions politiques. Des quatre frères, on va le voir, Sauveur et Constantin n'étaient pas les mieux partagés; il leur manquait cette chaleur, cette enthousiasme de l'âme qui fait les grands caractères.

« Votre mère (écrit M. de Chénier) a renoncé à toute son aristocratie
« et est entièrement démagogue, ainsi que Joseph. Saint-André et moi,
« nous sommes ce qu'on appelle modérés, amis de l'ordre et des lois.
« G... [1] est employé dans la gendarmerie nationale, mais je ne sais ce qu'il
« pense, ni s'il pense. Constantin trouve qu'on n'a rien changé, et que,
« quoiqu'il n'y ait plus de parlements, c'est comme du temps qu'il y en
« avait; il a raison, car on marche, on va, on vient, on boit, on mange,
« et par conséquent il n'y a rien de changé. »

Ainsi, M. de Chénier vient de nous le dire: André était ce qu'on appelait alors un modéré, ami de l'ordre et des lois. Élevé au milieu du mouvement philosophique qui survécut à Voltaire, partageant les sentiments des nobles défenseurs de l'insurrection d'Amérique, il

---

[1] C'est un surnom peu lisible de Sauveur. Il était en effet depuis peu de temps dans la gendarmerie. Le mémoire qu'il adressa au directoire du département de Paris, pour demander la commission de capitaine dans la gendarmerie nationale de ce département résidant à Paris, est daté du 23 mai 1791.

salua avec enthousiasme l'ère nouvelle de la liberté qu'il avait appelée de tous ses vœux. Lorsque les événements de 1789 éclatèrent, il comprit aussitôt qu'il ne s'agissait pas seulement de réformes momentanées, mais que toute l'Europe allait en sentir le contre-coup. « La révolution est grosse des destinées du monde, » disait-il. Mais, dès 1791, les événements avaient dépassé ses prévisions, et sa politique devint surtout une politique de générosité et de sentiment. Toutefois, s'il avait jugé la Révolution en philosophe, il se conduisit en citoyen : avec l'âme de Platon il défendit les lois. « Heureux (disait-il) l'homme sage et droit qui, méprisant tout esprit de corps, repoussant toute association à un parti quelconque, ne connaît d'autres liens parmi les hommes que la justice et les lois ! — Rien n'est plus humain, plus doux, que la sévère inflexibilité des lois justes. »

La liberté, telle qu'André la concevait, devait être large et sans restrictions. Pour y atteindre sans verser une goutte de sang, il comptait trop sur la sagesse humaine et sur la modération des partis. Il voulait « la liberté de penser ce que l'on veut et d'écrire ce que l'on pense ; » en fait de religion, pour tout citoyen, « la liberté de suivre et d'inventer celle qu'il lui plaira. » C'était l'indifférence religieuse de Voltaire. On a dit qu'il était athée ; on cite même ce mot de Chênedollé : « André était athée avec délices ! » C'est aller trop loin ; ce qui est la vérité, c'est qu'André sépare nettement le culte religieux et la foi en Dieu. Averti par « dix-huit siècles ensanglantés par des inepties théologiques ; — n'estimant aucun collége de prêtres à quelque communion qu'ils appartiennent ; » sachant « que depuis longtemps tous les colléges de prêtres ont conspiré contre le bonheur et la tranquillité humaine ; — que les prêtres se tiennent tous par la main pour confondre en eux l'homme avec le prêtre, pour faire envisager leurs discours comme une partie de la doctrine, » il veut briser ce joug despotique et théocratique, réduire à leur véritable valeur les subtiles distinctions de secte; et, dit-il, « attaquer les prêtres, réduire leur opulence usurpée, mépriser leurs fables corruptrices, n'est pas attaquer le ciel, ni être ennemi de Dieu et de la vertu. »

André, par cela même qu'il connaissait l'antiquité, ne rêvait pas une république semblable à celle de Rome et d'Athènes, car il savait qu'elles étaient basées sur l'esclavage et gouvernées par l'esprit de caste. Il voulait la même liberté pour tous, l'égalité des droits et des devoirs, mais non pas une influence égale de la part de tous les citoyens. « La bourgeoisie, dit-il, fait la masse du vrai peuple, » et cela signifiait que deux choses contraires égarent le jugement des hommes, l'extrême richesse et l'extrême misère ; qu'il ne fallait pas retomber du despotisme aristocratique dans le despotisme populaire. Quant au gouvernement, il le veut constitutionnel, c'est-à-dire basé sur une constitution qu'une assemblée, représentant réellement le pays, peut modifier et mettre ainsi toujours d'accord avec les besoins nouveaux, de façon que « l'insurrection devienne illégitime contre la loi qu'on peut réformer légalement. »

On a dit, mais à tort, qu'il s'était fait recevoir membre de *la Société de* 1789, appelée d'abord *la Société des amis de la constitution*, et qui, après s'être séparée des *Jacobins*, avait créé le *Journal de la Société de* 1789. André Chénier lui-même déclare qu'il n'a jamais fait partie d'aucun club, qu'il n'a jamais fait secte même avec des amis. Il fallait, d'ailleurs, être relativement assez riche pour faire partie de cette société. Seulement les principaux rédacteurs du journal, Malouet, Condorcet, le chevalier de Pange, Grouvelle, Dupont de Nemours, de Kersaint, Pastoret, Guiraudet et Chéron, étaient presque tous ses amis politiques ; et c'est là, en effet, qu'il publia l'*Avis aux Français*.

Parmi les hommes que la Révolution avait déjà rendus célèbres, ceux qui avaient surtout les sympathies d'André, c'étaient Bailly « qui doit tout au mérite et à la vertu ; » — Sieyès, dont il admirait « les écrits énergiques et lumineux, la forte et éloquente raison ; » — « le brave La Fayette, qui a exécuté de grandes actions pour une belle cause, à un âge où la plupart des autres hommes se bornent à connaître les grandes actions d'autrui ; » — Condorcet, « qui depuis vingt ans n'a cessé de bien mériter de l'espèce humaine par de nombreux écrits profonds, destinés à l'éclairer et à défendre tous ses droits. » Mais les événements et les passions modifient le jugement des hommes. André, souvent emporté jusqu'à la fureur, mettra plus tard autant de véhémence dans l'injure qu'il avait mis de chaleur dans la louange, et de vieilles amitiés ne trouveront même pas grâce devant lui.

L'orage déjà point à l'horizon. Le 24 août, à Passy, il signe l'*Avis*

au peuple français sur ses véritables ennemis, qui paraît dans le
n° 13 des *Mémoires de la Société de* 1789 (c'était le nouveau nom
que le *Journal de la Société de* 1789 venait de prendre au n° 12),
ce qui cause une scission dans la rédaction. Condorcet se sépare de
ses collègues et le journal cesse de paraître. L'*Avis aux Français* eut
un succès européen. Réimprimé en brochure, il fut traduit en anglais, en allemand et en polonais, sur l'ordre du roi Stanislas, qui
envoya à l'auteur une médaille [1] accompagnée d'une lettre flatteuse,
à laquelle André fit une réponse pleine de grandeur et digne d'un
homme libre.

A partir de cette époque nous entrons dans la période politique de
l'existence d'André; elle a été étudiée dans tous ses détails [2]; nous
n'insisterons que sur quelques points négligés ou sur quelques in-
exactitudes involontaires. Au surplus, depuis 1791, la biographie
d'André devient précise, à cause des dates de ses lettres au *Moniteur*
et au *Journal de Paris*.

L'année 1790 et la première moitié de 1791 appartiennent encore
au poëte; mais les jours de calme passeront vite. Bientôt, dégoûté
des hommes et des choses, il s'écriera, avec un vif sentiment d'a-
mertume et de regret : « Inconnu et pauvre, et content de l'être, je
vivais dans la retraite, dans l'étude et dans l'amitié! » et dans l'a-
mour, aurait-il pu dire; car alors le poëte n'avait point ajouté à sa
lyre une corde d'airain, et la muse lui inspirait encore de suaves et
douces élégies. Il avait conçu de l'amour, très-passagèrement, il est
vrai, pour une jeune femme qui ne s'en douta probablement pas,
Madame Gouy d'Arsy, et qu'il a célébrée dans une élégie en enve-
loppant son nom d'un demi-mystère. Madame Gouy d'Arsy faisait
partie de la brillante société de Lucienne, dont nous parlerons plus

---

[1] Cette médaille lui fut remise par M. Mazzaï, envoyé du roi de Pologne
auprès de la cour de Versailles. Elle devait être semblable à celle que
reçut Barère (*Mém.*, II, p. 192), pour son journal *le Point du jour*,
et porter d'un côté l'effigie du roi, de l'autre cette inscription : *Bene
meritis*.

[2] *Notice historique sur le procès d'André Chénier*, par le bibliophile
Jacob. — Dans cette étude nous nous sommes plus attaché au poëte
qu'au publiciste; l'Introduction qui précédera les *OEuvres en prose* nous
permettra d'entrer dans de plus longs détails sur la vie politique d'André
Chénier.

loin ; son mari, qui périt le 5 thermidor, était député à la Consti-
tuante et dirigeait avec les banquiers Pourrat et Lecoulteux la célèbre
compagnie des eaux.

Mais bientôt la politique lui fit oublier l'amour, et chassa bien loin
ses rêves d'indépendance et de travail. Depuis plusieurs années, il
nourrissait le projet de revoir la Suisse, d'y vivre même, au milieu
des monts, d'y chercher un réduit à sa Muse. C'est là qu'il aurait
voulu continuer sa carrière diplomatique ; et l'on peut croire que,
dans l'année 1791, il avait manifesté le désir d'y être envoyé en
qualité d'ambassadeur [1].

André, a-t-on dit, s'était présenté aux élections de 1791 comme
candidat à l'Assemblée nationale. C'est évidemment une erreur ; car
cette phrase d'André, datée du 12 mai 1792 : « Ai-je jamais été
leur rival à quelque tribune, dans quelque assemblée primaire ou
électorale ? » prouve qu'il n'a jamais eu l'intention de se présenter
aux élections de 1791. Ce fut Marie-Joseph qui se présenta comme
candidat à la députation et qui fut évincé. André Chénier était même
résolu tout d'abord à rester à l'écart de toute polémique. Bientôt, il
est vrai, en présence de tant de violations du droit et de la raison, il
ne put garder le silence. Mais s'il sortit de son obscurité, ce ne fut
jamais pour briguer aucun poste, aucun emploi ; il le fit par devoir,
parce qu'il croyait « tout citoyen obligé à cette espèce de contribu-
tion patriotique de ses idées et de ses vues pour le bien commun. »
Au milieu de tous les partis, il garda son libre arbitre ; il ne se fit le
courtisan d'aucun, et surtout il ne chercha pas à flatter le peuple,
disant, au contraire, « qu'on doit braver le peuple pour lui être
utile. » André, repoussant toute association, n'appartint qu'à lui-
même, à la raison, à la vertu, et se fit le champion solitaire de la
vérité et de la liberté.

Dans les derniers mois de 1791, il écrivit quelques articles,

[1] *Annales politiques et littéraires de la France*, 11 mai 1792 (extrait
d'une lettre de Bâle) : « André Chénier désirait beaucoup l'année dernière d'être envoyé ambassadeur en Suisse ; il vient de remplir les journaux de longues déclamations au sujet des *Châteauvieux ;* il est l'ami
des Trudaine, ceux-ci le sont de Montmorin, et les Montmorin le sont de
la reine. Ce sont là les amis de l'ordre, que j'ai toujours appelés les amis
des ordres. »

adressa une lettre à Thomas Raynal et trois lettres au *Moniteur*. L'année 1792 fut entièrement consacrée à la politique ; il abandonna
l'étude et la poésie. Pendant les mois de février, mars, avril, mai,
juin, juillet, août, ses lettres au *Journal de Paris* se succédèrent
de huit jours en huit jours, et quelquefois à des intervalles plus rapprochés. Il demeurait alors tantôt à Paris, tantôt à Passy.

C'est pendant cette année 1792 qu'éclatèrent de tristes et déplo-
rables débats entre les deux frères, André et Marie-Joseph. Sans entrer dans des détails qui nous entraîneraient trop loin, il convient
cependant que nous disions un mot du fond même de cette querelle.
Au mois de février, dans un article du *Journal de Paris*, André
Chénier démasqua les menées des Jacobins, les accusa d'être la
cause des désordres qui troublaient la France, et conclut en disant
qu'ils étaient un danger pour la sûreté publique, et qu'il fallait supprimer cette société qui formait un État dans l'État. Marie-Joseph
crut devoir prendre la parole au nom des Jacobins, et répondit dans
le Moniteur que ces sociétés existaient en vertu du droit constitutionnel (ce que ne niait pas André), et que les écarts de quelques-
uns de leurs membres ne pouvaient entraîner leur dissolution illé-
gale. Tout le débat reposait, comme on le voit, sur une question
d'appréciation, et l'avenir a prouvé qu'André Chénier voyait juste
en dénonçant la solidarité de tous les membres de ces sociétés, qui,
répandues par toute la France, formaient une puissance à côté de la
puissance souveraine exercée par l'Assemblée, ce qui constituait une
violation du pacte constitutionnel [1]. Cette discussion entre les deux
frères n'avait pas d'issue ; aussi la famille et les vrais amis d'André

---

[1] Toute la défense de Marie-Joseph reposait sur l'article 1er de la
constitution de 1791 : « La constitution garantit, comme droits naturels
et civils..., la liberté aux citoyens de s'assembler paisiblement et sans
armes en satisfaisant aux lois de police. » André Chénier, d'accord sur ce
point, s'efforçait de prouver, et il avait raison, que la société des Jacobins cherchait et avait déjà réussi à s'emparer d'une partie de la souveraineté, ce qui était une violation de l'article 3 de la Déclaration des droits
de l'homme et du citoyen : « Le principe de toute souveraineté réside
essentiellement dans la nation. Nul corps, nul individu ne peut exercer
d'autorité qui n'en émane ; » et de l'article 1 du titre III : « La souveraineté est une, indivisible, inaliénable et imprescriptible. Elle appartient
à la nation ; aucune section du peuple, ni aucun individu, ne peut s'en
attribuer l'exercice. »

et de Marie-Joseph intervinrent, et elle fut close au mois de juin, après l'échange de quelques lettres. Elle prouve l'aveuglement de Marie-Joseph, et la clairvoyance, en même temps que le sens politique très-net d'André Chénier.

Néanmoins, quoique Marie-Joseph ait eu le tort très-grave et presque impardonnable de se faire l'agresseur en se constituant le champion des Jacobins, André eut celui de relever la discussion après cette malencontreuse entrée en scène de son frère. « Je n'ai jamais fait secte même avec les gens que j'estime, » nous dit-il lui-même ; il n'était donc ni poussé, ni circonvenu par un parti, par des amis maladroits. Marie-Joseph, au contraire, plus faible, plus facile à se laisser entraîner, n'avait pas le libre exercice de sa volonté ; il agissait excité par les ennemis d'André, les Brissot, les Manuel, les Condorcet, etc. André parlait du fond d'une solitude où il devait peser à loisir, loin de toute influence, ses attaques et leurs effets ; Marie-Joseph parlait du milieu d'un camp où tous les regards étaient tournés vers lui pour exciter son zèle et pour ne pas le laisser faiblir. André était, en outre, l'aîné de deux ans, différence d'âge rendue plus grande encore par l'habitude de la réflexion et du travail, et il devait à son frère l'exemple de la modération. Mais, en voulant être juste, plus que juste peut-être, ne nous égarons pas. Dans cette polémique publique, le caractère d'André se dévoile dans toute sa rigueur, et ce n'est pas sur le côté hautain, roide, dédaigneux, qu'il convient d'appuyer. André n'avait, dans le commerce habituel de la vie, ni hauteur ni dédain pour Marie-Joseph ; loin de là, il jugeait en frère et avec indulgence l'auteur de *Brutus et Cassius* ; il lui prêtait et lui croyait plus de talent qu'il n'en avait, ou plutôt qu'il n'en avait montré jusqu'alors. Ce qu'il faut surtout remarquer, c'est le caractère patriotique de cette lutte fraternelle. L'âme des Brutus respire dans André : la voix du sang se tait quand la patrie élève la sienne.

Au mois d'avril, la fête que les Jacobins donnèrent aux Suisses du régiment de Châteauvieux, amnistiés par un décret de l'Assemblée nationale, donna amplement raison à André et fit déborder son indignation. « Des soldats qui pillent la caisse de leur régiment, qui tuent leurs officiers, qui sont justement condamnés aux galères, et à qui l'Assemblée nationale accorde l'amnistie ; à qui, sur une mo-

tion de Collot-d'Herbois [1], au club des Jacobins, le maire de Paris, le
« vertueux Pétion, » prépare une entrée triomphale ! » Dans ses lettres au *Journal de Paris*, il revient sans cesse sur la honte de cette
scandaleuse ovation et parvient à animer de son courage quelques libres rédacteurs comme lui du journal. C'est un Romain qui juge la
révolution naissante et qui la rappelle à la discipline, qui fait la gloire
des armées et la force des nations ; ou plutôt c'est une âme qui a
médité Tacite et Montesquieu. Le jour même de cette ignominieuse
cérémonie, preuve visible et éclatante du pouvoir inconstitutionnel
que le club des Jacobins exerçait sur la municipalité, le publiciste se
change soudain en poëte lyrique ; l'*Hymne aux Suisses de Châteauvieux* paraît dans le *Journal de Paris*, le 15 avril 1792 ; et il le
signe, sans souci de la colère des Jacobins. Pour ne pas être témoin
de cette fête, à laquelle David et Marie-Joseph ont prêté l'éclat de
leurs noms et de leurs talents [2], il part, il va respirer l'air pur de la
campagne et refaire dans la solitude ses forces épuisées.

Quelques jours après, le 27 avril, une nouvelle lettre au *Journal
de Paris* signale son retour ; désormais il ne connaît plus de bornes. « Il est bon, il est honorable, il est doux de se présenter
par des vertus sévères à la haine des despotes insolents qui tyranni-
sent la liberté au nom de la liberté même. » Il s'enivre du danger ;
il semble avec délices aspirer à mériter la mort : « C'est surtout
quand les sacrifices qu'il faut faire à la vérité, à la liberté, à la patrie, s'écrie-t-il, sont dangereux et difficiles, qu'ils sont accompagnés aussi d'inappréciables délices. C'est au milieu des délations,
des outrages, des proscriptions, c'est dans les cachots, c'est sur les

---

[1] Dans la séance du 4 avril, Collot-d'Herbois se déchaîne contre Roucher et André Chénier (ce n'est pas *Chénier-Gracchus*, dit Collot-d'Herbois, c'est *un autre*, oh ! tout à fait *un autre*). Il traite André de *pro-
sateur stérile*, et se promet de l'attaquer devant les tribunaux comme
lâche calomniateur.

[2] Dans le programme de la fête des *Châteauvieux*, publié dans deux
numéros du *Patriote français*, il est dit que MM. David et Hubert se
sont chargés du dessin et de la composition tant du char que des divers
trophées et emblèmes ; que M. Chénier a bien voulu se charger de la
composition de tous les morceaux de poésie, inscriptions, devises, etc. —
Le 26 mars, Marie-Joseph et David avaient déjà signé la pétition présentée au conseil général de la commune pour l'inviter à la fête, pétition
que *le Patriote français* inséra dans son numéro du 28 mars.

échafauds que la vertu, la probité, la constance, savourent la volupté d'une conscience orgueilleuse et pure. » Ses attaques deviennent directes et sanglantes ; il désigne ses ennemis, les nomme, les défie, les couvre d'injures. Brissot, c'est « ce libelliste qui barbouille avec de la fange et du sang les premières pages du *Patriote français;* » Rœderer, « un homme d'une ambition rusée et versatile. » Il dénonce « la cruauté niaise de Pétion. » Jadis il vantait les vertus de Condorcet... « L'honnête homme que ce Condorcet, s'écrie-t-il, qui a cherché le profit et trouvé la honte à devenir l'ami, le compagnon, l'émule de Brissot et de Marat ! » Bientôt même David et Le Brun, les amis de son enfance, ne trouveront pas grâce devant lui; mais il n'imprimera pas le nom de Le Brun dans ses vers satiriques et laissera douter la postérité. Ce n'était point du reste sans danger pour lui que ses attaques se multipliaient ainsi. Des listes de proscriptions, disait-on [1], circulaient dans la capitale ; on y plaçait les noms de Desmeuniers, de Roucher, d'André Chénier, de Duport et de Regnault de Saint-Jean-d'Angely.

Il s'épuise bientôt dans cette lutte. Vers les premiers jours d'août, pendant que de tragiques événements se préparent, il va se rafraîchir aux riantes images de la nature ; il oublie un instant ses préoccupations dans les vallées de la Normandie. A Catillon, aux sources de l'Andelle, il resonge aux idylles de sa jeunesse. Mais ce n'est qu'un éclair de bonheur et de calme.

Il revient à Paris. Le 8, le 9, le 10 août, c'est à l'Assemblée nationale elle-même qu'il veut faire entendre sa voix ; elle se perd comme au milieu d'un ouragan. Soudain éclate l'insurrection du 10 qui renverse la royauté et disperse ses défenseurs ; le parti d'André est vaincu. Hors de l'arène, il dévore son ressentiment. Après un court séjour à Rouen dans le commencement d'octobre, il revient à Paris. C'est alors qu'il reçut de l'illustre Wieland un témoignage d'estime et de sympathie, par l'entremise de M. Brodelet, dont la fille, fixée à Gœttingue, lui avait fait part du désir exprimé par Wieland de savoir ce que devenait André Chénier dans le monde et dans la Révolution. On voit, par la réponse que fit André, combien

[1] Regnault de Saint-Jean-d'Angely, dans le n° 41 de *l'Ami des patriotes.*

son caractère était solidement trempé. A cette date, après les douloureux événements auxquels il avait été mêlé, il a retrouvé tout
son calme et toute sa sérénité d'esprit. Mais d'autres événements
s'apprêtaient et allaient encore ravir le poëte à sa muse.

Dans les derniers mois de 1792 commence le procès de Louis XVI.
Malesherbes, qui avait été choisi dans cette grave circonstance,
craignit que ses forces ne fussent pas à la hauteur de sa tâche. Il
désira voir André, qu'il avait souvent rencontré chez la comtesse
d'Albany, et dont les lettres au *Journal de Paris* avaient pu lui
faire apprécier la saine et droite raison ; il voulut se donner
l'appui de ce jeune et indomptable courage. Tous deux ils se con-
certèrent sur les moyens de présenter la défense, et, pendant tout
le temps que dura le procès, André, avec une infatigable persévérance, ne cessa de soutenir cette noble cause dans les journaux
du temps. C'est une période bien curieuse de sa vie, peu connue,
et sur laquelle nous ne pouvons malheureusement nous arrêter
longtemps ici. Il y combattit en héros obscur et désintéressé.

Chose singulière et bien digne d'être remarquée à l'honneur de la
poésie [1] : les trois premiers poëtes de l'Europe en 1792, les trois
poëtes le plus noblement inspirés, André Chénier, Alfieri, Schiller,
tous les trois également opposés à l'arbitraire de l'ancien régime,
dévoués tous les trois aux principes qui triomphèrent en 1789,
conçurent en même temps le projet de défendre Louis XVI et d'é-
pargner un crime à la Révolution.

On sait que Schiller envoya à la Convention une lettre en faveur
du roi. Alfieri, qui certainement était resté en relations avec André
Chénier, composa une *Apologie de Louis XVI*. Et André, après les
articles nombreux et multipliés qu'il adressa aux journaux, rédigea
la lettre que Louis XVI devait lire à la Convention, et dans laquelle
il demandait l'appel au peuple [2]. Cette lettre, écrite après le 15 janvier 1793, fut bientôt suivie du *Manifeste à tous les citoyens français*. Tant d'héroïques tentatives furent inutiles. Le 21 janvier, la
sentence de la Convention reçut son exécution.

---

[1] Nous empruntons ici les paroles mêmes de M. Saint-René Taillandier,
dans *la Comtesse d'Albany*, p. 120.
[2] Dans ses *Études littéraires et poétiques*, II, p. 94, Boissy-d'Anglas
dit que Louis XVI n'a jamais dû lire cette lettre.

Après la mort du roi, le séjour de Paris devenait impossible pour André. Au milieu de toutes les haines qu'il avait amassées contre lui, il courait à chaque instant le risque d'être assassiné ou d'être incarcéré et traîné à l'échafaud. Son courage l'y aurait porté ; mais ses amis, sa famille, Marie-Joseph surtout, à force de prières, obtinrent qu'il s'éloignât de Paris. Il y consentit, mais l'éloignement lui était insupportable ; il voulait au moins être près de Paris, près des siens, peut-être aussi près de l'arène, pour y reparaître au besoin tout armé.

Son frère s'occupa de lui chercher une retraite. Il loua, à Versailles, une petite maison écartée, dans le haut de la rue de Satory [1]. C'est là, dans ces pénates secrets couronnés de rameaux, qu'André se retira. Malade, il avait besoin d'un calme et d'un repos absolus : il lui était nécessaire d'oublier les hommes et leurs passions. Quoique souffrant et chagrin, il reprit ses travaux. Depuis dix ans, son poëme de l'*Hermès* était commencé. Chaque jour une note, fruit de longues méditations et de laborieuses lectures, venait s'ajouter à celles des jours précédents. Mais le travail n'était pas suffisant à remplir le vide de cette âme ardente et généreuse.

Sur les bords de la Seine s'élève le coteau de Lucienne, auquel les bois font une verte couronne. C'est là que souvent, franchissant les monts et les plaines, sous de tripies cintres d'ormeaux, se dirige le poëte à demi consolé ; c'est là qu'habite et respire *Fanny* ; c'est là que, presque chaque soir, André va lire les vers composés à l'aurore :

> Pour elle seule encore abonde
> Cette source jadis féconde
> Qui coulait de *sa* bouche en sons harmonieux.

Quand la Révolution devint menaçante, deux jeunes femmes, filles de Madame Pourrat, célèbre par sa beauté et par son esprit qu'admirait Voltaire, se réfugièrent à Lucienne, dans une propriété de famille. Le salon de Madame Pourrat [2], comme celui de Madame de

---

[1] C'est la maison qui porte aujourd'hui le numéro 69.

[2] « Madame Pourrat, femme non moins remarquable par sa beauté que par sa bonté, et par la pureté de son goût que par la générosité de ses sentiments. Sa maison, dont sa fille, Madame Hocquart, faisait les honneurs avec elle, me plaisait d'autant plus que j'y retrouvais plusieurs de

Chénier, avait longtemps réuni l'élite des artistes et des écrivains. Avant de chercher un refuge à Versailles, André était allé souvent à Lucienne. C'est là que l'avaient connu Népomucène Lemercier et Madame de Beaumont, la fille du ministre Montmorin. Il s'y laissa même un instant séduire aux grâces et à la beauté de Madame Gouy d'Arsy. Lorsqu'il conçut le poëme de *Suzanne*, il allait en lire le plan et les fragments, et les soumettre au jugement des hôtes de Lucienne, dont il se sentait aimé et apprécié. Madame la comtesse Hocquart avait le brillant esprit de sa mère. Elle vivait encore il y a quelques années. Aimant à reporter sa pensée sur cette lointaine époque des mauvais jours, ce n'était jamais sans attendrissement que lui revenait le souvenir d'André Chénier. Elle parlait avec affection, avec admiration, de cet esprit charmant (ce sont ses propres paroles), de cette imagination splendide, de cette âme facile à se passionner. Madame Laurent Lecoulteux [1], la Fanny du poëte, n'avait pas dans l'esprit les étincelles de sa sœur. Elle tenait de sa mère, la beauté, le charme, la grâce. Il reste d'elle un portrait, un profil aux traits nobles et purs [2]. Épouse dévouée, mère tendre et craintive, elle fit éclore dans l'âme d'André un sentiment nouveau, la chaste mélancolie de l'amour. Il est des vers d'André que Madame la comtesse Hocquart aimait à se faire relire. C'était, disait-elle, le fidèle et charmant portrait de sa sœur :

> Fanny, l'heureux mortel qui près de toi respire,
> Sait, à te voir parler, et rougir et sourire,
> De quels hôtes divins le ciel est habité, etc.

Le charme de Fanny se répandait sur tout ce qui l'entourait. Bonne et compatissante, elle apportait avec elle le sourire et la con-

mes anciens amis, et ce n'étaient pas les moins aimables ; nommer mon confrère Lemercier et mon camarade Riouffe, c'est le prouver. Je m'y suis trouvé aussi avec un des plus grands hommes du siècle, avec Kosciuszko.» Arnault, *Souvenir d'un sexagénaire*, tome IV, p. 289. — Arnault parle d'une époque postérieure à celle qui nous occupe. Madame Lecoulteux était morte alors.

[1] M. Laurent Lecoulteux fut emprisonné presque à la même époque qu'André ; mais, grâce aux sollicitations de Barère, Fouquier-Tinville ajourna son jugement, et le 9 thermidor lui rendit la liberté. (Voy. *Mémoires de Barère*, t. II, p. 203.)

[2] C'est une copie. L'original, peint par David, a péri dans un incendie.

solation. Et pourtant, avant d'être elle-même frappée par une mort prématurée, elle fut trois fois frappée dans son cœur de mère. Avant la Révolution, elle avait perdu un jeune enfant, sur la tombe duquel André s'écriait, mêlant ses douleurs aux larmes maternelles :

> Adieu, fragile enfant échappé de nos bras, etc.

Deux autres enfants vécurent faibles et maladifs. Elle les perdit dans leur première enfance, et la jeune mère ne tarda pas à les rejoindre.

Ce fut sous le chaste regard de *Fanny*, qu'après une année de fiévreuse agitation, au sortir des luttes passionnées et énervantes de la presse révolutionnaire, André sentit renaître en lui sa muse et plus belle et plus pure. Le charme de la femme adorée passa dans les vers les plus doux qu'il ait soupirés, et, sans doute, lui fit un instant oublier cette antique et sage parole : Qu'il ne faut jamais appeler un homme heureux avant de savoir comment, au dernier jour, il est descendu dans la tombe !

Mais, pendant qu'il se laissait ainsi reprendre « aux douces chimères d'amour, » les événements se précipitaient. Bien du sang avait déjà coulé. Le 13 juillet, Marat tombe sous le poignard de Charlotte Corday. Cinq jours après, l'héroïque jeune fille marche à la mort sans pâlir. Le 21 juillet, dans la *Gazette nationale* (*Moniteur universel*), Audouin, député à la Convention, publie « un hymne infâme, » dans lequel, s'adressant à David, « au stupide David, » il s'écriait :

> . . . . . . Arme-toi de courage ;
> Toi son fidèle ami, peintre de Pelletier [1],
> Redonne-nous-le tout entier.

Dans le feu de l'indignation, André écrivit la belle ode à Charlotte Corday.

Après la mort de Marat, les sacrifices humains continuèrent. André, désespérant du salut de la république, détourna les yeux du sanglant tableau qu'offrait alors la France, et se livra aux études les plus abstraites ; le citoyen se réfugia au sein du philosophe. Avec les

---

[1] Lepelletier de Saint-Fargeau, conventionnel qui avait voté la mort du roi, assassiné par le garde du corps Pâris. David avait composé un tableau représentant Lepelletier sur son lit de mort

poëtes astronomes de l'antiquité il s'éprit de la Bérénice céleste.
L'automne s'écoula ainsi. Aux rêveries de Tibulle avaient succédé
les méditations de Lucrèce [1].

Cependant André, après quelques mois passés à Versailles, put se
croire oublié. Sa santé s'était un peu rétablie; il revint à Paris et
alla demeurer chez son père [2].

---

[1] Voici une note latine d'André Chénier, que Chardon de la Rochette a
fait connaître dans le *Magasin encyclopédique*, 5ᵉ année, t. Iᵉʳ, p. 388,
pour rétablir un passage que Luzac avait omis dans les *Fragmenta elegiarum Callimachi*, ouvrage posthume de Valckenaer. André, lié avec
le fils de Valckenaer, professeur en droit public à l'université d'Utrecht,
avait eu connaissance des quelques feuilles imprimées du vivant de
l'auteur, et il avait transcrit sur un exemplaire des *Arati Phœnomena*,
qu'en 1672 Fell avait donnés sans y attacher son nom, un passage de
l'ouvrage de Valckenaer omis justement par Luzac, et qui se rapportait à
l'*Aratus* de J. Fell :

« Cujusnam viri cura prodiisset hic liber quem ego apud Londinensem
bibliopolam inveni, dum ante hos tres aut quatuor annos in Britannia
degerem, nuper sum edoctus; idque, ut alia innumera, debeo Batavo
homini cujus operum assidua lectio mihi quotidie novos Græcarum musarum ac venerum recessus aperit. Is est magnus Valckenarius, qui supremis
suis temporibus gravi morbo vix elapsus, Callimachi elegiarum fragmenta
illustranda susceperat ; nam ille Ernesti industriam in hac parte haud
multi faciebat. Igitur cum jam dimidia pars voluminis, quasi ex tempore
effusi, typis excusa foret, fato occubuit vir egregius. Tum ab ejus unico
filio, Jano Valckenario jurisconsulto, quasi paternæ memoriæ consulente,
nam et ipse multarum litterarum homo est, typothetarum operæ inter-
missæ sunt autoris apographum domi reportatum, quodque jam excusum
fuerat pecunia redemptum, cujus UNICUM EXEMPLAR a se asservatum mihi
legendum permisit vir humanissimus. Enimvero libellus iste non eadem
lima elaboratus atque perpolitus videtur qua tot acuti ingenii, et inexhaustæ
doctrinæ monimenta, quibus Valckenarii nomen innotuit. Nam neque clara
satis aut nitida oratione conscriptus est, et incondita eruditionis copia
laborat, et in immensa digressionum spatia hinc inde effluit. Est autem
non raro ubi, licet senem, Valckenarium agnoscas tamen. Atque ibi dum
veterum *de Coma Berenices* testimonia meminit, prolatis etiam Era-
tosthenis verbis, quæ Leonis extrema sunt, et hic leguntur p. 5, hæc
addit quæ exscribere visum est. » (Suit la note de Valckenaer, dont une
partie seulement avait été conservée par l'éditeur de l'œuvre posthume,
et dans laquelle il faisait les plus grands éloges du modeste J. Fell, qui
n'avait pas signé son édition des *Arati phœnomena*. Enfin la note d'André
se termine ainsi) : « Scribebam Versaliæ, animo et corpore æger, mœrens,
dolens, die novembris undecima 1793, Andreas C. Byzantinus. »

[2] Rue de Cléry, 97.

Nous voici arrivés au dernier et au plus douloureux période de la vie d'André. Il nous reste à raconter son arrestation, son emprisonnement à Saint-Lazare et sa mort. Jusqu'à présent les circonstances de son arrestation à Passy n'ont pas été présentées sous leur véritable jour. André, disait-on et disions-nous dans la première édition, avait été *arbitrairement* arrêté dans une *visite* qu'il faisait à Passy, chez M. Pastoret, où le hasard seul l'avait mené. C'est ainsi que, dans le mémoire justificatif que M. de Chénier adressa plus tard au comité de sûreté générale, il raconta les faits. Or M. de Chénier, s'il savait la vérité, la déguisa, ce dont nous sommes loin de le blâmer. L'examen attentif des faits nous amènera à une conclusion différente. D'ailleurs, tous ceux qui ont pu interroger à ce sujet M. Pastoret, présent lors de ce malheureux événement, ont pu apprendre de lui que ce n'était pas le hasard seul d'une visite qui avait conduit André à Passy [1]. En dehors de ce témoignage, il nous reste une pièce curieuse et instructive : c'est le procès-verbal de l'arrestation. Obscure en apparence, diffuse, laconique sur certains faits, prolixe sur d'autres, conçue et écrite par des gens sans instruction ne sachant ni lier ni exprimer leurs idées, cette pièce contient cependant tous les éléments nécessaires à reconstruire l'historique de ce jour à jamais néfaste [2].

---

[1] Lorsque M. Pastoret fit faire son buste par David (d'Angers), il eut à ce sujet une longue conversation avec lui ; et il est regrettable que David (d'Angers) n'ait pas eu la pensée, comme cela lui arrivait souvent, d'en prendre note. Il la répéta pourtant en partie à Madame David (d'Angers) et à M. Eugène Despois, dont je puis ici invoquer les témoignages. Or, ce qui paraît ressortir de souvenirs devenus très-vagues, et en partie effacés par le temps, c'est que M. Pastoret ne mettait nullement sur le compte d'une simple visite accidentelle la présence d'André Chénier chez lui à Passy, mais qu'il ne s'expliquait pas à ce sujet d'une façon nette et catégorique, qui eût donné à ses paroles un degré de clarté nécessaire pour les conserver textuellement jusqu'à nous. Cette demi-réticence de M. Pastoret n'est pas tout à fait inexplicable si l'on se reporte aux faits que nous allons raconter et si l'on songe qu'il pouvait, lui et les siens, se croire la cause bien involontaire de l'arrestation d'André.

[2] Elle a été publiée par M. Sainte-Beuve dans ses *Causeries du lundi*, tome IV, p. 164 de la troisième édition. Elle est signée de Guénot, porteur de l'ordre du comité de sûreté générale, de Duchesne, acolyte de Guénot, puis de Cramoisin et Boucherat (ou Boudgoust, peu importe), membres délégués du comité révolutionnaire de la commune de Passy. Elle se divise

Le 17 ventôse de l'an II de la République (7 mars 1794), le citoyen Guénot, accompagné d'un nommé Duchesne, se présente

en deux parties bien distinctes : 1° le récit succinct et rapide des faits qui
ont motivé l'arrestation d'André; 2° l'interrogatoire d'André. La seconde
partie semble au premier abord la plus importante à cause de son étendue ;
mais ce n'est qu'un interrogatoire de pure forme qui n'a d'autre but que
d'établir l'identité d'André Chénier. Il ne relate aucune question relative
à la présence du prévenu chez M. Pastoret ; c'est là un point résolu ou
qui paraît l'être dans l'esprit des agents. Il ne s'agit que de rassembler tous
les éléments de l'instruction qui devra suivre : à savoir les noms, prénoms
d'André Chénier, son âge, son lieu de naissance, sa demeure, ses moyens
d'existence, ses occupations, ses habitudes, ses opinions, les noms des
personnes qu'il fréquente, etc. Tout cet interrogatoire est précieux par les
faits biographiques qu'il renferme, mais il ne nous apprend absolument
rien relativement au fait principal. La première partie, au contraire, est
d'une importance capitale, quoique diffuse et très-laconique, et bien
qu'elle couse en quelque sorte dans une seule et même phrase l'arrivée
de Guénot et des délégués du comité de Passy, la rencontre qu'ils font
d'André dans la maison de M. Pastoret, son premier interrogatoire, la
recherche qu'on fait de Madame Pastoret, les questions dont on presse
André, la résolution prise de le garder tant que Madame Pastoret ne sera
pas retrouvée, enfin la décision des membres du comité de Passy, qui
maintient l'arrestation et renvoie André dans une prison de Paris. Nous
reproduisons ici textuellement, avec toutes ses incorrections, cette partie
du procès-verbal, car elle est nécessaire pour l'intelligence des explications
que nous donnons :

« Le dix-huit vantos l'an second de la République française une et indivisible

En vertu d'une ordre du comité de sûreté générale du quatorze vantose
qu'il nous a présenté le dix-sept de la même année dont le citoyen Guenot
est porteur de ladite ordre, aprest avoir requis le membre du comité
révolution et de surveillance de ladite commune de Passy les Paris nous
ayant donné connaissance dudit ordre dont les ci-dessus était porteurs,
nous nous sommes transportés, maison quaucupe la citoyenne Piscatory
où nous avons trouvé un particulier à qui nous avons mandé qui il était
et le sujest qu'il l'avait conduit dans cette maison il nous a exhibée sa
carte de la section de Brutus en nous disant qu'il retournais apparis, et
qu'il était Bon citoyent et que c'étoit la première foy qu'il venoit dans
cette maison, qu'il étoit a compagner d'une citoyene de Versaille dont il
devait la conduire audit Versaille aprest avoir pris une voiture au bureau
du cauche il nous a fait cette de claration à dix heures moins un quard du
soir à la pòrte du bois de Boulogne en face du ci-devant château de La-
muette et apprest lui avoir fait la demande de sa démarche nous ayant
pas répondu positivement nous avons décidé qu'il seroit en arestation
dans ladite maison jusqua que ledit ordre qui nous a été communiquié

au comité révolutionnaire de la commune de Passy[1], et exhibe un ordre du comité de sûreté générale, signé le 14, en vertu duquel il devait être procédé à l'arrestation de Madame Pastoret, ou, comme il l'appelle, de la citoyenne Piscatory[2]. Le comité délègue deux de ses membres, Boucherat et Cramoisin, en qualité de commissaires, pour accompagner Guénot et Duchesne au domicile de Madame Pastoret. On ne la trouve pas chez elle. Prévenue sans doute du danger qui la menaçait depuis trois jours, elle avait quitté Passy. Mais par qui avait-elle pu être prévenue ? Cette question se présenta naturellement à l'esprit des agents chargés de l'arrêter, comme on va le voir. Ceux-ci, désappointés, rencontrent dans la maison trois personnes : M. Pastoret, M. Piscatory et André Chénier. La présence des deux premiers ne paraît pas suspecte, l'un est le mari, l'autre le frère ; mais il n'en est pas de même de celle d'André. On l'interroge, on lui demande qui il est. Il donne son nom, répond qu'il demeure à Paris, et exhibe la carte de sûreté de la section de Brutus, dont il faisait partie ; il ajoute qu'il retournait à Paris et que c'était la première fois qu'il venait dans cette maison. Mais les agents, bientôt convaincus qu'André leur déguise la vérité[3], sem-

par le citoyent Genot ne soit remplie mais ne trouvant pas la personne dénomé dans ledit ordre, nous lavons gardé jusqua ce jourdhuy dix-huit. Et apprest les réponse du citoyent Pastourel et Piscatory nous avons présumé que le citoyent devoit estre interrogés et apprest son interogation estre conduit apparis pour y estre détenue par mesure de suretté générale et de suitte avons interpellé le citoyent Chénier de nous dire cest nomd et surnomd ages et payi de naissance demeure qualité et moyen de subsittée. » Suit l'interrogatoire.

[1] Il y avait un Duchesne, sorte d'espion aux ordres de Héron, agent principal du comité de sûreté générale (Sénart, *Révélations puisées dans les cartons des comités*, p. 109 et 111) ; notre Duchesne pourrait bien être le même.

[2] Adélaïde-Anne-Louise Piscatory, née en 1765. Elle avait épousé à Paris, le 14 juillet 1789, le jour même de la prise de la Bastille, le marquis de Pastoret. Femme courageuse et pleine de cœur, elle sut par sa résolution et par sa présence d'esprit sauver son mari de plus d'un danger, et fut elle-même incarcérée quelque temps après l'arrestation d'André. Elle est morte à Paris en 1843.

[3] Les agents durent évidemment interroger à part M. Pastoret et M. Piscatory et s'apercevoir qu'André avait voulu détourner leurs soupçons. Nous en trouvons la preuve dans ce fait que le lendemain, dans son interrogatoire, il ne reproduit plus la même assertion, qu'il sait avoir

blent ne plus l'avoir quitté d'un pas à partir de ce moment. On lui
demande d'expliquer sa présence à Passy ; il ne répond pas catégo-
riquement, et c'était là le point capital. Ne perdant pas de vue l'objet
de leur mission, les agents, après avoir fouillé la maison, dirigent
leurs perquisitions dans les environs et se font suivre d'André Chénier. On s'aperçoit dès lors très-nettement que dans leur esprit ils
établissent un lien étroit entre la disparition de Madame Pastoret et
la présence d'André. Sans doute ils recueillent de quelques voisins
des témoignages compromettants : peut-être qu'André a été vu avec
une dame. C'est alors, à la porte du bois de Boulogne, en face du
château de la Muette, à dix heures moins un quart du soir, qu'André
répond enfin, sur le motif de sa présence à Passy, qu'il est venu de
Paris accompagner une dame de Versailles jusqu'ici, qu'au bureau
du coche cette dame a pris une voiture et que lui s'apprêtait à retourner à Paris. Cela semble extraordinaire aux agents [1] ; ils le pressent de nouvelles questions, auxquelles il ne répond pas positivement et ils décident qu'André sera maintenu en arrestation jusqu'à
ce que l'ordre apporté par Guénot ait reçu son exécution. Que conclure ? André sans doute a été vu avec une dame ; il l'a conduite au
bureau du coche ; là cette dame a pris une voiture et est partie. Il
dit que c'est lui qui a amené cette dame de Paris ; mais, pour les
agents, cela se voit clairement, cette dame n'est autre que Madame
Pastoret ; c'est André qui l'a prévenue du danger qui la menaçait
et qui lui a fourni les moyens de prendre la fuite. Toute la nuit il est
gardé à vue, et le lendemain, 18 ventôse, les agents relatent dans le
procès-verbal que, n'ayant pas trouvé Madame Pastoret, ils ont gardé
André Chénier jusqu'à ce jour. Enfin, ne l'oublions pas, ceux qui
dirigent les perquisitions, ce ne sont pas Guénot et Duchesne, mais
Boucherat et Cramoisin, délégués du comité révolutionnaire de

été reconnue fausse. Quand on lui demande s'il vient souvent manger
dans la maison où il a été arrêté, il se contente de répondre qu'il croit
n'avoir jamais mangé dans cette maison, mais qu'il a mangé quelquefois
avec les mêmes personnages à Paris chez eux.

[1] Avec raison. On était au commencement de mars ; il y avait quatre
heures qu'il faisait nuit. Comment croire qu'en 1794, en mars, à la nuit
tombante, André a conduit une dame à pied de Paris à Passy, afin que
celle-ci prît à Passy aux bureaux du coche une voiture qui devait la me-
ner à Versailles. Il faut le reconnaître : cela n'était pas vraisemblable.

Passy. Or la loi du 17 septembre 1793, connue sous le nom de loi des suspects, investissait les comités révolutionnaires des communes du droit exorbitant d'arrêter et de détenir jusqu'à la paix tous ceux qui se trouvaient dans une des catégories de suspects établies par la loi. Si donc l'on se reporte à cette époque troublée, il faut reconnaître que les agents chargés d'arrêter Madame Pastoret agirent conformément à l'esprit de la loi, dont ils étaient des exécuteurs subalternes, en considérant comme suspect André Chénier, rencontré par eux dans une maison entachée de royalisme, et très-certainement convaincu d'avoir favorisé la fuite d'une personne qu'ils avaient mission d'arrêter. C'est donc légalement[1] que le comité révolutionnaire de Passy a décidé l'arrestation d'André Chénier et l'a fait transférer dans une prison de Paris.

Dans la journée du 18 ventôse, André fut emmené à Paris : Guénot le confia à Duchesne pour que celui-ci le conduisît à la prison du Luxembourg. Mais le concierge refusa de recevoir le prisonnier, sans doute parce que l'ordre du comité révolutionnaire de Passy n'était pas visé par le comité de sûreté générale[2]. Duchesne ra-

---

[1] Nous disons *légalement* et rien de plus. Nous n'avons pas ici à nous demander si c'était un acte conforme aux principes éternels de justice et d'équité. S'il s'agissait de juger la loi des suspects, comme nous aurions devant nous les législateurs eux-mêmes, une telle question pourrait être posée et serait résolue négativement. Oui, la loi des suspects était une loi d'arbitraire, mais, une fois promulguée, l'arrestation d'un suspect était un acte légal. Ici, Boucherat et Cramoisin, commissaires du comité révolutionnaire de Passy, n'ont fait que remplir légalement leurs fonctions de magistrats. Sans doute on peut leur reprocher d'avoir manqué d'humanité ; mais, outre qu'un tel sentiment demande un courage civique incompatible avec des âmes grossières et peut-être aviliés, il est juste de dire qu'ils se trouvaient vis-à-vis d'agents du comité de sûreté générale, et que dans ce cas l'humanité devait peut-être leur faire encourir un danger égal à celui dont ils auraient été tentés de sauver André Chénier, qui était pour eux un inconnu. D'ailleurs, considérant à un point de vue général l'incarcération d'André, nous devons avouer que si André Chénier, âme droite et courageuse, est à bon droit à nos yeux le type du bon citoyen, il n'était pas et ne pouvait pas être tel aux yeux du gouvernement d'alors, qu'il avait combattu, qu'il était prêt à combattre encore, dont il désirait le renversement, et qui devait voir en lui un ennemi dangereux.

[2] C'était le concierge Benoît. Il arrivait fréquemment que les concierges refusaient des prisonniers sous prétexte d'encombrement ou pour tout autre motif. Ainsi Riouffe raconte dans ses *Mémoires*, p. 36, qu'avant de

mena André à Guénot, qui se chargea lui-même de faire incarcérer André Chénier. Il le conduisit à Saint-Lazare, ou, comme on disait alors, à la maison de Lazare [1], et le concierge ne fit aucune difficulté pour l'admettre. Ainsi que la loi du 17 septembre 1793 le prescrivait en pareil cas, l'ordre du comité de Passy fut transmis au comité de sûreté générale ; et le lendemain même, 19 ventôse, l'écrou d'André Chénier fut enregistré [2]. Toutes les formalités habituelles furent ainsi remplies sans autres délais que ceux nécessités par les détails administratifs.

La nouvelle de l'arrestation d'André tomba comme un coup de foudre au milieu de la famille Chénier. M. de Chénier alla à Saint-Lazare le 19 ; le concierge lui répondit qu'il n'avait pas ce nom parmi ceux des prisonniers amenés la veille. Plein d'espoir, il courut au comité de salut public faire part de cette circonstance. En effet, tant que l'écrou n'était pas enregistré, son fils pouvait lui être rendu sans jugement. Il s'adressa à Barère, qui le reçut avec politesse et lui promit la sortie d'André. Mais, hélas ! il n'était déjà plus temps : ce jour-là même l'écrou d'André avait été inscrit sur les registres de Saint-Lazare [3]. Il ne pouvait plus désormais recouvrer sa

---

parvenir à la Conciergerie il fut présenté à toutes les prisons de Paris, et promené pendant trois heures du Luxembourg à la Force et de la Force à l'Abbaye.

[1] Cette prison n'avait été ouverte que le 29 nivôse an II (18 janvier 1794).

[2] Publié par M. P. Lacroix, *Œuvres en prose d'André Chénier*, p. xxxvi.

[3] Sur ce point la version de la famille est différente, et ne tend à rien moins qu'à faire peser sur Barère la plus grave de toutes les responsabilités, celle d'avoir fait enregistrer l'écrou d'André après avoir promis au père la liberté de son fils. On conçoit que M. de Chénier, si cruellement frappé par la mort d'André, ayant manqué de perdre Sauveur, tremblant à chaque instant pour Marie-Joseph alors accablé d'ennemis et bassement calomnié, ait vu son caractère s'aigrir vers la fin de sa vie, et qu'il ait voulu faire retomber sur quelqu'un une haine qui était bien légitime. Mais aujourd'hui nous devons juger les faits sans passion. Barère a à répondre devant l'histoire d'assez de fautes pour ne pas dire plus, sans qu'il soit nécessaire de faire peser sur lui une aussi vague et aussi perfide accusation. D'ailleurs, le récit de M. Gabriel de Chénier, écho fidèle des traditions de la famille, ne résiste pas à un examen attentif. « Le lendemain du jour où son fils André avait été conduit à la prison de Saint-Lazare,

liberté qu'en vertu d'un jugement du tribunal révolutionnaire ; or, c'était justement cela qu'il fallait à tout prix éviter.

Vers la même époque, M. et Madame de Chénier reçurent la nouvelle de l'arrestation de Sauveur Chénier à Beauvais. Ce nouveau coup qui les frappait acheva de jeter la terreur dans leur âme. Désormais il fallait faire face à un double danger. M. de Chénier, dans l'emportement de son énergie, voulait lutter, obtenir judiciairement l'élargissement d'André. Le malheureux ! il invoquait les lois, l'honneur, la justice ! Dire un seul mot, c'était jeter André en proie à Collot-d'Herbois. On convint que, pour sauver les prisonniers, la seule conspiration possible était celle du silence ; qu'il fallait à tout prix faire oublier André et Sauveur. M. de Chénier se rendit, mais difficilement. Ce vieillard intègre ne pouvait se résoudre à douter des lois.

Sauveur, amené de Beauvais, avait été écroué à la Conciergerie. On gagna un employé, et Sauveur put ainsi chaque jour faire parvenir de ses nouvelles à sa famille. M. de Chénier parvint aussi, mais plus difficilement, à séduire un guichetier de Saint-Lazare et à communiquer avec André. Marie-Joseph était sans pouvoir à la Convention. Détesté de Robespierre, il était menacé dans sa liberté, dans sa vie même. Il fit cependant des démarches réitérées auprès des mem-

---

dit-il, M. de Chénier y court pour tâcher de le voir ; mais le concierge lui répond brusquement : « Je n'ai point ce nom-là parmi ceux qu'on a amenés hier. » Plein d'espoir, il vole au comité de salut public faire part de cette circonstance et demande la mise en liberté de son fils. C'est à Barère qu'il s'adresse et qui le reçoit avec politesse, lui promettant la sortie d'André. Deux jours après il retourne à la prison. Le concierge qui le reconnaît lui dit : « C'est votre fils ? Vous avez fait ın beau coup, je viens de recevoir l'ordre d'inscrire son écrou. » M. de Chénier comprit son imprudence ; mais il n'était plus temps de la réparer. Or, André Chénier a été conduit à Saint-Lazare le 18 ventôse. M. de Chénier s'y est présenté le 19 et y est revenu le 21. C'est ce jour-là que, suivant M. Gabriel de Chénier, l'écrou aurait été inscrit, ce qui n'est pas, puisque l'écrou a été enregistré le 19 ventôse, le jour même où M. de Chénier allait solliciter Barère. Ainsi le récit de la famille ne renferme aucun motif de crédibilité, puisqu'il est en contradiction avec la date de la pièce essentielle, ce qui tend déjà à nous faire soupçonner que la seconde accusation, plus grave encore, comme nous le verrons, portée contre Barère, n'a pas un caractère de vérité plus recommandable aux yeux de l'historien.

bres du comité de sûreté générale [1]. Presque partout sans crédit,
éconduit, il finit, à force d'obsessions, par obtenir des bureaux
que tant qu'on ne recevrait pas d'ordre formel on mît le dossier
d'André et de Sauveur sous les autres. Le salut des prisonniers était
ainsi assuré pour un certain temps. Si les bourreaux n'apprenaient
pas qu'ils avaient entre les mains la tête d'André, il y avait lieu d'espérer.

La prison de Saint-Lazare offrait un aspect étrange. Là, André
retrouva tous ceux que des temps meilleurs avaient si souvent vus
rassemblés chez sa mère. C'était le même monde avec ses illustra-
tions, transporté dans les murs d'une prison. La noblesse, l'esprit, la
beauté, le savoir, embellissaient les derniers jours des victimes ; là
étaient M. de Montalembert, M. de Montmorency, le duc de Noail-
les, le prince de Rohan, le prince de Broglie, le comte de Vergennes,
le marquis d'Usson, ancien colonel d'André. Roucher, son collègue
dans la polémique du *Journal de Paris*, passait de longues heures
à écrire à sa fille, qu'il ne devait plus revoir. Ginguené pensait à sa
femme dans les larmes, à chaque instant il attendait la mort, ne sachant pas qu'à son insu ses jours devaient s'augmenter de tous ceux
d'André. Suvée trompait, en peignant, les ennuis de la prison ; il
devait avoir la gloire de transmettre les traits du poëte à la postérité [2]. Les deux Trudaine continuaient avec André leurs poétiques
entretiens d'autrefois ; ils parlaient des bois de Montigny, de l'Italie,
temps heureux où, dans l'épanouissement de la jeunesse, le poëte
s'était trop légèrement écrié, insouciant des coups de la fortune :
« Nous sommes trois contre elle ! » Le plus âgé des deux Trudaine
n'avait pas trente ans ; le plus jeune, dans un vif regret de la vie,
traçait sur les murs de son cachot quelques vers languissants [3]. Le

---

[1] Voy. une note de Barère dans ses *Mémoires*, t. II, p. 263. Barère
dit que devant lui il vit Marie-Joseph implorer le député Dupin, afin
que celui-ci fit tous ses efforts pour obtenir du comité de sûreté générale
l'élargissement d'André.

[2] Le portrait fait par Suvée est daté du 29 messidor, an II.

[3] Voy. Boissy-d'Anglas, *Études littéraires et poétiques*, II, p. 94.
Dans un mémoire qu'en 1795 A. Morellet fit imprimer en faveur de
veuves Micault et Trudaine, il dit aussi que le jeune Trudaine avait tracé
dans les derniers jours de sa détention le dessin d'une branche coupée

nobles femmes, de belles jeunes filles, répandaient dans les cellules et dans les préaux comme un parfum d'espérance et d'amour. Madame la marquise de Saint-Aignan, qui le 6 thermidor dut son salut à l'enfant qu'elle portait dans son sein, avait excité la tendre pitié du poëte. Mais surtout il aurait donné volontiers le peu de jours sur lesquels il pouvait compter pour une autre victime faible et craintive qui, dans ces tristes murs, pleurait ses dix-huit années sitôt moissonnées. Mademoiselle Aimée de Coigny [1] avait une délicate et gracieuse figure, un caractère facile et mobile, une âme enthousiaste, tendre, avide de belles et suaves émotions. Son esprit était un peu léger, changeant, mais exquis et cultivé. Si elle ne savait pas la langue de Sappho, on surprenait souvent ses lèvres à murmurer des vers d'Horace. Mais en vain tous les cœurs virils qui l'entouraient s'écriaient à chaque convoi funèbre : *Dulce et decorum est pro patria mori !* elle, elle avait peur de la mort ! elle aimait la vie, la liberté, la lumière, l'amour ! Ses plaintes, sa voix, éveillèrent le cœur du poëte :

> Et secouant le faix de *ses* jours languissants,
> Aux douces lois des vers *il plia* les accents,
> De sa bouche aimable et naïve.

Et Camille aussi, la muse de la jeunesse et des molles élégies, gémissait plongée dans les cachots; mais le sort ne les avait pas réunis. Plus heureuse qu'André, Camille devait survivre à la tourmente [2].

Mais les murs de Saint-Lazare ne renfermaient point que des esprits d'élite, tels que ceux que nous avons nommés. Au milieu de la confusion de l'âge, du rang, de l'éducation, du sexe même, toutes les faiblesses, toutes les convoitises et tous les vices s'étaient comme

---

d'un arbre utile, avec cette inscription : *Fructus matura tulissem !* Dans la saison j'aurais porté des fruits.

[1] Elle fut duchesse de Fleury, puis épousa M. de Montrond. Elle mourut le 17 janvier 1820.

[2] Madame de Bonneuil fut incarcérée dix-huit mois pendant la Terreur. Quand elle fut rendue à la liberté, elle se trouva sans ressources : tous les biens de son mari et les siens avaient été confisqués. Sur la fin de sa vie, Louis XVIII lui accorda une pension de 1,500 francs (Arnault, *Souvenirs d'un sexagénaire*, I, p. 218).

donné rendez-vous dans ces préaux, antichambre de la mort [1]. La galanterie, le libertinage même, souillaient ces voûtes pleines de tant de pleurs et d'adieux déchirants. L'insensibilité humaine ramenait souvent de momentanés éclats de gaieté dans ces cours, qu'on eût dit alors habitées par d'heureux enfants n'ayant souci que du ballon léger qui bondit. Mais, au milieu de ces scènes, chaque jour, vers la même heure, il y avait un instant lugubre, quand le geôlier venait faire l'appel des prisonniers destinés à comparaître devant le tribunal révolutionnaire. Tout se taisait; les visages se glaçaient. Un cri, un sanglot, des adieux étouffés, interrompaient seuls cette lecture sinistre. A peine le dernier nom avait-il retenti, que, sans pitié pour les victimes, presque tous ceux qui n'étaient point les élus de Fouquier-Tinville laissaient éclater sur leur visage l'égoïste joie d'avoir encore un jour à vivre. Spectacle affligeant pour l'âme élevée du poëte et bien digne du mépris de sa Muse indignée.

Lui, il n'avait que de graves et austères pensées : la patrie en deuil, aux mains de despotes insolents; sa mère séparée de deux de ses enfants; son père accablé par l'âge et la douleur ; son génie, enfin, éteint avant d'éclore. Ah ! qui ne connaît André que par les vers à Lycoris ne peut mesurer la perte que la France a faite le 7 thermidor. S'il eût vécu, qu'eussent été, auprès des siens, les ressentiments d'un Archiloque ou d'un Alcée ! La raillerie amère d'un Aristophane, les colères d'un Juvénal, eussent pâli, et d'autres fureurs plus modernes pâliraient encore à côté des sanglantes invectives de ce poëte, jadis élégiaque, brandissant les foudres ailés de Jupiter.

Pendant plus de quatre mois qu'il resta à Saint-Lazare, il vécut d'amertume, indomptable dans son malheur, dédaigneux du supplice, parlant de ses bourreaux sans aucune retenue, avec l'impétueuse audace qui jadis avait animé ses articles du *Journal de Paris*. On a dit qu'à Saint-Lazare il s'occupait de revoir ses manuscrits et de les classer. C'est une erreur. Tous les manuscrits d'André étaient heureusement restés chez son père ; sans cela ils eussent été saisis et perdus. Son père lui avait seulement, à sa demande, envoyé

---

[1] Voy. sur les scènes curieuses qui se passaient dans les prisons, Riouffe, *Mémoires d'un détenu*, p. 151 ; Bailleul, *Almanach des bizarreries humaines*, p. 51 et les *Mémoires* du comte Beugnot.

quelques livres, au nombre desquels était très-certainement un Plutarque, par le guichetier, qui apportait et remportait le linge du prisonnier. Quand André eut composé ses ïambes, il les roula dans un paquet de linge et les fit ainsi parvenir à son père. C'est aussi par ce moyen qu'on dut le tenir au courant du plan concerté par la famille, et l'engager à plus de circonspection. Il paraît l'avoir approuvé comme offrant la seule chance possible de salut, et s'être rendu aux prières des siens en mettant plus de prudence dans sa conduite et dans son langage. D'ailleurs, il devait bientôt être averti de l'approche du danger.

Vers la fin de floréal, un symptôme grave se manifesta aux yeux des prisonniers. Ils virent arriver à Saint-Lazare l'ancien président du tribunal révolutionnaire du 10 mars, Herman [1], commissaire des administrations civiles, police et tribunaux, qui était délégué par le comité de salut public pour faire une enquête sur un prétendu complot d'évasion que le gouvernement soupçonnait les prisonniers d'avoir voulu organiser [2]. Ce complot avait été dévoilé par un certain Manini, âme vile et basse, et un nommé Coquery, serrurier. Tous deux devaient comparaître plus tard comme témoins devant le tribunal révolutionnaire. La délation, d'ailleurs, était à l'ordre du jour, les comités lui prêtaient une oreille facile, et, sous le nom de patriotisme, elle préparait chaque jour des listes de proscription à l'âme froide et soupçonneuse de Robespierre. Les prisonniers, disait-on, devaient s'emparer des gardiens, forcer les portes de la prison et aller égorger les représentants du peuple, les membres des comités de salut public et de sûreté générale, ainsi que les membres de la Convention nationale. Les délateurs ajoutaient qu'on leur avait offert 16,000 livres pour scier un barreau de la fenêtre du premier. Ce vaste complot avait des ramifications dans toutes les prisons

[1] Cet Herman, ex-président du tribunal d'Arras, était une créature de Robespierre.

[2] Voy. sur tous ces faits l'*Histoire du tribunal révolutionnaire*, par M. E. Campardon. — M. Alissan de Chazet, dans ses *Mémoires, souvenirs, œuvres et portraits* (Paris, 1837), tome III, p. 32, a dit qu'André aurait pu s'évader, qu'un ami lui en avait indiqué les moyens, mais qu'il hésita au moment d'exécuter son projet. Nous n'y ajoutons que peu de foi. Ce fait ne doit avoir d'autre origine que cette prétendue conspiration des prisons et le dessein de s'évader qu'on prêtait à tous les détenus.

dont les détenus, ajoutait-on, s'entendaient avec les ennemis de la patrie. C'était le premier acte de cette conspiration des prisons, qui n'exista jamais que dans l'imagination des comités et qui devait servir de prétexte à de nouveaux massacres [1], plus coupables que ceux de septembre, puisque la loi allait leur prêter son horrible concours. Cet Herman interrogea les détenus, les prétendus chefs de complot, et partit emportant des listes fatales que deux prisonniers, dignes émules de Manini, dréssèrent au moyen des registres d'écrou. Le premier concierge, Naudet, doux et compatissant, fut remplacé par un nommé Semé, homme dur et intraitable.

La prison retomba momentanément dans un calme trompeur. Une fois ce fantôme de conspiration évoqué, le comité de salut public prépara rapidement les moyens de frapper tant de têtes coupables. La République devait terrifier ses ennemis. Le 20 prairial eut lieu la fête de l'Être suprême, préparée par les soins du « stupide David ; » des chœurs de jeunes filles y chantèrent les strophes trop naïves de Marie-Joseph, qui méritent bien qu'on les compare à l'appel ardent et désespéré que, du fond, de son cachot, André adressa à ce Dieu qu'on daignait restaurer [2]. Le lendemain même de cette fête, Couthon présenta à la Convention cette loi du 22 prairial, dont Robespierre vint dire à la tribune qu'il n'y avait pas un article qui ne fût fondé sur la justice et la raison. Cette loi, qui appelait la délation à son aide, était la négation de la justice elle-même. La défense n'y était plus permise aux accusés ; les jurés devaient condamner sans preuves, sur une simple conviction morale.

---

[1] Dans le procès de Fouquier-Tinville, le jury s'expliqua très-nettement sur cette conspiration des prisons. Il déclara à l'unanimité que les prévenus, c'est-à-dire les membres et les jurés du tribunal révolutionnaire, s'étaient rendus coupables de manœuvres et de complots criminels, notamment . « En faisant périr, sous la forme déguisée d'un jugement, une foule innombrable de Français, de tout âge et de tout sexe, en imaginant, à cet effet, des projets de conspiration dans les diverses maisons d'arrêt de Paris et de Bicêtre ; en dressant ou faisant dresser dans ces maisons des listes de proscriptions ; en rédigeant, de concert avec certains membres des anciens comités de gouvernement, des projets de rapports sur ces prétendues conspirations, propres à surprendre la religion de ces comités et de la Convention nationale, et à leur arracher des arrêtés et des décrets sanguinaires, etc. »

[2] Voy. *Appendice II*, p. xci.

« Le délai pour punir les ennemis de la patrie, avait dit Couthon dans son rapport, ne doit être que le temps de les reconnaître. Il s'agit moins de les punir que de les anéantir. » Et cependant cette loi, par ses nombreux articles, par ses dispositions multipliées, trompa des esprits même éclairés. M. de Chénier crut y voir un moyen d'obtenir l'élargissement d'André. Il s'imagina que la Chambre du tribunal révolutionnaire pourrait, de sa propre autorité, sans jugement, faire lever l'écrou de son fils. C'est dans cette espérance qu'il adressa un mémoire justificatif[1] à cette commission chargée de l'examen des détentions. Le malheureux dut plus tard se repentir amèrement de cette démarche. Et pourtant, il faut le reconnaître, et c'est une consolation que d'y songer, les imprudences de M. de Chénier ne furent pour rien, bien qu'il l'ait cru, dans le sort cruel qui frappa son fils. André, comme bien d'autres, se débattait en vain dans une trame irrésistible, dont ni M. de Chénier, ni Marie-Joseph, ni aucun de leurs amis n'aperçurent les impitoyables réseaux.

La conspiration des prisons, prétexte ajouté à tant d'autres, allait aboutir enfin. La loi du 22 prairial avait accéléré la justice en la débarrassant de toutes ces formes lentes qui sont la sauvegarde de l'innocence ; le lieu de l'exécution avait été changé : pour éviter que les charrettes répandissent trop d'épouvante et nuisissent au commerce dans le quartier le plus riche de Paris, la guillotine avait été, le 25, transportée de la place de la Révolution à la barrière du Trône ; un terrain, vierge encore de sang, ayant appartenu aux chanoines de Picpus, avait été, le 26, converti en cimetière[2]. Tout était prêt. Alors, semblable à ces tempêtes de l'air dont on peut suivre la marche aux ruines dont elles jonchent le sol, le fléau révolutionnaire s'abattit sur la prison de Bicêtre. Le 28 prairial et le 8 messidor, soixante-treize victimes montèrent sur l'échafaud. Puis il y eut un temps d'arrêt ; le tribunal avait d'autres affaires à expédier. Le 19 messidor, ce fantôme sanglant de conspiration heurta à la prison du Luxembourg. Le 19, le 21, le 22, cent quarante-six têtes tombèrent. Le danger se rapprochait ; personne ne le vit. On perdait de vue les

---

[1] Publié par M. P. Lacroix, *OEuvres en prose*, p. xxxviii.

[2] Sur le lieu de l'exécution, sur le cimetière, voy. des détails très-curieux dans *Paris en 1794*, par M. Dauban, p. 404 et 415-420.

victimes de cette machination odieuse au milieu de tant d'autres qui chaque jour prenaient le chemin de Picpus. M. de Chénier, qui d'ailleurs avait dans ses idées une opiniâtreté souvent irritante, n'attendait que de son mémoire le salut d'André. Il retourna chez Barère, qui le reçut avec politesse, lui dit avoir vu son mémoire et lui prodigua des promesses. Or, dans cette tragédie, ce dont Barère se rendit coupable ce fut d'avoir toujours promis et de n'avoir rien fait, rien tenté. M. de Chénier ajoutait foi à ses protestations et partait le cœur plein d'espoir : à peine avait-il franchi la porte, que Barère ne songeait même plus à ce malheureux vieillard. Il agissait ainsi avec tous les solliciteurs, promettant, accordant tout ce qu'on lui demandait, et en rentrant dans son cabinet jetant au feu toutes les pétitions qui lui avaient été remises. L'action de Barère fut nulle ; là est, croyons-nous, la vérité. Or il y a un monde entre cette conduite peu compatissante et le crime que lui a imputé la famille de Chénier, d'avoir désigné lui-même à Fouquier-Tinville une tête qu'il avait promis d'arracher au bourreau.

La marche de cette conspiration des prisons fut, comme nous l'avons dit, fatale, inexorable. Après Bicêtre était venu le Luxembourg. Dès le commencement de thermidor, comme si le tribunal eût pressenti que son règne touchait à sa fin et qu'il fallait se hâter, les coups se rapprochèrent. Le 4 thermidor, le Luxembourg fournit encore vingt-cinq têtes. Puis vint le tour de la prison des Carmes, qui, le 5 thermidor, envoya quarante-six prétendus coupables à l'échafaud. Des Carmes, et sans temps d'arrêt, la mort vint fondre sur Saint-Lazare.

Tout y était préparé pour une rapide exécution [1]. M. de Chénier eût dû en avoir le pressentiment ; car il se présenta le 3 thermidor à la prison pour voir son fils, et la porte lui fut brutalement refusée. Ce jour-là, en effet, le concierge Semé, homme dur, mais qui avait paru encore trop doux pour ce terrible moment, avait été remplacé par un nommé Verney, ancien porte-clefs du Luxembourg, où l'on avait pu apprécier son savoir-faire pendant les trois fournées de messidor ; il avait été placé à Saint-Lazare pour surveiller le transfèrement et compter les victimes. Parmi plusieurs mesures arbitraires

---

[1] Dès le 26 messidor, les prisonniers s'y attendaient. Voy. *Mémoires sur les prisons*, t. I, p. 248.

et cruelles, la première qu'il prit fut de refuser la porte à tous les parents des accusés. Ainsi, dès le 3 thermidor, André fut en quelque sorte séparé et retranché du nombre des vivants. Le lendemain, le malheureux père, accablé de chagrin de n'avoir pu voir André, retourna chez Barère. Il pria, supplia qu'on lui rendît son fils. « Allez, monsieur, votre fils sortira dans trois jours, » répondit Barère. Depuis, la famille, nourrie des rancunes de Marie-Joseph et de la douleur bien légitime d'un père infortuné, n'a voulu voir qu'une sanguinaire hypocrisie dans ces paroles. L'histoire ne peut accepter cette manière toute personnelle de juger les faits et les hommes. Ce fut sans doute de la part de Barère une promesse vaine comme tant d'autres et qu'il oublia au milieu du tourbillon des événements qui se précipitaient. Qui pourrait d'ailleurs affirmer qu'il n'avait pas l'intention de tenir cette promesse et que ce ne fut pas le temps qui lui manqua? Dans le doute et dans l'absence de preuves, l'histoire ne peut recueillir une aussi vague accusation contre la mémoire de Barère, qui a sa part suffisante de responsabilité. Tout, au contraire, fait supposer que, dès le 3 thermidor, le sort d'André était irrévocablement fixé, et que ce fut au plus tard ce jour-là que, d'après les listes dressées en floréal par Herman, sur les dénonciations des Manini, Coquery et autres, Fouquier-Tinville reçut l'ordre d'instruire d'urgence le procès de soixante-dix-sept accusés, qui devaient les 5, 6, 7 thermidor être extraits de Saint-Lazare, pour comparaître les 6, 7 et 8 devant le tribunal. Il fit demander les pièces au parquet. Là, à force de sollicitations, comme nous l'avons dit, on avait consenti à dérober à peu près le dossier d'André[1]. Dans leur précipitation à obéir aux ordres nombreux qu'ils recevaient du tribunal, les employés du parquet joignirent aux pièces relatives à André la dénonciation qui avait été dressée par

---

[1] Un chef de bureau, qui était Breton, en cherchant le dossier d'André, aperçut celui de Ginguené, son compatriote, presque en tête. Il le saisit à l'insu des autres membres du parquet, et le mit à la place de celui d'André Chénier. Madame Ginguené apprit plus tard ce fait du chef de bureau lui-même; elle en parlait souvent avec attendrissement, avec terreur même, songeant à cette grande époque où chacun aurait voulu mourir pour un compagnon d'infortune, où Ginguené sans doute eût donné sa vie pour André. — Nous tenons ce fait de M. Ferdinand Denis, qui l'a entendu plusieurs fois raconter à Madame Ginguené elle-même.

A. Dumont contre son frère Sauveur ; c'est pourquoi dans l'acte
d'accusation qu'il rédigea, Fouquier-Tinville donna à André des
qualifications et le chargea de faits qui n'appartenaient qu'à Sauveur.

Le 5 thermidor, vingt-cinq détenus de Saint-Lazare furent trans-
férés à la Conciergerie, et le lendemain furent tous condamnés et
exécutés.

Le 6 thermidor, vingt-sept accusés, dont un seul devait survivre,
et au nombre desquels étaient Roucher et André Chénier, furent
extraits de Saint-Lazare. Les charrettes, arrivées au milieu de la
journée, étaient restées pendant trois longues heures dans la cour,
exposées aux yeux des prisonniers. Ce ne fut qu'à six heures que
les fatales listes vinrent désigner les victimes. Il y eut un moment
douloureux de séparation : André se jeta dans les bras des frères
Trudaine, qui ne devaient lui survivre que d'un jour[1], et il partit
pour la Conciergerie, où siégeait Fouquier-Tinville. Son frère Sauveur ne sut pas son arrivée et ne put même pas l'embrasser une
dernière fois.

Le 7 au matin, André Chénier monta sur les gradins. Quand il
fut interrogé, il réclama contre la qualification d'adjudant général
qu'on lui donnait et contre des faits qui ne se rapportaient pas à
lui. On fut obligé de reconnaître l'erreur, et l'on raya sur l'acte d'accusation trente lignes qui s'appliquaient à Sauveur. Mais, dans ces

---

[1] Ce furent bien les deux frères et non le père et le fils, comme on l'a
dit. *Le Moniteur*, dans la liste qu'il publia le 30 thermidor, les désigne
ainsi : G.-L. Trudaine, âgé de 29 ans, né à Paris, ex-noble, conseiller
au ci-devant parlement de Paris, à Montigny ; G.-M. Trudaine, âgé de
28 ans, né à Paris, même qualité. Dans cette troisième journée, 23 accusés sur 25 furent condamnés. — L'amitié qu'André avait dès longtemps
ressentie pour les Trudaine donnera, croyons-nous, un grand intérêt à ces
quelques lignes de Lacretelle (*Précis hist. de la Révol. franç., Convent.
nationale*, tome II, p. 280, 3e édit.) : « Les deux Trudaine avaient hérité
de leur père une bienveillance active et éclairée... Je ne sais quel espoir
trompa encore le cœur de l'aîné en paraissant devant les juges assassins.
Cet espoir n'était pas pour lui, c'était pour son frère. Il s'abandonna sans
défense aux reproches les plus absurdes qui lui étaient faits : mais son
frère, il le défendait comme s'il y avait eu là des juges, des hommes. Il
dépeignait l'innocence de ses goûts, la candeur de son caractère, tout ce
qui enfin devait repousser loin de lui l'idée d'un conspiration. Il ne fut
point écouté. »

jours de justice expéditive, le tribunal dédaignait les formes les plus élémentaires. La condamnation d'André en fournit un exemple frappant : le jugement, chose inique ! avait été rédigé à l'avance ; car il reproduisait tout le passage de l'acte d'accusation qui concernait Sauveur, de telle sorte qu'on fut obligé de rayer le même nombre de lignes sur le jugement[1]. Cet incident vidé, on appella les témoins. C'étaient ce Manini et ce Coquery dont nous avons parlé plus haut, qui avaient joué le même rôle la veille et devaient reparaître le lendemain, et un Pepin-Desgrouettes, autre délateur, espion aux gages des comités. L'acte d'accusation retraçait le plan supposé de cette prétendue conspiration des prisons. Puis, aux charges qui pesaient sur André communément avec tous les autres accusés, s'ajoutait celle d'avoir écrit contre la fête de Châteauvieux ; c'était la vengeance de Robespierre et de Collot-d'Herbois.

Le jour même, 7 thermidor, à six heures du soir, André Chénier fut exécuté sur la place de la barrière Renversée, ci-devant barrière du Trône. Et ce forfait s'accomplit par une chaleur torride, à la face d'un soleil radieux[2].

Le lendemain, 8 thermidor, dans le bulletin des victimes que publiaient les journaux[3], Marie-Joseph lut le nom de son frère. Il courut chez son père. Le malheureux avoua sa démarche auprès de Barère, qui à ses yeux comme à ceux de Marie-Joseph apparut comme la cause évidente de la mort d'André. Il y eut une scène

---

[1] Nous n'avons pas besoin, croyons-nous, de faire ressortir l'énorme différence qui existe entre l'arrestation, que plus haut nous avons qualifiée d'acte légal, et ce jugement, entaché de la plus flagrante illégalité, qui fut, aux termes de la loi, un meurtre commis avec préméditation. Le fait seul qu'il avait été rédigé à l'avance suffirait pour le frapper de nullité radicale. La loi même du 22 prairial y fut violée, car les jurés, pour se former une conviction morale, n'employèrent même pas *les moyens simples que le bon sens indique*. Pour bien saisir toute l'iniquité de cette condamnation, il suffirait de lire la déclaration du jury dans le procès de Fouquier-Tinville, et le jugement qui ne fut rendu qu'après 39 audiences, dans lesquelles on avait entendu 419 témoins dont 223 à décharge.

[2] La légende a voulu embellir les derniers instants du poëte. On a dit que dans la charrette, en allant à l'échafaud, Chénier et Roucher récitèrent la première scène d'*Andromaque*. On rapporte encore qu'il aurait dit en se frappant le front : « Mourir ! pourtant j'avais quelque chose là ! »

[3] Ce ne fut toutefois que le 25 thermidor que la liste des condamnés du 7 parut dans *le Moniteur*.

terrible entre le père et le fils. Marie-Joseph fut dur ; il accabla de
reproches ce père infortuné, mais bientôt, vaincu par les sanglots
du vieillard, il tomba dans ses bras.

Le lendemain, 9 thermidor, le jour même, étrange coïncidence,
où l'on devait célébrer la fête du Malheur, Robespierre était mis
en accusation et hors la loi par la Convention. Deux jours plus
tard, André eût été libre ! Marie-Joseph ne fut pas maître de sa douleur ; on le vit, dans son désespoir, se rouler à terre. M. de Chénier
ne put survivre plus de dix mois à son fils, dont il s'accusait d'avoir
causé la mort [1]. Madame de Chénier alla habiter avec Marie-Joseph,
et pendant quatorze ans la mère et le fils mêlèrent leurs regrets et
leurs larmes. Marie-Joseph dut parfois envier le sort de son frère.
Souvent malheureux, calomnié, il lui fallut, pour supporter la vie,
une force d'âme qui ne lui manqua jamais.

Telles furent la vie et la mort d'André Chénier.

III

Nous devons maintenant entrer dans quelques brèves considéra-
tions sur les œuvres qu'il nous a laissées.

En marchant vers le but qu'il s'était indiqué, André devait passer
d'abord par l'imitation ; s'efforcer ainsi de plier la langue française
à la peinture des sujets les plus habituels à la langue grecque ; puis,
ayant alors à sa disposition une langue rompue à ce poétique exercice, s'en servir à la peinture de sujets nouveaux et français, et passer ainsi de l'imitation à la création, en se plongeant tout entier
dans la vie moderne. C'est ce que développe avec une lucidité remarquable le poëme de *l'Invention*.

Ce qu'il cherche à apprendre d'Homère, c'est l'ampleur du récit,
les longues énumérations se déroulant au moyen de traits courts et
saisissants ; l'art de peindre les hommes, de les faire agir, et parler,
de passer brusquement de la narration à l'action, enfin ces descriptions où la société humaine sous ses différentes faces, où la nature

---

[1] Il mourut le 25 mai 1795.

dans ses aspects divers, s'imposent à l'esprit et aux yeux du lecteur comme ces ébauches colorées des grands peintres, tout animées de vie, de mouvement et de vérité. Sous cette influence antique, il crée véritablement le vers épique, inconnu à la poésie française ; aussi à chaque instant rencontre-t-on dans ses œuvres de ces vers pleins et sonores qui passent tout d'un vol sous un souffle puissant. Et si ce n'est plus l'heure des longues *Iliades* et des complaisantes *Odyssées*, André Chénier, de cette constante et longue familiarité avec Homère et les plus beaux génies de l'antiquité, aura appris l'art de faire grand dans un cadre de petite dimension, comme Raphaël dans sa *Vision d'Ézéchiel*. C'est en poursuivant ce but de tous ses efforts qu'il se rencontre avec Théocrite, qui chez les anciens s'était montré animé de la même ambition d'appliquer les procédés homé-riques à des sujets d'étendue plus restreinte. C'est ainsi que *l'A-veugle* et *le Mendiant* sont de véritables poëmes, correspondant exactement aux deux pièces de Théocrite intitulées *les Dioscures* et *Hercule chez Augias*, et comprises improprement sous le titre général d'*idylles*. Ce qui le tente dans le poëte de Sicile, c'est l'art difficile de mettre en scène, sous un aspect idéal encore et parfois héroïque, l'homme de la vie pastorale et rustique, l'homme de la nature aux mœurs franches, au langage souvent poétique dans sa rudesse et sa vérité, art bien éloigné de la manière fausse et ma-niérée des Guarini et des Racan, qui prenaient le fleuve de *Tendre* pour le Permesse. Et dans *la Liberté*, dépassant la belle idylle des *Pêcheurs* de Théocrite, il a compris que la poésie pastorale a un but moral, que l'idylle, dans son sens le plus étendu, doit être l'ex-pression juste et saisissable d'une vérité générale, et qu'elle peut, en s'élevant à la hauteur du drame et de la comédie, renfermer un enseignement profitable à l'humanité.

Quant aux élégies antiques, il nous suffira de faire remarquer que, dans *la Jeune Tarentine*, André Chénier a montré comment il entendait transplanter dans un sol plus vigoureux les fleurs un peu étiolées de l'*Anthologie*. A ces petits poëtes grecs, ingénieux et dé-licats, mais d'un souffle un peu languissant, il emprunte des orne-ments; mais ce n'est point eux qu'il prend pour modèle dans l'or-donnance plus sévère de ses compositions.

Dans une épître à Le Brun, André se plaît à nous laisser pénétrer

les secrets savants de son art. A chaque page de ce volume, le lecteur trouvera de nombreux exemples des multiples procédés que le
poëte lui-même nous dénonce. Remarquons seulement que l'imitation se combine toujours avec l'invention, soit qu'il assemble plusieurs passages d'un auteur ancien dans une élégie, soit qu'il développe ce qui n'était qu'en germe dans son modèle. Ce qu'il veut
surtout donner « à ses fruits nouveaux, » c'est « une saveur antique. » Mais il est deux procédés sur lesquels nous insisterons, parce
qu'ils sont l'essence même de l'art. Dans Homère, la comparaison
est souvent un tableau (la nature prise sur le fait est fidèlement
peinte) que l'on pourrait détacher du poëme, et qui, pris isolément,
serait une épigramme, une petite ode, quelquefois morale et philosophique, une de ces petites pièces à une seule touche, comme les
Grecs les aimaient. C'est ce procédé qu'André employait avec une
science incomparable et un art exquis. Quand un petit tableau,
dans un auteur ancien ou même moderne, le frappait, il s'en em-
parait, et le soudait immédiatement à quelqu'une de ses pensées
par une comparaison. C'est par ce moyen qu'André lie constam-
ment le passé au présent, la vie antique à la vie moderne. Cela explique pourquoi on trouve dans ses œuvres un si grand nombre de
fragments qui ne sont que le premier terme d'une comparaison. Ce
sont comme des bas-reliefs tout prêts à prendre place dans la décoration du monument qu'il médite.

Le second procédé, plus complexe, consiste dans la création par
assimilation antérieure. Ce procédé échappe souvent à la critique, et
les poëtes eux-mêmes ne s'en rendent pas toujours compte. Il faudrait parfois remonter bien haut pour découvrir les sources premières de l'inspiration. Mais, dans André, l'art se laisse saisir à tous
les degrés de formation. Ainsi, le lecteur pourra lire la Vᵉ élégie
du livre III de Tibulle, ensuite l'élégie aux frères de Pange ; voir
comment André imite Tibulle, ce qu'il omet, ce qu'il ajoute, ce qu'il
modifie ; puis, de l'élégie aux frères de Pange, passer à *la Jeune
Captive*, et se rendre compte du travail d'assimilation et d'appropriation qui a précédé cette création ; comment l'âme d'André a été,
pour les pensées du poëte latin, comme un second moule d'où elles
sont sorties renouvelées, rajeunies, fécondées par une méditation
interne et insaisissable. Et, dans cette étude, le lecteur trouvera

encore une preuve anticipée de ce que nous allons dire touchant l'introduction du lyrisme dans le génie d'André.

Quand il voulut, dans *le Jeu de paume*, tenter le genre pindarique, le lyrisme n'avait pas encore transformé la nature de son génie ; aussi ne réussit-il pas complétement. Toutes les réflexions morales qui terminent cette pièce, très-justes, très-belles, exprimées en beaux vers, eussent dû être condensées en quelques phrases tombant de plus haut. Le passé doit éclairer l'avenir. A chaque instant Pindare évoque aux yeux de ses contemporains les ombres des héros passés, et, de l'exemple de divines fortunes ou de soudaines catastrophes, tire une morale supérieure, qui n'est qu'e le poétique résumé des méditations dans lesquelles son récit a entraîné l'âme de ses auditeurs. Mais, si Pindare avait eu à célébrer un événement aussi considérable dans l'histoire de l'humanité que celui du Jeu de paume, peut-être n'eût-il pas lui-même complétement dominé son enthousiasme.

Plus tard, dans l'*Ode à Charlotte Corday*, la forme nouvelle du génie d'André est déjà visible. Et c'est à cette dernière et éclatante transformation, au milieu de laquelle la mort a malheureusement arrêté le poëte, que nous voulons faire assister le lecteur. Nous allons voir, sous la double influence de l'amour et de la patrie, le génie d'André tourner au lyrisme et devancer ainsi l'avenir de la poésie française.

Lycoris, *Glycère*, *Camille*, telles sont les Muses d'André. Dans ses *Commentaires* sur Malherbe, il blâme le poëte d'avoir fait choix « d'une maîtresse poétique ; » il veut qu'on aime réellement la beauté qu'on célèbre. Nous devons donc supposer qu'en général les élégies d'André ne sont pas « des vanteries poétiques ; » d'ailleurs, la jeunesse du poëte nous en est un sûr garant. Dans sa vie d'étude et de méditation, les plaisirs et les passions avaient leur part. Il cherchait aux pieds de Camille une inspiration qui n'avait rien de factice. Toutefois il aime l'art plus que Camille, et il a raison de dire :

Camille est un besoin dont rien ne me soulage.

Le poëte est insatiable et commande à l'amant d'aimer toujours, pour l'inspirer toujours. Mais d'où vient que, si quelque jeune amant ouvre le livre d'André, il ne trouvera pas dans *Camille* d'élégie qui

réponde directement à un besoin de son cœur ? C'est justement parce
que l'art y domine l'amour ; c'est que, jusqu'à Camille inclusive-
ment, André n'aime pas réellement, et que dans ces élégies il ne
s'est peut-être pas montré toujours assez indépendant d'Ovide, d'Horace, de Tibulle, de Properce, dont les sentiments, d'une mode naturellement antique, surprennent un peu le lecteur, qui s'attendait
à trouver une âme plus moderne, plus vivante, et une douleur ou une
joie plus personnelles. Mais, au contraire, qu'il ouvre l'*Ode à Versailles*, où l'on ne peut signaler qu'une ou deux imitations de peu
d'importance, et ses yeux, restés secs à la lecture des élégies à Camille, vont se mouiller de larmes subites. Le génie d'André s'est
transformé. Son âme (c'est bien son âme cette fois) s'est ouverte à la
mélancolie. Fanny est l'astre adoré vers lequel l'amant sans repos
tourne ses yeux jaloux. L'amant désormais domine le poëte ; mais il
n'y a plus à craindre pour l'art, le poëte en est maître, il en sait tous
les secrets, et Vénus-Uranie peut l'inspirer.

Mais la forme elle-même de sa poésie s'élève avec la pensée, et
l'élégie atteint jusqu'à l'ode. *Fanny*, c'est l'introduction du lyrisme
dans l'élégie, de ce lyrisme de l'amour composé de mélancolie,
d'extases, d'aspirations idéales, lyrisme encore voilé, qui ne se fait
entendre dans les vers d'André que comme un chant éloigné et que
souvent il faut presque deviner ; c'est le son rêveur de la lyre moderne qui vibre dans le lointain. *Camille*, c'est encore l'élégie de
Tibulle ; *Fanny*, ce n'est pas encore l'élégie de Lamartine.

De même que l'amour chaste, l'amour de la patrie aura une influence toute lyrique sur le génie d'André. Un grand nombre d'élégies sont des méditations en dehors de l'amour. C'est une poésie de
sentiment, née de passions toutes personnelles. Mais le poëte est ici-
bas appelé à de plus hautes destinées. Son âme se fond dans l'âme
humaine tout entière ; ses passions se généralisent ; *sa* liberté devient *la* liberté ; la vie privée disparaît devant la vie sociale, et la
cause du poëte devient celle de l'humanité. Jadis, aspirant à mourir,
quels intérêts le rattachent à la vie ?

> « Mes parents, mes amis, l'avenir, ma jeunesse,
> « Mes écrits imparfaits. . . . . »

Mais après la transfiguration il ne s'agit plus de parents, d'amis, d'avenir, de jeunesse, d'écrits imparfaits; le poëte fait abstraction de tout lui-même et s'écrie :

> « Toi, vertu, pleure si je meurs ! »

Ce n'est plus André Chénier, c'est tout citoyen immolé aux pieds des lois par l'injustice et le mensonge ; c'est la liberté, la vertu elle-même, asservie, égorgée ! Ici encore, c'est l'introduction du lyrisme dans la méditation, qui, pour des pensées nouvelles, veut une forme nouvelle. Et si quelque dernière et sainte affliction plus personnelle, si quelque regret de la vie, de la lumière, de l'amour, le trouble encore, le poëte aura soin de voiler aux yeux ses préoccupations, peut-être trop tendres et trop humaines, mais il en animera l'âme virginale d'une jeune captive, touchante personnification de la Muse éplorée du poëte.

Ainsi le talent d'André, à mesure qu'il se développe, se transfigure dans la pensée et dans la forme, et s'élève jusqu'au lyrisme. Ce mouvement ascensionnel est très-remarquable dans Chénier, et explique pourquoi, né et mort dans le dix-huitième siècle, il appartient au dix-neuvième.

Nous n'entrerons pas ici dans de longs détails sur la langue et sur le style du poëte. Son vocabulaire est riche, non pas à la façon des poëtes modernes, mais riche en mots justes et précis. Nous étonnerons peut-être en disant qu'il n'y a pas dans toutes ses œuvres un seul néologisme. L'emploi de mots nouveaux était un défaut qu'il blâmait beaucoup dans Mirabeau. Il se trompe rarement dans l'emploi d'un mot ; il en connaît la portée, la valeur, non-seulement dans l'usage accoutumé, mais encore à l'origine. Il aime à redonner à un mot son sens primitif, souvent oublié pour le sens figuré, et à lui rendre tous les sens qu'il avait en passant de la langue latine dans la nôtre, et que nos vieux écrivains lui avaient conservés. En résumé, comme nous l'avons déjà dit, sa préoccupation constante est d'enrichir la langue française de ses propres richesses.

Quant au rhythme de ses poésies, deux strophes également harmonieuses sont celle de l'*Ode à Versailles* et celle de *la Jeune Captive*. Parmi les poëtes connus, nous ne savons que Racan qui les ait employées, la première, dans un hymne ; la seconde, dans la traduction de deux psaumes. Ronsard, Malherbe, Racine, La Fontaine, ont toujours, dans ce genre de strophes, employé le vers de six syllabes au lieu du vers de huit, ce qui est moins harmonieux.

Le rhythme le plus nouveau, le plus original, c'est celui des ïambes. C'était chez les anciens le mètre consacré à l'invective. Horace l'avait imité des Grecs, et André Chénier l'emprunta directement à Horace, qui s'en était heureusement servi dans plusieurs des *Épodes*. Pour retrouver le mètre de Chénier, on n'a qu'à couper les vers du poëte latin comme des vers français, par exemple, ceux de la VIe *Epode :*

> Quid im | meren | tes hos—pites | vexas, | canis,
> Igna | vus ad | versum | lupos?

On le voit, si l'on ne tient compte que du nombre des syllabes, c'est exactement le même mètre chez les anciens et chez le poëte français [1].

Entre l'ampleur continue de l'alexandrin et les strophes de l'ode, qui semblent planer et s'oublier entre deux coups d'ailes, le mètre employé par André Chénier (composé de vers de douze syllabes, suivi du vers de huit syllabes correspondant au distique des Latins formé du grand et du petit ïambe) a cette allure vive, rapide, toujours en haleine, qui sied à un poëte de combat. L'emploi qu'en firent Chénier et de nos jours A. Barbier et Victor Hugo, a désormais consacré ce rhythme si frappant, qui restera, ce qu'il était chez les anciens, celui des fougueuses invectives ; ce sera celui de tous les poëtes que des haines personnelles ou patriotiques armeront du fouet de la vengeance.

Si maintenant nous examinons la construction intime des vers, nous toucherons à une innovation qui fut une révolution dans l'art. En lisant les vers grecs, on est frappé de la liberté du poëte au milieu de tant de règles prosodiques. Tout en rangeant, coordonnant les mots selon les lois voulues, il reste libre de développer sa pensée, de la suspendre, de l'arrêter soudain dans un brusque repos, sans être astreint à faire coïncider une harmonie immuable, qui se reproduit presque la même à chaque vers, avec l'harmonie complexe

---

[1] Nous nous sommes approprié les très-justes remarques de M. Eugène Despois, dans la *Revue nationale* du 10 novembre 1862 (p. 426).

et multiple de la pensée, qui n'admet d'autres lois que celles du génie.

Le seizième siècle avait introduit ce libre système dans la poésie française ; mais le dix-septième, qui fit en tout triompher le principe d'autorité, proscrivit cette liberté ou ne la toléra que sous le nom de licence. C'est à cette licence cependant que la poésie dramatique dut, au dix-septième siècle, ses plus saisissants et ses plus puissants effets. Au surplus, en dehors du théâtre, La Fontaine protestait. Le dix-huitième siècle continua les errements du dix-septième. Cependant Voltaire, qui certes n'était pas lyrique, mais qui avait le goût sûr en toutes choses, sentait et disait que

souvent la césure
Plaît, je ne sais comment, en rompant la mesure.

En rompant la mesure, Chénier fit une révolution dans l'art et légitima les poétiques efforts du seizième siècle. C'est dans cette voie de complète liberté que le dix-neuvième siècle a suivi le jeune maître. Jusqu'alors la science de la prose avait dépassé celle de la poésie. Le vers d'André Chénier et le vers moderne, plus savant encore, ont des secrets inconnus à la prose la plus concise et la plus serrée.

Après les questions diverses que nous avons soulevées, nous devons enfin conclure.

Il serait difficile de définir exactement le rang qu'occupe André Chénier dans la littérature française. Comme les dieux, les poëtes ne veulent pas être comparés entre eux. Au sommet du Parnasse peut trôner majestueusement un Homère ; mais au-dessous les rangs se confondent. Cependant les poëtes modernes révèrent André Chénier et célèbrent en lui le premier pontife d'un art nouveau ; son nom a retenti sur toutes les jeunes lyres de ce siècle, et l'on pourrait dire de lui ce qu'un ancien disait d'un poëte mortellement frappé, comme André, à la fleur de l'âge : « Uranie enfanta Linus, ce fils bien-aimé, que, parmi les mortels, aèdes et joueurs de cithare, tous, pleurent dans les festins et dans les chœurs, invoquant Linus au commencement et à la fin de leurs chants. »

André est de la famille des Théocrite, des Virgile, des Horace, des Racine, des La Fontaine, et désormais CLASSIQUE comme eux. Le temps ne détruira rien du monument qu'il a laissé inachevé ; on en rassemblera les moindres fragments, et partout on recherchera les traces de ce jeune et puissant génie.

La plus belle espérance de la poésie française est dans ce lyrisme que nous avons vu s'introduire insensiblement dans le génie d'André. Déjà le dix-neuvième siècle s'est ardemment élancé dans cette voie nouvelle ; ses pas marqués en avant attestent que, s'il n'a pas atteint le but, il s'en est du moins rapproché. La langue française brisée, ployée à tous les rhythmes, à tous les modes, a acquis cette merveilleuse souplesse que jusqu'alors possédait seule la langue grecque. Moins harmonieuse, elle est faite pour les hommes du Nord. Le lyrisme l'a fécondée, et toute l'Europe la parle. N'est-ce pas dire qu'au moment où toute l'Europe frissonne du désir de la liberté, on peut espérer qu'un poëte, l'égal de Pindare, surgissant du sol français, pénétrant l'esprit de l'histoire, comme Pindare l'esprit des fables, semant la fraternité au milieu de toutes les races affranchies, saura, par le prestige de la poésie, les entraîner vers le but idéal de l'humanité ? Et, même au milieu de cette grande époque démocratique et littéraire que déjà nous pouvons entrevoir, et qui aura ses heures difficiles, le souvenir d'André Chénier ne sera point inutile, car, si un jour le despotisme des Césars ou des Collot-d'Herbois s'appesantissait encore sur l'Europe, il rappellerait au poëte que son devoir est de défendre les lois, et qu'il trouve souvent ses plus belles inspirations au pied de l'échafaud, en mourant pour la liberté.

APPENDICES

I

BIBLIOGRAPHIE DES ŒUVRES D'ANDRÉ CHÉNIER

Les deux seules pièces de vers qu'André publia sont *le Jeu de Paume* et l'*Hymne aux Suisses de Châteauvieux*. *Le Jeu de Paume* parut en petite brochure de 24 pages portant ce titre : *le Jeu de Paume, à Louis David, peintre, par André Chénier, de l'imprimerie de Didot fils aîné, à Paris, chez Bleuet, libraire, rue Dauphine* n° 112, 1791.

L'Hymne parut dans le *Journal de Paris*, le 15 avril 1792.

Moins de six mois après la mort d'André, dans *la Décade philosophique*, parut *la Jeune Captive*, le 20 nivôse an III[1]. Elle fut ensuite publiée dans l'*Almanach des Muses*, an IV (1795-1796).

Dans le *Magazin encyclopédique*, an VII (1798-1799), 5ᵉ année, t. I, p. 388, Chardon de la Rochette, à propos des *Fragmenta elegiarum Callimachi* qui venaient de paraître, fit connaître une note latine manuscrite qu'André Chénier avait portée sur son exemplaire de l'*Aratus* de Fell. Dans le même recueil, an VIII (1799-1800), 6ᵉ année, tome VI, p. 365, on réimprima *la Jeune Captive*. Millin y disait, dans une note : « Cette ode a été composée pour madame de M***[2] par André Chénier, pendant que nous étions ensemble dans la prison de Saint-Lazare, sous le règne de Robespierre. J'ai lu le manuscrit de sa main. » *La Jeune Captive* fut encore publiée plusieurs fois, entre autres dans le *Nouvel Almanach des Muses* en 1803, et dans la *Petite Encyclopédie poétique* en 1804, tome VII, p. 152.

---

[1] Nous ne transcrivons pas ici les notes qui accompagnent les pièces d'André, publiées dans différents recueils. Toutes expriment les regrets qu'ont inspirés sa mort prématurée et les espérances qu'il donnait aux lettres.

[2] Mademoiselle de Coigny, devenue madame de Montrond.

Mais revenons un peu sur nos pas. Après la mort de M. de Chénier père (1795), les manuscrits furent confiés au frère aîné, Constantin-Xavier, qui les garda jusqu'en l'an V (1797), époque à laquelle il partit pour Elbing en qualité de consul. Ils passèrent alors entre les mains de Marie-Joseph, qui habitait avec sa mère. « A quelques vers (dit M. Labitte) de la première édition du *Discours sur la Calomnie* (1795) qui ont disparu dans les versions suivantes, on dirait que Marie-Joseph avait un instant conçu le projet de publier lui-même les ïamber d'André :

> Contre mes ennemis soulevant la nature,
> Unissant à ma voix les accents fraternels,
> J'attacherai l'opprobre à des fronts criminels!

Si Marie-Joseph ne publia rien de son frère, il ne cacha pas ses manuscrits ; il les montra, les fit lire, les prêta. Les manuscrits coururent même des dangers et beaucoup de feuillets durent certainement s'égarer. Dans cette facilité qu'il mettait à les communiquer il faut certes voir le légitime orgueil que lui inspirait le talent d'André ; mais il eût pu, avec plus d'avantage, sinon les publier, du moins en préparer la publication. Il y avait là un travail long, difficile, mais plein d'intérêt, et qui eût servi en même temps la gloire de Marie-Joseph et la gloire d'André. En somme, l'histoire des manuscrits d'André Chénier est assez confuse. Il y a bien des versions. La famille dit qu'en 1810 Constantin, de retour à Paris, reprit les manuscrits, ce qui étonne, car le véritable chef de la famille, non par l'âge, mais par la position, par l'élévation et la dignité du caractère, était Marie-Joseph, et c'était chez lui qu'était la place des manuscrits. D'autres personnes disent que les manuscrits allèrent s'égarer encore entre les mains de madame de L***. Aujourd'hui cela est sans beaucoup d'importance ; si nous en parlons, c'est pour expliquer pourquoi les œuvres d'André attendirent si longtemps avant de voir le jour. La famille avait un véritable culte pour Marie-Joseph, et ne pensait pas que jamais la gloire d'André dût éclipser celle de son frère. Elle s'était trompée, ce qui n'est pas bien extraordinaire, mais elle a été longtemps avant de vouloir le reconnaître. L'édition de 1824 et 1826 fut évidemment un monument élevé aux mânes de Marie-Joseph. A cette date, Marie-Joseph était encore le génie. Cependant les esprits clairvoyants avaient depuis entrevu la vérité littéraire, et remis chacun des deux poëtes à leur place définitive.

La Jeune Tarentine parut dans *le Mercure*, 1er germinal, an IX et fut depuis publiée plusieurs fois avec le sous-titre : *Élégie dans le goût ancien*. On la trouve dans l'*Almanach des Muses* [1], an X (1801-1802), p. 113 ; dans le *Journal de Paris*, 7 germinal, an IX ; dans *la Décade philosophique* du 10 brumaire an X, avec un article de Ginguené ; dans le *Nouvel Almanach des Muses ;* dans la *Petite Encyclopédie poé-*

---

[1] Dans ce recueil on réimprima l'*Hymne aux Suisses.*

tique, 1805, tome XI, p. 100 ; dans les *Quatre Saisons du Parnasse,* été 1808.

Vers 1800, dans le groupe littéraire qui entourait M. de Chateaubriand, on s'occupait beaucoup d'André [1]. Fontanes et Joubert avaient lu ses manuscrits. Le goût pur de Fontanes, la grâce attique de Joubert, s'étaient laissé séduire à la fraîche muse du poëte. Madame de Beaumont avait connu André Chénier chez « la belle madame Hocquart » et avait su apprécier sa vive et puissante organisation poétique. Elle fit connaître à Chateaubriand *la Jeune Captive*, un peu perdue, il faut l'avouer, dans les recueils de l'époque.

En 1802, quand parut le *Génie du Christianisme*, dans une note (2me partie, livre III, chap. VI), Chateaubriand cita de mémoire plusieurs fragments :

> Accours, jeune Chromis, je t'aime et je suis belle...
> Néère, ne va point te confier aux flots...
> Souvent las d'être esclave et de boire la lie...

Quelques années plus tard Millevoye publia ses *Élégies* et dans une note fit connaître des fragments de *l'Aveugle*, rappela encore le fragment :

> Accours, jeune Chromis...

et parla en outre du *Jeune Malade*, mais sans en rien citer. Nous devons faire remarquer déjà combien les poésies d'André se font jour comme d'elles-mêmes. Les publications ne s'arrêtent pas, et la publication définitive sera une nécessité littéraire. Mais nous devons ici, à propos de Millevoye, nous étendre sur quelques détails peu connus.

On sait que, vers 1802, Marie-Joseph contracta une liaison qui ne fut pas toujours heureuse et dont quelques épisodes ont été racontés avec une réalité d'un goût douteux par M. de Latouche dans *la Vallée aux Loups*, sous le titre de *un Cœur de poëte*. Marie-Joseph y est nommé, et celle que le public pouvait deviner dans l'*Épître à Eugénie* y est appelée Stéphanie. Or, a dit avant nous M. Labitte, « quelques-unes des premières élégies du chantre de *la Chute des feuilles* allaient, dit-on, à la même adresse que l'*Épître à Eugénie*. »

Trop facile à prêter les manuscrits d'André, Marie-Joseph les laissa longtemps entre les mains de la personne dont nous parlons. Millevoye les lut ainsi, à loisir, avec attention, d'un bout à l'autre ; et cette lecture, ou mieux cette étude, eut quelque influence sur le talent de Millevoye [2].

---

[1] Voy. Sainte-Beuve, *Chateaubriand*, II, p. 281. « Ce qui manque à Marie-Joseph (disait-on alors), c'est le charme ; il n'a point le souffle divin, mais c'est son frère qui l'avait bien éminemment ; c'est celui-là qui est poëte. »

[2] Vers 1801, Millevoye était commis chez un libraire du Palais-Royal ; il était chargé de compiler la *Petite encyclopédie poétique*. Ce fut dans ce recueil qu'il publia, en 1805, *la Jeune Tarentine*.

Nous insistons là-dessus parce qu'on a beaucoup épilogué, entre autres Béranger, comme nous le verrons, sur les œuvres d'André et sur leur éditeur, et que les imitations de Millevoye (s'il en était encore besoin) attesteraient le passage entre ses mains non-seulement de quelques pièces, mais de presque tous les manuscrits [1].

---

[1] Ouvrons donc les œuvres de Millevoye, dans le *Combat d'Homère et d'Hésiode*, le vers

> L'huile coule à flots d'or sur leurs membres luisants,

n'est-ce pas le vers de *Lydé :*

> Et l'olive a coulé sur leurs membres luisants?

Remarquez celui-ci :

> Et les *dormantes eaux* du fleuve aux rives sombres.

André y est pour la moitié ; il a dit :

> Ensevelis au fond de tes *dormantes eaux.*

La Jeune Épouse est une imitation détournée de *la Jeune Tarentine :*

> Écartez le soleil de vos grottes humides. . . . .
> Rêveuse, s'est assise au banquet d'hyménée. . . . .
> Dont le *prêtre d'hymen* a paré ses cheveux. . .
> Et lentement retourne au banquet de l'époux. .

André avait dit *le bandeau d'hymen;* l'expression de Millevoye suffirait à prouver qu'il n'avait pas véritablement en lui le goût antique. Dans *Stésichore*, dans *Danaé*, dans *Homère mendiant*, remarquez cette épithète fréquente : Le bouclier *sonore...* la vague *sonore...* le *sonore* portique. *Homère mendiant* est imité à la fois de l'*Aveugle* et du *Mendiant.* L'hôte s'appelle *Lycus*, et voici des idées, des vers entiers pris dans les manuscrits :

> Je me traîne à pas lents sur l'inculte rivage. . . . .
> Quelques fruits dédaignés de la brute sauvage
> De mon corps épuisé sont l'unique aliment. . . . .
> . . . . . A Lycus appartient cette enceinte, ...
> Les vins délicieux. . . . .
> O Lycus ! l'homme heureux, tel qu'un dieu sur la terre,
> Des biens de l'indigence est le dépositaire. . . . .
> L'étranger, tu le sais, vient de la part des dieux. . . . .
> J'ai visité du Nil les campagnes fécondes. . . . .
> J'ai traversé la mer et parcouru les ondes. . . . .
> Croyait d'Apollon même entendre l'harmonie. . .
> Puisse de Jupiter la faveur signalée,
> De jours délicieux composer ton destin. . . . .
> Et guider vers les bords de la mer mugissante. . . . .

Le discours de Cléotas est modifié ; il devient un souhait dans la bouche d'Homère :

> Que le char des moissons fatigue tes taureaux ; etc.

Au lieu d'être hospitalier, Lycus repousse l'étranger :

> . . . Aussi bien ta plainte m'importune
> J'eus toujours en horreur l'aspect de l'infortune. . .

Puis vient l'imprécation contre Cumes, qu'Homère voue à l'oubli. Puis la comparaison de la cigale, mais changée, mais gâtée ; et ce vers :

> Ni d'Achille outragé l'inflexible repos,

En 1811, à la mort de Marie-Joseph, M. Daunou devint dépositaire des manuscrits, ou du moins parvint à rentrer en possession de la plus grande partie, car on dit, doit-on le croire ? que, plus tard, M. de Latouche retrouva encore quelques feuillets des manuscrits entre les mains d'Eugénie ou de Stéphanie, comme on voudra l'appeler. Quelques années après, Chênedollé, qui, à Hambourg, avait souvent et longuement causé d'André avec Rivarol, pria M. Daunou de lui communiquer les manuscrits. Il fut enthousiasmé, et voici la lettre qu'il écrivit à M. Daunou [1], à la date du 5 octobre 1814 :

« En me communiquant les manuscrits d'André Chénier, vous m'avez procuré, Monsieur, un des plaisirs poétiques les plus vifs que j'aie éprouvés depuis longtemps. Il y a dans les élégies surtout des choses du plus grand talent, des choses vraiment admirables. Il ne faut pas qu'un tel trésor reste enfoui. Je vous conjure, au nom de tous les gens de goût, de vous occuper d'une édition des poésies de cet infortuné jeune homme, plein d'un talent si beau et si vrai. C'est un monument à élever à ses mânes, et pour lequel, comme j'ai eu l'honneur de vous le dire, je vous offre tous mes soins. Ayez donc la bonté de m'écrire, et nous nous concerterons pour cela. »

Les œuvres d'André devaient attendre encore quelques années. Mais M. Daunou prêta plusieurs fois encore les manuscrits, entre autres à Fayolle, et, en 1816, parut un livre in-18, intitulé : *Mélanges littéraires composés de morceaux inédits de Diderot, de Caylus, de Thomas, de Rivarol, d'André Chénier, etc..., recueillis par M. Fayolle. Paris, Pouplin*, 1816. La préface se termine ainsi . « Nous avons voulu réunir

copié sur celui d'André :

Que d'Achille outragé l'inexorable absence.

Et celui-ci qui rappelle *le Jeune Malade :*

Et je pars ! et demain tu n'auras plus de mère.

Dans les *Derniers Moments de Virgile :*

Oh ! sous vos frais coteaux à la pente fleurie,
Combien ma cendre un jour eût dormi mollement ! . . . .
Songez à moi : plaignez mon destin si rapide ! . . . .

C'est l'écho de l'élégie aux frères de Pange. Dans les *Plaisirs du poète :*

Et pourquoi s'étonner que du sublime Orphée
La lyre ait attendri les rochers du Riphée ?

n'est-ce pas le vers d'André :

Par sa lyre attendris les rochers du Riphée ! . . . .

On pourrait pousser plus loin les recherches et les comparaisons ; on verrait que le côté antique chez Millevoye n'est très-souvent qu'emprunt ou réminiscence, c'est de l'André Chénier. Mais Millevoye, dans ces précieux manuscrits, n'a pas su puiser une large inspiration. Le souffle divin n'a pas passé en lui.

[1] Voy. Sainte-Beuve, *Chateaubriand*, II, p. 302 (voy. aussi la note, page 103). Cette lettre est extraite de *Documents biographiques sur M. Daunou*, par M. Tailandier (2ᵉ édit., p. 221).

des poésies des deux frères, en insérant à la suite de cette pièce des fragments d'un poëme épique d'André Chénier, où l'on trouve à la fois la simplicité de Théocrite et le sublime d'Homère. En finissant, nous signalerons ici les titres des ouvrages d'André Chénier restés inédits : le *Plan d'un poëme sur la conquête du Pérou*, des *fragments* d'un *Art d'aimer*, un poëme hébraïque, et plusieurs livres d'élégies. »

Or le poëme épique dont Fayolle publiait les fragments, c'était *le Mendiant*. Malheureusement il y était à peu près défiguré. Fayolle avait eu la malencontreuse idée de remplacer beaucoup de passages par quelques lignes de prose (il en avait averti le lecteur), et souvent d'altérer un vers entier pour coudre la poésie d'André à sa prose.

Ainsi, comme on le voit, avant 1819, les manuscrits avaient été vus et lus par un grand nombre de personnes, et avaient passé en plusieurs mains. Beaucoup de morceaux avaient été publiés, et la presque totalité des poésies était désignée à la publication.

En 1819, M. Daunou mit enfin à exécution le projet qui avait séduit Chênedollé. Il y avait un classement, un choix à faire, l'impression à surveiller, une notice à écrire. M. H. de Latouche fut choisi pour ce travail. L'édition parut sous ce titre : *OEuvres complètes d'André de Chénier. Paris, Beaudouin frères, Foulon et Cie, libraires*, 1819. La notice biographique était assez vague, et, vers la fin, la vérité faisait place à la légende. Quelques pièces y étaient gravement altérées ; l'*Hymne aux Suisses de Châteauvieux* s'arrêtait au seizième vers. L'*Ode à Marie-Joseph* n'avait que deux strophes ; et cette suppression était malheureuse, parce que, nous le savons aujourd'hui, les suivantes n'étaient pas ironiques comme on a pu le croire. Enfin les ïambes composés à Saint-Lazare étaient disloqués, coupés, hachés, et par suite la pensée, et un peu l'âme d'André. Toutefois il faut avoir la franchise de le dire : les vers enlevés par de Latouche n'étaient pas les meilleurs et faisaient évidemment longueur. L'éditeur en profita pour disposer les fragments des ïambes de la façon dramatique que l'on sait, afin de toucher le public et de faire réussir la publication. L'édition fut promptement épuisée. En 1820, les mêmes libraires firent une réimpression de l'ouvrage, une réduction in-18. Deux ans après, en 1822, une réimpression fut encore jugée nécessaire ; l'ouvrage avait eu un plein succès. Mais, si nous avons accusé M. de Latouche de quelques coupures et de quelques suppressions, nous devons dire qu'il eut le bon goût de respecter le texte, et qu'il mit un soin presque scrupuleux à ne pas l'altérer. Il y eut bien çà et là un mot changé ou une rime enrichie, mais le nombre des vers qu'il modifia ne se monte pas à plus de vingt. M. Émile Deschamps, qui a connu personnellement M. de Latouche, nous l'a positivement affirmé, et on en est intimement convaincu après une lecture attentive. Il n'en fut pas toujours ainsi. En 1824 et 1826, on édita les œuvres complètes de Marie-Joseph, et on imprima à la suite les œuvres d'André. L'ouvrage, imprimé chez Didot parut sous ce titre : *OEuvres posthumes d'André Chénier, augmentées d'une notice historique par M. H. de Latouche, revues,*

corrigées et mises en ordre par D. Ch. Robert. Paris, Guillaume,
1826. M. de Latouche n'y fut pour rien, mais M. Robert y fut pour
beaucoup trop. C'est à lui qu'on est redevable de toutes les altérations
du texte.

Quelques années plus tard, en décembre 1829 et en mars 1830, M. de
Latouche, dans deux articles de la *Revue de Paris*, fit connaître plusieurs fragments inédits d'André Chénier. Ces deux articles furent de
nouveau publiés dans *la Vallée aux Loups*, dont la deuxième édition est
datée de 1833. La même année parut une nouvelle édition du poëte :
*André Chénier, poésies posthumes et inédites. Nouvelle et seule édi-
tion complète ; 2 vol. in-8°. Paris, Charpentier et Eug. Renduel,*
1833. Elle contenait les nouveaux fragments publiés par M. de Latouche
et d'autres, dont la famille avait donné la copie.

Avec raison M. de Latouche rétablit le texte de la première édition,
qui était celui d'André ; mais dans la notice il reproduisit la légende des
trois portefeuilles, déjà insérée dans la *Revue de Paris ;* il n'y ajouta
alors qu'une soi-disant préface d'André Chénier, destinée, disait-il, par
le poëte, au portefeuille n° 1. Cette préface est-elle un pastiche et la
légende des *trois portefeuilles* n'était-elle que l'erreur d'un éditeur de
trop d'imagination égaré par des indices trompeurs [1]? Vers cette époque,
il se passa, dans un certain monde littéraire, un phénomène assez curieux. Béranger était un des dieux d'alors. Mais au milieu de sa gloire,
il était dévoré par un regret, celui de n'avoir jamais été initié par ses
études à la belle antiquité. Il sentait, et ce fut pour lui un chagrin constant, qu'il n'avait réellement pas, bien qu'il l'eût dit, éveillé les abeilles

---

[1] Il est évident qu'un aperçoit çà et là dans les œuvres d'André des traces
d'arrangement qui trahissent l'intention de se présenter au public. Quelques
signes, quelques chiffres sur les manuscrits ont pu tromper M. de Latouche et
lui faire croire à une classification. Quant à la préface, il n'est pas rare de
voir un auteur esquisser un avis au public bien avant l'achèvement de son
œuvre. Dans les *Idylles* d'André on trouve un *Épilogue*, de même dans l'*Hermès*,
et ce dernier était presque achevé alors que le poëme était à peine commencé.
Dans les *Œuvres en prose*, p. 248, on peut lire un chapitre qui est une véritable
préface destinée à présenter au public un ouvrage qui non-seulement n'a jamais été terminé, mais qui peut-être n'a jamais été commencé. Il faut avouer
que la préface intercalée dans l'édition de 1833 est tout à fait dans le style
d'André et conforme à tout ce que nous savons de sa manière de voir. Si c'est
un pastiche (il faudrait le prouver), il est bien habilement fait. Voici cette
préface ; le lecteur en jugera : « L'auteur de ces poésies les a extraites d'un
grand nombre qu'il a composées et travaillées avec soin depuis dix ans. Le
désir de quelque succès dans ce genre, et les encouragements de ses amis l'ont
enfin déterminé à se présenter au lecteur. Mais comme il est possible que des
amis l'aient jugé avec plus de faveur que d'équité ; et aussi que les idées du
public ne se rencontrent pas avec les siennes et les leurs, il a cru meilleur d'en
faire l'essai en ne mettant au jour qu'une petite partie de ses ouvrages. Car si
le peu qu'il publie est goûté, il en aura plus de plaisir et de courage à montrer
ce qui lui reste ; sinon, il vaudra mieux pour les lecteurs d'être fatigués moins
longtemps ; et pour lui, de se rendre ridicule et ennuyeux en moins de pages. »

de l'Hymette. De plus, il avait un faible : il aimait à dispenser la gloire et à faire grands des petits poëtes. D'abord de bonne foi sans doute, ensuite par entêtement, les lauriers d'André lui portant un peu d'ombrage, il répétait sans cesse que les poésies d'André étaient de de Latouche. L'auteur de *la Vallée aux Loups* nia certainement (ses vers d'ailleurs parlaient pour lui), mais la fatuité n'était pas son moindre défaut, et il laissa sans doute entrevoir qu'il avait paré son poëte pour le montrer en public. La coquetterie de l'un servit à la ruse de l'autre, et Béranger s'appliqua désormais à ne plus voir dans son protégé que l'*inventeur* ingénieux d'André Chénier. Cette incroyable et ridicule opinion, dans laquelle il persista toute sa vie, il la reproduisit dans sa Correspondance (tome III, p. 291)[1], sans songer que confondre Chénier et de Latouche, c'était faire preuve d'un goût douteux en poésie. Il a encore reproduit cette assertion, et cette fois à propos des ïambes, dans *Ma Biographie*, p. 193. Il appelle de Latouche « *grand faiseur de pastiches,* » et il dit des ïambes : « *Tout le monde sait aujourd'hui que ces vers sont de de Latouche.* » Béranger allait trop loin. Il n'aurait eu qu'à en exprimer le désir, pour qu'on lui mît entre les mains les manuscrits dont il niait l'existence. Et, pour en finir avec ces mesquineries littéraires, nous déclarons que nous avons tenu dans nos mains, et vu de nos propres yeux, les ïambes composés à Saint-Lazare, et conservés comme nous l'avons dit. Ils sont écrits sur deux petits feuillets, qui ont chacun, à peu près, 12 centimètres de long sur 4 de large. L'écriture est fine, serrée, difficile à lire. Les ïambes, séparés par Latouche, n'en forment qu'un seul ; il n'y a pas de lacune. Malheureusement nous ne les avons pas tenus assez longtemps entre les mains pour retenir de mémoire les vers remplacés par des points[2]. Il aurait presque fallu une loupe pour bien les lire. Nous avons reconnu la disposition générale, et nous avons souvenir d'une particularité qu'il est bon de noter. Au-dessus du vers : « Mille autres moutons comme moi, » on lit *Cres. d'E.*, et en effet la pensée d'André est bien imitée d'un fragment du *Cresphonte* d'Euripide.

Reprenons notre récit bibliographique. En 1839, M. Sainte-Beuve eut entre les mains les manuscrits. Il rétablit dans son ensemble le poëme d'*Hermès*, et donna de nouveaux et précieux fragments. L'article de M. Sainte-Beuve précéda la dernière édition qui parut la même année :

[1] Voy. à ce sujet une note de M. Sainte-Beuve, dans le *Chateaubriand*, t. II, p. 303.

[2] La première fois que nous nous présentâmes chez M. Gabriel de Chénier, il nous mit entre les mains plusieurs manuscrits d'André, entre autres les ïambes dont nous parlons ici et les fragments de l'*Hermès*. Après avoir lu plusieurs des fragments que M. Sainte-Beuve avait déjà publiés, nous reconnûmes, aidés par les explications de M. de Chénier, les dispositions générales des ïambes. Nous pensions qu'il nous serait permis dans une seconde visite de les lire à loisir, de les déchiffrer, et nous emportâmes l'espérance de les faire connaître un jour au public ; mais, quand nous retournâmes chez M. de Chénier, toutes nos espérances durent s'évanouir devant un refus formel dont nous ignorons le motif.

Poésies d'André Chénier, précédées d'une notice par M. H. de La-touche, suivies de notes et jugements, etc. Nouvelle édition, ornée d'un portrait d'André Chénier. Paris, Charpentier, 1839. Cette édition, qui fut clichée, et qui fournit plusieurs tirages successifs, plus complète que les précédentes, reproduisait le travail de M. de Sainte-Beuve sur l'*Hermès*, les fragments qu'il avait donnés, les jugements qu'avaient portés sur André les maîtres de la critique moderne. Le volume était mieux composé, les pièces mieux classées; mais on avait malheureusement rétabli presque partout le texte altéré de l'édition Robert. Pour la première fois on donnait un portrait d'André Chénier. La peinture faite par Suvée, à Saint-Lazare [1], avait appartenu d'abord à M. de Vérac, et passé ensuite aux mains de M. de Cailleux; en 1838, elle fut gravée par M. Henriquel Dupont.

Les *OEuvres en prose* imprimées en 1819, chez Beaudouin, et qu'on avait jointes à l'édition de 1826, ont été définitivement imprimées séparément des poésies, chez *Charles Gosselin, Paris,* 1840, *avec une notice historique sur le procès d'André Chénier, par le bibliophile Jacob.*

Le *Commentaire* sur Malherbe, qui se trouvait sur un exemplaire de Malherbe, *édition Barbou,* 1776, et que possédait M. de La Tour, a paru en 1842 joint aux *OEuvres de Malherbe; Paris, Charpentier.*

L'apparition des œuvres d'André Chénier donna lieu à de nombreux articles de critique, dont les principaux sont ceux de Raynouard, *Journal des Savants,* 1819 ; de Népomucène Lemercier, *Revue encyclopédique,* 1819 ; de Loyson, *Lycée français,* 1819.

A mesure que les éditions se succédèrent, André Chénier prit définitivement sa vraie place ; il fut classé parmi les maîtres, parmi les classiques, parmi les anciens, et, dès 1829, c'est à ce point de vue élevé que se place la critique française. On étudie André comme Racine, comme La Fontaine, et plusieurs articles sont des chapitres de l'histoire de la littérature française. Nous citerons de M. Sainte-Beuve : *les Pensées de Joseph Delorme,* 1829 ; *Mathurin Régnier et André Chénier,* août 1829 ; *Quelques Documents inédits sur André Chénier,* 1er février 1839 ; *un Factum contre André Chénier,* juin 1844 ; *André Chénier, homme politique,* mai 1851. Le troisième de ces articles était une réponse à un article de M. Frémy, le seul détracteur qu'ait eu André, publié dans la *Revue indépendante* du 10 mai 1844. — De M. Gustave Planche, un article dans la *Revue des Deux Mondes,* du 15 juin 1838. — De M. Villemain, un chapitre de l'*Histoire de la littérature française au dix-huitième siècle.* — De M. Saint-Marc Girardin, un chapitre intitulé : *de la Poésie pastorale au commencement du dix-neuvième siècle,* dans le *Cours de littérature dramatique.* — De M. Gérusez, *Histoire de la littérature française pendant la Révolution.* — De M. Nisard, un chapitre de l'*Histoire de la littérature française.* — Enfin de M. Lombard,

---

[1] C'est d'après cette peinture que David (d'Angers) a fait le buste d'André Chénier.

une brochure intitulée *A. Chénier*, Nancy, 1862, in-8, extrait des *Mémoires de l'Académie de Stanislas*. — Dans les cours publics les suffrages de M. V. Le Clerc et de M. Patin n'ont pas manqué non plus à André Chénier.

Parmi les œuvres d'imagination, il faut mettre en première ligne le roman de *Stello*, de M. Alfred de Vigny [1]. Ce livre a donné lieu à une brochure de M. G. de Chénier, fils de Sauveur Chénier : *la Vérité sur la famille de Chénier*, Paris, 1844. Dans cette brochure, l'auteur paraît toujours craindre d'en trop dire et s'étend inutilement sur des personnages dont le nom n'appartient ni à la littérature ni à l'histoire. Pour la première fois que la famille daignait donner elle-même quelques renseignements sur André, on devait s'attendre à plus de communications.

Un poëte, M. Jules Lefèvre-Deumier, habitant la maison où André avait été arrêté à Passy, s'entourant de quelques chères reliques, a consacré de beaux vers à André dans un volume de poésies intitulé : *le Parricide*. Comme poétiques témoignages, nous aurions pu rassembler des vers d'Alfred de Musset, de Sainte-Beuve, d'Antony Deschamps et d'Émile Deschamps.

Mais, parmi les écrivains dont nous avons énuméré les travaux, il est juste de mettre au premier rang M. Sainte-Beuve et M. Villemain. La critique de M. Villemain est éloquente ; il y a, dans les pages qu'il a consacrées à André Chénier, l'émotion d'un véritable enthousiasme.

Quant à M. Sainte-Beuve, avec l'autorité d'un goût pur, éclairé, ingénieux et délicat, il s'est attaché à la jeune gloire du poëte. Le premier, il a proclamé Chénier un maître, un classique, un ancien. Mais, pour connaître sa pensée tout entière sur André, il faudrait, après avoir lu les articles spéciaux qu'il lui a consacrés, parcourir tous ses travaux. André est devenu pour lui une des expressions précises de l'art, comme Théocrite, comme Virgile, comme Racine ; c'est un terme fixe auquel il rapporte, dans leurs côtés comparables, Amyot, Boileau, Racine, Fénelon, Vauvenargues, Bernardin de Saint-Pierre, Barnave, Courier, Alfred de Musset, etc... Plus que tout autre il est allé vers le divin poëte et l'a pénétré. Il a fait jaillir la lumière de quelques-uns des manuscrits en les ranimant de la pensée devinée du poëte. Il caressa même le projet d'une édition qui était parfois son idylle, comme il le dit dans son article de 1839. Après en avoir esquissé les préliminaires, il ajoutait : « Mais le principal, ce qui devrait former le corps même de l'édition désirée, ce qui, par la difficulté d'exécution, la fera, je le crains, longtemps attendre, je veux dire le commentaire courant qui y serait nécessaire, l'indication complète des diverses et multiples imitations, qui donc l'exécutera ? L'érudition, le goût d'un Boissonade, n'y seraient pas de trop, et de plus il y aurait besoin, pour animer et dorer la scholie, de tout ce jeune amour moderne que nous avons porté à André. » Mille travaux, d'incessantes préoccupations

---

[1] Pour tout dire, citons un roman de M. Méry : *André Chénier*; et un drame de M. Julien Dallière : *André Chénier*.

littéraires, l'empêchèrent toujours de mettre son projet à exécution. Il en parla plusieurs fois à M. Boissonade, dont l'esprit rendait si aimable l'érudition ; et M. Boissonade, après une lecture d'André Chénier, l'annotant au courant de ses souvenirs, lui adressa une lettre, qui est un petit manuscrit de trente pages, et dans laquelle, avec une sympathique modestie, il se dérobait à la louange, dans ce petit mot d'envoi qui accompagnait ses notes :

« Je ne trouve plus rien ; mes souvenirs sont épuisés. Acceptez, Monsieur, ces dernières pages ; si l'indication s'y rencontre de quelques passages qui, par impossible, vous auraient échappé, mettez-les en œuvre avec cet art élégant où vous êtes maître. Vous lire sera ma récompense. Ne dites rien au public, je vous en prie, de ces petits services rendus à votre charmant poëte. Ce sont des misères qu'il n'a que faire de savoir. Se souvenir à propos d'un vers latin ou grec, quelquefois le rencontrer par le pur effet du hasard, y a-t-il à cela un mérite qui vaille la peine d'être loué ? »

Parmi les articles dont la première édition de cet ouvrage fut l'occasion, nous citerons : un article de M. Sainte-Beuve dans *le Constitutionnel* du lundi 20 octobre 1862 ; un autre de M. Eugène Despois dans la *Revue nationale* du 10 novembre ; enfin celui de M. Léo Joubert dans la *Revue contemporaine* du 15 décembre.

En 1864, M. Gabriel de Chénier fit insérer huit lettres dans les numéros des 19, 29, 31 mars et 5, 9, 14, 21, 23 avril du journal *l'Ordre et la Liberté* de Caen. Elles relevaient quelques erreurs que nous avions commises sur M. Louis de Chénier surtout ; nous les avons rectifiées dans cette édition, regrettant que M. de Chénier ne nous ait pas donné ces renseignements, minimes d'ailleurs, lorsque nous les lui avons jadis demandés, ce qui eût été plus profitable pour le public. Ces lettres d'ailleurs ne sont qu'une longue et amère récrimination contre M. Henri de Latouche, auquel il eût été digne à la famille de Chénier de ne jamais témoigner que des sentiments de gratitude et de reconnaissance. En tout cas, si M. de Chénier avait quelques reproches à adresser à M. de Latouche, il eût dû le faire sans fiel, en termes plus mesurés ; mais nous devons ajouter que les accusations qu'il porte contre le caractère de M. de Latouche nous paraissent complétement dénuées de fondement, attendu qu'il ne les appuie que sur des assertions invraisemblables et sur des dates manifestement altérées.

La même année, dans *l'Intermédiaire des chercheurs et curieux*, 10 août, M. A. France publia quelques vers inédits d'André Chénier (voy. p. 155). Cette publication donna lieu à une lettre de M. G. de Chénier, numéro du 31 août, qui amena une réplique fort sensée de M. P. Lacroix insérée dans le numéro du 25 octobre 1865.

Dans le numéro du 7 décembre 1867 de la *Revue des cours littéraires*, M. Egger publia une étude sur l'*Hermès*. Il avait eu les manuscrits à sa disposition et avait enrichi sa leçon de plusieurs fragments inédits, que l'on trouvera dans cette nouvelle édition. A la fin de 1869, M. Egger réimprima cette étude dans son *Histoire de l'hellénisme*. Elle remplit la 32ᵉ leçon (II, p. 358-385). La 31ᵉ (II, p. 330-357) est aussi entièrement consacrée à Chénier : M. Egger y a donné de nouveaux détails sur les travaux d'André et sur ses papiers inédits. (Voy. plus haut, p. xxiv).

Enfin le 3 février 1869, M. Guillaume Guizot, au Collège de France, consacra une leçon à André Chénier, dans laquelle, après avoir analysé le génie du poëte, il donna de nombreux et précieux détails sur l'ensemble de son œuvre et sur les manuscrits encore inédits. M. F. Sarcey rendit compte de cette leçon dans le *Journal de Paris* du mardi 9 février suivant. Elle a été l'objet dans cette édition de l'*Appendice II*.

II

DES ŒUVRES INÉDITES D'ANDRÉ CHÉNIER

L'année dernière, M. Guillaume Guizot, professeur au Collège de France, devait parler de la poésie française au dix-neuvième siècle. Il consacra presque entièrement la leçon du 3 février à André Chénier. Plus heureux que nous ne l'avions été lors de la publication de notre première édition, il avait obtenu de la famille de consulter et de lire les manuscrits encore inédits. La famille avait alors la pensée de publier un volume consacré à ces ébauches, à ces plans et à ces fragments du poëte. La leçon de M. Guizot se trouvait donc, par une rencontre fortuite, précéder et annoncer tout naturellement cette publication ; aussi conçoit-on l'empressement que M. Gabriel de Chénier mit à ouvrir au jeune et savant professeur les cartons renfermant de si précieuses reliques. Malheureusement il est à craindre que ce volume ne puisse paraître de longtemps. M. de Chénier nous paraît se débattre vainement au milieu de l'inextricable réseau des lois concernant la propriété littéraire. Et si nous comprenons le regret que peut ressentir une famille d'avoir jadis aliéné un héritage inappréciable et peut-être alors inapprécié, nous craignons que ce ne soit le public qui pâtisse de ces regrets tardifs en attendant encore de longues années une publication que tant de gloire prodiguée à André Chénier devait peut-être lui faire espérer plus tôt.

Dans cette situation qui peut se prolonger, la leçon de M. Guizot est d'une importance capitale, et les lecteurs nous sauront certainement gré de leur en rendre un compte exact et détaillé, aidé que nous serons de nos propres souvenirs et de l'article de M. Francisque Sarcey, inséré dans le *Journal de Paris* du 9 février 1869.

Nous devons d'abord dire qu'il ne faut pas s'attendre à voir surgir de ces cartons une seule pièce finie, achevée dans son ensemble et dans ses détails et égalant en importance *le Mendiant, le Jeune Malade, la Liberté, la Jeune Tarentine, la Lampe, l'élégie à Versailles* ou *la Jeune Captive*. Non ; aujourd'hui l'œuvre d'André est complète ; et cependant quelques-unes de ces pièces inédites, encore à l'état d'ébauche, renferment des vers d'une incomparable beauté qui, lorsqu'ils seront publiés, ajouteront encore à la gloire du poëte. De plus ces plans et ces fragments viendront confirmer, d'une façon éclatante, ce qu'on savait déjà touchant la fécondité et les ressources de cet esprit puissant et toujours en travail, ce que M. Guizot, par une expression très-heureuse, a appelé chez André l'intensité de la vie poétique.

L'*Hermès*, cette gigantesque composition encyclopédique qui ne cessa de préoccuper André Chénier, est, on peut le dire, entièrement connu du public. Au travail de M. Sainte-Beuve viendront se joindre dans cette édition les différents morceaux publiés par M. Egger ; plus tard il ne restera plus qu'à y introduire quelques notes et quelques fragments négligés d'abord, et qu'à rectifier sans doute sur plusieurs points le texte de quelques notes déjà publiées.

Le poëme, intitulé *l'Amérique*, dont on connaît deux fragments, n'avait pas été poussé très-loin. Il devait être divisé en trois chants dont il reste le plan succinct. Ce projet, très-vaste dans l'esprit du poëte, devait embrasser l'histoire des découvertes successives, des conquêtes et des guerres qui ensanglantèrent le sol vierge du nouveau monde. La description de toutes les races diverses, réparties sur ce vaste continent, y aurait tenu une large place. Des vues scientifiques devaient s'y ajouter : animaux, végétaux, minéraux auraient trouvé dans André un Buffon poétique.

Mais ce travail était peu avancé ; il n'était guère qu'à l'état embryonnaire de projet ; et, s'il faut dire toute notre pensée, nous croyons que Chénier n'eût jamais achevé *l'Amérique*, pas plus peut-être que l'*Hermès*, et que d'autres poëmes qui semblent le produit ou la suite de la première effervescence poétique de sa jeunesse.

Ce que nous disons s'applique également au poëme de *la Superstition*, dont on connaît le fragment sur Alexandre VI. André Chénier, esprit droit et net, savait que depuis la constitution des sociétés l'humanité avait toujours été sacrifiée aux vues ambitieuses de sectes religieuses ou politiques, régnant sur elle par le moyen de la superstition et du charlatanisme religieux, politique et littéraire. De là l'idée de son poëme, fort peu avancé d'ailleurs, qui aurait subi profondément l'influence de Voltaire et des encyclopédistes ; de là les fragments inédits contre Swedenborg et Cagliostro.

À ce même ordre d'idées on peut aussi rattacher une grande satire intitulée : *les Cyclopes littéraires*. Sous ce titre bizarre il avait l'intention de peindre la vie et les mœurs des hommes de lettres pendant la période qui précéda la Révolution. Elle devait avoir trois chants ; et le plan paraît en être entièrement achevé. André, selon sa manière ordinaire de travailler, développait ses idées en prose, à mesure qu'elles se produisaient dans son esprit ; mais, dans le courant de ce travail, plein du dieu qui s'agitait en lui, quittant soudain la prose pour le vers, il écrivait d'un jet d'admirables morceaux, complets en eux-mêmes et dont quelques-uns ont pu être insérés dans les éditions de 1819 et de 1833 parmi les *Fragments d'élégies* et les *Poésies diverses*. Cette satire, autant qu'on peut en juger, est une œuvre considérable dont le canevas en prose est ainsi parsemé de beaux fragments qui peuvent fournir un total d'à peu près deux à trois cents vers.

Après cette satire et les poëmes dont nous avons parlé plus haut, nous devons, dans un autre genre, signaler un fragment de comédie. André Chénier avait beaucoup lu et longuement médité Aristophane ; on peut dire qu'il en avait fait une étude toute particulière, et les lecteurs en trouveront de nombreuses preuves dans cette édition. Il paraît s'être laissé séduire à l'idée de flageller les sottises et les vices de son temps, en ressuscitant en quelque sorte aux yeux de ses contemporains la Muse d'Aristophane. C'était là, je crois, une idée littéraire, pouvant sembler heureuse au premier abord, mais qui, réellement transportée sur le théâtre auquel Beaumarchais venait d'ouvrir un avenir tout nouveau, n'avait aucune chance de réussir. Sur la scène en effet des personnages fictifs, et pour ainsi dire abstraits, ne peuvent intéresser le spectateur. Or, dans le fragment, assez court d'ailleurs, dont nous parlons, et qui n'est qu'un début de comédie auquel le poëte n'a pas donné suite, il voulait faire revivre aux yeux des spectateurs les personnages mêmes du théâtre antique ; c'était eux qui, mêlés à l'action, devaient, armés de la verve d'Aristophane, flageller les sycophantes d'alors, les Cléons, les orateurs brouillons, les sans-culottes qu'il désigne d'un nom composé de deux mots grecs à la façon des poëtes d'Athènes.

C'est au sujet d'Aristophane que M. Guizot a lu quelques vers d'André à l'adresse de Voltaire. Celui-ci s'était permis d'égratigner Aristophane en passant ; la réponse du poëte à cette boutade du philosophe est charmante, pleine de malice et de grâce. Elle est en vers de dix pieds, et se termine par le reproche flatteur fait à Voltaire de s'être souffleté lui-même sur la joue d'Aristophane[1].

A côté des fragments de comédie les cartons du poëte contiennent aussi quelques essais tragiques. On avait dit, trompé qu'on était par une lettre mal interprétée de Marie-Joseph, qu'André Chénier avait composé des

---

[1] C'est une idée qu'il avait déjà exprimée à la fin de l'Épître à Le Brun :

> Le critique imprudent qui se croit bien habile
> Donnera sur ma joue un soufflet à Virgile,
> Et ceci (tu peux voir si j'observe ma loi)
> Montaigne, il t'en souvient, l'avait dit avant moi.

tragédies. C'était aller trop loin et outre-passer la vérité. Il ne se trouve dans ces papiers aucune tragédie, aucun plan même de tragédie, mais seulement quelques indications de scènes historiques, propres selon lui à recevoir un développement dramatique, et qui ont pu à la vérité le séduire un instant à l'idée de composer quelques tragédies. Parmi ces scènes historiques, une surtout semble l'avoir vivement frappé : c'est un épisode de la vie de saint Ambroise qui se détache par sa grandeur sur l'histoire sanglante du Bas-Empire. Le massacre de Thessalonique (ann. 390) venait de jeter l'épouvante dans le monde chrétien, et Théodose avait, dit-on, l'intention de recommencer les persécutions à Antioche, qui trois ans auparavant (ann. 387) avait maltraité les officiers de l'empereur. C'est à l'arrivée de l'empereur à Milan que se passe la scène qui avait frappé André. Au moment où Théodose se présente au seuil de la cathédrale, devant lui se dresse saint Ambroise indigné qui lui interdit l'entrée du temple et lui lance au visage ce magnifique vers [1] :

Hosannah n'est point fait pour des lèvres sanglantes !

À cette superbe et audacieuse apostrophe de l'évêque, André voulait peindre les sentiments divers qui agitent Théodose et les courtisans qui l'entourent, la joie des uns, la colère et la confusion des autres. Et il semble, d'après ce fragment, qu'André Chénier avait l'intention de disposer les masses sur la scène en demi-chœurs comme chez les poëtes anciens. Ce dont on peut être sûr, c'est qu'il se proposait d'introduire le chœur antique sur le théâtre moderne. Mais, nous devons le répéter, il ne donna pas suite à ces projets dramatiques.

Les manuscrits contiennent encore un certain nombre de fragments divers, écrits à différentes époques, au collége de Navarre, en Angleterre, à Passy, à Versailles. On devra naturellement y trouver quelques traductions d'Homère, de Virgile, de Lucrèce, et çà et là de très-beaux vers, mais aussi des vers faibles, médiocres [2]. On doit penser que, dans ces cartons du poëte, il est beaucoup de fragments que d'une lime insensible il eût polis lentement, d'autres qu'il aurait rejetés dans l'oubli, et l'impression de plusieurs pourra donner raison aux personnes qui voudraient qu'on gardât une certaine mesure dans la publication des œuvres posthumes.

Mais il est encore deux pièces dont il nous reste à parler. Ce sont des ïambes qui datent de Saint-Lazare, et appartiennent au dernier période du talent d'André, alors que transfiguré par la grandeur de son infortune,

---

[1] C'est dans l'*Histoire ecclésiastique* de Théodoret (livre V, cap. xviii), que Chénier avait lu cette scène. Dans le discours assez développé que Théodor. t met dans la bouche de l'évêque se trouve cette phrase qu'André a eu l'art de résumer en un seul vers : « Comment porteras-tu le sang précieux du Christ à ta bouche, qui d'un mot dans sa fureur a fait répandre injustement le sang de tant d'hommes ! »

[2] Comme complément de ce que nous disons ici, voy. plus haut, p. xxiv, quelques nouveaux renseignements récemment publiés par M. Egger.

inspiré par les malheurs de la France, et en proie à de patriotiques fureurs, il s'élevait d'un vol hardi jusqu'aux plus fougueux poëtes de l'antiquité et, animant son génie d'un essor inattendu, allait ravir le fouet vengeur aux mains de la tardive Némésis. A cette époque, le poëte de *Suzanne*, de *l'Amérique*, de l'*Hermès* semble rejeté bien loin dans l'oubli ; au chantre des molles élégies et de *l'Art d'aimer* allait succéder le plus audacieux de nos poëtes lyriques par la pensée et par l'expression. Ce n'eût point été un Pindare au calme majestueux, associé aux triomphes pacifiques de la Grèce ; ce n'eût point été un Jérémie jetant une voix désolée au milieu d'une civilisation empoisonnée ; ce n'eût point été un Juvénal, satirique éloquent, mais à qui il manque la saignante blessure reçue dans les combats de la liberté ; c'eût été un Aristophane indigné, seul osant, aux yeux des Athéniens assemblés, frapper au visage un Cléon tout-puissant ; c'eût été un Aristophane, celui des *Chevaliers*, devenu poëte lyrique, plus ardent, plus courroucé, plus implacable encore, et dans l'âme duquel les Muses sans refuge eussent de nouveau trouvé un asile. Bien plus encore, il eût en quelque sorte donné un corps à cette grande figure d'Archiloque, pour nous totalement évanouie ; et notre âge, par un étrange phénomène littéraire, eût pour ainsi dire vu revivre à ses yeux ce génie qui, après avoir mérité l'admiration de l'antiquité tout entière, disparut, ne laissant dans la mémoire des hommes que le bruit de sa renommée et la mesure de son vol. Mais la hache vint anéantir d'un seul coup la plus belle espérance peut-être de la poésie moderne. Ce qu'eût été André Chénier, on ne peut que le deviner par des fragments incomplets ; c'est ainsi que l'imagination est nécessaire à restaurer les beaux marbres mutilés de la Grèce.

Parmi les ïambes composés à cette époque dans la prison de Saint-Lazare, les lecteurs connaissent celui qui commence avec un calme majestueux :

Comme un dernier rayon, comme un dernier zéphyre
    Animent la fin d'un beau jour...

et qui se termine par ce vers de toute beauté :

Toi, vertu, pleure si je meurs !

C'est le plus parfait, le plus complet malgré deux lacunes qui trahissent des vers plus faibles supprimés par le premier éditeur.

Les manuscrits de deux autres pièces semblables existent encore. Elles sont moins longues, moins développées ; quelques parties sont encore à l'état d'ébauche.

Dans celui de ces ïambes que nous examinerons le premier, André a tracé de Saint-Lazare et de la vie étrange qu'on y menait une description qui concorde avec tout ce qu'ont raconté dans leurs mémoires ceux qui plus heureux ont survécu à la tourmente révolutionnaire.

Après avoir décrit ce monde léger et voluptueux qui a transporté dans les murs d'un cachot de futiles vanités et des galanteries de boudoir, ce monde, dit-il,

Et qui rit, et qui joue, et qui lève des jupes ;

il peint l'insouciance des prisonniers jouant au ballon dans les préaux, leur terreur quand le greffier du tribunal, assisté du geôlier, jette à travers les portes les noms des victimes destinées à l'échafaud du lendemain, et leur égoïste joie quand la liste épuisée leur promet encore un jour. André, dont l'âme est animée d'un ardent amour de l'humanité et qui pleure sur les maux de la patrie plus encore que sur les siens, ne peut retenir son mépris et s'écrie :

Ton tour viendra demain, insensible imbécile !

Le second de ces ïambes (et c'est le dernier fragment dont nous avons à parler) est de beaucoup le plus beau et le plus accentué. Ici surtout nous regrettons qu'à une seule audition notre mémoire n'ait pu saisir que quelques traits épars. Toute l'indignation patriotique d'André se fait jour dans ces vers, qui furent écrits à l'occasion de la fête de l'Être suprême, le jour même où, sur les places publiques, des chœurs, ivres d'une joie trompeuse, jetaient les fades et trop candides accents de Marie-Joseph aux pieds de la divinité que daignait restaurer Robespierre. C'est aussi à ce Dieu que, du fond de son cachot, s'adresse André Chénier affamé de justice.

O Dieu, s'écrie-t-il, te voilà donc remonté sur ton trône ! En ressaisissant ta puissance tu vas ressaisir aussi la foudre qui frappe les coupables, toi, grand Dieu, qui semblais avoir abandonné le soin de punir les pervers à ce pauvre poëte,

Sur le seuil même de la mort,
Attachant à ses vers les ailes enflammées [1]
De ton tonnerre qui s'endort !

Mais maintenant tu vas, je l'espère, dans ta justice et dans ta puissance, atteindre enfin et châtier ces délateurs, ces juges assassins,

. . . . . . Ce tribunal impie
Qui mange, boit, rote du sang [2] !

---

[1] Aristophane, *Ois.*, 1706 :

Πάλλων κεραυνὸν, πτεροφόρον Διὸς βέλος.

[2] Trait qui surpasse, en l'imitant, celui de Virgile, *Énéide*, III, 632 :

. . . . Saniem eructans ac frusta cruento
Per somnum commixta mero . . . . . .

Et devant cette audace de langage, inconnue à la poésie française, il s'arrête lui-même. Mais de quels mots, de quels nobles termes se servir, ajoute-t-il, pour flétrir, pour percer ces bourreaux :

> Ils sont infects, impurs ; la lance qui les perce
>   Sort impure, infecte comme eux !

Ce sont là de ces traits acérés, de ces virulentes apostrophes qui, nous le répétons, font comprendre le génie, jusqu'alors insaisissable, d'un Archiloque. Rien dans notre langue ne peut se comparer, pour la grandeur, la force et la véhémence, à ces derniers vers d'André Chénier. C'est par eux que nous terminerons ce que nous avions à dire sur les manuscrits inédits du poëte.

Après avoir expliqué au commencement de cet appendice par quelle heureuse circonstance nous avons pu en avoir connaissance avant la publication de cette seconde édition, il nous reste à remercier M. Guillaume Guizot, au nom de tous les amis du poëte, car c'est à lui que le public doit d'avoir au moins une fois entendu ces beaux fragments dont à jamais s'enorgueillira la poésie française.

POÉSIES

ANDRÉ CHÉNIER

AVIS DE L'ÉDITEUR

Le Jeu de paume et l'*Hymne aux Suisses de Châteauvieux*, ayant été publiés du vivant de l'auteur, ont été déposés, et imprimés ici, séparément, pour éviter toute contestation sur la propriété des œuvres posthumes.

POÉSIES

DE

ANDRÉ CHÉNIER

LE JEU DE PAUME

A LOUIS DAVID, PEINTRE

I

Reprends ta robe d'or, ceins ton riche bandeau,
    Jeune et divine Poésie !
Quoique ces temps d'orage éclipsent ton flambeau,
Aux lèvres de David, roi du savant pinceau,
    Porte la coupe d'ambrosie.   5

Le Jeu de paume. — Pour le texte de cette pièce, nous avons fidèlement suivi la brochure qu'André fit lui-même imprimer en 1791. — André Chénier admirait beaucoup le tableau de David. Dans le *Supplément du Journal de Paris* (24 mars 1792), il appelle *le Serment du Jeu de paume* « une des plus belles compositions qu'aient enfantées les arts modernes, dans laquelle une multitude de figures, animées d'un même sentiment, concourent à une même action, sans confusion et sans monotonie. »

V. 5. André écrivait toujours *ambrosie*, comme La Fontaine.

La patrie, à son art indiquant nos beaux jours,
   A confirmé mes antiques discours,
Quand je lui répétais que la liberté mâle
     Des arts est le génie heureux ;
Que nul talent n'est fils de la faveur royale ;   1)
    Qu'un pays libre est leur terre natale.
     Là, sous un soleil généreux,
Ces arts, fleurs de la vie et délices du monde,
    Forts, à leur croissance livrés,
    Atteignent leur grandeur féconde :   15
La palette offre l'âme aux regards enivrés ;
Les antres de Paros de dieux peuplent la terre ;
L'airain coule et respire ; en portiques sacrés
    S'élancent le marbre et la pierre.

II

Toi-même, belle vierge à la touchante voix,   20
    Nymphe ailée, aimable sirène,
Ta langue s'amollit dans le palais des rois ;
Ta hauteur se rabaisse, et d'enfantines lois
    Oppriment ta marche incertaine ;
Ton feu n'est que lueur, ta beauté n'est que fard.   25
  La liberté du génie et de l'art

V. 13. Cf. *L'Aveugle*, v. 265.
V. 14. N'est-ce pas là une traduction du « magnum *crescendi immissis certamen habenis* » qu'il a noté dans un fragment de l'*Hermès* ?
V. 16. André dit dans l'*Hermès* :

> C'est alors que le fer à la pierre, aux métaux,
> Livre en dépôt sacré, pour les âges nouveaux,
> Nos âmes et nos mœurs fidèlement gardées,
> Et l'œil sait reconnaître une forme aux idées.

V. 17. Cf. *L'Invention*, v. 266.
V. 18. Cf. *L'invention*, v. 270.
V. 20. Cf. *L'Invention*, v. 209.
V. 26. Inversion : La liberté t'ouvre tous les trésors du génie et de l'art.

T'ouvre tous les trésors. Ta grâce auguste et fière
De nature et d'éternité
Fleurit. Tes pas sont grands. Ton front ceint de lumière
Touche les cieux. Ta flamme agite, éclaire,   50
Dompte les cœurs. La liberté,
Pour dissoudre en secret nos entraves pesantes,
Arme ton fraternel secours.
C'est de tes lèvres séduisantes
Qu'invisible elle vole, et par d'heureux détours   55
Trompe les noirs verrous, les fortes citadelles,
Et les mobiles ponts qui défendent les tours,
Et les nocturnes sentinelles.

III

Son règne, au loin semé par tes doux entretiens,
Germe dans l'ombre au cœur des sages.   40
Ils attendent son heure, unis par tes liens,
Tous, en un monde à part, frères, concitoyens,
Dans tous les lieux, dans tous les âges.
Tu guidais mon David à la suivre empressé :

V. 38. Ne semble-t-il pas dire de la liberté ce que Malherbe, *Stances à Du Périer*, p. 42, dit de la mort :

> Et la garde qui veille aux barrières du Louvre
> N'en défend pas nos rois?

V. 44. Éd. 1839 :

> Tu guidais mon David à te suivre empressé.

« *Mon David*, » expression de tendresse ou d'amitié dans le goût antique. Virgile, *Én.*, II, 522 :

> . . . . . Non, si ipse *meus* nunc afforet Hector.

Les auteurs du seizième et du dix-septième siècle peuvent nous en fournir quelques exemples. On connaît le tendre mouvement de Malherbe, dans les *Stances à Du Périer : «* Non, non, *mon* Du Périer... » Corneille a ce pathétique vers :

> *Mon* Polyeucte touche à son heure dernière.

Quand, avec toi, dans le sein du passé,   45
Fuyant parmi les morts sa patrie asservie,
    Sous sa main, rivale des dieux,
La toile s'enflammait d'une éloquente vie ;
    Et la ciguë, instrument de l'envie,
      Portant Socrate dans les cieux ;   50
Et le premier consul, plus citoyen que père,
      Rentré seul par son jugement,
      Aux pieds de sa Rome si chère
Savourant de son cœur le glorieux tourment ;
L'obole mendié seul appui d'un grand homme ;   55
Et l'Albain terrassé dans le mâle serment
    Des trois frères sauveurs de Rome.

IV

Un plus noble serment d'un si digne pinceau
    Appelle aujourd'hui l'industrie.
Marathon, tes Persans et leur sanglant tombeau   60
Vivaient par ce bel art. Un sublime tableau
    Naît aussi pour notre patrie.

Racine aussi s'est souvenu de cette expression virgilienne dans ce vers d'*Andromaque* :

    Sacrés murs, que n'a pu conserver *mon* Hector.

V. 47. « *Rivale des dieux.* » C'est l'épithète homérique ἀντίθεος ; celle qu'Homère donne à Ajax, *Iliade*, IX, 623.

V. 49 et suiv. André désigne plusieurs tableaux célèbres de David : la *Mort de Socrate*, le *Retour de Brutus dans ses foyers*, *Bélisaire*, le *Serment des Horaces*.

V. 54. N'est-ce pas une réminiscence du vers de l'*Énéide*, VI, 822 .

    Vincet amor patriæ, laudumque immensa cupido.

V. 60. André rappelle ici les peintures qui, à Athènes, ornaient le portique appelé le Pœcile (ποικίλη) ou Panænus, frère de Phidias, avait représenté le combat de Marathon. Voy. Pausanias, I, xv et V, xi ; Pline, *Hist. nat.*, XXXV, viii.

Elle expirait : son sang était tari ; ses flancs
  Ne portaient plus son poids. Depuis mille ans
A soi-même inconnue, à son heure suprême,   65
    Ses guides tremblants, incertains,
Fuyaient. Il fallut donc, dans le péril extrême,
  De son salut la charger elle-même.
  Longtemps, en trois races d'humains,
Chez nous l'homme a maudit ou vanté sa naissance :   70
  Les ministres de l'encensoir,

V. 63. Telle était la situation de la France en 1788, vers la fin du ministère de Brienne.

V. 64. Depuis mille ans environ, les assemblées où les Francs réglaient eux-mêmes leurs affaires (champ de mars ou champ de mai) avaient cessé de se réunir ; dès lors la nation avait été *guidée* (v. 66). Les états généraux, que le pouvoir convoquait irrégulièrement, n'avaient guères d'autre mission que celle de consentir à des impôts pour remplir les caisses du fisc.

V. 65. Les grammairiens modernes mettent une grande différence entre l'emploi de *soi* et l'emploi de *lui*. Mais les écrivains s'affranchissent souvent de ces règles, et mettent *soi* pour *lui* et réciproquement. Chénier presque toujours emploie *soi*. Les écrivains du dix-septième siècle, ainsi que le remarque M. Génin, *Lex. de Molière*, p. 377, faisaient de même, partout où le latin aurait mis *se*, *sibi*. Racine, *Phèdre*, II, v, nous peint Thésée :

    Charmant, jeune, traînant tous les cœurs après *soi*.

Molière, *Tart.*, I, i :

    Je vous dis que mon fils n'a rien fait de plus sage
    Qu'en recueillant chez *soi* ce dévot personnage.

Molière, *Fest. de pierre*, III, i, a dit au contraire : « Je voudrois bien vous demander qui a fait ces arbres-là, ces rochers, cette terre et ce ciel que voilà là-haut, et si tout cela s'est bâti de *lui-même ?* ». Corneille, *Pol.*, III, iii, avait dit aussi :

    Qu'il fasse autant pour *soi* comme je fais pour *lui*.

V. 66. Cela se rapporte aux ministres Calonne et Brienne, qui se succédèrent et donnèrent tous deux leur démission ; Calonne le 3 avril 1787 et Brienne le 25 août 1788.

V. 67. Éd. 1839 :

    . . . . Il fallut donc, dans ce péril extrême.

V. 71. Ce sont les périphrases qui en plus d'un endroit déparent cette ode.

Et les grands, et le peuple immense.
Tous à leurs envoyés confieront leur pouvoir.
Versailles les attend. On s'empresse d'élire ;
On nomme. Trois palais s'ouvrent pour recevoir   75
    Les représentants de l'empire.

V

D'abord pontifes, grands, de cent titres ornés,
    Fiers d'un règne antique et farouche,
De siècles ignorants à leurs pieds prosternés,
De richesses, d'aïeux vertueux et prônés.   80
    Douce Égalité, sur leur bouche,
A ton seul nom petille un rire âcre et jaloux,
    Ils n'ont point vu sans effroi, sans courroux,
Ces élus plébéiens, forts des maux de nos pères,
    Forts de tous nos droits éclaircis,   85
De la dignité d'homme, et des vastes lumières
    Qui du mensonge ont percé les barrières.
    Le sénat du peuple est assis.
Il invite en son sein, où respire la France,
    Les deux fiers sénats ; mais leurs cœurs   90
    N'ont que des refus. Il commence :
Il doit tout voir ; créer l'État, les lois, les mœurs.
Puissant par notre aveu, sa main sage et profonde
Veut sonder notre plaie, et de tant de douleurs
    Dévoiler la source féconde.   95

VI

On tremble. On croit, n'osant encor lever le bras,
    Les disperser par l'épouvante.

V. 72. « *Immense.* » innombrable, λαὸς ἀπείρων.

Ils s'assemblaient; leur seuil méconnaissant leurs pas
Les rejette. Contre eux, prête à des attentats,
    Luit là baïonnette insolente.   100
Dieu! vont-ils fuir? Non, non. Du peuple accompagnés,
  Tous, par la ville, ils errent indignés :
Comme Latone enceinte, et déjà presque mère,
    Victime d'un jaloux pouvoir,
Sans asile flottait, courait la terre entière,   105
  Pour mettre au jour les dieux de la lumière.
    Au loin fut un ample manoir,
Où le réseau noueux, en élastique égide,
    Arme d'un bras souple et nerveux,
    Repoussant la balle rapide,   110
Exerçait la jeunesse en de robustes jeux.
Peuple, de tes élus cette retraite obscure
Fut la Délos. O murs! temple à jamais fameux!
    Berceau des lois! sainte masure!

V. 98. André représente ici le seuil comme un être humain qui se
dresse devant les représentants et les repousse. Dans *le Mendiant*, vers 74,
il anime un toit d'allégresse et de joie; ici c'est d'indignation, de colère
qu'il anime le seuil. Isaïe, XIV, 31, s'écrie en s'adressant à la porte
de Gaza : « Ulula, porta; clama, civitas...; » *id.*, XXIII, 14 : « Ululate,
naves maris, quia devastata est fortitudo vestra; » Jérémie, *Lament.*, 4 :
« Viæ Sion lugent, eo quod non sint qui veniant ad solemnitatem. »

V. 103. *Latone*, mère d'Apollon et de Diane; elle ne pouvait, poursuivie par la colère jalouse de Junon, trouver de lieu sur la terre qui
consentît à recevoir son fardeau. Délos enfin lui donna l'hospitalité, et
c'est là qu'elle accoucha sous un palmier. — Cette comparaison est belle
et toute neuve. « *Les dieux de la lumière* » sont de l'effet le plus poétique. Les grands principes de 1789 sont bien les dieux de la lumière qu'enfanta la Révolution.

V. 105. « *Flottait*, » errait. *Flotter* correspond ici au grec πλάζε-
σθαι. C'est l'expression dont se sert Homère, au 2e vers de l'*Odyssée*, en
parlant d'Ulysse « ὃς μάλα πολλὰ πλάγχθη. »

V. 108. Périphrase un peu embarrassée. Gilbert, *Sat. du dix-huitième
siècle*, a dit plus simplement :

      Par d'autres avec art une paume lancée
      Va, revient, tour à tour poussée et repoussée.

VII

N'allons pas d'or, de jaspe, avilir à grands frais   115
    Cette vénérable demeure ;
Sa rouille est son éclat. Qu'immuable à jamais
Elle règne au milieu des dômes, des palais.
    Qu'au lit de mort tout Français pleure,
S'il n'a point vu ces murs où renaît son pays.   120
    Que Sion, Delphe, et la Mecque, et Saïs
Aient de moins de croyants attiré l'œil fidèle.
    Que ce voyage souhaité
Récompense nos fils. Que ce toit leur rappelle
    Ce tiers état, à la honte rebelle,   125
    Fondateur de la liberté :
Comme en hâte arrivait la troupe courageuse,
    A travers d'humides torrents
    Que versait la nue orageuse ;
Cinq prêtres avec eux ; tous amis, tous parents,   130
S'embrassant au hasard dans cette longue enceinte ;
Tous jurant de périr ou vaincre les tyrans,
    De ranimer la France éteinte ;

V. 121. *Sion*, tombeau du Christ, *Delphes*, temple et oracle d'Apollon, *la Mecque*, où se trouvait la Caaba, *Saïs*, ville d'Égypte, dans le Delta, où, dit-on, se trouvait le tombeau d'Osiris (Strabon, XVII, 1), sont des sanctuaires religieux et des lieux de pèlerinage qu'André met en opposition avec la salle du Jeu de paume, ce sanctuaire de la liberté.

V. 127. « *Comme*, » comment. Les poëtes antérieurs à Chénier ne mettaient aucune différence entre *comme* et *comment*. Voy. Génin, *Lexique de Molière*, p. 70. Ce toit leur rappelle *comment* la troupe courageuse arrivait, en hâte, tous s'embrassant, tous jurant de périr, etc.

V. 130. Les cinq prêtres sont Besse, curé de Saint-Aubin, bailliage d'Avesnes ; Grégoire, curé d'Embermesnil, bailliage de Nancy ; Jallet, curé de Chérigné, au bas Poitou ; Lecesve, curé de Saint-Triaize, au bas Poitou ; Ballard, curé du Poiré-de-Velluire, au bas Poitou.

V. 132. Éd. 1819, 1833, 1839 :
        Tous juraient de périr ou vaincre les tyrans.
André a écrit *jurants ;* nous avons pensé qu'il était préférable d'écrire *jurant* selon l'usage actuel.

VIII

De ne se point quitter que nous n'eussions des lois
    Qui nous feraient libres et justes.   135
Tout un peuple, inondant jusqu'aux faîtes des toits,
De larmes, de silence, ou de confuses voix,
    Applaudissait ces vœux augustes.
O jour ! jour triomphant ! jour saint ! jour immortel !
    Jour le plus beau qu'ait fait luire le ciel   140
Depuis qu'au fier Clovis Bellone fut propice !
    O soleil ! ton char étonné
S'arrêta. Du sommet de ton brûlant solstice
    Tu contemplais ce divin sacrifice !
    O jour de splendeur couronné !   145
Tu verras nos neveux, superbes de ta gloire,
    Vers toi d'un œil religieux
    Remonter au loin dans l'histoire.
Ton lustre impérissable, honneur de leurs aïeux,
Du dernier avenir ira percer les ombres.   150

V. 136. Sur cette image, voy. plus loin au vers 288. — Racine, *Ath.*, I, 1 :

    Le peuple saint en foule *inondait* les portiques.

Ce tableau rappelle le débarquement à Brindes d'Agrippine rapportant les
cendres de Germanicus (Tacite, *Ann.*, III, 1) : « Complentur... mœnia ac
tecta... mœrentium turba. »

V. 138. Ed. 1826

    Applaudissant ces vœux augustes.

V. 140. Aristophane, *Chev.*, 973 :

    Ἥδιστον φάος ἡμέρας
    ἔσται τοῖσι παροῦσι πᾶ-
    σιν καὶ τοῖς ἀφικνουμένοις.

V. 143. On sait que ce fut le 20 juin, jour du solstice d'été, que, dans
la salle du Jeu de paume, les représentants jurèrent de ne point se séparer avant d'avoir achevé la constitution.

V. 150. « *Dernier*. » C'est l'*ultimus* des Latins, voy. p. 385.

Moins belle la comète aux longs crins radieux
        Enflamme les nuits les plus sombres.

                        IX

Que faisaient cependant les sénats séparés ?
        Le front ceint d'un vaste plumage,
Ou de mitres, de croix, d'hermines décorés,   15
Que tentaient-ils d'efforts pour demeurer sacrés ?
        Pour arrêter le noble ouvrage ?
Pour n'être point Français ? pour commander aux lois ?
        Pour ramener ces temps de leurs exploits,
Où ces tyrans, valets sous le tyran suprême,   160
        Aux cris du peuple indifférents,
Partageaient le trésor, l'État, le diadème ?
        Mais l'équité dans leurs sanhédrins même
        Trouve des amis. Quelques grands,
Et des dignes pasteurs une troupe fidèle,   165
        Par ta céleste main poussés,
        Conscience, chaste immortelle,
Viennent aux vrais Français, d'attendre enfin lassés,
Se joindre, à leur orgueil abandonnant des prêtres
D'opulence perdus, des nobles insensés   170
        Ensevelis dans leurs ancêtres.

V. 151. Le mot *crins* est très-poétique employé ainsi ; Malherbe, p. 168,
dit, ce que remarque André :
        La Discorde aux *crins* de couleuvre.
La Fontaine, *Fab.*, V, vi :
        Dès que Téthys chassoit Phœbus aux *crins* dorés.
    V. 160. Ce vers est la traduction exacte d'un vers d'Eschyle, *Pers.*, 24 :
        Βασιλῆς βασιλέως ὑποχοι μεγάλου.
    V. 165. Ce ne sont pas les cinq prêtres désignés au vers 130, mais
beaucoup d'autres, au nombre de cent quarante-neuf, qui se réunirent
au tiers état le 22 juin dans l'église Saint-Louis.
    V. 171. Malherbe, p. 64 : Ces arrogants...
        . . . . , Dans leur honte *enserelis*.

X

Bientôt ce reste même est contraint de plier.
    O raison ! divine puissance !
Ton souffle impérieux dans le même sentier
Les précipite tous. Je vois le fleuve entier   175
    Rouler en paix son onde immense,
Et dans ce lit commun tous ces faibles ruisseaux
    Perdre jamais et leurs noms et leurs eaux.
O France ! sois heureuse entre toutes les mères.
    Ne pleure plus des fils ingrats,   180
Qui jadis s'indignaient d'être appelés nos frères :
    Tous revenus des lointaines chimères.
    La famille est toute en tes bras.
Mais que vois-je ! ils feignaient ? Aux bords de notre Seine
    Pourquoi ces belliqueux apprêts ?   185
    Pourquoi vers notre cité reine
Ces camps, ces étrangers, ces bataillons français
Traînés à conspirer au trépas de la France ?
De quoi rit ce troupeau d'eunuques du palais ?
    Riez, lâche et perfide engeance !   190

XI

D'un roi facile et bon corrupteurs détrônés.
    Riez : mais le torrent s'amasse.

V. 185. Ce mouvement rappelle l'*Ode à la reine*, de Gilbert, qui débute ainsi :
          Où courent, les cheveux épars,
          Ces vierges, ces époux, ces mères? etc.
Casimir Delavigne, dans *Jeanne d'Arc* :
          D'où vient ce bruit lugubre? où courent ces guerriers? etc.
Dans Racine, *Athalie*, III, VII, Joad, que Dieu inspire, s'écrie :
     . . . . . Où menez-vous ces enfants et ces femmes?

Riez; mais du volcan les feux emprisonnés
Bouillonnent. Des lions si longtemps enchaînés
    Vous n'attendiez plus tant d'audace!   195
Le peuple est réveillé. Le peuple est souverain.
    Tout est vaincu. La tyrannie en vain,
Monstre aux bouches de bronze, arme pour cette guerre
    Ses cent yeux, ses vingt mille bras,
Ses flancs gros de salpêtre, où mugit le tonnerre :   200
    Sous son pied faible elle sent fuir sa terre,
    Et meurt sous les pesants éclats
Des créneaux fulminants, des tours et des murailles,
    Qui ceignaient son front détesté.
    Déraciné dans ses entrailles,   205
L'enfer de la Bastille, à tous les vents jeté,
Vole, débris infâme et cendre inanimée;
Et de ces grands tombeaux, la belle Liberté,
    Altière, étincelante, armée,

XII

Sort. Comme un triple foudre éclate au haut des cieux,   210
    Trois couleurs dans sa main agile

V. 194. Éd. 1819, 1833, 1839 :
    . . . . . Des lions si longtemps déchaînés.

V. 198. Le verbe *armer* se rencontre souvent dans le sens de « se servir d'une chose comme d'une arme. » Cet emploi de *armer* est fréquent chez les poëtes. Racine, *les Frères ennemis*, I, iii :

    Voudrait-elle obéir à ce prince inhumain,
    Qui vient d'armer contre elle et le fer et la faim?

Boileau, *Épit.* V :

    Je n'armé point contre eux mes ongles émoussés.

Corneille, *Pol.*, III, i, avait dit aussi :

    Si contre lui Sévère arme l'aigle romaine.

V. 210. La poétique française interdit généralement les enjambements d'une strophe à une autre ; toutefois le rejet du mot *sort* à la strophe XII

Flottent en long drapeau. Son cri victorieux
Tonne : à sa voix, qui sait, comme la voix des dieux,
   En homme transformer l'argile,
La terre tressaillit. Elle quitta son deuil ;   215
  Le genre humain d'espérance et d'orgueil
Sourit ; les noirs donjons s'écroulèrent d'eux-mêmes ;
   Jusque sur les trônes lointains
Les tyrans ébranlés, en hâte à leurs fronts blêmes,
  Pour retenir leurs tremblants diadèmes,   220
   Portèrent leurs royales mains.
A son souffle de feu, soudain de nos campagnes
   S'écoulent les soldats épars
   Comme les neiges des montagnes ;
Et le fer ennemi tourné vers nos remparts,   225
Comme aux rayons lancés du centre ardent d'un verre,
Tout à coup à nos yeux fondu de toutes parts,
   Fuit et s'échappe sous la terre.

n'est pas sans produire un très-bel effet poétique ; car il est à remarquer
que la strophe XII tout entière est un tableau qui se développe soudain
à ce seul mot *sort*, rejeté avec cette audace qui n'appartient qu'au génie.
   V. 221. Image frappante ! Malherbe, p. 169, dit que la paix

    . . . de la majesté des lois
    Appuyant les pouvoirs suprêmes,
    Fait demeurer les diadèmes
    Fermes sur la tête des rois.

   V. 224. Homère, *Iliade*, XIX, 356 :

    .....Τοὶ δ' ἀπάνευθε νεῶν ἐχέοντο θοάων.
    Ὡς δ' ὅτε ταρφειαὶ νιφάδες Διὸς ἐκποτέονται,
    ψυχραὶ, ὑπὸ ῥιπῆς αἰθρηγενέος βορέαο ·
    ὣς τότε ταρφειαὶ κόρυθες, λαμπρὸν γανόωσαι,
    νηῶν ἐκφορέοντο. . . . .

Callimaque, *Hymne à Délos*, v. 175, en parlant de la foule des barbares :
« Νιφάδεσσιν ἐοικότες. » Et, par une image semblable, Virgile, *Énéide*,
V, 317 : « Effusi nimbo similes. »
   V. 228. Voltaire, *Henriade*, V :

    L'air s'embrase à l'instant par les traits du tonnerre ;
    L'autel, couvert de feux, tombe et fuit sous la terre.

XIII

Il renaît citoyen ; en moisson de soldats
    Se résout la glèbe aguerrie.   230
Cérès même et sa faux s'arment pour les combats.
Sur tous ses fils jurant d'affronter le trépas
    Appuyée au loin, la patrie
Brave les rois jaloux, le transfuge imposteur,
Des paladins le fer gladiateur,   235
Des Zoïles verbeux l'hypocrite délire.

V. 230. Voltaire, *Hist. de Charles XII*, I, en parlant de Gustave Vasa
et des paysans de la Dalécarlie : « Il fit en peu de temps de ces sauvages
des soldats aguerris. »

V. 231. Virgile, *Géorg.*, I, 508 :

       Et curvæ rigidum falces conflantur in ensem.

V. 232. Même observation que pour le vers 132.

V. 234. « *Le transfuge imposteur*, » ce sont les émigrés qui calom-
naient la France à l'étranger.

V. 235. Un article d'André Chénier, intitulé *l'Esprit de parti*, écri
en 1791, la même année que *le Jeu de paume*, nous fournit une heureuse et curieuse explication de ce vers (*OEuvres en prose*, p. 49) :
« C'est cet honneur de corps, l'éternel apanage de ceux qui trouvent
qu'il est trop difficile d'avoir un honneur qui soit à eux ; c'est, dis-je
cet honneur de corps qui fait sortir des salles d'armes des essaims de
héros, ou jadis nobles, ou devenus tels depuis qu'il n'y en a plus ; armés pour le soutien du trône, qui certes n'a pas besoin d'eux ; impudents
et méprisables parasites, qui, en osant se nommer les défenseurs du roi,
ont pris le seul moyen qu'ils pussent avoir de lui faire tort. Ils rôdent,
ils courent çà et là, tout prêts à chercher querelle à quiconque n'est pas
des leurs et ne désire pas la guerre civile, et déterminés à le tuer pour
avoir raison de lui ; et les femmes, toujours aveuglément livrées à leurs
passions du moment, toujours éprises de ce qui ressemble au courage,
de tout temps admiratrices secrètes ou déclarées de ces assassinats chevaleresques appelés duels, semblent encourager par d'homicides applaudissements cette férocité lâche et stupide. »

V. 236. Il désigne les détracteurs de la révolution qui venait de s'accomplir et parmi eux certainement les auteurs de « deux épaisses brochures »
dont il parle dans son article sur *l'Esprit de parti* (*OEuvres en prose*,
p. 53), et dont l'un était Edmond Burke, qui récemment avait fait paraître
et traduire en français un ouvrage intitulé : *Réflexions sur la révolution
de France*.

Salut, peuple français! ma main
Tresse pour toi les fleurs que fait naître la lyre.
Reprends tes droits, rentre dans ton empire.
    Par toi sous le niveau divin   240
La fière Égalité range tout devant elle.
    Ton choix, de splendeur revêtu,
    Fait les grands. La race mortelle
Par toi lève son front si longtemps abattu.
Devant les nations, souverains légitimes,   245
Ces fronts dits souverains s'abaissent. La vertu
    Des honneurs aplanit les cimes.

XIV

O peuple deux fois né! peuple vieux et nouveau!
    Tronc rajeuni par les années!
Phénix sorti vivant des cendres du tombeau!   250
Et vous aussi, salut, vous, porteurs du flambeau
    Qui nous montra nos destinées!
Paris vous tend les bras, enfants de notre choix!
    Pères d'un peuple, architectes des lois!
Vous qui savez fonder, d'une main ferme et sûre,   255
    Pour l'homme un code solennel,
Sur tous ses premiers droits sa charte antique et pure,
    Ses droits sacrés, nés avec la nature,
    Contemporains de l'Éternel.
Vous avez tout dompté; nul joug ne vous arrête;   260

V. 254. « *Architecte des lois.* » C'est le *conditor* des Latins, qui disaient également *condere leges* et *condere mœnia.* C'est le τέκτων des
Grecs. Le Scholiaste d'Aristophane, *Eq.*, 523, nous a conservé ce vers du
poëte comique Cratinus :

                τέκτονες εὐπαλάμων ὕμνων.

V. 257. Il s'agit ici de la Déclaration des droits de l'homme et du citoyen.

Tout obstacle est mort sous vos coups ;
    Vous voilà montés sur le faîte.
Soyez prompts à fléchir sous vos devoirs jaloux.
Bienfaiteurs, il vous reste un grand compte à nous rendre ;
Il vous reste à borner et les autres et vous ;   265
    Il vous reste à savoir descendre.

                            XV

Vos cœurs sont citoyens ; je le veux. Toutefois
    Vous pouvez tout : vous êtes hommes.
Hommes ! d'un homme libre écoutez donc la voix.
Ne craignez plus que vous. Magistrats, peuples, rois,   270
    Citoyens, tous tant que nous sommes,
Tout mortel dans son cœur cache, même à ses yeux,
    L'ambition, serpent insidieux,
Arbre impur que déguise une brillante écorce.
    L'empire, l'absolu pouvoir   275
Ont, pour la vertu même, une mielleuse amorce.
    Trop de désirs naissent de trop de force.

V. 266. Ce vers rappelle celui de Corneille, *Cinna*, I, 1 :

    Et, monté sur le faîte, il aspire à descendre.

V. 267. « *Je le veux,* » je l'accorde.
V. 271. « *Tous tant que nous sommes.* » Expression fréquente dans
La Fontaine. Voy. *Fables*, I, *Dédic.;* VIII, v et vii; IX, 1 ; X, 1 et 11 ; etc.
V. 275. Malherbe, p. 61 : Lui que...

    Ton *absolu pouvoir* a fait son lieutenant.

V. 276. « *Amorce,* » c'est le grec δέλεαρ. Euripide, *Troy.*, 695 :

    Φίλον διδοῦσα δέλεαρ ἀνδρὶ σῶν τρόπων.

Les Grecs ont aussi l'expression *avoir une amorce*. Euripide, *Andr.*, 264 :

    Τοιόνδ' ἔχω σου δέλεαρ. . . . .

V. 277 et suiv. C'est la pensée exprimée par Platon, dans le *Gorgias*
(t. III, p. 169, éd. Bekker), que les tyrans, les rois, les puissants et les
hommes d'État sont ceux qui, à cause de l'absolu pouvoir dont ils sont
revêtus, commettent les actions les plus injustes et les plus impies :

Qui peut tout pourra trop vouloir.

Il pourra négliger, sûr du commun suffrage,
   Et l'équitable humanité,   280
   Et la décence au doux langage.
L'obstacle nous fait grands. Par l'obstacle excité,
L'homme, heureux à poursuivre une pénible gloire,
Va se perdre à l'écueil de la prospérité,
   Vaincu par sa propre victoire.   285

XVI

Mais au peuple surtout sauvez l'abus amer
   De sa subite indépendance.
Contenez dans son lit cette orageuse mer.

« Ἀλλὰ γὰρ, ὦ Καλλίκλεις, ἐκ τῶν δυναμένων εἰσὶ καὶ οἱ σφόδρα πονηροὶ
γιγνόμενοι ἄνθρωποι... Χαλεπὸν γὰρ, ὦ Καλλίκλεις, καὶ πολλοῦ ἐπαίνου
ἄξιον, ἐν μεγάλῃ ἐξουσίᾳ τοῦ ἀδικεῖν γενόμενον δικαίως διαβιῶναι; ὀλίγοι δὲ
γίγνονται οἱ τοιοῦτοι. »

V. 279. « *Négliger,* » manquer à. *Négliger* a ici la force du latin
negligere, comme dans cette phrase que Cicéron (*Cat.,* I, 7) adresse à
Catilina : « Tu... ad negligendas leges... valuisti. »

V. 281. « *La décence,* » la bienséance, respect des autres et de soi-
même, que tout homme doit toujours garder dans ses paroles et dans ses
actions ; c'est ce que les Grecs appelaient τὸ πρέπον. Cette *décence* était
une qualité essentielle aux yeux d'un Grec.

V. 285. Les pensées qu'il développe dans ces strophes peuvent se résumer par ces beaux vers de Pindare, *Pyth.,* IV, 48 ï :

   Ῥᾴδιον μὲν γὰρ πόλιν σεῖ-
   σαι καὶ ἀφαυροτέροις· ἀλλ' ἐπὶ χώ-
   ρας αὖθις ἕσσαι δυσπαλὲς
   δὴ γίνεται, ἐξαπίνας
   εἰ μὴ θεὸς ἁγεμόνεσσι κυβερ-
   νατὴρ γένηται.

Ce sont du reste les mêmes sur lesquelles il s'étend dans l'*Avis aux
Français.*

V. 286. *Avis aux Français,* p. 9 : « Avons-nous pensé que l'on acqué-
« rait la liberté sans obstacles? Je vois dans toutes les histoires des peuples
« libres leur liberté naissante attaquée de mille manières. »

V. 288. Cette comparaison de la multitude aux flots de la mer est

Par vous seuls dépouillé de ses liens de fer,
　　Dirigez sa bouillante enfance.　　　　　　　　　290
Vers les lois, le devoir, et l'ordre, et l'équité,
　　Guidez, hélas! sa jeune liberté.
Gardez que nul remords n'en attriste la fête.
　　Repoussant d'antiques affronts,
Qu'il brise pour jamais, dans sa noble conquête,　　295
　　Le joug honteux qui pesait sur sa tête,
　　Sans le poser sur d'autres fronts.
Ah! ne le laissez pas, dans la sanglante rage
　　D'un ressentiment inhumain,
　　Souiller sa cause et votre ouvrage.　　　　　　300
Ah! ne le laissez pas, sans conseil et sans frein,
Armant, pour soutenir ses droits si légitimes,
La torche incendiaire et le fer assassin,
　　Venger la raison par des crimes.

XVIᵉ

Peuple! ne croyons pas que tout nous soit permis.　　305
　　Craignez vos courtisans avides,
O peuple souverain! A votre oreille admis,
Cent orateurs bourreaux se nomment vos amis.
　　Ils soufflent des feux homicides.
Aux pieds de notre orgueil prostituant les droits,　　310

familière aux poëtes, comme l'a remarqué Dion Chrysostome, *Or.* 32,
rapportant ces vers d'un poëte anonyme :

　　　　Δῆμος ἄστατον κακὸν,
　　καὶ θαλάσσῃ πάνθ' ὅμοιον ὑπ' ἀνέμου ῥιπίζεται, κ. τ. λ.

Cf. Stanley, *Æschyli Commentarius* ad *Sept. Theb.*, 64, 116.
　　V. 298. Éd. 1833 et 1839 :

　　　　Ah! ne le laissez pas, dans sa sanglante rage.

　　V. 306-307. En écrivant ces vers, André sans doute se souvenait des
reproches que les poëtes et les orateurs ne cessaient d'adresser au peuple

Nos passions pour eux deviennent lois.
La pensée est livrée à leurs lâches tortures.
        Partout cherchant des trahisons,
À nos soupçons jaloux, aux haines, aux parjures,
    Ils vont forgeant d'exécrables pâtures.   315
        Leurs feuilles noires de poisons
Sont autant de gibets affamés de carnage.
        Ils attisent de rang en rang
        La proscription et l'outrage.
Chaque jour dans l'arène ils déchirent le flanc   520
D'hommes que nous livrons à la fureur des bêtes.
Ils nous vendent leur mort. Ils emplissent de sang
        Les coupes qu'ils nous tiennent prêtes.

XVIII

Peuple, la Liberté, d'un bras religieux,
        Garde l'immuable équilibre   325
De tous les droits humains, tous émanés des cieux.
Son courage n'est point féroce et furieux ;
        Et l'oppresseur n'est jamais libre.
Périsse l'homme vil ! périssent les flatteurs,
    Des rois, du peuple infâmes corrupteurs !   530

d'Athènes pour sa facilité à se laisser duper par les flatteurs. — Aristophane, *Chev.*, 1111 :

> Ὦ Δῆμε, καλήν γ' ἔχεις
> ἀρχήν. . . . .
> Ἀλλ' εὐπαράγωγος εἶ,
> θωπευόμενός τε χαί-
> ρεις κἀξαπατώμενος.

V. 517. Malherbe, p. 44 :

> En leur âme encore affamée
> De massacres et de butins.

V. 530. Racine, *Phèdre*, IV, vi :

> . . . Puisse ton supplice à jamais effrayer
> Tous ceux qui comme toi, par de lâches adresses,

L'amour du souverain, de la loi salutaire,
    Toujours teint leurs lèvres de miel.
Peur, avarice ou haine est leur dieu sanguinaire.
    Sur la vertu toujours leur langue amère
        Distille l'opprobre et le fiel.   335
Hydre en vain écrasé, toujours prompt à renaître,
    Séjans, Tigellins empressés
    Vers quiconque est devenu maître;
Si, voués au lacet, de faibles accusés
Expirent sous les mains de leurs coupables frères :   340
Si le meurtre est vainqueur ; si des bras insensés
    Forcent des toits héréditaires ;

XIX

C'est bien : Fais-toi justice, ô peuple souverain,
    Dit cette cour lâche et hardie.
Ils avaient dit : C'EST BIEN, quand, la lyre à la main,   345

        Des princes malheureux nourrissent les foiblesses,
        Les poussent au penchant où leur cœur est enclin,
        Et leur osent du crime aplanir le chemin!
        Détestables flatteurs, présent le plus funeste
        Que puisse faire aux rois la colère céleste!

V. 335. Le Psalmiste, XIII, 3, en parlant de la corruption des hommes :
« Sepulcrum patens est guttur eorum : linguis suis dolose agebant : ve-
« nenum aspidum sub labiis eorum. Quorum os maledictione et amari-
« tudine plenum est. » Passage que rappelle saint Paul, *Ép. aux Rom.*,
III, 13. — Voy. dans la violente accusation de Démosthène contre Aristogiton, le passage où il trace le portrait du sycophante : « Ἀλλὰ πορεύεται
διὰ τῆς ἀγορᾶς ὥσπερ ἔχις ἢ σκορπίος ἠρκὼς τὸ κέντρον, » κ. τ. λ.

V. 336. L'*Hydre*, belle expression qu'André avait remarquée dans
Malherbe (p. 28). Le mot Hydre est féminin; André le fait masculin. On
dit également en grec ὕδρος et ὕδρα.

V. 344. Tournure poétique qui rappelle Racine, *Ath.*, II, IX :

        Rions, chantons, dit cette troupe impie.

V. 345. On trouve, dans les fragments des *Œuvres en prose*, p. 273,
cette phrase qui se rapporte exactement à ce passage : « Ces vils sophistes,

L'incestueux chanteur, ivre de sang romain,
    Applaudissait à l'incendie.
Ainsi de deux partis les aveugles conseils
    Chassent la paix. Contraires, mais pareils,
Dans un égal abîme, une égale démence   350
    De tous deux entraîne les pas.
L'un, Vandale stupide, en son humble arrogance,
    Veut être esclave et despote, et s'offense
        Que ramper soit honteux et bas;
L'autre arme son poignard du sceau de la loi sainte :   355
    Il veut du faible sans soutien
    Savourer les pleurs ou la crainte.
L'un, du nom de sujet, l'autre de citoyen,
Masque son âme inique et de vices flétrie :
L'un sur l'autre acharnés, ils comptent tous pour rien   360
    Liberté, vérité, patrie.

XX

De prières, d'encens prodigue nuit et jour,
    Le fanatisme se relève.
Martyrs, bourreaux, tyrans, rebelles tour à tour;
Ministres effrayants de concorde et d'amour,   365
    Venus pour apporter le glaive;

à chaque excès, etc..., disaient : C'est bien... » — Racine, *Bérén.*, II, II :

PAULIN.

La cour sera toujours du parti de vos vœux.

TITUS.

Et je l'ai vue aussi, cette cour peu sincère,
A ses maîtres toujours trop soigneuse de plaire,
Des crimes de Néron approuver les horreurs ;
Je l'ai vue à genoux consacrer ses fureurs.

Voy. dans *Britannicus*, IV, IV, un passage où la même pensée est énergiquement exprimée.

V. 366. Allusion au « Non veni mittere pacem, sed gladium » des livres saints (saint Matthieu, X, 34).

Ardents contre la terre à soulever les cieux,
 Rivaux des lois, d'humbles séditieux,
De trouble et d'anathème artisans implacables...
  Mais où vais-je? L'œil tout-puissant   570
Pénètre seul les cœurs à l'homme impénétrables.
 Laissons cent fois échapper les coupables
  Plutôt qu'outrager l'innocent.
Si plus d'un, pour tromper, étale un faux scrupule,
 Plus d'un, par les méchants conduit,   575
  N'est que vertueux et crédule.
De l'exemple éloquent laissons germer le fruit.
La vertu vit encore. Il est, il est des âmes
Où la patrie aimée et sans faste et sans bruit
  Allume de constantes flammes.   580

XXI

Par ces sages esprits, forts contre les excès,
 Rocs affermis du sein de l'onde,

V. 369. « *Artisan de trouble.* » Belle expression ; c'est l'*artifex* des
Latins. Sénèque le tragique l'aimait beaucoup. Voy. *Hipp.*, 559 ; *Médée*,
734. Dans *les Troyennes*, 750, Andromaque appelle Ulysse :

  O machinator fraudis, o scelerum artifex.

V. 371. Cf. *L'Invention*, v. 24.
V. 376. Éd. 1826 :

   Est vertueux bien que crédule.

V. 382. Éd. 1826 et 1839 :

   Rocs affermis au sein de l'onde.

C'est l'image de Malherbe, p. 300 :

  Couronne, je veux être encontre la Fortune
   Un roc pareil à ceux
  Qui dépitent l'orgueil des vagues de Neptune.

André, ainsi que Malherbe, se souvenait sans doute du vers de Virgile,
Én., VII, 586 :

  Ille, velut pelagi rupes immota, resistit,

et du passage du livre V (v. 698), où cette même comparaison est plus
développée.

Raison, fille du temps, tes durables succès
Sur le pouvoir des lois établiront la paix.
  Et vous, usurpateurs du monde,   385
Rois, colosses d'orgueil, en délices noyés,
  Ouvrez les yeux : hâtez-vous. Vous voyez
Quel tourbillon divin de vengeances prochaines
  S'avance vers vous. Croyez-moi,
Prévenez l'ouragan et vos chutes certaines. 390
  Aux nations déguisez mieux vos chaînes ;
  Allégez-leur le poids d'un roi.
Effacez de leur sein les livides blessures,
  Traces de vos pieds oppresseurs.
  Le ciel parle dans leurs murmures. 395
Si l'aspect d'un bon roi peut adoucir vos mœurs,
Ou si le glaive ami, sauveur de l'esclavage,
Sur vos fronts suspendu peut éclairer vos cœurs
  D'un effroi salutaire et sage,

XXII

Apprenez la justice, apprenez que vos droits 400
  Ne sont point votre vain caprice.

V. 385 et suiv. Hésiode, *Op. et dies*, 246 :

> Ὦ βασιλεῖς, ὑμεῖς δὲ καταφράζεσθε καὶ αὐτοὶ
> τήνδε δίκην· ἐγγὺς γὰρ ἐν ἀνθρώποισιν ἐόντες
> ἀθάνατοι φράζονται ὅσοι σκολιῇσι δίκῃσι
> ἀλλήλους τρίβουσι θεῶν ὄπιν οὐκ ἀλέγοντες...
> Οἳ αὐτῷ κακὰ τεύχει ἀνὴρ ἄλλῳ κακὰ τεύχων.

Job, iv, 8 : « Quin potius vide eos qui operantur iniquitatem et semi-
« nant dolores, et metunt eos, flante Deo periisse et spiritu iræ ejus esse
« consumptos. »

V. 386. Malherbe, p. 259 :

> Ces colosses d'orgueil furent tous mis en poudre.

V. 395. Vox populi, vox Dei.

V. 397. M. Eugène Despois a très-ingénieusement expliqué ce vers, en

Si votre sceptre impie ose frapper les lois,
Parricides, tremblez; tremblez, indignes rois.
    La Liberté législatrice,
La sainte Liberté, fille du sol français,   405
    Pour venger l'homme et punir les forfaits,
Va parcourir la terre en arbitre suprême.
    Tremblez ! ses yeux lancent l'éclair.
Il faudra comparaître et répondre vous-même,
    Nus, sans flatteurs, sans cour, sans diadème,   410
        Sans gardes hérissés de fer.
La Nécessité traîne, inflexible et puissante,
        A ce tribunal souverain,
        Votre majesté chancelante :
Là seront recueillis les pleurs du genre humain;   415
Là, juge incorruptible, et la main sur sa foudre,

rappelant qu'on venait de graver sur les sabres d'officier de la garde nationale ce vers, un peu modifié, de Lucain, *Phars.*, IV, 579 :

> Ignorantne datos, ne quisquam serviat, enses.

V. 403. Voy. le beau chapitre d'Isaïe, x, qui s'ouvre par un magnifique mouvement d'éloquence : « Væ qui condunt leges iniquas : et scri-
bentes, injustitiam scripserunt. » — J.-B. Rousseau, *Ode au prince de
Conti :*

> Écoutez et tremblez, idoles de la terre.

V. 410. Le Psalmiste, xlviii, 11 : « Et relinquent alienis divitias suas. »
— J.-B. Rousseau a beaucoup plus développé cette pensée que Racan. —
Malherbe, p. 288 :

> Là se perdent ces noms de maîtres de la terre,
> D'arbitres de la paix, de foudres de la guerre.

V. 412. « Ἀναγκαίη μεγάλη θεός, » dit Callimaque, *Hymne à Délos*,
122. Horace, *Od.*, III, ι :

> . . . . . Æqua lege Necessitas
> Sortitur insignes et imos.

Malherbe, p. 218 :

> . . . . Ce triste éloignement
> Où la nécessité me traîne.

Elle entendra le peuple, et les sceptres d'airain
   Disparaîtront, réduits en poudre.

V. 418. Isaïe, xiv, ii, 5 : « Contrivit Dominus baculum impiorum,
« virgam dominantium. » La Bible a plusieurs images pour exprimer la
même pensée. Le Psalmiste, xxxvi, 20 : « Deficientes, *quemadmodum
fumus* deficient. » *Id.*, lvii, 8 et 9 : « Ad nihilum devenient *tanquam
aqua decurrens... Sicut cera* quæ fluit, auferentur. » *Id.*, ciii, 29 :
« Et *in pulverem* revertentur. »

La pensée que développe toute cette strophe paraît avoir été inspirée
à André par les beaux vers qu'Aristophane, *Ois.*, 1238, met dans la bouche
d'Iris :

> Ὦ μῶρε, μῶρε, μὴ θεῶν κίνει φρένας
> δεινάς, ὅπως μή σου γένος πανώλεθρον
> Διὸς μακέλλη πᾶν ἀναστρέψῃ Δίκη,
> λιγνὺς δὲ σῶμα καὶ δόμων περιπτυχὰς
> καταιθαλώσῃ σου Λικυμνίαις βολαῖς.

HYMNE

SUR L'ENTRÉE TRIOMPHALE DES SUISSES RÉVOLTÉS
DU RÉGIMENT DE CHATEAUVIEUX,
FÊTÉS A PARIS SUR UNE MOTION DE COLLOT–D'HERBOIS.

Salut, divin Triomphe! entre dans nos murailles!
 Rends-nous ces guerriers illustrés
Par le sang de Désille et par les funérailles
 De tant de Français massacrés.
Jamais rien de si grand n'embellit ton entrée,   5
 Ni quand l'ombre de Mirabeau
S'achemina jadis vers la voûte sacrée
 Où la gloire donne un tombeau ;
Ni quand Voltaire mort et sa cendre bannie

HYMNE. 15 avril 1792. — L'Éd. 1819 n'avait donné que les seize premiers vers. — Pour tout ce qui a rapport aux circonstances au milieu
desquelles cet hymne fut composé, voy., dans les *OEuvres en prose*, les
lettres V, VI, VII, VIII, aux auteurs du *Journal de Paris ;* l'Adresse I à
l'Assemblée nationale ; la lettre anonyme aux auteurs du *Journal de
Paris,* p, 317, et la lettre p. 318. — Voy. la *Biographie*, p. XLII.

V. 5. De ce mouvement éloquent et poétique, on peut rapprocher un
passage d'Horace, *Épod.* IX :

> Io triumphe! tu moraris aureos
> Currus, et intactas boves?
> Io triumphe ! nec Jugurthino parem
> Bello reportasti ducem,
> Neque Africano, cui super Carthaginem
> Virtus sepulcrum condidit.

V. 7. En avril 1791. Marie-Joseph a composé une ode sur la mort de
Mirabeau.

V. 9-12. « Qui croirait qu'il se trouva des hommes assez ennemis de

Rentrèrent aux murs de Paris,   10
Vainqueurs du fanatisme et de la calomnie
   Prosternés devant ses écrits.
Un seul jour peut atteindre à tant de renommée,
   Et ce beau jour luira bientôt !
C'est quand tu conduiras Jourdan à notre armée,   15
   Et Lafayette à l'échafaud.
Quelle rage à Coblentz ! quel deuil pour tous nos princes,
   Qui partout diffamant nos lois,
Excitent contre nous et contre nos provinces
   Et les esclaves et les rois !   20
Ils voulaient nous voir tous à la folie en proie.

la gloire, assez cruels, pour se permettre d'outrager sa cendre, en lui
refusant ces tristes et derniers devoirs que l'humanité commande envers
les morts chez les peuples les plus sauvages ? Si la nation eût partagé le
fanatisme de ses prêtres, il faudrait ensevelir cet opprobre dans un éternel silence : mais au moment où la France eut conquis sa liberté, elle
s'empressa de venger, de conso'er cette cendre par des honneurs qui n'a-
vaient pas encore eu d'exemple dans les fastes de son histoire. Le corps
de Voltaire, ramené dans Paris avec la pompe la plus auguste, accompagné d'un peuple immense et d'hymnes triomphales, qui n'étaient point
chantées par des prêtres, mais par des citoyens libres, les seuls qui sachent
apprécier et décerner la gloire, fut déposé dans un temple consacré par
la nation à la mémoire de ses grands hommes. » PALISSOT. — Ce fut le
12 juillet 1791 qu'eut lieu la trans'a ion du corps de Voltaire au Panthéon.
Ce fut Marie-Joseph qui com).sa pour la circonstance un hymne dont
Gossec fit la musique. Trois mois avant, Marie-Joseph disait dans son ode
sur la mort de Mirabeau :

> Tu *fanatisme* étrange exemple...
> Voltaire est presque sans tombeau !

V. 15, Éd. 1819, 1833, 1839 :

> C'est quand tu porteras Jourdan à notre armée.

Dans ce vers et le suivant, André relè e les parallèles que certains journaux du temps voulaient perfidement établir entre Jourdan et Lafayette.
C'est aussi à cela que fait allusion Mallet du Pan, dans un article du *Mercure français*, postérieur de trois semaines seulement à l'Hymne d'André :
« Un périodiste choqué de ce que je m'étais récrié contre les parallèles
qu'on établissait entre M. de Lafayette et Jourdan (Coupe-tête), a prouvé,
en toutes formes, que Jourdan méritait moins de haine que l'ancien com-
mandant de la garde de Paris. »

Que leur front doit être abattu !
Tandis que parmi nous, quel orgueil, quelle joie,
    Pour les amis de la vertu,
Pour vous tous, ô mortels, qui rougissez encore   25
    Et qui savez baisser les yeux,
De voir des échevins que la Râpée honore
    Asseoir sur un char radieux
Ces héros que jadis sur les bancs des galères
    Assit un arrêt outrageant,   30
Et qui n'ont égorgé que très-peu de nos frères,
    Et volé que très-peu d'argent !
Eh bien, que tardez-vous, harmonieux Orphées ?
    Si sur la tombe des Persans
Jadis Pindare, Eschyle, ont dressé des trophées,   35
    Il faut de plus nobles accents.
Quarante meurtriers, chéris de Robespierre,
    Vont s'élever sur nos autels.
Beaux-arts qui faites vivre et la toile et la pierre,
    Hâtez-vous, rendez immortels   40
Le grand Collot-d'Herbois, ses clients helvétiques,
    Ce front que donne à des héros
La vertu, la taverne, et le secours des piques !

V. 27. Prudhomme, dans un article des *Révolutions de Paris*, n° 144 (avril 1792), intitulé : *Matelotte municipale à la Râpée*, raille légèrement Pétion et ses collègues de la Commune qui venaient de faire insérer dans les journaux de leur parti (*Chronique, Courrier français Courrier des 83 départements, Patriote français*) une note sur un repas qu'ils avaient pris en commun à la Râpée. Ces échevins semblaient se faire honneur de cette petite débauche dans un cabaret de la Râpée.

V. 31-32. Excès qu'il flétrit aussi dans l'*Avis aux Français, OEuvres en prose*, p. 21 : « Des soldats qui pillent les caisses de leur régiment, qui outragent, emprisonnent, menacent leurs officiers... »

V. 37. Il y a *Roberspierre* dans le *Journal de Paris*. Dans le *Journal de Lyon et du département de Rhôn -et-Loire* (t. I, p. 44), il est dit que, dans la séance du 1er juillet 1790, Robespierre éleva la voix en faveur de deux ex-galériens. En avril 1792, l'histoire des Suisses rappela certainement ce fait. De là le vers d'André.

Peuplez le ciel d'astres nouveaux.

O vous ! enfants d'Eudoxe, et d'Hipparque, et d'Euclide,   45
    C'est par vous que les blonds cheveux
Qui tombèrent du front d'une reine timide
    Sont tressés en célestes feux ;
Par vous l'heureux vaisseau des premiers Argonautes
    Flotte encor dans l'azur des airs ;   50
Faites gémir Atlas sous de plus nobles hôtes,
    Comme eux dominateurs des mers.
Que la Nuit de leurs noms embellisse ses voiles,
    Et que le nocher aux abois
Invoque en leur galère, ornement des étoiles,   55
    Les Suisses de Collot-d'Herbois.

V. 45. *Eudoxe, Hipparque,* astronomes célèbres de l'antiquité. Ce n'est pas très à propos qu'André à côté de leurs noms a mis celui du mathématicien Euclide. Il aurait pu plus avantageusement faire figurer parmi eux celui de Conon, qui le premier donna à une constellation le nom de *Chevelure de Bérénice* qu'elle porte encore. Catulle ne l'avait pas oublié dans l'élégie, imitée de Callimaque, qui porte ce titre.

V. 48. Bérénice, femme de Ptolémée Évergète.

V. 49. La constellation Argo. — Quelle ironie ! d'un côté les Argonautes, conquérants de la Toison d'or, et le navire animé ; de l'autre les quarante Suisses, condamnés aux galères pour vol, et (v. 55) la galère dans laquelle ils furent conduits en triomphe, le 15 avril 1792, dans les rues de Paris.

V. 53. Éd. 1833, 1839 :

    Que la nuit de leurs noms embellis e les voiles.

OEUVRES POSTHUMES

DE

ANDRÉ CHÉNIER

POÉSIES ANTIQUES

PETITS POËMES — ÉLÉGIES — IDYLLES

ÉPIGRAMMES — ÉTUDES ET FRAGMENTS

PROLOGUE

Je veux qu'on imite les anciens;

Comme aux bords d'Eurotas . . . .
Lorsqu'une épouse est près du terme de Lucine,
On suspend devant elle, en un riche tableau,
Ce que l'art de Zeuxis anima de plus beau,

Prol. — Ces quelques vers nous font pénétrer les secrets de l'art
savant d'André : il veut que le poëte se nourrisse de la lecture des anciens, afin que de son esprit, rempli *de ces formes nouvelles*, sorte *un
fruit noble et beau comme ces beaux modèles*, de même que la La-
conienne nourrit ses yeux, etc., etc..... C'est, condensée en dix vers, la
belle pensée qui anime son poëme de *l'Invention*. Le tableau qu'il transforme en comparaison est imité d'un passage d'Oppien (*Chasse*, I, 358),
dans lequel ce poëte compare l'usage qu'on a d'étendre des étoffes de
pourpre devant les yeux des colombes, pour que leurs petits soient

Apollon et Bacchus, Hyacinthe, Nirée,   5
Avec les deux Gémeaux leur sœur tant désirée.
L'épouse les contemple ; elle nourrit ses yeux
De ces objets, honneur de la terre et des cieux ;
Et de son flanc, rempli de ces formes nouvelles,
Sort un fruit noble et beau comme ces beaux modèles.   10

revêtus de cette brillante couleur, à la délicate attention des époux lacédémoniens :

> Ναὶ μὴν ὧδε Λάκωνες ἐπίφρονα μητίσαντο
> αἷσι φίλαις ἀλόχοις, ὅτε γαστέρα κυμαίνουσι·
> γράψαντες πινάκεσσι πέλας θέσαν ἀγλαὰ κάλλη,
> τοὺς πάρος ἀστράψαντας ἐν ἡμερίοισιν ἐφήβους,
> Νιρέα καὶ Νάρκισσον ἐϋμμελίην θ' Ὑάκινθον,
> Κάστορά τ' εὐκόρυθον καὶ Ἀμυκοφόνον Πολυδεύκην,
> ἠϊθέους τε νέους, τοῖτ' ἐν μακάρεσσιν ἀγητοί,
> Φοῖβον δαφνοκόμην καὶ κισσοφόρον Διόνυσον·
> αἱ δ' ἐπιτέρπονται πολυήρατον εἶδος ἰδοῦσαι,
> τίκτουσίν τε καλοὺς ἐπὶ κάλλεϊ πεπτηυῖαι.

V. 5. « *Hyacinthe,* » aimé par Apollon, qui le tua par mégarde. Voy.
Ovide, *Mét.*, X, 162. « *Nirée,* » ὃς κάλλιστος ἀνὴρ ὑπὸ Ἴλιον ἦλθε, dit
Homère (*Iliade,* II, 673). Les édit. précéd. donnent *Nérée,* ce qui est
une faute peu excusable. En grec on a pu quelquefois confondre Νιρεύς
et Νηρεύς, à cause de la similitude de la prononciation.

V. 6. Hélène, sœur de Castor et de Pollux.

V. 7. « *Elle nourrit ses yeux.* » Expression poétique qu'André affec-
tionnait, et sur laquelle nous aurons occasion de nous arrêter plus loin.
En voici une équivalente dans les *Œuvres en prose,* p. 251 : « ... ne
sachant où *paître leur âme* avide de connaissances... » Ici André se
souvenait certainement de l'expression de Lucrèce, *visus pascere,* qu'il
a traduite dans ce vers de *l'Art d'aimer* :

> Nourrit d'un long amour ses avides regards.

La même expression, en grec, ὀφθαλμοὺς ἑστιᾶν, se trouve dans saint Basile,
de Legend. libr. Gentil., ch. IX.

PETITS POËMES

L'AVEUGLE

« Dieu dont l'arc est d'argent, dieu de Claros, écoute ;
O Sminthée-Apollon, je périrai sans doute,
Si tu ne sers de guide à cet aveugle errant. »

I. — *L'Aveugle*, c'est la légende d'Homère, telle qu'elle se trouve dans les œuvres mêmes du poëte ou du moins dans les hymnes qui lui sont attribués. Dans l'*Hymne à Apollon*, 165, ne voyons-nous pas l'aveugle divin, l'habitant de Chio, l'aède immortel, qui parcourt les Cyclades en chantant? N'y a-t-il pas là en germe l'idylle de Chénier? Mais André, sans nul doute, comme l'a remarqué M. Sainte-Beuve, avait lu dans la *Vie d'Homère*, faussement attribuée à Hérodote, l'arrivée de l'aveugle à Chio, chez Glaucus. — Voy. Riccius, *Diss. Hom.*, p. 507, 508.

V. 1. *Iliade*, I, 37 :

> Κλῦθί μευ, Ἀργυρότοξ' ὃς Χρύσην ἀμφιβέβηκας,
> Κίλλαν τε ζαθέην, Τενέδοιό τε ἶφι ἀνάσσεις,
> Σμινθεῦ. . . . .

Claros est cité dans l'énumération des lieux consacrés à Apollon, *H. à Ap.*, 40. L'expression de *Clarius deus* est dans Ovide, *Mét.*, XI, 413. — Le début de *l'Aveugle* rappelle un chœur d'Euripide (*Rhésus*, 224).

V. 2. « *Sminthée* », surnom d'Apollon : dieu de Sminthe, en Troade, ou tueur de rats. Apollon, dit-on, tua les rats (σμίνθοι, dans le dialecte du pays) qui ravageaient les champs de Crinis, grand prêtre à Chrysa ; voy. Didyme, *Schol. Iliade*, I, 39. Cette histoire se trouvait dans les livres perdus de l'historien Polémon. Cf. Clément d'Alexandrie, *Adm. ad. gentes*, p. 19, D ; Strabon, XIII, I, 64.

V. 3. L'aveugle se désigne ici d'une façon démonstrative (δεικτικῶς).

C'est ainsi qu'achevait l'aveugle en soupirant,
Et près des bois marchait, faible, et sur une pierre   5
S'asseyait. Trois pasteurs, enfants de cette terre,
Le suivaient, accourus aux abois turbulents
Des molosses, gardiens de leurs troupeaux bêlants.
Ils avaient, retenant leur fureur indiscrète,
Protégé du vieillard la faiblesse inquiète ;   10
Ils l'écoutaient de loin, et, s'approchant de lui :
« Quel est ce vieillard blanc, aveugle et sans appui ?
Serait-ce un habitant de l'empire céleste ?
Ses traits sont grands et fiers ; de sa ceinture agreste
Pend une lyre informe, et les sons de sa voix   15
Émeuvent l'air, et l'onde, et le ciel, et les bois. »

Mais il entend leurs pas, prête l'oreille, espère,
Se trouble, et tend déjà les mains à la prière.

Cette tournure appartient à la langue grecque, où l'on trouve très-souvent
un pronom démonstratif mis pour un pronom personnel (voy. les tragiques), et non-seulement le genre de la personne désignée, mais encore,
quoique plus rarement, le neutre. Le chœur, dans *les Perses* d'Eschyle,
se désignant, débute par τάδε... Les Latins ont pris cette tournure des
Grecs ; il y en a plusieurs exemples dans Plaute et dans Térence. En
voici un dans Corneille, *Polyeucte*, V, III :

> C'en est assez : Félix, reprenez ce courroux,
> Et sur *cet insolent* vengez vos dieux et vous.

V. 4. L'inversion du premier verbe est une tournure toute poétique
En voici un exemple remarquable dans Racine, *Idylle de la paix :*

> Déjà marchait devant les étendards
> Bellone, les cheveux épars,
> Et se flattait d'éterniser les guerres
> Que sa fureur soufflait de toutes parts.

V. 6-10. C'est ainsi que, dans l'*Odyssée*, XIV, 29, lorsque les chiens
se précipitent en aboyant sur Ulysse, le bouvier accourt et les éloigne
à coups de pierres. Théocrite, *Id.* XXV, 68, a imité ce passage d'Homère.
V. 14. Ce trait semble emprunté à Virgile, *Égl.*, VI, 17, dans le portrait
qu'il trace de Silène endormi :

> Et gravis attrita pendebat cantharus ansa.

V. 18. « *A la prière.* » *Ad preces ; ad precandum.* André voyai
une grande ressource pour le poëte dans cette construction toute latine

« Ne crains point, disent-ils, malheureux étranger
(Si plutôt, sous un corps terrestre et passager,   20
Tu n'es point quelque dieu protecteur de la Grèce,
Tant une grâce auguste ennoblit ta vieillesse !) ;
Si tu n'es qu'un mortel, vieillard infortuné,
Les humains près de qui les flots t'ont amené
Aux mortels malheureux n'apportent point d'injures.   25
Les destins n'ont jamais de faveurs qui soient pures.
Ta voix noble et touchante est un bienfait des dieux ;
Mais aux clartés du jour ils ont fermé tes yeux.

— Enfants, car votre voix est enfantine et tendre,
Vos discours sont prudents plus qu'on n'eût dù l'attendre ; 30
Mais, toujours soupçonneux, l'indigent étranger
Croit qu'on rit de ses maux et qu'on veut l'outrager.
Ne me comparez point à la troupe immortelle :

de la préposition *à ;* aussi l'emploie-t-il à chaque instant, quoique plus
ou moins heureusement, en dépit de Voltaire qui l'a si souvent condamnée
dans son commentaire sur Corneille.

    V. 20. Hom., *Hymne à Apoll.*, 464 :

        Ξεῖν', ἐπεὶ οὐ μὲν γάρ τι καταθνητοῖσιν ἔοικας,
        οὐ δέμας, οὐδὲ φυήν, ἀλλ' ἀθανάτοισι θεοῖσιν . . .

On trouve cette idée fréquemment exprimée chez les poëtes. André y reviendra dans *le Mendiant*, 21.

    V. 25. « *Apportent,* » se traduirait en grec par τιθεῖσι, avec la signi-
fication qu'Homère donne fréquemment à ce mot, comme dans le 2ᵉ vers
du premier chant de l'*Iliade :*

    . . . . . Μυρί' Ἀχαιοῖς ἄλγε' ἔθηκεν.

Cf. *Iliade*, XVI, 262.

    V. 27-28. Tel (*Odyssée*, VIII, 64), l'aède Démodocus :

        τὸν πέρι Μοῦσ' ἐφίλησε, δίδου δ' ἀγαθόν τε κακόν τε·
        ὀφθαλμῶν μὲν ἄμερσε, δίδου δ' ἡδεῖαν ἀοιδήν.

« Versus suavissimi (dit Bothe), quos in Homerum ipsum detorserunt
scriptor; hymni Hom. in Apoll. 172, Pseudo-Herodotus, Vita poetæ, Maxi-
mius Tyrius, Dissert. 22, Proclus, Chrestomathiæ I, et Scholiastæ. »

    V. 35-38. Ulysse à Alcinoüs (*Odyss.*, VII, 208) :

        Ἀλκίνο', ἄλλο τί τοι μελέτω φρεσίν· οὐ γὰρ ἔγωγε
        ἀθανάτοισιν ἔοικα, τοὶ οὐρανὸν εὐρὺν ἔχουσιν,

Ces rides, ces cheveux, cette nuit éternelle,
Voyez, est-ce le front d'un habitant des cieux?   35
Je ne suis qu'un mortel, un des plus malheureux!
Si vous en savez un pauvre, errant, misérable,
C'est à celui-là seul que je suis comparable;
Et pourtant je n'ai point, comme fit Thamyris,
Des chansons à Phœbus voulu ravir le prix;   40
Ni, livré comme Œdipe à la noire Euménide,
Je n'ai puni sur moi l'inceste parricide;
Mais les dieux tout-puissants gardaient à mon déclin
Les ténèbres, l'exil, l'indigence et la faim.

— Prends, et puisse bientôt changer ta destinée! »   45
Disent-ils. Et, tirant ce que, pour leur journée,
Tient la peau d'une chèvre aux crins noirs et luisants,
Ils versent à l'envi, sur ses genoux pesants,

οὐ δέμας, οὐδὲ φυὴν, ἀλλὰ θνητοῖσι βροτοῖσιν·
οὕστινας ὑμεῖς ἴστε μάλιστ' ὀχέοντας ὀϊζὺν
ἀνθρώπων, τοῖσίν κεν ἐν ἄλγεσιν ἰσωσαίμην.

V. 39. Millevoye et toutes les édit. donnent *Thomyris*, faute qui provient d'une lecture inattentive des manuscrits. L'histoire de ce Thamyris,
qui avait prétendu vaincre les Muses (et non Phœbus), et qui pour sa
jactance fut privé de la vue, est racontée dans l'*Iliade*, II, 594. Elle se
trouvait dans un poëme cyclique de Prodicus, selon le témoignage de
Pausanias, IV, xxxiii, et IX, v. Voy. Apollodore, I, iii; Diod. I.I, lxvi;
Conon, *Narrat.*, VII; Properce, II, xxii, 19; Stace, *Théb.*, IV, 182. Milton,
cet autre aveugle divin, a fait aussi allusion à Thamyris dans le *Paradis
perdu*, III, 33.

En Grèce, le culte du beau était poussé au plus haut degré; aussi la
privation de la vue des beautés extérieures était un effroyable châtiment,
et l'on conçoit que les Grecs aient si souvent imaginé dans leurs légendes
ces histoires de dieux punissant par la privation de la vue physique
l'audace de la vue de l'esprit. Ces histoires sont nombreuses : Phinée,
Apollonius, *Argon.*, II, 178; Tirésias, Callimaque, *Hymn. sur les bains
de Pallas;* Stésichore, Pausanias, III, xix; Lycurgue, fils de Dryas,
Iliade, VI, 130; Daphnis (selon Timée), Parthénius, *Érot.*, XXIX.

V. 42. Éd. 1826 :

Sur moi-même puni l'inceste parricide.

V. 48. Il faut prendre ici le mot *verser* dans le sens plus large du
latin *fundere* et du grec χέω.

Le pain de pur froment, les olives huileuses,
Le fromage et l'amande, et les figues mielleuses,   50
Et du pain à son chien entre ses pieds gisant,
Tout hors d'haleine encore, humide et languissant,
Qui, malgré les rameurs, se lançant à la nage,
L'avait loin du vaisseau rejoint sur le rivage.

« Le sort, dit le vieillard, n'est pas toujours de fer.   55
Je vous salue, enfants venus de Jupiter ;
Heureux sont les parents qui tels vous firent naître !
Mais venez, que mes mains cherchent à vous connaître ;
Je crois avoir des yeux. Vous êtes beaux tous trois.
Vos visages sont doux, car douce est votre voix.   60
Qu'aimable est la vertu que la grâce environne !
Croissez, comme j'ai vu ce palmier de Latone,
Alors qu'ayant des yeux je traversai les flots ;
Car jadis, abordant à la sainte Délos,
Je vis près d'Apollon, à son autel de pierre,   65

V. 56. « *Venus de Jupiter*, » issus de Jupiter ; cette expression répond à l'épithète homérique διογενεῖς, digne lignée de Jupiter. « Je vous salue, nobles enfants, » dit l'aveugle.

V. 57-67. *Odyssée*, VI, 154 : Ulysse aux pieds de Nausicaa :

Τρισμάκαρες μὲν σοίγε πατὴρ καὶ πότνια μήτηρ,
τρισμάκαρες δὲ κασίγνητοι. . . . . . .
Οὐ γάρ πω τοιοῦτον ἴδον βροτὸν ὀφθαλμοῖσιν,
οὔτ' ἄνδρ' οὔτε γυναῖκα· σέβας μ' ἔχει εἰσορόωντα.
Δήλῳ δή ποτε τοῖον Ἀπόλλωνος παρὰ βωμῷ
φοίνικος νέον ἔρνος ἀνερχόμενον ἐνόησα, κ. τ. λ.

Énée s'adressant à Didon dans l'*Énéide*, I, 606 :

. . . Qui tanti talem genuere parentes?

Cf. Ovide, *Mét.*, IV, 322; Pétrone, *Sat.*, XCIV. — Le palmier dont parlent Homère et Chénier, c'est celui qu'à Délos Latone embrassa dans les douleurs de l'enfantement. Voy. Hom. *Hym. à Ap.*, 117, et Théognis, 5.

V. 59. Éd. 1826 :

Il me semble vous voir : vous êtes beaux tous trois.

V. 61. Virgile, *Én.*, V, 344 :

Gratior et pulchro veniens in corpore virtus.

Un palmier, don du ciel, merveille de la terre.
Vous croîtrez, comme lui, grands, féconds, révérés,
Puisque les malheureux sont par vous honorés.
Le plus âgé de vous aura vu treize années :
A peine, mes enfants, vos mères étaient nées,   70
Que j'étais presque vieux. Assieds-toi près de moi,
Toi, le plus grand de tous ; je me confie à toi.
Prends soin du vieil aveugle. — O sage magnanime !
Comment, et d'où viens-tu ? car l'onde maritime
Mugit de toutes parts sur nos bords orageux.   75

— Des marchands de Symé m'avaient pris avec eux.
J'allais voir, m'éloignant des rives de Carie,
Si la Grèce pour moi n'aurait point de patrie,
Et des dieux moins jaloux, et de moins tristes jours ;
Car jusques à la mort nous espérons toujours.   80

V. 69. L'aveugle, qui ne peut juger qu'approximativement, emploie le
futur antérieur. Il exprime ici l'idée du passé réunie à celle du doute.
L'éditeur de 1826 n'a pas compris ce vers et a mis :

> Le plus âgé de vous aura vu cent années.

V. 73. Sophocle, *OEd. à Col.*, 21 :

> Κάτιζέ νυν με, καὶ φύλασσε τὸν τυφλόν.

V. 74. Nausicaa dit à Ulysse (*Odyssée*, VI, 204) :

> Οἰκέομεν δ' ἀπάνευθε, πολυκλύστῳ ἐνὶ πόντῳ,
> ἔσχατοι, οὐδέ τις ἄμμι βροτῶν ἐπιμίσγεται ἄλλος.

Millevoye a souligné le mot *maritime*, le blâmant sans doute. André
lui-même, dans *la Jeune Tarentine*, a dit la vague *marine*. Ici il emploie « maritime » comme synonyme de « marine ; » ce que faisaient les
Latins. Cicéron, *de Nat. deor.*, II, 7, appelle les marées æstus *maritimi*.
V. 76. Selon une conjecture très-ingénieuse de M. Adert, il faut lire
Symé et non *Cymé*, que donnent les précédentes éditions. Symé est
une petite île située sur la côte de Carie (Strabon, XIV, ii, 14), et peu
connue, ainsi qu'il convient ici. En effet, au vers 116, le poëte voue
Symé à l'obscurité : « Que ton nom dans l'oubli demeure enseveli ! »
Chénier n'aurait donc pu, malgré l'*Épigramme aux Cyméens*, qui n'est
sans doute pas d'Homère, faire choix de Cymé, ville relativement célèbre,
et qui, patrie d'Hésiode et d'Éphorus (Strabon, XIII, iii, 6), se vantait
aussi d'avoir donné le jour à Homère.

Mais, pauvre et n'ayant rien pour payer mon passage,
Ils m'ont, je ne sais où, jeté sur le rivage.

— Harmonieux vieillard, tu n'as donc point chanté?
Quelques sons de ta voix auraient tout acheté.

— Enfants! du rossignol la voix pure et légère   85
N'a jamais apaisé le vautour sanguinaire,
Et les riches, grossiers, avares, insolents,
N'ont pas une âme ouverte à sentir les talents.
Guidé par ce bâton, sur l'arène glissante,
Seul, en silence, au bord de l'onde mugissante,   90
J'allais, et j'écoutais le bêlement lointain
De troupeaux agitant leurs sonnettes d'airain.
Puis j'ai pris cette lyre, et les cordes mobiles
Ont encor résonné sous mes vieux doigts débiles.
Je voulais des grands dieux implorer la bonté,   95
Et surtout Jupiter, dieu d'hospitalité,
Lorsque d'énormes chiens à la voix formidable

V. 85. Allusion à une fable racontée par Hésiode, *Op. et dies*, 202,
dans laquelle le poëte semble se comparer au rossignol déchiré par
l'épervier.

V. 88. Voyez ci-dessus, v. 18. — Éd. 1826 :

> N'ont pas une âme ouverte à la douceur des chants.

V. 89. « *Guidé par ce bâton*, » *baculo prœtentans iter*, ainsi que
Sénèque, *OEd.*, 657, a traduit l'expression de Sophocle, dans *OEdipe roi*,
464 (Musg.) : « Σκήπτρῳ προδεικνύς. »

V. 90. *Iliade*, I, 34 :

> Βῆ δ' ἀκέων παρὰ θῖνα πολυφλοίσβοιο θαλάσσης.

Ce vers sonore d'Homère devait revenir à la mémoire d'André, comme
une sorte de formule harmonique. C'est au même titre qu'Homère lui-
même l'a employé une seconde fois, *Iliade*, IX, 182, et que nous le retrouvons dans un fragment des *Chants cypriens* conservé par Athénée,
VIII, III, p. 334, C.

V. 95. Les « *grands dieux* » étaient, on le sait, au nombre de douze.

V. 96. Ζεὺς ξένιος, *Iliade*, XIII, 624 et *passim*. Ronsard, *Franciade*,
II, appelle Jupiter *le dieu Xénien*. Voy. *le Mendiant*, 31.

Sont venus m'assaillir ; et j'étais misérable,
Si vous (car c'était vous), avant qu'ils m'eussent pris,
N'eussiez armé pour moi les pierres et les cris.   100

— Mon père, il est donc vrai : tout est devenu pire ?
Car jadis, aux accents d'une éloquente lyre,
Les tigres et les loups, vaincus, humiliés,
D'un chanteur comme toi vinrent baiser les pieds.

— Les barbares ! J'étais assis près de la poupe.   105
Aveugle vagabond, dit l'insolente troupe,
Chante : si ton esprit n'est point comme tes yeux,
Amuse notre ennui ; tu rendras grâce aux dieux...
J'ai fait taire mon cœur qui voulait les confondre ;
Ma bouche ne s'est point ouverte à leur répondre.   110
Ils n'ont pas entendu ma voix, et sous ma main
J'ai retenu le dieu courroucé dans mon sein.

V. 98. Racine, *Frères ennemis*, I, i, a employé de même le mot *misé-rable* :

> Nous voici donc, hélas ! à ce jour détestable
> Dont la seule frayeur me rendait *misérable*.

V. 100. Sur le verbe *armer*, voy. *le Jeu de Paume*, v. 198. — Dans une traduction de la Bible antérieure à l'époque d'André, on trouve cette phrase (Deut., xxxii, 24) : « *J'armerai* contre eux les dents des bêtes farouches. »

V. 102. La lyre d'Orphée ; voy. Virgile, *Géorg.*, IV, 507 ; Properce, IV, ii ; etc. Horace, dans l'*Art poétique*, 391, rappelle aussi les premiers hommes adoucis par la lyre d'Orphée :

> Dictus ob hoc lenire tigres, rabidosque leones.

V. 107. Les poëtes se plaisent à comparer la vue des yeux et la vue de l'esprit. Soph., *Œd. roi*, 371 :

> Τυφλὸς τά τ' ὦτα τόν τε νοῦν τά τ' ὄμματ' εἶ.

V. 110. Ma bouche ne s'est point ouverte pour leur répondre, *ad respondendum illis*. Virgile, *Énéide*, II, 246, a dit :

> Tunc etiam fatis aperit Cassandra futuris
> Ora. . . . .

V. 112. Voy. *l'Invention*, 349.

Symé, puisque tes fils dédaignent Mnémosyne,
Puisqu'ils ont fait outrage à la muse divine,
Que leur vie et leur mort s'éteignent dans l'oubli ;   115
Que ton nom dans la nuit demeure enseveli !

— Viens, suis-nous à la ville*; elle est toute voisine,
Et chérit les amis de la muse divine.
Un siége aux clous d'argent te place à nos festins ;
Et là les mets choisis, le miel et les bons vins,   120
Sous la colonne où pend une lyre d'ivoire,
Te feront de tes maux oublier la mémoire.
Et si, dans le chemin, rhapsode ingénieux,
Tu veux nous accorder tes chants dignes des cieux,
Nous dirons qu'Apollon, pour charmer les oreilles,   125
T'a lui-mème dicté de si douces merveilles.

— Oui, je le veux ; marchons. Mais où m'entraînez-vous ?
Enfants du vieil aveugle, en quel lieu sommes-nous ?

V. 113. « *Mnémosyne,* » la mère des Muses.
V. 114. Homère, *Épigr. aux Cyméens :*

    Οἱ δ' ἀπανηνάσθην ἱερὴν ὅπα, φῆμιν ἀοιδῆς.

V. 119-121. *Odyssée,* VIII, 65 :

    Τῷ δ' ἄρα Ποντόνοος θῆκε θρόνον ἀργυρόηλον
    μέσσῳ δαιτυμόνων πρὸς κίονα μακρὸν ἐρείσας·
    κὰδ δ' ἐκ πασσαλόφι κρέμασεν φόρμιγγα λίγειαν,
    αὐτοῦ ὑπὲρ κεφαλῆς. . . . .

V. 123. Ulysse, s'adressant à Démodocus, *Odyssée,* VIII, 4ᶜ6 :

    Αἴ κεν δή μοι ταῦτα κατὰ μοῖραν καταλέξῃς,
    αὐτίκ' ἐγὼ πᾶσιν μυθήσομαι ἀνθρώποισιν,
    ὡς ἄρα τοι πρόφρων θεὸς ὤπασε θέσπιν ἀοιδήν.

V. 126. Malherbe, p. 190, a dit :

    Et dans les savantes oreilles
    Verser de si douces merveilles.

André se souvient du vers qu'un poëte de l'*Anthologie,* IX, 455, met dans
la bouche d'Apollon :

    Ἥειδον μὲν ἐγὼν, ἐχάρασσε δὲ θεῖος Ὅμηρος.

V. 128. C'est là le touchant début de l'*Œdipe à Colone* de Sophocle :

    Τέκνον τυφλοῦ γέροντος, Ἀντιγόνη, τίνας
    χώρους ἀφίγμεθ' ἢ τίνων ἀνδρῶν πόλιν;

— Syros est l'île heureuse où nous vivons, mon père.

— Salut, belle Syros, deux fois hospitalière !   150
Car sur ses bords heureux je suis déjà venu ;
Amis, je la connais. Vos pères m'ont connu :
Ils croissaient comme vous ; mes yeux s'ouvraient encore
Au soleil, au printemps, aux roses de l'aurore ;
J'étais jeune et vaillant. Aux danses des guerriers,   155
A la course, aux combats, j'ai paru des premiers.
J'ai vu Corinthe, Argos, et Crète, et les cent villes,
Et du fleuve Ægyptus les rivages fertiles ;
Mais la terre et la mer, et l'âge et les malheurs,
Ont épuisé ce corps fatigué de douleurs.   140
La voix me reste. Ainsi la cigale innocente,

V. 129. C'est par erreur que les éditions précédentes donnent *Sicos ;*
il n'existe pas d'île de ce nom ; mais Homère connaissait et avait visité
Syros, île fertile qu'il décrit au chant XV de l'*Odyssée*, 403 ; cf. Strabon,
X, v, 8. Chénier avait peut-être écrit Syros par un *i* (Siros).

V. 133-134. En écrivant ces beaux vers, André se souvenait sans doute
de ceux de Milton, *Par. perd.*, III, 41 :

> . . . . But not to me returns
> Day, or the sweet approach of even or morn,
> Or sight of vernal bloom, or summer's rose...

V. 135. Le premier hémistiche semble un souvenir d'un vers des
ïambes attribués à Tyrtée et conservés par Plutarque, *Lyc.*, XXI, ou plutôt de la poétique traduction d'Amyot :

> Nous avons été jadis
> Jeunes, vaillants et hardis.

V. 138. « *Ægyptus*, » ancien nom du Nil ; Hom., *Odyss.*, XVII, 427,
et XIV, 246. Cf. Strabon, I, II, 29 ; Diodore de Sicile, I, 19.

V. 141-142. *Iliade*, III, 150 :

> ..... Τεττίγεσσιν ἐοικότες, οἵτε καθ' ὕλην
> δενδρέῳ ἐφεζόμενοι ὄπα λειριόεσσαν ἱεῖσιν·
> τοῖοι ἄρα Τρώων ἡγήτορες ἧντ' ἐπὶ πύργῳ.

André emploie souvent le verbe *asseoir* dans le sens plus général du
grec, ἵζω, ἵζομαι, ἐφέζομαι, et du latin *sedere, sidere*. Cf. Hésiode, *Op.
et dies*, 582, et *Scut.*, 394 ; Méléagre, *Anth.*, VII, 196 et IX, 563 ; Virgile, *Én.*, VI, 206, a dit :

> Sedibus optatis, geminæ super arbore sidunt.

Sur un arbuste assise, et se console et chante.

Commençons par les dieux : Souverain Jupiter,
Soleil qui vois, entends, connais tout, et toi, mer,
Fleuves, terre, et noirs dieux des vengeances trop lentes, 145
Salut ! Venez à moi, de l'Olympe habitantes,

M. Boissonade, dans ses notes manuscrites, cite ces deux vers charmants
d'une fable de Ginguené :

> Tout l'auditoire ailé, sur les branches *assis*,
> Riait et s'amusait de ces joyeux récits.

V. 142. « *Se console,* » se charme par ses chants jusqu'à l'oubli
total d'elle-même. Θέλγειν s'emploie de même (voy. Pind., *Ném.*, IV, 3), et
en latin *solari*, consoler, a aussi la signification très-générale de « charmer par une occupation attrayante les soucis de la vie. » Virgile, *Géorg.*, I,
293, a ce joli vers :

> Interea, longum cantu solata laborem.

C'est encore notre vieille expression française, *se solacier*, se divertir,
τέρπεσθαι, que l'Académie a recueillie dans son Dictionnaire. Pindare,
Thrènes, fr. I, a dit : « Τοὶ δὲ φορμίγγεσσι τέρπονται. »

V. 143. Ce vers rappelle le début d'Aratus, *Phœnom. :* «Ἐκ Διὸς
ἀρχώμεσθα, » et de Cicéron : « Ab Jove Musarum primordia. » Virg.,
Égl., III, 60; Calpurnius, *Égl.*, IV, 82. — Imité d'Homère, *Il.*, III, 276 :

> Ζεῦ πάτερ, Ἴδηθεν μεδέων, κύδιστε, μέγιστε,
> Ἠέλιός θ', ὃς πάντ' ἐφορᾷς καὶ πάντ' ἐπακούεις,
> καὶ Ποταμοὶ καὶ Γαῖα, καὶ οἳ ὑπένερθε καμόντας
> ἀνθρώπους τίνυσθον, ὅτις κ' ἐπίορκον ὀμόσσῃ,
> ὑμεῖς μάρτυροι ἔστε, φυλάσσετε δ' ὅρκια πιστά.

Ces vers ont inspiré plus d'un poëte. Cf. Hésiode, *Op. et dies*, 8. C'est
dans les occasions les plus solennelles que les anciens invoquaient ainsi
les puissances célestes et terrestres. Voy. l'*Ajax* de Sophocle, 830-865.
Cf. Euripide, *Médée*, 1251, et la superbe apostrophe de Virgile, *Én.*, VI,
264, aux puissances infernales.

V. 144. Homère a reproduit la même expression relative au soleil,
Odyss., XI, 109. Cf. Orphée, *Encens du soleil;* Hésiode, *Op. et D.*, 265;
Virg., *Énéide*, IV, 607; Ovide, *Mét.*, I, 769. — Segrais, *Égl.*, I, a ce
mauvais vers :

> Le soleil qui voit tout et qui nous fait tout voi

V. 145. Éd. 1826, 1839 :

> Fleuves, terre, et noirs dieux de vengeances trop lentes.

V. 146-148. *Iliade*, II, 484 :

> Ἔσπετε νῦν μοι, Μοῦσαι, Ὀλύμπια δώματ' ἔχουσαι·

Muses ! vous savez tout, vous, déesses ; et nous,
Mortels, ne savons rien qui ne vienne de vous. »

Il poursuit ; et déjà les antiques ombrages
Mollement en cadence inclinaient leurs feuillages ;   150
Et pâtres oubliant leur troupeau délaissé,
Et voyageurs quittant leur chemin commencé,
Couraient. Il les entend, près de son jeune guide,
L'un sur l'autre pressés, tendre une oreille avide ;
Et nymphes et sylvains sortaient pour l'admirer,   155
Et l'écoutaient en foule, et n'osaient respirer ;
Car en de longs détours de chansons vagabondes
Il enchaînait de tout les semences fécondes,
Les principes du feu, les eaux, la terre et l'air,
Les fleuves descendus du sein de Jupiter,   160
Les oracles, les arts, les cités fraternelles,
Et depuis le chaos les amours immortelles ;
D'abord le roi divin, et l'Olympe, et les cieux,

ὑμεῖς γὰρ θεαὶ ἔστε, πάρεστέ τε, ἴστε τε πάντα,
ἡμεῖς δὲ κλέος οἶον ἀκούομεν οὐδέ τι ἴδμεν.

Cf. Hésiode, *Théog.*, 62-63. Racine, *Phèdre*, IV, vi, a dit :

Les dieux mêmes, les dieux de l'Olympe habitants.

V. 149-160. Virgile, *Égl.*, VI, 27.

Tum vero in numerum Faunosque ferasque videres
Ludere, tum rigidas motare cacumina quercus....
Namque canebat, uti magnum per inane coacta
Semina terrarumque animæque marisque fuissent,
Et liquidi simul ignis. . . . .

Voy. Homère, *Hymne à Apollon*, 514. Virgile ici s'inspire d'Apollonius,
qui lui-même semble s'inspirer d'Homère, *Hymne à Mercure*, 425. —
Mais voyez le passage de l'*Hermès* où Chénier s'est souvenu directement d'Apollonius. — Cf Homère, *Odyssée*, VIII, 107 ; Virgile, *Én.*, I,
740 ; Lucrèce, V, 439 ; Lucain, *Phars.*, X, 194 ; Calpurnius, *Égl.*, II, 10 ;
Macrobe, *Sat.*, VI, ii ; J. B. Rousseau, *Églogues.*

V. 162. Virgile, *Géorg.*, IV, 347 :

Aque Chao densos divum numerabat amores.

Voy. *Iliade*, XIV, 315, lorsque Jupiter énumère ses nombreuses amours.

Et le monde, ébranlés d'un signe de ses yeux,
Et les dieux partagés en une immense guerre,   165
Et le sang plus qu'humain venant rougir la terre,
Et les rois assemblés, et sous les pieds guerriers
Une nuit de poussière, et les chars meurtriers,
Et les héros armés, brillant dans les campagnes
Comme un vaste incendie aux cimes des montagnes,   170
Les coursiers hérissant leur crinière à longs flots,
Et d'une voix humaine excitant les héros ;
De là, portant ses pas dans les paisibles villes,
Les lois, les orateurs, les récoltes fertiles ;
Mais bientôt de soldats les remparts entourés,   175
Les victimes tombant dans les parvis sacrés,
Et les assauts mortels aux épouses plaintives,
Et les mères en deuil, et les filles captives ;
Puis aussi les moissons joyeuses, les troupeaux
Bêlants ou mugissants, les rustiques pipeaux,   180
Les chansons, les festins, les vendanges bruyantes,
Et la flûte, et la lyre, et les notes dansantes.
Puis, déchaînant les vents à soulever les mers,

V. 164. Voy. *Iliade*, I, 528, et *passim*.

V. 165. La guerre de Troie.

V. 166. Vénus blessée par Diomède, *Iliade*, V, 330 ; Mars atteint par Diomède, *Iliade*, V, 855. — « *Le sang plus qu'humain* » semble une imitation du *bella plus quam civilia* de Lucain, au début de la *Pharsale*.

V. 168. Cf. Homère, *Il.*, III, 13 ; XIII, 336 ; Virgile, *Én.*, IX, 63-64.

V. 170. *Iliade*, II, 455 :

'Ηΰτε πῦρ ἀΐδηλον ἐπιφλέγει ἄσπετον ὕλην
οὔρεος ἐν κορυφῇς, ἕκαθεν δέ τε φαίνεται αὐγή.

Cf. le Tasse, *Ger. lib*, III, IX.

V. 172. Xanthe et Balie, chevaux d'Achille. Voy. *Iliade*, XIX, 405. Mais « *excitant* » n'est pas très-juste. Xanthe, en s'adressant au héros, lui prédit la mort.

V. 173 et suiv. André se souvient de la description du bouclier d'Achille dans l'*Iliade*, XVIII, 483-608.

V. 179. Virgile, *Géorg.*, I, 1 · « Lætas segetes. »

Il perdait les nochers sur les gouffres amers.
De là, dans le sein frais d'une roche azurée,   185
En foule il appelait les filles de Nérée,
Qui bientôt, à des cris, s'élevant sur les eaux,
Aux rivages troyens parcouraient des vaisseaux ;
Puis il ouvrait du Styx la rive criminelle,
Et puis les demi-dieux et le champ d'asphodèle,   190
Et la foule des morts, vieillards seuls et souffrants,
Jeunes gens emportés aux yeux de leurs parents,
Enfants dont au berceau la vie est terminée,
Vierges dont le trépas suspendit l'hyménée.

V. 184. Éd. 1826 et 1839 :

> Il perdait les nochers dans les gouffres amers.

V. 185-188. *Iliade*, XVIII, 35 et 65, lorsque Thétis et les Néréides s'élèvent aux rivages troyens, attirées par les gémissements d'Achille.

V. 189. Descente d'Ulysse aux enfers, *Odyssée*, XI.

V. 190. Toutes les éditions :

> Et puis les demi-dieux et les champs d'asphodèle,

Ce qui est une mauvaise lecture ou une correction irréfléchie des premiers éditeurs. Nulle part dans les auteurs grecs on ne trouve le pluriel. La prairie asphodèle, ou, comme André l'appelle, « le champ d'asphodèle, » l'ἀσφοδελὸς λειμών, était célèbre. C'est elle sans doute que désigne l'homérique Platon, dans le *Gorgias*, c. 79, et dans la *République*, X, p. 614 et 616, quand il parle de *la prairie*, ὁ λειμών, où siégent Eaque, Minos et Rhadamanthe. C'était, dans les enfers, celle où erraient les âmes et les ombres. Homère, *Odyssée*, XXIV, 13 :

> . . .Αἶψα δ' ἵκοντο κατ' ἀσφοδελὸν λειμῶνα
> ἔνθατε ναίουσι ψυχαὶ, εἴδωλα καμόντων.

Déjà, dans un mélancolique passage remarqué de toute l'antiquité, *Odyssée*, XI, 589, Homère avait représenté l'ombre d'Éacide : « Μακρὰ βιβῶσα κατ' ἀσφοδελὸν λειμῶνα. » On l'appelait ainsi parce que là, supposait-on, croissait l'asphodèle, ἀσφόδελος, plante consacrée à Proserpine et aux Mânes, et qui vient en abondance sur les sépultures.

V. 191-194. *Odyssée*, XI, 36 :

> . . . . .Αἱ δ' ἀγέρον
> ψυχαὶ ὑπὲξ Ἐρέβευς νεκύων κατατεθνηώτων·
> νύμφαι τ' ἠίθεοί τε πολύτλητοί τε γέροντες,
> παρθενικαί τ' ἀταλαὶ, νεοπενθέα θυμὸν ἔχουσαι.

Mais, ô bois, ô ruisseaux, ô monts, ô durs cailloux,   195
Quels doux frémissements vous agitèrent tous,
Quand bientôt à Lemnos, sur l'enclume divine,
Il forgeait cette trame irrésistible et fine
Autant que d'Arachné les piéges inconnus,
Et dans ce fer mobile emprisonnait Vénus !   200
Et quand il revêtait d'une pierre soudaine
La fière Niobé, cette mère thébaine ;
Et quand il répétait en accents de douleurs
De la triste Aédon l'imprudence et les pleurs,
Qui, d'un fils méconnu marâtre involontaire,   205

Mais André se rapproche davantage de Virgile, qui lui-même, imitant
Homère, a dit, *Énéide*, VI, 305 .

> Hunc omnis turba ad ripas effusa ruebat,
> Matres atque viri, defunctaque corpora vita
> Magnanimum heroum, pueri innuptæque puellæ,
> Impositique rogis juvenes ante ora parentum.

Voy. ce même passage, Virgile, *Géorg.*, IV, 475. Il est à remarquer que
Virgile et Chénier n'ont pas rendu la triste et délicieuse expression
d'Homère : « Νεοπενθέα θυμὸν ἔχουσαι. » Mais, dans Virgile, le quatrième
vers contient un tableau bien touchant, qui n'est pas dans Homère, et
que Chénier n'a pas tout à fait rendu.

V. 197-200. *Odyssée*, VIII, 274 :

> Ἐν δ' ἔβετ' ἀχμοθέτῳ μέγαν ἄχμονα, χόπτε δὲ δεσμοὺς
> ἀρρήχτους, ἀλύτους, ὄφρ' ἔμπεδον αὖθι μένοιεν.....
> πολλὰ (δέσματα) δὲ χαὶ χαθύπερθε μελαθρόφιν ἐξεχέχυντο,
> ἠΰτ' ἀράχνια λεπτὰ, τάγ' οὔ χέ τις οὐδὲ ἴδοιτο.

V. 199. « *Inconnus,* » invisibles, ἄδηλα.

V. 201. C'est par inadvertance que les premiers éditeurs avaient introduit un prétérit (*il revêtit*) au milieu de ces imparfaits.

V. 202. Voy. *Iliade*, XXIV, 602. — *Niobé*, orgueilleuse de sa fécondité, avait blessé Latone de ses dédains ; Apollon de ses flèches tua les
enfants de Niobé, qui, changée en pierre, pleure éternellement sur le
mont Sipyle, en Asie Mineure.

V. 204. *Aédon*, fille de Pandarée, épouse de Zéthus, tua la nuit son
fils Itylos, croyant frapper le fils de sa belle-sœur, dont elle jalousait la
fécondité. Jupiter la changea en rossignol (ἀηδών) ; voy. *Odyssée*, XIX,
518, et *Schol. Hom.*; c'est la fable de Philomèle modifiée.

V. 205. Il arrive fréquemment à André, comme à tous les poëtes, de
séparer le pronom relatif du substantif auquel il se rapporte. C'est une

Vola, doux rossignol, sous le bois solitaire.
Ensuite,. avec le vin, il versait aux héros
Le puissant népenthès, oubli de tous les maux ;
Il cueillait le moly, fleur qui rend l'homme sage ;
Du paisible lotos il mêlait le breuvage :   210
Les mortels oubliaient, à ce philtre charmés,
Et la douce patrie et les parents aimés.
Enfin, l'Ossa, l'Olympe et les bois du Pénée

tournure qu'on rencontre très-souvent dans les écrivains du dix-septième
siècle. Ainsi Molière, dans *le Misanthrope*, I, 1 :

> Tandis que Célimène en ses liens l'amuse,
> De qui l'humeur coquette et l'esprit médisant...

V. 206. La forme de ce vers rappelle celui de Virgile, *Égl.*, VI, 81 :

> Infelix sua tecta supervolitaverit alis.

Et la pensée se reporte involontairement sous le bois poétique de Colone
(Sophocle, *Œd. à Col.*, 670), où

> ἁ λίγεια μινύρεται
> θαμίζουσα μάλιστ' ἀηδὼν
> χλωραῖς ὑπὸ βάσσαις.

V. 208. *Odyssée*, IV, 220, lorsque Hélène verse le népenthès à ses
hôtes :

> Αὐτίκ' ἄρ' εἰς οἶνον βάλε φάρμακον, ἔνθεν ἔπινον,
> νηπενθές τ' ἄχολόν τε, κακῶν ἐπίληθον ἁπάντων.

Sur le népenthès, voy. Pline, XXI, xxi.
V. 209. C'est la fleur que Mercure donne à Ulysse pour le préserver
des enchantements de Circé. Voyez sa description dans l'*Odyssée*, X, 504.
V. 210-212. *Odyssée*, IX, 94 :

> Τῶν δ' ὅστις λωτοῖο φάγοι μελιηδέα καρπὸν,
> οὐκέτ' ἀπαγγεῖλαι πάλιν ἤθελεν οὐδὲ νέεσθαι·
> ἀλλ' αὐτοῦ βούλοντο μετ' ἀνδράσι Λωτοφάγοισιν
> λωτὸν ἐρεπτόμενοι μενέμεν νόστου τε λαθέσθαι.

Sur le lotos, voy. Pline, XIII, xvii. Sur le moly et le lotos, voy. surtout
l'*Anthologie*, XV, 12.
V. 211. Éd. 1826 et 1839 :

> Les mortels oubliaient, par ce philtre charmés.

V. 212. Homère, *Od.*, IX, 34.

> *Ὡς οὐδὲν γλύκιον ἧς πατρίδος οὐδὲ τοκήων.

Voyaient ensanglanter les banquets d'hyménée,
Quand Thésée, au milieu de la joie et du vin,   215
La nuit où son ami reçut à son festin
Le peuple monstrueux des enfants de la Nue,
Fut contraint d'arracher l'épouse demi-nue
Au bras ivre et nerveux du sauvage Eurytus.
Soudain, le glaive en main, l'ardent Pirithoüs :   220
« Attends ; il faut ici que mon affront s'expie,
Traître ! » Mais, avant lui, sur le centaure impie
Dryas a fait tomber, avec tous ses rameaux,
Un long arbre de fer hérissé de flambeaux.
L'insolent quadrupède en vain s'écrie ; il tombe,   225
Et son pied bat le sol qui doit être sa tombe.

V. 214. Le combat des Lapithes et des Centaures aux noces de Piri-
thoüs, roi des Lapithes, et d'Hippodamie ; voy. *Odyssée*, XXI, 295 ;
Iliade, I, 266 et II, 742 ; Hésiode, *Scut. Herc.*, 178 ; Virgile, *Géorg.*, II,
455. La description qu'en a faite Chénier est imitée de celle d'Ovide
(*Mét.*, XII, 210), qui, longue et diffuse, n'a pas moins de 325 vers. —
Cf. Apollodore, II, v ; Plutarque, *Thésée*.

V. 217. Les Centaures étaient fils d'Ixion et de la Nue, que Jupiter
jaloux substitua à Junon ; voy. Pindare, *Pyth.*, 78, et *Schol.;* Diodore,
IV, LXIX, LXX.

V. 219. Ovide, *Mét.*, XII, 231 :

> Submovet instantes, raptamque furentibus aufert.

Ce combat a été souvent reproduit par des peintres et par des sculpteurs.
Sur le fronton du temple de Jupiter Olympien, en Élide, il avait été
sculpté par Alcamène ; c'est à peu près ce moment du combat qu'avait
choisi l'artiste. Voy. Pausanias, V, x.

V. 221. « *Mon affront.* » Le pronom possessif est ici employé avec
un sens passif, comme très-souvent chez les Grecs.

V. 224. Ovide, *Mét.*, XII, 247 :

> Lampadibus densum rapuit funale coruscis.

André a très-bien traduit *funale*, pris par Ovide dans un sens étendu,
comme désignant l'arbre (candélabre) qui soutient un nombre plus ou
moins grand de flambeaux.

V. 226. Virgile, *Énéide*, X, 730 :

> . . . . Et calcibus atram
> Tundit humum exspirans. . . . .

Dans l'*Odyssée*, XVIII, 99 : «λαχτίζων ποσὶ γαῖαν.» Cf. Ovide, *Mét.*, XII, 239.

Sous l'effort de Nessus, la table du repas
Roule, écrase Cymèle, Évagre, Périphas.
Pirithoüs égorge Antimaque, et Pétrée,
Et Cyllare aux pieds blancs, et le noir Macarée,   230
Qui de trois fiers lions, dépouillés par sa main,
Couvrait ses quatre flancs, armait son double sein.
Courbé, levant un roc choisi pour leur vengeance,
Tout à coup, sous l'airain d'un vase antique immense,
L'imprudent Bianor, par Hercule surpris,   235
Sent de sa tête énorme éclater les débris.
Hercule et la massue entassent en trophée
Clanis, Démoléon, Lycotas, et Riphée
Qui portait sur ses crins, de taches colorés,
L'héréditaire éclat des nuages dorés.   240
Mais d'un double combat Eurynome est avide,
Car ses pieds, agités en un cercle rapide,
Battent à coups pressés l'armure de Nestor;
Le quadrupède Hélops fuit; l'agile Crantor,
Le bras levé, l'atteint; Eurynome l'arrête.   245
D'un érable noueux il va fendre sa tête;

V. 227. Dans Ovide, *Mét.*, XII, 260, c'est l'autel :

> Cumque suis Gryneus immanem sustulit aram
> Ignibus, et medium Lapitharum jecit in agmen.

V. 230. Ovide, *Mét.*, XII, 403 :

> . . . . Color est quoque cruribus albus.

V. 232. Ovide, *Mét.*, XII, 429 :

> . . . . Qui sena leonum
> Vinxerat inter se connexis vellera nodis,
> Phæocomes, hominemque simul protectus equumque.

V. 233. Ovide, *Mét.*, XII, 341 :

> Ultor adest Aphareus, saxumque e monte revulsum
> Mittere conatur. . . . .

V. 237. Éd. 1826 et 1839, fautivement :

> Hercule et sa massue entassent en trophée.

Voy. plus loin, *Études et Fragments*, II, 10

Lorsque le fils d'Égée, invincible, sanglant,
L'aperçoit, à l'autel prend un chêne brûlant,
Sur sa croupe indomptée, avec un cri terrible,
S'élance, va saisir sa chevelure horrible,   250
L'entraîne, et quand sa bouche, ouverte avec effort,
Crie, il y plonge ensemble et la flamme et la mort.
L'autel est dépouillé. Tous vont s'armer de flamme,
Et le bois porte au loin les hurlements de femme,

V. 248. Cf. Ovide, *Mét.*, XII, 271 et suiv.; Virgile, *Én.*, XII, 298.
V. 249-250. Ovide, *Mét.*, XII, 345 :

> . . . . Tergoque Bianoris alti
> Insilit, haud solito quemquam portare, nisi ipsum;
> Opposuitque genu costis; prensamque sinistra
> Cæsariem retinens. . . . .

V. 250. « *Horrible,* » hérissée, *horrida.* Ovide, *Mét.*, X, 139 :

> Horrida cæsaries fieri. . . . .

V. 252. On ne saurait trop admirer la coupe savante des vers qui précèdent. Il y a dans la gradation des tableaux, dont le dernier est un
chef-d'œuvre, un art bien supérieur à celui d'Ovide. — Ovide, *Mét.*,
XII, 293 :

> . . . . Nec dicere Rhœtus
> Plura sinit, rutilasque ferox in aperta loquentis
> Condidit ora viri, perque os in pectora, flammas.

Virgile, *Énéide*, IX, 441, a dit :

> . . . . Rotat ensem
> Fulmineum, donec Rutuli clamantis in ore
> Condidit adverso. . . . .

Cf. Virgile, *Én.*, X, 322 et 535 ; Stace, *Théb.*, II, 624. — Il y avait dans le
temple de Thésée, à Athènes, une peinture de ce combat, et le moment
choisi par l'artiste était celui qui suivit l'exploit de Thésée ; voy. Pausanias, I, XVII. Ce combat avait été gravé sur le bouclier d'Hercule (Hésiode, *Scut.*, 178).

V. 253. Ed. 1826 :

> . . . . Tous vont s'armer de flammes.

Virgile, *Én.*, IX, 74 :

> Atque omnis facibus pubes accingitur atris.

V. 254. Virgile, *Én.*, II, 487 :

> . . . . . Penitusque cavæ plangoribus ædes
> Femineis ululant : ferit aurea sidera clamor.

L'ongle frappant la terre, et les guerriers meurtris,   255
Et les vases brisés, et l'injure, et les cris.

Ainsi le grand vieillard, en images hardies,
Déployait le tissu des saintes mélodies.
Les trois enfants, émus à son auguste aspect,
Admiraient, d'un regard de joie et de respect,   260
De sa bouche abonder les paroles divines,
Comme en hiver la neige aux sommets des collines.

Et dans un autre passage, *Én.*, IV, 667, Virgile, employant comme André
le singulier :

> Lamentis gemituque et femineo ululatu
> Tecta fremunt; resonat magnis plangoribus æther.

Éd. 1826 :

> Et le bois porte au loin les hurlements des femmes.

Éd. 1839 :

> Et le bois porte au loin des hurlements de femme.

V. 255. « *L'ongle,* » c'est le sabot, en latin *ungula.* Cet hémistiche
semble un souvenir de Virgile, *Énéide,* VIII, 596 :

> . . . . Quatit ungula campum.

Le tableau de ce désordre sanglant rappelle un passage de l'*Odyssée,*
XI, 419 :

> . . .Ἀμφὶ κρητῆρα τραπέζας τε πληθούσας
> κείμεθ' ἐνὶ μεγάρῳ, δάπεδον δ' ἅπαν αἵματι θῦεν.

Valérius Flaccus, *Arg.*, I, 142, dans la description d'une des peintures
du navire Argo, qui représentait ce combat :

> . . . . Crateres mensæque volant, aræque Deorum
> Poculaque, insignis veterum labor. . . . .

V. 262. *Iliade,* III, 221 :

> Ἀλλ' ὅτε δὴ ῥ' ὄπα τε μεγάλην ἐκ στήθεος ἵει
> καὶ ἔπεα νιφάδεσσιν ἐοικότα χειμερίησιν·

vers remarqués par Lucien dans son *Éloge de Démosthène.* Homère
emploie souvent cette comparaison : *Iliade,* XIX, 357, pour peindre
la foule des guerriers (voy. *le Jeu de Paume,* 224) ; *Odyssée,* XIX,
205, pour peindre les larmes abondantes de Pénélope, passage qu'imite,
en le développant, Ronsard, *Amours,* I, CLI. — Éd. 1826 :

> Comme en hiver la neige au sommet des collines.

Et, partout accourus, dansant sur son chemin,
Hommes, femmes, enfants, les rameaux à la main,
Et vierges et guerriers, jeunes fleurs de la ville,   265
Chantaient : « Viens dans nos murs, viens habiter notre ile ;
Viens, prophète éloquent, aveugle harmonieux,
Convive du nectar, disciple aimé des dieux ;
Des jeux, tous les cinq ans, rendront saint et prospère
Le jour où nous avons reçu le grand HOMÈRE. »   270

V. 263-265. Homère, *Hymne à Apollon*, 514 :

> ...Ἦρχε δ' ἄρα σφιν ἄναξ, Διὸς υἱὸς, Ἀπόλλων,
> φόρμιγγ' ἐν χείρεσσιν ἔχων, ἀγατὸν κιθαρίζων
> καλὰ καὶ ὕψι βιβάς· οἱ δὲ ῥήσσοντες ἕποντο
> Κρῆτες πρὸς Πυθώ, καὶ ἰηπαιήον' ἄειδον.

C'est aussi entouré d'une foule joyeuse et charmée que Jésus-Christ descendait à Jérusalem. Voy. saint Matthieu, xxi ; saint Marc, xi ; saint Luc, xix.

V. 265. « *Fleurs ;* » c'est le grec poétique ἄωτοι. Pindare, *Ném.*, VIII, 15 : « Ἡρώων ἄωτοι. » Sur l'usage très-élégant des mots ἄωτος, ἄνθος, θαλλός, etc., consultez Kiessling ad Theocr., *Idyl.*, XIII, 27.

V. 268. C'est le *conviva Deorum* d'Horace, *Od.*, I, xxvIII. Voyez le passage du *Dialogue sur les orateurs*, c. xii, où Tacite parle des poëtes de l'âge d'or qui étaient honorés « apud Deos, quorum... interesse epulis ferebantur. »

V. 269. « *Prospère*, » *lœtus*, comme dans Virgile, *Én.*, I, 732. Chénier aimait cette expression. Il s'y est arrêté dans son *Commentaire sur Malherbe*, p. 74. — La fiction, par laquelle André termine son poëme de jeux périodiques institués en l'honneur d'Homère, est conforme au génie de l'antiquité. A Ios, où était, disait-on, son tombeau, on lui sacrifiait une brebis blanche (Aulu-Gelle, III, 11) ; à Smyrne, il recevait des honneurs divins (Strabon, X, v, 1) ; Ptolémée Philopator aussi lui dédia un temple et les Argiens l'invoquaient avec Apollon (Ælien, *Hist. div.*, IX, xv).

V. 270. L'art et le goût d'André percent dans les moindres détails. Ce n'est qu'au dernier vers qu'il nomme Homère, que le lecteur a reconnu dès les premiers.

II

LE MENDIANT

C'était quand le printemps a reverdi les prés.
La fille de Lycus, vierge aux cheveux dorés,
Sous les monts Achéens, non loin de Cérynée,

. . . .

. . . .

Errait à l'ombre, aux bords du faible et pur Crathis ·
Car les eaux du Crathis, sous des berceaux de frêne,   5
Entouraient de Lycus le fertile domaine.
. . . . Soudain, à l'autre bord,
Du fond d'un bois épais un noir fantôme sort,

II. — L'arrivée d'Ulysse chez les Phéaciens, au VIe livre de l'*Odyssée*,
a inspiré à André ce petit poëme du *Mendiant*, qui, entre autres mé-
rites, a celui de présenter dans un cadre peu étendu une étude exacte
et heureuse de la manière dont les anciens exerçaient l'hospitalité.

V. 1. Ronsard, *Am.*, II, *Voyage de Tours*, a un début semblable :

> C'estoit en la saison que l'amoureuse Flore
> Faisoit pour son amy les fleurettes esclore.

V. 4. Il ne faut pas confondre ce Crathis, fleuve d'Achaïe, qui se jette
dans le golfe de Corinthe (Pausanias, VII, xxv), avec le Crathis dont
parle Théocrite, *Idyl.*, V, 16, 124, et qui est un fleuve italien ; voy.
Schol. Théoc., V, 124. Cérynée et le Crathis sont aussi nommés dans
Strabon, VIII, vii, 4 et 5. Dans l'*Odyssée*, Nausicaa et ses compagnes
sont, sur les bords du fleuve, occupées à laver leurs vêtements.

V. 8. *Odyssée*, VI, 127, 137 :

> Ὣς εἰπὼν, θάμνων ὑπεδύσετο δῖος Ὀδυσσεύς·...
> Σμερδαλέος δ' αὐτῇσί φάνη, κεκακωμένος ἅλμη·.

André se souvient plus directement de Virgile, *Énéide*, III, 590 :

> Quum subito e silvis, macie confecta suprema
> Ignoti nova forma viri, miserandaque cultu,
> Procedit, supplexque manus ad littora tendit.
> Respicimus : dira illuvies, immissaque barba,
> Consertum tegmen spinis. . . . .

Voy. le portrait de Phinée dans Apollonius, *Arg.*, II, 197.

Tout pâle, demi-nu, la barbe hérissée :
Il remuait à peine une lèvre glacée,   10
Des hommes et des dieux implorait le secours,
Et dans la forêt sombre errait depuis deux jours.
Il se traîne, il n'attend qu'une mort douloureuse ;
Il succombe. L'enfant, interdite et peureuse,
A ce hideux aspect sorti du fond du bois,   15
Veut fuir ; mais elle entend sa lamentable voix.
Il tend les bras, il tombe à genoux ; il lui crie
Qu'au nom de tous les dieux il la conjure, il prie,
Et qu'il n'est point à craindre, et qu'une ardente faim
L'aiguillonne et le tue, et qu'il expire enfin.   20

« Si, comme je le crois, belle dès ton enfance,
C'est le dieu de ces eaux qui t'a donné naissance,
Nymphe, souvent les vœux des malheureux humains
Ouvrent des immortels les bienfaisantes mains.
Ou si c'est quelque front porteur d'une couronne   25
Qui te nomme sa fille et te destine au trône,
Souviens-toi, jeune enfant, que le ciel quelquefois
Venge les opprimés sur la tête des rois.
Belle vierge, sans doute enfant d'une déesse,
Crains de laisser périr l'étranger en détresse ;   30

V. 15. Éd. 1826 et 1839 :

> A ce spectre hideux sorti du fond du bois.

V. 21 et suiv. *Odyssée*, VI, 150 :

> Εἰ μέν τις θεός ἐσσι, τοὶ οὐρανὸν εὐρὺν ἔχουσιν,
> Ἀρτέμιδί σε ἔγωγε, Διὸς κούρη μεγάλοιο,
> εἶδός τε μέγεθός τε φυήν τ' ἄγχιστα ἐΐσκω·
> εἰ δὲ τίς ἐσσι βροτῶν, τοὶ ἐπὶ χθονὶ ναιετάουσιν,
> τρισμάκαρες. . . . .

Nous avons déjà vu l'imitation des vers qui suivent dans l'*Aveugle*, 57.
— Homère a reproduit la même pensée, *Odyssée*, IV, 376 ; *Hymne à
Vénus*, 92. Cf. Apollonius, *Arg.*, IV, 1411 ; Virgile, *Én.*, I, 327 ; Stace,
Théb., IV, 746 ; Tasse, *Ger. lib.*, V, xxxv.

L'étranger qui supplie est envoyé des dieux. »

Elle reste. A le voir elle enhardit ses yeux,
. . . . et d'une voix encore
Tremblante : « Ami, le ciel écoute qui l'implore.
Mais ce soir, quand la nuit descend sur l'horizon,   35
Passe le pont mobile, entre dans la maison ;
J'aurai soin qu'on te laisse entrer sans méfiance.
Pour la douzième fois célébrant ma naissance,
Mon père doit donner une fête aujourd'hui.
Il m'aime, il n'a que moi ; viens t'adresser à lui,   40
C'est le riche Lycus. Viens ce soir ; il est tendre,
Il est humain : il pleure aux pleurs qu'il voit répandre. »

Elle achève ces mots, et, le cœur palpitant,

V. 31. Éd. 1839.
          L'étranger suppliant vient de la part des dieux.
L'étranger voyage protégé par la divinité. *Odyssée*, VI, 207 :
          . . . . .Πρὸς γὰρ Διός εἰσιν ἅπαντες
          ξεῖνοί τε πτωχοί τε· δόσις δ' ὀλίγη τε φίλη τε.
V. 35. Éd. 1826 et 1839 :
          Ce soir, lorsque la nuit couvrira l'horizon.

V. 36. Combien Chénier lisait avec attention ! Le domaine de Lycus
est un souvenir du palais d'Alcinoüs, et ce pont dont parle André se
trouve aussi dans Homère, sans que pourtant celui-ci le dise expres-
sément. Devant le palais se trouve une cour, dont un petit pont sert
évidemment à franchir le seuil ; car, comme nous le dit Homère (*Odyssée*, VII, 130), un filet d'eau coule ὑπ' αὐλῆς οὐδόν.
V. 37. Éd. 1826 et 1839 :
          J'aurai soin qu'on te laisse entrer sans défiance.

V. 38. C'est ainsi qu'il y a dans Fayolle. M. de Latouche avait sans
doute mal lu et avait mis :
          Pour la dixième fois célébrant ma naissance.

V. 43. Nous rétablissons ce vers d'après Fayolle. Toutes les éditions
donnent :
          Elle dit, et s'arrête, et, le cœur palpitant.
« *Elle achève ces mots ;* » c'est encore, à l'époque d'André, l'expressio*
consacrée ; c'est celle de Racine dans *Athalie :*
          Ma fille !... En achevant ces mots épouvantables.

S'enfuit ; car l'étranger sur elle, en l'écoutant,
Fixait de ses yeux creux l'attention avide.
Elle rentre, cherchant dans le palais splendide
L'esclave près de qui toujours ses jeunes ans
Trouvent un doux accueil et des soins complaisants.
Cette sage affranchie avait nourri sa mère ;
Maintenant sous des lois de vigilance austère,   50
Elle et son vieil époux au devoir rigoureux
Rangent des serviteurs le cortége nombreux.
Elle la voit de loin dans le fond du portique,
Court, et posant ses mains sur ce visage antique :

« Indulgente nourrice, écoute, il faut de toi   55
Que j'obtienne un grand bien. Ma mère, écoute-moi :
Un pauvre, un étranger, dans la misère extrême,
Gémit sur l'autre bord, mourant, affamé, blême...
Ne me décèle point. De mon père aujourd'hui
J'ai promis qu'il pourrait solliciter l'appui.   60
Fais qu'il entre ; et surtout, ô mère de ma mère !
Garde que nul mortel n'insulte à sa misère.

— Oui, ma fille : chacun fera ce que tu veux,
Dit l'esclave en baisant son front et ses cheveux ;

V. 49. *Odyssée*, VII, 12 :

> ῝Η τρέφε Ναυσικάαν λευκώλενον ἐν μεγάροισιν,
> ἥ οἱ πῦρ ἀνέκαιε, καὶ εἴσω ἐνόπμει.

V. 53. Éd. 1826 et 1839 :

> L'enfant la voit de loin dans le fond du portique.

La correction était heureuse ; elle sauvait la confusion dans les rapports des pronoms.

V. 54. « *Antique ;* » ce seul mot suffirait au statuaire pour tailler dans le marbre les traits de la vieille affranchie. — Chez les anciens, on suppliait en posant les mains sur le visage de la personne qu'on implorait ; voy. Euripide, *Hécube*, 344.

V. 55. «*Indulgente,* » avec le sens latin, qui accorde volontiers, *com-plaisante*.

Oui, qu'à ton protégé ta fête soit ouverte.   65
Ta mère, mon élève (inestimable perte !),
Aimait à soulager les faibles abattus :
Tu lui ressembleras autant par tes vertus
Que par tes yeux si doux et tes grâces naïves. »

Mais cependant la nuit assemble les convives :   70
En habits somptueux, d'essences parfumés,
Ils entrent. Aux lambris d'ivoire et d'or formés
Pend le lin d'Ionie en brillantes courtines ;
Le toit s'égaye et rit de mille odeurs divines.

V. 66. Le mot *élève* ne s'emploie pas en français avec le sens de
« nourrisson » que lui donne André, et qui est celui de τροφή, et du
composé ἔντροφος. — Éd. 1826 :

> Ta mère, mon élève (irréparable perte!).

V. 70. Le passage qui suit est dû à de multiples inspirations. Dans
cette description de vingt vers, il n'y a pas un mot de trop, pas un
mot qui ne prête à de longs commentaires archéologiques. Voici les vers
de Catulle, LXIV, 43, dont les différents traits se retrouvent dans la
description de Chénier :

> Ipsius ad sedes, quacunque opulenta recessit
> Regia, fulgenti splendent auro, atque argento.
> Candet ebur soliis ; collucent pocula mensis ;
> Tota domus gaudet regali splendida gaza.
> Pulvinar vero Divæ geniale locatur
> Sedibus in mediis, Indo quod dente politum
> Tincta tegit roseo conchyli purpura fuco.

Cf. Virgile, *Énéide*, I, 637.

V. 71. Non-seulement se couvrir de parfums et en brûler était un
usage répandu chez les anciens (Athénée, III, xxi, p. 101, C), mais encore il aurait été inconvenant de vouloir s'y soustraire (Athénée, IV,
xxvii, p. 178, F).

V. 72. Détails exacts ; Bacchylide (ap. Athénée, II, iii, p. 39, F) :

> Χρυσῷ δ' ἐλέφαντί τε
> μαρμαίρουσιν οἶκοι.

Nous donnons la leçon de Fayolle. M. de Latouche avait mis :

> Ils entrent. Aux lambris d'ivoire et d'or semés.

V. 74. Ponsard, *Études antiques*, a critiqué ce vers comme antihomérique. Cette hardiesse, homérique d'ailleurs, est commune à tous les

La table au loin circule, et d'apprêts savoureux 75
Se charge. L'encens vole en longs flots vaporeux ;
Sur leurs bases d'argent, des formes animées
Élèvent dans leurs mains des torches enflammées;

poëtes. André, ce qu'a fait remarquer M. Sainte-Beuve, *Portr. litt.*,
a traduit exactement ce vers de Catulle, LXIV, 285 :

> Queis permulsa domus jucundo risit odore.

Il avait d'ailleurs l'exemple d'Horace, *Od.*, IV, xi : « Ridet argento domus. » Et Chénier, comme Catulle et Horace, se souvenait d'Hésiode,
Théog., 40 :

> . . . . γελᾷ δέ τε δώματα πατρός·

et d'Homère, *Hym. à Apollon*, 118 :

> . . . . μείδησε δὲ γαῖ' ὑπένερθεν·

passage que n'ont pas craint d'imiter Théognis, 9, et Milton, *Par. perd.*,
VIII. Virgile, dont le goût est si pur, a dit, *Énéide*, I, 707 :

> . . . . . Tyrii per *limina læta* frequentes.

D'ailleurs, ici-bas, l'homme ne se plaît-il pas à animer toute chose de
sa douleur et de sa joie? le printemps accourt, et nous voyons avec
Ronsard (*Am.*, I, xxvii)

> Toute chose rire en la saison nouvelle :

le lac (Schiller, *G. Tell*, 1) : Es lächelt der See; les fleurs (Pétrone,
CXXVII) : Riserunt lilia; les flots (Lucrèce, I, 8) : Rident æquora ponti;
la nature (Nonnus, *Dionys.*, VI, 387) : Καὶ φύσις ἀψ ἐγέλασσε; tout enfin
(Virgile, *Égl.*, VII, 55) : Omnia nunc rident; jusqu'aux astres (Stace,
Ach., I, 643) : Risit chorus omnis ab alto astrorum. Mais, plus hardi
encore, Eschyle, *Édoniens* (ap. Longin, *de Subl.*, XIII), anime un palais
de la fureur bachique. Longin semble le blâmer de cette hardiesse ; elle
est grande sans doute, mais de celles que les poëtes chérissent. Au surplus, les Grecs et les Latins ne sont pas les seuls que tentent ces images
audacieuses ; on en rencontre de semblables à chaque pas dans les poëtes
juifs : Isaïe, xiv, ii, 8, et xxiv, i, 7; le Psalmiste, xcvii, 8, etc.

V. 77-78. *Odyssée*, VII, 100 :

> Χρύσειοι δ' ἄρα κοῦροι εὐδμήτων ἐπὶ βωμῶν
> ἕστασαν, αἰθομένας δαΐδας μετὰ χερσὶν ἔχοντες,
> φαίνοντες νύκτας κατὰ δώματα δαιτυμόνεσσιν.

M. Sainte-Beuve a déjà fait ce rapprochement et cité les vers de Lucrèce, II, 24 :

> Si non aurea sunt juvenum simulacra per ædeis
> Lampadas igniferas manibus retinentia dextris,
> Lumina nocturnis epulis ut suppeditentur,
> Nec domus argento fulget, auroque renidet.

Nonnus, *Dionys.*, III, 169, a aussi imité ce passage d'Homère.

Les figures, l'onyx, le cristal, les métaux,
En vases hérissés d'hommes ou d'animaux,   80
Partout, sur les buffets, sur la table étincellent ;
Plus d'une lyre est prête ; et partout s'amoncellent
Et les rameaux de myrte et les bouquets de fleurs.
On s'étend sur les lits teints de mille couleurs.
Près de Lycus, sa fille, idole de la fête,   85
Est admise. La rose a couronné sa tête.
Mais, pour que la décence impose un juste frein,
Lui-même est par eux tous élu roi du festin.
Et déjà vins, chansons, joie, entretiens sans nombre,
Lorsque, la double porte ouverte, un spectre sombre   90
Entre, cherchant des yeux l'autel hospitalier.
La jeune enfant rougit. Il court vers le foyer :
Il embrasse l'autel, s'assied parmi la cendre :

V. 81. Virgile, *Énéide*, I, 708 :
> Convenere, toris jussi discumbere pictis.

V. 86. « *Est admise*, » expression exacte. Les femmes n'assistaient
pas aux repas des hommes. voy. Cicéron, *in Verrem*, I, xxvi ; cependant il
y avait de nombreuses occasions où l'on faisait infraction à cet usage.
Dans l'*Odyssée*, IV, Hélène assiste au repas et verse elle-même le népenthès aux convives ; dans l'*Odyssée*, VII, Arété est présente au festin
que donne Alcinoüs.

V. 88. Sur cet usage, voyez Plutarque, *Symp.*; Cicéron, *Tusc.*, V, xli.
La royauté se tirait souvent au sort : on se servait d'osselets, voy. Lucien,
Sat., IV ; Horace, *Od.*, I, iv, et *passim*.

V. 90. « *Double porte*, » c'est-à-dire porte à deux battants. En latin,
il aurait mis *foribus apertis*. Cf. Virgile, *Énéide*, I, 449. Ovide, *Mét.*, I,
172 : *valvis apertis*. Dans Euripide, *Herc. fur.*, 1024, le chœur dit que
les portes du palais s'ouvrent en deux parties (διάνδιχα).

V. 91. L'autel de Jupiter Hospitalier. Dans Corn. Nepos, *Thém.*, VIII,
lorsque Thémistocle arrive chez Admète : « Se in sacrarium, quod summa
colebatur cærimonia, conjecit. » Dans Thucydide, I, cxxxvi, Thémistocle
va s'asseoir près du foyer, ἐπὶ τὴν ἑστίαν.

V. 93. *Odyssée*, VII, 153 :
> Ὣς εἰπὼν κατ' ἄρ' ἕζετ' ἐπ' ἐσχάρῃ ἐν κονίῃσιν,
> πὰρ πυρί· . . . .

Le mendiant, comme Ulysse, s'assied parmi la cendre, en signe d'humi-
lité. C'était la place des esclaves (*Odyssée*, XI, 190).

Et tous, l'œil étonné, se taisent pour l'entendre.

« Lycus, fils d'Événor, que les dieux et le temps 95
N'osent jamais troubler tes destins éclatants.
Ta pourpre, tes trésors, ton front noble et tranquille,
Semblent d'un roi puissant, l'idole de sa ville.
A ton riche banquet un peuple convié
T'honore comme un dieu de l'Olympe envoyé. 100
Regarde un étranger qui meurt dans la poussière,
Si tu ne tends vers lui la main hospitalière.
Inconnu, j'ai franchi le seuil de ton palais :
Trop de pudeur peut nuire à qui vit de bienfaits.
Lycus, par Jupiter, par ta fille innocente 105
Qui m'a seule indiqué ta porte bienfaisante !...
Je fus riche autrefois : mon banquet opulent
N'a jamais repoussé l'étranger suppliant.
Et pourtant aujourd'hui la faim est mon partage,
La faim qui flétrit l'âme autant que le visage, 110
Par qui l'homme souvent, importun, odieux,
Est contraint de rougir et de baisser les yeux !

— Étranger, tu dis vrai, le hasard téméraire
Des bons ou des méchants fait le destin prospère.

V. 95. « *Événor*, » Εὐήνωρ, au lieu d'*Événon* qui n'est pas grec.
V. 100. *Odyssée*, XIV, 205 :

  Ὅς (Κάστωρ) τότ' ἐνὶ Κρήτεσσι θεὸς ὣς τίετο δήμῳ.

V. 102. Toutes les éditions donnent, contrairement à Fayolle :

  Si tu ne tends vers lui ta main hospitalière.

La main hospitalière, c'est la main qu'il est d'usage d'offrir à son hôte.
V. 104. *Odyssée*, XVII, 347 :

  Αἰδὼς δ' οὐκ ἀγαθὴ κεχρημένῳ ἀνδρὶ παρεῖναι.

V. 110. Cf. Homère, *Odyssée*, XVII, 287 ; Théognis, 173 et suiv.
Virgile, *Énéide*, VI, 276 : « Turpis egestas. » Juvénal, III, 152 :

  Nil habet infelix paupertas durius in se,
  Quam quod ridiculos homines facit.....

Mais sois mon hôte. Ici l'on hait plus que l'enfer   115
Le public ennemi, le riche au cœur de fer,
Enfant de Némésis, dont le dédain barbare
Aux besoins des mortels ferme son cœur avare.
Je rends grâce à l'enfant qui t'a conduit ici.
Ma fille, c'est bien fait; poursuis toujours ainsi.   120
Respecter l'indigence est un devoir suprême.
Souvent les immortels (et Jupiter lui-même)
Sous des haillons poudreux, de seuil en seuil traînés,
Viennent tenter le cœur des humains fortunés. »

D'accueil et de faveur un murmure s'élève.   125
Lycus descend, accourt, tend la main, le relève :
« Salut, père étranger; et que puissent tes vœux
Trouver le ciel propice à tout ce que tu veux !

V. 115. *Iliade*, IX, 312 :

> Ἐχθρὸς γάρ μοι κεῖνος ὁμῶς Ἀΐδαο πύλῃσιν
> ὅς χ᾽ ἕτερον μὲν κεύθῃ ἐνὶ φρεσίν, ἄλλο δὲ εἴπῃ.

Voy. la même expression reproduite dans l'*Odyssée*, XIV, 156.
V. 116. *Odyssée*, XXIII, 172 : σιδήρεος θυμός. Racine, *Esther*, III, 1:
Un cœur d'*airain*. Corneille, *Horace*, III, 11 : Ces cœurs d'*acier*.
V. 122-124. *Odyssée*, XVII, 485 :

> Καί τε Θεοὶ ξείνοισιν ἐοικότες ἀλλοδαποῖσιν,
> παντοῖοι τελέθοντες, ἐπιστρωφῶσι πόληας,
> ἀνθρώπων ὕβριν τε καὶ εὐνομίην ἐφορῶντες.

Cf. Hésiode, *Op. et dies*, 249; Catulle, LXIV, 385. C'est cette croyance
qui a primitivement inspiré aux poëtes le conte de *Philémon et Baucis*.
V. 125. *Iliade*, I, 22 :

> Ἔνθ᾽ ἄλλοι μὲν πάντες ἐπευφήμησαν Ἀχαιοί.

Cf. Homère, *passim;* Virgile, *Énéide*, I, 559 ; XI, 132, etc. ; Tasse,
Ger. lib., IV, LXXXII; Milton, *Par. perd.*, II.
V. 126. Éd. 1826 et 1839 :

> Lycus court au vieillard, tend la main, le relève.

Corn. Nepos, *Thém.*, VIII : « Inde non prius egressus est quam rex eum,
data dextra, in fidem reciperet. »
V. 127-128. Homère, *Odyssée*, XVII, 354 :

> Ζεῦ ἄνα, Τηλέμαχόν μοι ἐν ἀνδράσιν ὄλβιον εἶναι,
> καὶ οἱ πάντα γένοιθ᾽, ὅσσα φρεσὶν ᾗσι μενοινᾷ.

Mon hôte, lève-toi. Tu parais noble et sage ;
Mais cesse avec ta main de cacher ton visage.   130
Souvent marchent ensemble indigence et vertu ;
Souvent d'un vil manteau le sage revêtu,
Seul vit avec les dieux et brave un sort inique.
Couvert de chauds tissus, à l'ombre du portique,
Sur de molles toisons, en un calme sommeil,   135
Tu peux ici dans l'ombre attendre le soleil.
Je te ferai revoir tes foyers, ta patrie,
Tes parents, si les dieux ont épargné leur vie ;
Car tout mortel errant nourrit un long amour
D'aller revoir le sol qui lui donna le jour.   140
Mon hôte, tu franchis le seuil de ma famille
A l'heure qui jadis a vu naître ma fille ;
Salut ! Vois, l'on t'apporte et la table et le pain :

Salutation amicale et toute grecque ; c'est ainsi qu'on s'abordait sur cette
terre heureuse, où sous le chaume on naissait poëte. Cf. Sophocle, *OEd.
roi*, 948. — Quant au *que* qui précède la formule de souhait et qui
s'explique par une ellipse, on le trouve employé de même dans Molière ;
ainsi, dans le *Dépit am.*, III, ɪᴠ :

> *Que* puissiez-vous avoir toutes choses prospères !

C'est la formule un peu oratoire des Latins : Quod utinam... !

V. 134. Pour ces détails, voy. *Odyssée*, IV, 296.

V. 143. André a dit, v. 75 : « *La table au loin circule.* » Lycus et
ses convives sont placés à une seule et même table ; nous croyons que
Riccius, *Diss. Homer.*, XXXIV, se trompe lorsqu'il dit : « Sua mensa
adponebatur cuique convivæ ; » car Homère, dans l'*Iliade*, IX, 216, ne
parle que d'une table autour de laquelle prennent place Phénix, Ajax,
Ulysse, Odios, Eurybate et Achille ; seulement, comme ce passage l'indique, les portions étaient placées séparément devant chaque convive.
Athénée, IV, x, p. 143, D, dit formellement en parlant d'un cratère
rempli de vin qu'on plaçait sur les tables : « Τοῦτο κοινῇ πάντες πίνουσιν
οἱ κατὰ τὴν κοινὴν τράπεζαν. » Ainsi, les convives, suivant leur nombre,
pouvaient être divisés par groupes, et il y avait une ou plusieurs tables,
ce qui est contradictoire à l'affirmation de Riccius. Mais lorsque des
étrangers arrivent au milieu d'un festin, des servantes leur apportent
alors, comme dit Chénier, *et la table et le pain.* Télémaque (*Odyssée*, I)
fait apporter une table à Minerve ; Alcinoüs (*Odyssée*, VII) agit de même
à l'égard d'Ulysse. Chez les Crétois (Athénée, IV, x, p. 143, F), cette

Sieds-toi. Tu vas d'abord rassasier ta faim.

Puis, si nulle raison ne te force au mystère,   145

Tu nous diras ton nom, ta patrie et ton père. »

table, toujours préparée, s'appelait ἡ ξενίη τράπεζα, la table *xénienne*,
comme aurait dit Ronsard ; et Tomasini, *de Tess. hosp.*, XXIII, qui cite
cette coutume, aurait dû remarquer que cet usage et ce nom donné à la
table étaient répandus dans toute la Grèce ; car, dans Homère (*Odyssée*,
XIV, 158), Ulysse prend à témoin cette table d'hospitalité :

> Ἴστω νῦν Ζεὺς πρῶτα θεῶν ξενίη τε τράπεζα.

V. 144. « *Sieds-toi;* » comme dans Corneille, *Cinna*, V, ɪ.

V. 145. *Odyssée*, XIV, 45 :

> Ἀλλ' ἕπεο, κλισίηνδ' ἴομεν, γέρον, ὄφρα καὶ αὐτὸς
> σίτου καὶ οἴνοιο κορεσσάμενος κατὰ θυμὸν
> εἴπῃς, ὁππόθεν ἐσσὶ καὶ ὁππόσα κήδε' ἀνέτλης.

Cf. *Odyssée*, I, 123, et *passim*. — Ce vers a été critiqué par Ponsard
dans ses *Études antiques*. Il a prétendu que les Grecs n'avaient pas de
ces délicatesses. L'hospitalité antique était, au contraire, d'une excessive
délicatesse, et entièrement basée sur la discrétion. D'abord, il eût été
inconvenant de faire des questions à son hôte avant qu'il eût rassasié
sa faim et sa soif; l'on voulait montrer, comme le dit Athénée, V, ɪ,
p. 185, C, que c'était l'hospitalité elle-même que l'on honorait, et non
point tel ou tel homme. Sans doute, à cette époque, l'arrivée d'un
étranger excitait une curiosité légitime à laquelle se joignait le désir
inné chez les hommes de s'instruire et de s'unir par delà les mers. De
là toute une série de questions détaillées, pressantes et permises (voy.
Odyssée, I, 170; VII, 237 ; XIV, 185, etc.); mais en même temps que
de respect de la personnalité et de la dignité de l'hôte ! Dans l'*Odyssée*, VII, Ulysse, questionné par Arété, déclare ne vouloir répondre qu'à
une partie des questions, et les Phéaciens n'en sont pas choqués. Quand
Alcinoüs lui offre un vaisseau monté par cinquante rameurs, il n'a pas
encore cru convenable de demander le nom de son hôte ; s'il rompt le
silence, ce n'est qu'à la vue des pleurs d'Ulysse, et la brusquerie même
de ses paroles cache une sensibilité qui excuse ces questions encore
prématurées ; car si Ulysse eût eu *quelque raison qui le forçât au
mystère*, il eût très-bien su lui répondre : « O mon hôte, tu parles à
la légère et tu sembles ignorer les usages de l'hospitalité; *lorsque tu
m'auras fêté pendant neuf jours, immolant chaque jour un taureau;
lorsque pour la dixième fois paraîtra l'aurore aux doigts de rose,
seulement alors tu m'interrogeras.* » Voy. *Iliade*, VI, 174. — C'est
pourquoi, dans Homère, chaque fois qu'un héros adresse des questions
à son hôte, il sous-entend toujours, ce qu'André a eu raison d'exprimer,
si nulle raison ne te force au mystère. D'ailleurs, répondant plusieurs
siècles d'avance à la critique de Ponsard, Macédonius, un poëte de l'*An-*

Il retourne à sa place, après que l'indigent
S'est assis. Sur ses mains, de l'aiguière d'argent,
Par une jeune esclave une eau pure est versée.
Une table de cèdre, où l'éponge est passée,   150
S'approche, et vient offrir à son avide main
Et les fumantes chairs sur le disque d'airain,
Et l'amphore vineuse, et la coupe aux deux anses.
« Mange et bois, dit Lycus ; oublions les souffrances ;
Ami, leur lendemain est, dit-on, un beau jour. »   155

. . . .

thologie, n'a-t-il pas dit, IX, 648 : « Ne pas demander : Qui êtes-vous ?
d'où venez-vous ? quels sont vos parents ? cela est d'une bonne hospitalité. »

V. 147. Éd. 1826 :

> Il retourne à sa place ; et bientôt l'indigent.

V. 148. Toutes les éditions donnent « *dans l'aiguière d'argent.* »
Cette leçon évidemment fausse provient sans doute d'une mauvaise lecture des manuscrits. C'est bien *d'une aiguière* que la jeune esclave
verse de l'eau *sur les mains* du mendiant, *au-dessus* d'un bassin. Il est
facile de le voir dans le passage suivant d'Homère (*Odyssée,* I, 136), dont
les vers d'André sont une imitation :

> Χέρνιβα δ' ἀμφίπολος προχόῳ ἐπέχευε φέρουσα,
> καλῇ, χρυσείῃ, ὑπὲρ ἀργυρέοιο λέβητος,
> νίψασθαι· παρὰ δὲ ξεστὴν ἐτάνυσσε τράπεζαν.
> Σῖτον δ' αἰδοίη ταμίη παρέθηκε φέρουσα,
> εἴδατα πόλλ' ἐπιθεῖσα, χαριζομένη παρεόντων·
> δαιτρὸς δὲ κρειῶν πίνακας παρέθηκεν ἀείρας
> παντοίων, παρὰ δέ σφι τίθει χρύσεια κύπελλα.

Cf. *Odyssée,* IV, 52 ; VII, 172 ; XV, 135 ; Virgile, *Enéide,* I, 701.

V. 150. On se servait de l'éponge pour essuyer les tables (*Odyssée,* I,
111), et pour se laver et s'essuyer le visage (*Iliade,* XVIII, 414).

V. 152. « *Le disque d'airain,* » détail archéologique exact. Homère,
Iliade, XI, 630 :

> . . . . Αὐτὰρ ἐπ' αὐτῆς
> χάλκειον κάνεον. . . . .

Tous les éditeurs, moins Fayolle, ont mis à tort *les disques d'airain.*
On n'apporte évidemment au mendiant qu'un plat, qu'une amphore et
qu'une coupe.

V. 155. Cette pensée a été souvent exprimée par les poëtes. La voici

Bientôt Lycus se lève et fait emplir sa coupe,
Et veut que l'échanson verse à toute la troupe,
« Pour boire à Jupiter, qui nous daigne envoyer
L'étranger, devenu l'hôte de mon foyer. »
Le vin de main en main va coulant à la ronde ;   160
Lycus lui-même emplit une coupe profonde,
L'envoie à l'étranger : « Salut, mon hôte, bois.

dans un fragment de l'*Andromède* d'Euripide (éd. Didot, p. 653) :

> Ἀλλ' ἡδύ τοι σωθέντα μεμνῆσθαι πόνων.

Vers cité par Plutarque, *Symp.*, II, 1, et traduit par Cicéron, *de Finibus*,
II, 32. Cette pensée avait déjà été développée par Homère, *Odys.*, XV, 400,
C'est aussi ce que, dans Virgile, *En.*, I, 203, Énée dit à ses compagnons en
leur rappelant tous leurs maux :

> . . . . Forsan et hæc olim meminisse juvabit.

V. 156-159. *Odyssée*, VII, 178 :

> Καὶ τότε κήρυκα προσέφη μένος Ἀλκινόοιο·
> Ποντόνοε, κρητῆρα κερασσάμενος μέθυ νεῖμον
> πᾶσιν ἀνὰ μέγαρον, ἵνα καὶ Διὶ τερπικεραύνῳ
> σπείσομεν, ὅσθ' ἱκέτῃσιν ἅμ' αἰδοίοισιν ὀπηδεῖ.

V. 158. Exemple remarquable de transition imprévue ; le discours
direct succède brusquement au discours indirect, comme dans le passage
célèbre d'Homère (*Iliade*, XV, 348), remarqué par Longin (*de Subl.*, XXIII),
qui cite aussi un exemple d'Hécatée, et très à tort, il me semble, un
autre de Démosthène, dans son discours contre Aristogiton.

V. 160. Les convives se passaient la coupe de main en main ; *Odyssée*, III, 45 :

> Αὐτὰρ ἐπὴν σπείσῃς τε καὶ εὔξεαι, ᾗ θέμις ἐστίν,
> δὸς καὶ τούτῳ ἔπειτα δέπας μελιηδέος οἴνου
> σπεῖσαι. . . . .

Ronsard, *Franciade*, I, fait aussi, parmi les convives, tourner les coupes

> D'un cœur joyeux l'un à l'autre données.

V. 161. Ce n'est pas la coupe dont on s'est servi pendant le repas ;
Chénier lui donne avec raison l'épithète de *profonde*. Virgile, *Énéide*,
I, 723 :

> Postquam prima quies epulis, mensæque remotæ,
> Crateras magnos statuunt et vina coronant.

Elle s'appelait la *coupe commune*. Voy. Euripide, *Ion*, 1177.

V. 162. L'étranger est le premier à qui l'on envoie la coupe. Ainsi
dans l'*Odyssée*, III, Pisistrate dit à Minerve :

> ;.... Σοὶ προτέρῳ δώσω χρύσειον ἄλεισον·

De ta ville bientôt tu reverras les toits,
Fussent-ils par delà les glaces du Caucase. »
Des mains de l'échanson l'étranger prend le vase,　　165
Se lève et sur eux tous il invoque les dieux;
On boit. Il se rassied, et, jusque sur les yeux
Ses noirs cheveux toujours ombrageant son visage,
De sourire et de plainte il mêle son langage :

« Mon hôte, maintenant que sous tes nobles toits　　170
De l'importun besoin j'ai calmé les abois,
Oserai-je à ma langue abandonner les rênes?
Je n'ai plus ni pays, ni parents, ni domaines.
Mais écoute : le vin, par toi-même versé,
M'ouvre la bouche. Ainsi, puisque j'ai commencé,　　175
Entends ce que peut-être il eût mieux valu taire.
Excuse enfin ma langue, excuse ma prière ;
Car du vin, tu le sais, la téméraire ardeur
Souvent à l'excès même enhardit la pudeur.
Meurtri de durs cailloux ou de sables arides,　　180

V. 163-164. *Odyssée*, VII, 192 :

    Μνησόμεθ', ὥς χ' ὁ ξεῖνος ἄνευθε πόνου καὶ ἀνίης
    πομπῇ ὑφ' ἡμετέρῃ ἣν πατρίδα γαῖαν ἵκηται
    χαίρων καρπαλίμως, εἰ καὶ μάλα τηλόθεν ἐστίν.

V. 166. Toutes les éditions, moins Fayolle :

    Se lève; sur eux tous il invoque les dieux.

V. 167. Éd. 1826 et 1839 :

    On boit; il se rassied. Et jusque sur ses yeux.

V. 174-179. *Odyssée*, XIV, 462 :

    Κέκλυθι νῦν, Εὔμαιε καὶ ἄλλοι πάντες ἑταῖροι,
    εὐξάμενός τι ἔπος ἐρέω· οἶνος γὰρ ἀνώγει
    ἠλεὸς, ὅστ' ἐφέηκε πολύφρονά περ μάλ' ἀεῖσαι,
    καί θ' ἁπαλὸν γελάσαι καί τ' ὀρχήσασθαι ἀνῆκεν
    καί τι ἔπος προέηκεν, ὅπερ τ' ἄρρητον ἄμεινον.
    Ἀλλ' ἐπεὶ οὖν τὸ πρῶτον ἀνέκραγον, οὐκ ἐπικεύσω.

Cf. Horace, *Od.*, III, xxi ; *Epit.*, I, v ; Athénée, X, xi, xii ; *Poet. comic. græc. fragm.*, Eriphus, p. 598 (édit. Didot). Voy. Montaigne, II, ii.

Déchiré de buissons ou d'insectes avides,
D'un long jeûne flétri, d'un long chemin lassé
Et de plus d'un grand fleuve en nageant traversé,
Je parais énervé, sans vigueur, sans courage;
Mais je suis né robuste et n'ai point passé l'âge.   185
La force et le travail, que je n'ai point perdus,
Par un peu de repos me vont être rendus.
Emploie alors mes bras à quelques soins rustiques :
Je puis dresser au char tes coursiers olympiques,
Ou, sous les feux du jour, courbé vers le sillon,   190
Presser deux forts taureaux du piquant aiguillon;
Je puis même, tournant la meule nourricière,
Broyer le pur froment en farine légère;
Je puis, la serpe en main, planter et diriger
Et le cep et la treille, espoir de ton verger.   195
Je tiendrai la faucille ou la faux recourbée,
Et devant mes pas l'herbe ou la moisson tombée
Viendra remplir ta grange en la belle saison ;
Afin que nul mortel ne dise en ta maison,
Me regardant d'un œil insultant et colère :   200
O vorace étranger, qu'on nourrit à rien faire !

— Vénérable indigent, va, nul mortel chez moi

V. 184. Voy. *Odyssée*, VIII, 136.
V. 188 et suiv. Sinon comme détails, du moins comme pensée, c'est
le discours qu'Ulysse tient à Eumée, *Odyssée*, XV, 317. — Cf. *Hymne
à Cérès*, 141.
V. 199. M. de Marcellus (Nonnus, *Dionys.*, XLVII, ad v. 451) a très-
justement rapproché la forme *afin que nul mortel ne dise* de la forme
homérique ὄφρά τις εἴπῃ.
V. 201. « *A rien faire.* » Incorrection. Il faudrait « à *ne* rien faire. »
La négation est nécessaire, car le mot *rien* ne la contient pas. Mais il
est juste d'ajouter que cette incorrection est consacrée par l'usage ; on
la rencontre chez les meilleurs écrivains.
V. 202-205. *Odyssée*, XIX, 253 :

Νῦν μὲν δή μοι, ξεῖνε, πάρος περ ἐὼν ἐλεεινὸς,
ἐν μεγάροισιν ἐμοῖσι φίλος τ᾽ ἔσῃ αἰδοῖός τε·

N'oserait élever sa langue contre toi.

Tu peux ici rester, même oisif et tranquille,

Sans craindre qu'un affront ne trouble ton asile.   205

— L'indigent se méfie. — Il n'est plus de danger.

— L'homme est né pour souffrir. — Il est né pour changer.

— Il change d'infortune ! — Ami, reprends courage :

Toujours un vent glacé ne souffle point l'orage.

Le ciel d'un jour à l'autre est humide ou serein,   210

Et tel pleure aujourd'hui qui sourira demain.

— Mon hôte, en tes discours préside la sagesse.

Mais quoi ! la confiante et paisible richesse

Parle ainsi. L'indigent espère en vain du sort ;

et, même chant, 322 :

. . . . . . .Τῷ δ' ἄλγιον, ὅς κεν ἐκείνων
τοῦτον ἀνιάζῃ θυμοφθόρος· οὐδέ τι ἔργον
ἐνθάδ' ἔτι πρήξει, μάλα περ κεχολωμένος αἰνῶς.

V. 206. *Odyssée*, VII, 307 :

Δύςζηλοι γάρ τ' εἰμὲν ἐπὶ χθονὶ φῦλ' ἀνθρώπων.

Ponsard, dans ses *Études antiques*, a critiqué ce dialogue coupé, comme antihomérique. Si André avait voulu traduire un chant de l'*Odyssée*, il n'aurait pas fait entrer dans sa traduction un seul vers, un seul mot, une seule forme qui ne fussent homériques. Mais il faut faire attention qu'André imite Homère à la façon de Théocrite, et que le ton de ce petit poëme doit être plus familier que celui d'une *Iliade* ou d'une *Odyssée*.

V. 207. Timoclès, poëte comique, a ce vers dans un fragment conservé par Athénée, VI, p, 223, B :

Ἄνθρωπός ἐστι ζῶον ἐπίπονον φύσει.

V. 209. C'est la pensée développée dans la belle ode d'Horace (*Non semper imbres*, etc.) qu'on trouvera citée plus loin, *Élégies*, I, x, 4.

V. 210. Properce, II, xxviii, 31 :

• Hunc, utcunque potes, fato gere saucia morem.
Et deus et durus vertitur ipse dies.

Properce se souvenait sans doute de Théocrite, *Idyll.*, IV, 41 :

Θαρσῆν χρή, φίλε Βάττε· τάχ' αὔριον ἔσσετ' ἄμεινον.
Ἐλπίδες ἐν ζωοῖσιν, ἀνέλπιστοι δὲ θανόντες.
Χ' ὡ Ζεὺς ἄλλοκα μὲν πέλει αἴθριος, ἄλλοκα δ' ὕει.

V. 212. Cf. *Odyssée*, XIX, 352 ; XX, 37, et *passim*.

En espérant toujours il arrive à la mort.   215
Dévoré de besoins, de projets, d'insomnie,
Il vieillit dans l'opprobre et dans l'ignominie.
Rebuté des humains durs, envieux, ingrats,
Il a recours aux dieux qui ne l'entendent pas.
Toutefois ta richesse accueille mes misères ;   220
Et puisque ton cœur s'ouvre à la voix des prières,
Puisqu'il sait, ménageant le faible humilié,
D'indulgence et d'égards tempérer la pitié,
S'il est des dieux du pauvre, ô Lycus ! que ta vie
Soit un objet pour tous et d'amour et d'envie.   225

— Je te le dis encore, espérons, étranger.
Que mon exemple au moins serve à t'encourager.
Des changements du sort j'ai fait l'expérience.
Toujours un même éclat n'a point à l'indigence
Fait du riche Lycus envier le destin :   230
J'ai moi-même été pauvre et j'ai tendu la main.
Cléotas de Larisse, en ses jardins immenses,
Offrit à mon travail de justes récompenses.

V. 228-231. Virgile, *Énéide*, I, 628 :

> Me quoque per multos similis fortuna labores
> Jactatam hac demum voluit consistere terra.
> Non ignara mali, miseris succurrere disco.

Cf. Sophocle, *OEd. à Colone*, 587. — Il y a une pensée semblable dans
Homère, mais c'est Ulysse qui, sous les traits d'un mendiant, se souvient que jadis lui aussi eut des jours fortunés (*Odyssée*, XVII, 419).

V. 232. Dans la pensée d'André, Cléotas était sans doute un de ces
riches Alevades qui dominaient à Larisse, aristocratie puissante qui voyait
souvent de funestes dissensions éclater parmi ses membres. La noblesse
thessalienne avait une existence opulente, et Cléotas, aux jours de sa fortune, rappelle le Pharsalien Polydamas dont parle Xénophon (*Hist. gr.*,
VI, 1), φιλόξενός τε καὶ μεγαλοπρεπὴς τὸν θετταλικὸν τρόπον.

V. 233. André a noté dans ces vers un des traits les plus touchants
de la vie patriarcale des temps héroïques : le serviteur fait partie de la
famille ; son zèle l'élève jusqu'à son maître, qui, dans la prospérité,
donne une part de ses biens à celui qui l'a fidèlement servi. Voy.
Homère, *Odyssée*, XIV, 61.

« Jeune ami, j'ai trouvé quelques vertus en toi ;
Va, sois heureux, dit-il, et te souviens de moi. »   255
Oui, oui, je m'en souviens : Cléotas fut mon père ;
Tu vois le fruit des dons de sa bonté prospère.
A tous les malheureux je rendrai désormais
Ce que dans mon malheur je dus à ses bienfaits.
Dieux, l'homme bienfaisant est votre cher ouvrage ;   240
Vous n'avez point ici d'autre visible image ;
Il porte votre empreinte, il sortit de vos mains
Pour vous représenter aux regards des humains.
Veillez sur Cléotas ! Qu'une fleur éternelle,
Fille d'une âme pure, en ses traits étincelle ;   245
Que nombre de bienfaits, ce sont là ses amours,
Fassent une couronne à chacun de ses jours ;
Et quand une mort douce et d'amis entourée
Recevra sans douleur sa vieillesse sacrée,
Qu'il laisse avec ses biens ses vertus pour appui   250
A des fils, s'il se peut, encor meilleurs que lui !

— Hôte des malheureux, le sort inexorable
Ne prend point les avis de l'homme secourable.
Tous, par sa main de fer en aveugles poussés,
Nous vivons ; et tes vœux ne sont point exaucés.   255
Cléotas est perdu ; son injuste patrie
L'a privé de ses biens ; elle a proscrit sa vie.
De ses concitoyens dès longtemps envié,
De ses nombreux amis en un jour oublié,

V. 240-243. Maxime de Tyr, *Diss.* XIV. — Voltaire, *Henriade*, X :

> Hélas! du Dieu vivant c'est la brillante image,
> C'est un roi bienfaisant. . . . .

V. 254. C'est bien là la fatalité antique qui pousse l'aveugle humanité. Sophocle, *OEd. à Colone,* 256 (Musg.) :

> Οὐ γὰρ ἴδοις ἂν ἀθρῶν βροτῶν ὅστις ἂν, εἰ
> θεὸς ἄγοι γ', ἐκφυγεῖν δύναιτο.

V. 258. Tout le passage qui suit semble inspiré de Sophocle, *Philoct.*, 181.

Au lieu de ces tapis qu'avait tissus l'Euphrate,   260
Au lieu de ces festins brillants d'or et d'agate,
Où ses hôtes, parmi les chants harmonieux,
Savouraient jusqu'au jour les vins délicieux,
Seul maintenant, sa faim, visitant les feuillages,
Dépouille les buissons de quelques fruits sauvages ;   265
Ou, chez le riche altier apportant ses douleurs,
Il mange un pain amer tout trempé de ses pleurs.
Errant et fugitif, de ses beaux jours de gloire
Gardant, pour son malheur, la pénible mémoire,
Sous les feux du midi, sous le froid des hivers,   270
Seul, d'exil en exil, de déserts en déserts,
Pauvre et semblable à moi, languissant et débile,
Sans appui qu'un bâton, sans foyer, sans asile,
Revêtu de ramée ou de quelques lambeaux,
Et sans que nul mortel attendri sur ses maux   275
D'un souhait de bonheur le flatte et l'encourage ;
Les torrents et la mer, l'aquilon et l'orage,
Les corbeaux et des loups les tristes hurlements
Répondant seuls la nuit à ses gémissements ;
N'ayant d'autres amis que les bois solitaires,   280
D'autres consolateurs que ses larmes amères,
Il se traîne ; et souvent sur la pierre il s'endort

V. 264. Cf. Virgile, *Énéide*, III, 649.
V. 270. Ne sont-ce pas les mêmes souffrances qu'a supportées Antigone et que dépeint Sophocle, *OEd. à Colone*, 363 (Musg.) :

> Πολλοῖσι δ' ὄμβροις ἡλίου τε καύμασι
> μοχθοῦντα τλήμων. . . . .

V. 275. Cf. Sophocle, *Philoct.*, 172 et 701 (Musg.).
V. 278. Nous avons préféré la leçon de Fayolle à celle de M. de Latouche :

> Des corbeaux et des loups les tristes hurlements.

V. 282. « *Il se traîne.* » Après une phrase à périodes nombreuses et remarquablement construite, André rejette savamment le verbe à la fin. Il est rare de trouver dans un poëte une inspiration ainsi composée d'abondance et de clarté.

A la porte d'un temple, en invoquant la mort.

— Que m'as-tu dit? La foudre a tombé sur ma tête.
Dieux! ah! grands dieux! partons. Plus de jeux, plus de fête,
Partons. Il faut vers lui trouver des chemins sûrs;
Partons. Jamais sans lui je ne revois ces murs.
Ah! dieux! quand dans le vin, les festins, l'abondance,
Enivré des vapeurs d'une folle opulence,
Celui qui lui doit tout chante, et s'oublie, et rit,   290
Lui, peut-être il expire, affamé, nu, proscrit,
Maudissant comme ingrat son vieil ami qui l'aime.
Parle : était-ce bien lui? le connais-tu toi-même?
En quels lieux était-il? où portait-il ses pas?
Il sait où vit Lycus; pourquoi ne vient-il pas?   295
Parle : était-ce bien lui? parle, parle, te dis-je;
Où l'as-tu vu? — Mon hôte, à regret je t'afflige.
C'était lui, je l'ai vu. . . . .
. . . .
. . . . . . Les douleurs de son âme
Avaient changé ses traits. Ses deux fils et sa femme,   300
A Delphes, confiés au ministre du dieu,
Vivaient de quelques dons offerts dans le saint lieu.
Par des sentiers secrets fuyant l'aspect des villes,

V. 291. *Odyssée*, XIV, 42 :

 . . . . . Αὐτὰρ κεῖνος ἐελδόμενός που ἐδωδῆ,
 πλάζετ' ἐπ' ἀλλοθρόων ἀνδρῶν δῆμόν τε πόλιν τε,
 εἴ που ἔτι ζώει καὶ ὁρᾷ φάος ἠελίοιο.

V. 302. La cause de la fuite de Cléotas pouvait être l'accusation d'un
meurtre, commis sans doute à la suite de dissensions politiques. Les
meurtriers allaient chercher un asile à Delphes, comme Oreste, dans
Eschyle, *Choéph.*, 1021. Chargé d'une telle accusation, on trouvait un
refuge chez un peuple voisin, comme il est dit dans un passage d'Hésiode.
Scut., 12, qui a quelque rapport avec celui-ci. Quant aux *dons offerts*,
ce n'était pas seulement un effet de la bonté des habitants, mais encore
un devoir religieux (Hésiode, *Scut.*, 85).

V. 303-305. Cléotas, proscrit par sa patrie, fuyait, avec sa femme
et ses fils, les villes de Thessalie. On les avait *suivis* (c'est-à-dire *pour-*

On les avait suivis jusques aux Thermopyles.
Il en gardait encore un douloureux effroi.   305
Je le connais ; je fus son ami comme toi.
D'un même sort jaloux une même injustice
Nous a tous deux plongés au même précipice.
Il me donna jadis (ce bien seul m'est resté)
Sa marque d'alliance et d'hospitalité.   310
Vois si tu la connais. » De surprise immobile,
Lycus a reconnu son propre sceau d'argile,
Ce sceau, don mutuel d'immortelle amitié,
Jadis à Cléotas par lui-même envoyé.

suivis) jusqu'aux Thermopyles, limites de la Thessalie et de la Grèce.
C'est de cette poursuite qu'il gardait un douloureux effroi. Il avait confié
sa femme et ses fils à Delphes, au ministre du dieu, et s'était seul, à
pied, acheminé vers le pays habité par Lycus.

    V. 310. Allusion à l'usage qui caractérise le mieux l'hospitalité chez
les anciens et qui est parfaitement décrit dans Euripide, *Médée*, 610 :

> Ἀλλ' εἴ τι βούλει παισὶν ἢ σαυτῇ φυγῆς
> προσωφέλημα χρημάτων ἐμῶν λαβεῖν,
> λέγ' · ὡς ἕτοιμος ἀφθόνῳ δοῦναι χερί,
> ξένοις τε πέμπειν ξύμβολ' οἳ δράσουσί σ' εὖ.

Ξύμβολον était le terme général, comme en latin *symbolum;* ou bien
encore σῆμα, et en latin *signum ;* voy. le *Schol.* d'Euripide. Les *signes*,
sur lesquels on pouvait écrire, consistaient en tablettes pliées, comme dans
Homère, *Iliade*, VI, 169, ou bien en petites lames d'argile, *tessera ;*
voy. Plaute, *Bacch.*, II, III, 29 ; *Pœn.*, V, I, 25, et V, II, 87. Souvent, on
se contentait de partager un osselet, dont chacun devait garder une
moitié (*Schol. Eurip.*). — Le *signe* de reconnaissance dont parle Chénier, le *sceau*, est ce que les Grecs appelaient σφραγίς ; ce mot s'employait souvent comme terme général synonyme de σύμβολον, voy.
Aristophane, *Ois.*, 1213 ; quelquefois il désignait une empreinte, une
marque de famille imprimée sur le corps, comme dans Sophocle, *Électre*,
1232. — Dans le cachet qu'on mettait au doigt, il désignait la pierre
sur laquelle on gravait tantôt des caractères, tantôt de petits tableaux.
Voy. une épigramme de Polémon, *Anth.* Grot., IV, XVIII, v. Quelquefois
le *signe* dont on se servait était seulement l'empreinte du cachet ; voy.
Sophocle, *Trach.*, 623.

    V. 311. Nous avons préféré la leçon de Fayolle. La correction de
M. de Latouche n'est pas dans le style d'André.

Vois si tu le connais. » O surprise ! Immobile.

Il ouvre un œil avide, et longtemps envisage   515
L'étranger. Puis enfin sa voix trouve un passage :
« Est-ce toi, Cléotas, toi, qu'ainsi je revoi ?
Tout ici t'appartient. O mon père ! est-ce toi ?
Je rougis que mes yeux aient pu te méconnaître.
Cléotas, ô mon père ! ô toi qui fus mon maître,   520
Viens ; je n'ai fait ici que garder ton trésor,
Et ton ancien Lycus veut te servir encor.
J'ai honte à ma fortune en regardant la tienne. »

Et dépouillant soudain la pourpre tyrienne
Que tient sur son épaule une agrafe d'argent,   525
Il l'attache lui-même à l'auguste indigent.
Les convives levés l'entourent ; l'allégresse
Rayonne en tous les yeux. La famille s'empresse ;
On cherche des habits, on réchauffe le bain.
La jeune enfant approche ; il rit, lui tend la main :   530
« Car c'est toi, lui dit-il, c'est toi qui la première,
Ma fille, m'as ouvert la porte hospitalière. »

V. 320. Toutes les éditions, contrairement à Fayolle :
   O Cléotas ! mon père ! ô toi qui fus mon maître.

V. 325. Virgile, *Énéide*, IV, 139 :
   Aurea purpuream subnectit fibula vestem.

V. 329. Cet usage se rencontre à chaque instant dans Homère.

V. 331. Dans Homère, *Odyssée*, VIII, 461, Nausicaa dit à Ulysse avec
un sentiment d'une délicatesse exquise et bien tendre :

   Χαῖρε, ξεῖν', ἵνα καί ποτ' ἐὼν ἐν πατρίδι γαίη
   μνήσῃ ἐμεῖ', ὅτι μοι πρώτη ζωάγρι' ὀφέλλεις.

ÉLÉGIES

I

LE JEUNE MALADE

« Apollon, dieu sauveur, dieu des savants mystères,
Dieu de la vie, et dieu des plantes salutaires,
Dieu vainqueur de Python, dieu jeune et triomphant,
Prends pitié de mon fils, de mon unique enfant !
Prends pitié de sa mère aux larmes condamnée,   5
Qui ne vit que pour lui, qui meurt abandonnée,
Qui n'a pas dû rester pour voir mourir son fils ;
Dieu jeune, viens aider sa jeunesse. Assoupis,

1. — Cette élégie respire une tendresse maternelle et filiale bien touchante, en même temps qu'un amour jeune et pur. On devine que ce
n'est pas seulement à l'imagination du poëte qu'elle doit sa naissance.
Mais avec quel génie, voilant, sous une forme antique, ses propres
douleurs et son individualité, André disparait de son œuvre pour y laisser
pleurer toute âme humaine frappée par la destinée et l'amour ! A un autre
point de vue, cette élégie est très-remarquable. C'est Racine qui est ici
l'inspirateur de Chénier. Il faut relire, en prêtant toute son attention à
l'enchaînement des pensées et aux expressions du poëte, la troisième
scène du premier acte de *Phèdre*, dont *le Jeune Malade* est en quelque
sorte la contre-partie.

V. 1-3. Ces nombreuses épithètes ne sont point vaines dans la bouche
de la mère. C'est bien là l'antique forme des prières, des litanies. Sur
ces différentes épithètes d'Apollon, consultez Macrobe, I, xvii. Sur la
victoire remportée par Apollon sur le serpent Python, voy. Homère,
Hymne à Apollon, 372.

Assoupis dans son sein cette fièvre brûlante
Qui dévore la fleur de sa vie innocente.   10
Apollon, si jamais, échappé du tombeau,
Il retourne au Ménale avoir soin du troupeau,
Ces mains, ces vieilles mains orneront ta statue
De ma coupe d'onyx à tes pieds suspendue ;
Et, chaque été nouveau, d'un jeune taureau blanc   15
La hache à ton autel fera couler le sang.

Eh bien ! mon fils, es-tu toujours impitoyable ?
Ton funeste silence est-il inexorable ?
Enfant, tu veux mourir ? Tu veux, dans ses vieux ans,

V. 12. Le *Ménale*, montagne d'Arcadie, qu'ont rendue célèbre Théocrite et Virgile. Voy. Théocrite, *Id.*, I, 124 et *Schol.*; Virgile, *Égl.*, VIII.
   V. 14. Ces offrandes aux divinités se nommaient ἀναθήματα ou
ἀνακείμενα, selon qu'elles étaient suspendues à la voûte, aux colonnes,
ou déposées aux pieds des statues. Voy. *Anth.* Grotii, II, xxiii, 1 ; Sophocle, *Ant.*, 292; Horace, *Od.*, I, v ; Virgile, *Énéide*, IX, 407. —
L'onyx est une espèce d'agate. Voy. dans Orphée, *de Lapidibus*,
230, combien l'agate était agréable aux dieux ; v. 604, quelles étaient
les vertus de l'agate ; v. 627, celle qu'elle avait de dissiper la fièvre.
L'offrande d'une coupe d'onyx s'est donc présentée naturellement à
l'esprit d'André. L'agate ne plaisait pas seulement aux dieux du paganisme, mais encore au Dieu d'Israël : voy. *Exode*, XXV, 7, et *passim.*
L'offrande la plus simple, la plus habituelle aux bergers, était une coupe
de hêtre. Voy. Virgile, *Égl.*, III, 36.
   V. 15. Toutes les éditions :

> Et chaque été nouveau d'un taureau mugissant.

Correction de M. de Latouche, qui voulait sans doute éviter la répétition
du mot *blanc* aux vers 15 et 20. Malheureusement il supprimait ainsi
un trait emprunté à Virgile dans un passage de l'*Énéide*, IX, 626, où
Ascagne, s'adressant à Jupiter, s'écrie :

> Ipse tibi ad tua templa feram solemnia dona,
> Et statuam ante aras aurata fronte juvencum
> *Candentem,* pariterque caput cum matre ferentem.

Cf. *Énéide*, V, 236 ; Horace, *Carm. sæcul.*, 49 ; Val. Flaccus, *Arg.*, I, 88.
— L'épithète *jeune* n'est point vaine non plus. *Odyssée*, III, 382 :

> Σοὶ δ' αὖ ἐγὼ ῥέξω βοῦν ἦνιν, εὐρυμέτωπον.

   V. 19. Éd. 1826 et 1839 :

> Mon fils, tu veux mourir ? Tu veux, dans ses vieux ans.

Laisser ta mère seule avec ses cheveux blancs ?   20
Tu veux que ce soit moi qui ferme ta paupière ?
Que j'unisse ta cendre à celle de ton père ?
C'est toi qui me devais ces soins religieux,
Et ma tombe attendait tes pleurs et tes adieux.
Parle, parle, mon fils, quel chagrin te consume ?   25
Les maux qu'on dissimule en ont plus d'amertume.
Ne lèveras-tu point ces yeux appesantis ?

— Ma mère, adieu ; je meurs, et tu n'as plus de fils.
Non, tu n'as plus de fils, ma mère bien-aimée.
Je te perds. Une plaie ardente, envenimée,   30
Me ronge ; avec effort je respire, et je crois
Chaque fois respirer pour la dernière fois.
Je ne parlerai pas ; adieu... Ce lit me blesse,
Ce tapis qui me couvre accable ma faiblesse ;

V. 22. Virgile, *Énéide*, X, 557 :

. . . . Non te optima mater
Condet humi, patriove onerabit membra sepulcro.

Quelquefois on mettait dans un même tombeau les urnes qui contenaient
les cendres de personnes chères l'une à l'autre (Ovide, *Mét.*, XI, 706) ;
d'autres fois on recueillait les cendres dans une même urne (Moschus,
Idyl., IV, 33), et ce qu'on faisait pour les cendres, on le faisait aussi pour
les corps qu'on inhumait ensemble (Euripide, *Alc.*, 365).

V. 24-25. Dans l'*Iliade*, I, 362, Thétis dit à Achille :

Τέκνον, τί κλαίεις ; τί δέ σε φρένας ἵκετο πένθος ;
ἐξαύδα, μὴ κεῦθε νόῳ, ἵνα εἴδομεν ἄμφω.

V. 28. Expression fréquente chez les tragiques ; Euripide, *Héc.*, 203 :

Οὐκέτι σοι παῖς ἅδε. . . . .

Cf. Euripide, *Alc.*, 270 ; Sophocle, *Trach.*, 1162 ; Racine, *Phèdre*, II, v.
V. 34. Euripide, *Hipp.*, 201 :

Βαρύ μοι κεφαλῆς ἐπίκρανον ἔχειν·
ἄφελ', ἀμπέτασον βόστρυχον ὤμοις.

Cf. Ovide, *Héroïdes*, XXI, 170 ; Racine, *Phèdre*, I, III. — Bertin,
Am., I, II :

Le plus léger *tapis* m'importune et me pèse.

En français, le mot *tapis* se dit spécialement dès tissus qui recouvrent
les planchers et les tables. André l'emploie comme synonyme de « cou-

Tout me pèse et me lasse. Aide-moi, je me meurs.   55
Tourne-moi sur le flanc. Ah ! j'expire ! ô douleurs !

— Tiens, mon unique enfant, mon fils, prends ce breuvage ;
Sa chaleur te rendra ta force et ton courage.
La mauve, le dictame ont, avec les pavots,
Mêlé leurs sucs puissants qui donnent le repos ;   40
Sur le vase bouillant, attendrie à mes larmes,
Une Thessalienne a composé des charmes.
Ton corps débile a vu trois retours du soleil
Sans connaître Cérès, ni tes yeux le sommeil.
Prends, mon fils, laisse-toi fléchir à ma prière ;   45
C'est ta mère, ta vieille inconsolable mère

verture, » avec le sens du latin *tapes* et du grec τάπης ; c'étaient des
étoffes de laine (Pline, VIII, LXXIII) qu'on étendait sur les lits (Virgile,
Énéide, IX, 325) ; voy. surtout le passage de l'*Odyssée*, IV, 298, où les
tapis sont distingués des couvertures et des toisons.

V. 36. Dans Sophocle, *Trach.*, 1041, Hercule, près de mourir, laisse
échapper les mêmes plaintes que le jeune malade. Tout lui pèse, tout
le lasse, et il demande à Hyllus de l'aider à se tourner sur le flanc.

V. 39. Le *dictame*, c'est la plante que Vénus va cueillir sur l'Ida pour
guérir les blessures d'Énée ; voy. Virgile, *Énéide*, XII, 412 ; cf. Le
Tasse, *Ger. lib.*, XI, LXXII. — Le dictame avait des propriétés multiples ;
voy. Pline, XXV, VIII, et XXVI, VIII, et les poésies didactiques de Servilius
Damocrate.

V. 42. Tibulle, I, V, rappelle qu'au chevet de Délie malade il a invoqué
le secours d'une magicienne. On sait que la Thessalie produisait en abondance les herbes dont on se servait dans les incantations, et était renommée pour ses magiciennes. Voy. Apulée, *Mét.*, II, *init*.

V. 43. Voy. Euripide, *Hipp.*, 135. Racine, imitant Euripide, a dit dans
Phèdre :

> Et le jour a trois fois chassé la nuit obscure
> Depuis que votre corps languit sans nourriture.

V. 44. « *Sans connaître Cérès*, » c'est-à-dire sans prendre de nourriture. L'emploi de « Cérès » pour « le pain » est très-fréquent en latin.
Dans Virgile, *Énéide*, I, 701, les servantes tirent *Cérès* des corbeilles.

V. 46. L'accumulation des épithètes est beaucoup plus fréquente dans
les langues synthétiques. Ronsard, qui en offre beaucoup d'exemples, a dit
dans la *Franciade*, II, 154 : « Une importune outrageuse tempête ; » et
Marot, *Élég.*, XI : « O douce noire nuict. » Ici la double épithète qu'emploie André est belle et touchante.

Qui pleure; qui jadis te guidait pas à pas,
T'asseyait sur son sein, te portait dans ses bras ;
Que tu disais aimer, qui t'apprit à le dire ;
Qui chantait, et souvent te forçait à sourire   50
Lorsque tes jeunes dents, par de vives douleurs,
De tes yeux enfantins faisaient couler des pleurs.
Tiens, presse de ta lèvre, hélas ! pâle et glacée,
Par qui cette mamelle était jadis pressée,
Un suc qui te nourrisse et vienne à ton secours,   55
Comme autrefois mon lait nourrit tes premiers jours.

— O coteaux d'Érymanthe ! ô vallons ! ô bocage !
O vent sonore et frais qui troublais le feuillage,
Et faisais frémir l'onde, et sur leur jeune sein
Agitais les replis de leur robe de lin !   60
De légères beautés troupe agile et dansante !
Tu sais, tu sais, ma mère, aux bords de l'Érymanthe...
Là, ni loups ravisseurs, ni serpents, ni poisons.
O visage divin ! ô fêtes ! ô chansons !
Des pas entrelacés, des fleurs, une onde pure...   65
Aucun lieu n'est si beau dans toute la nature.
Dieux ! ces bras et ces fleurs, ces cheveux, ces pieds nus

V. 57. L'*Érymanthe* est un des affluents de l'Alphée, en Arcadie ; il
prend sa source au mont Lampée (Pausanias, VIII, xxiv), dans la chaîne
appelée l'Érymanthe. C'est un des noms chers aux poëtes de la Grèce ;
Pausanias, V, vii, nomme les affluents de l'Alphée ἄξιοι ποταμοί. Callimaque, *Hym. à Jup.*, 19, appelle l'Érymanthe λευκότατος ποταμῶν.

V. 58. « *Vent sonore.* » C'est l'expression grecque λιγὺς οὖρος. Voy.
Homère, *passim.*

V. 63. Ce passage est dû à un double souvenir de Virgile, *Égl.*, V, 58 :

> Ergo alacris silvas et cetera rura voluptas
> Panaque, pastoresque tenet, Dryadasque puellas,
> Nec lupus insidias pecori, nec retia cervis
> Ulla dolum meditantur.. . . . .

et *Géorg* , II, 151 :

> At rabidæ tigres absunt, et sæva leonum
> Semina ; nec miseros fallunt aconita legentes

Si blancs, si délicats ! je ne les verrai plus '
Oh ! portez, portez-moi sur les bords d'Érymanthe,
Que je la voie encor, cette nymphe dansante !   70
Oh ! que je voie au loin la fumée à longs flots
S'élever de ce toit au bord de cet enclos !
Assise à tes côtés, ses discours, sa tendresse,
Sa voix, trop heureux père ! enchante ta vieillesse.
Dieux ! par-dessus la haie élevée en remparts,   75
Je la vois, à pas lents, en longs cheveux épars,
Seule, sur un tombeau, pensive, inanimée,
S'arrêter et pleurer sa mère bien-aimée.
Oh ! que tes yeux sont doux ! que ton visage est beau !
Viendras-tu point aussi pleurer sur mon tombeau ?   80
Viendras-tu point aussi, la plus belle des belles,
Dire sur mon tombeau : Les Parques sont cruelles !

—Ah ! mon fils, c'est l'amour ! c'est l'amour insensé
Qui t'a jusqu'à ce point cruellement blessé ?
Ah ! mon malheureux fils ! Oui, faibles que nous sommes, 85
C'est toujours cet amour qui tourmente les hommes.
S'ils pleurent en secret, qui lira dans leur cœur
Verra que cet amour est toujours leur vainqueur.
Mais, mon fils, mais dis-moi, quelle nymphe dansante,

V. 70. Nous donnons ce vers tel qu'il est dans le manuscrit, selon le
témoignage de M. Émile Deschamps. Toutes les éditions portent :

  Que je la voie encor, cette vierge charmante !

Voy. les vers 61 et 89.
  V. 71. Homère, *Odyssée*, I, 58 :

    Ἱέμενος καὶ καπνὸν ἀποθρώσκοντα νοῆσαι.

  V. 76-77. Tibulle, I, III, 8 :

    Et fleat effusis ante sepulcra comis.

  V. 84. Racine, *Phèdre*, I, III :

    Ariane, ma sœur, de quel amour *blessée*...

  V. 86. Virgile, *Énéide*, IV, 412 :

    Improbe amor, quid non mortalia pectora cogis ?

Cf. Apollonius, *Arg.*, IV, 445.

Quelle vierge as-tu vue au bord de l'Érymanthe ?   90
N'es-tu pas riche et beau ? du moins quand la douleur
N'avait point de ta joue éteint la jeune fleur ?
Parle. Est-ce cette Æglé, fille du roi des ondes,
Ou cette jeune Irène aux longues tresses blondes ?
Ou ne sera-ce point cette fière beauté   95
Dont j'entends le beau nom chaque jour répété,
Dont j'apprends que partout les belles sont jalouses ?
Qu'aux temples, aux festins, les mères, les épouses,
Ne sauraient voir, dit-on, sans peine et sans effroi ?
Cette belle Daphné ?... — Dieux ! ma mère, tais-toi,   100
Tais-toi. Dieux ! qu'as-tu dit ? elle est fière, inflexible ;
Comme les immortels, elle est belle et terrible !
Mille amants l'ont aimée ; ils l'ont aimée en vain.
Comme eux j'aurais trouvé quelque refus hautain.
Non, garde que jamais elle soit informée... -   105
Mais, ô mort ! ô tourment ! ô mère bien-aimée !
Tu vois dans quels ennuis dépérissent mes jours.
Écoute ma prière et viens à mon secours :
Je meurs ; va la trouver : que tes traits, que ton âge,

V. 93. Virgile, *Égl.*, VI, 21 :

> Ægle, Naiadum pulcherrima. . . . .

V. 95. Éd. 1826 et 1839 :

> Ou ne serait-ce point cette fière beauté.

V. 100. C'est la mère qui nomme Daphné : c'est un sentiment aussi délicat, mais encore plus fortement senti, qu'exprime le vers célèbre de Racine, *Phèdre*, I, III, imité d'Euripide, *Hipp.*, 352 :

> Hippolyte ? grands dieux ! — C'est toi qui l'as nommé.

V. 103. En même temps que le nom, il emprunte un trait à Ovide, *Mét.*, I, 481 :

> Multi illam petiere : illa aversata petentes,
> Impatiens expersque viri, nemorum avia lustrat.

V. 109-120. Passage remarquable inspiré de Virgile, *Énéide*, IV, 424, lorsque Didon, brûlant d'amour pour Énée, s'écrie :

> I. soror, atque hostem supplex affare superbum.

De sa mère à ses yeux offrent la sainte image.   110
Tiens, prends cette corbeille et nos fruits les plus beaux ;
Prends notre Amour d'ivoire, honneur de ces hameaux ;
Prends la coupe d'onyx à Corinthe ravie ;
Prends mes jeunes chevreaux, prends mon cœur, prends ma vie;
Jette tout à ses pieds ; apprends-lui qui je suis ;   115
Dis-lui que je me meurs, que tu n'as plus de fils ;
Tombe aux pieds du vieillard, gémis, implore, presse ;
Adjure cieux et mers, dieu, temple, autel, déesse…
Pars ; et si tu reviens sans les avoir fléchis,
Adieu, ma mère, adieu, tu n'auras plus de fils.   120

—J'aurai toujours un fils ; va, la belle espérance
Me dit… » Elle s'incline, et, dans un doux silence,
Elle couvre ce front, terni par les douleurs,
De baisers maternels entremêlés de pleurs.
Puis elle sort en hâte, inquiète et tremblante.   125
La démarche de crainte et d'âge chancelante,
Elle arrive ; et bientôt revenant sur ses pas,
Haletante, de loin : « Mon cher fils, tu vivras,
Tu vivras. » Elle vient s'asseoir près de la couche :
Le vieillard la suivait, le sourire à la bouche.   130
La jeune belle aussi, rouge et le front baissé,

Racine, *Phèdre*, III, ɪ, s'inspirant aussi de Virgile :

> Va trouver de ma part ce jeune ambitieux. . . .
> Pour le fléchir, enfin, tente tous les moyens;
> Tes discours trouveront plus d'accès que les miens :
> Presse, pleure, gémis, peins-lui Phèdre mourante;
> Ne rougis point de prendre une voix suppliante :
> Je t'avoûrai de tout : je n'espère qu'en toi.
> Va ; j'attends ton retour pour disposer de moi.

V. 115. Comparez l'expression *jeter son cœur aux pieds de quelqu'un*, avec ce vers de Théocrite, *Idyl.*, XXVII, 61 :

> Αἴθ' αὐτὰν δυνάμαν καὶ τὰν ψυχὰν ἐπιβάλλειν.

V. 126. C'est un trait emprunté à Virgile, *Énéide*, IV, 641, qui dit
de la nourrice de Didon :

> . . . . . Illa gradum studio celerabat anili.

Vient, jette sur le lit un coup d'œil. L'insensé
Tremble ; sous ses tissus il veut cacher sa tête.
« Ami, depuis trois jours tu n'es d'aucune fête,
Dit-elle ; que fais-tu ? pourquoi veux-tu mourir ?   155
Tu souffres. L'on me dit que je peux te guérir ;
Vis, et formons ensemble une seule famille.
Que mon père ait un fils, et ta mère une fille. »

II

LA JEUNE TARENTINE

Pleurez, doux alcyons ! ô vous, oiseaux sacrés,
Oiseaux chers à Thétis, doux alcyons, pleurez !

V. 132. « *Insensé,* » éperdu, troublé, avec la signification non pas de
demens, mais de *amens,* comme dans Ovide, *Amours,* III, XI, 25 :

> Dicta erat ægra mihi : præceps *amensque* cucurri.

V. 133. Éd 1839 :

> Tremble ; sous ses tapis il veut cacher sa tête.

V. 136. Éd. 1839 :

> Tu souffres. On me dit que je peux te guérir.

II. — Dans cette élégie, André laisse bien loin derrière lui tous les
poëtes de l'*Anthologie,* qui n'eussent donné à cette pièce que l'importance
restreinte d'une épitaphe semblable à celle qu'on trouvera plus bas. C'est
une véritable élégie dans le goût antique ; on croit entendre résonner la
lyre de Bion pleurant le bel Adonis et répétant ce refrain lugubre :

> Αἰάζω τὸν Ἄδωνιν· ἀπώλετο καλὸς Ἄδωνις,
> ὤλετο καλὸς Ἄδωνις, ἐπαιάζουσιν Ἔρωτες.

V. 1. Ce début ne rappelle-t-il pas le premier vers d'une élégie bien
connue ? C'est de l'âme de Catulle, *Carm.,* III, que s'est échappée cette
exclamation pleine de sentiment, cette larme qu'il verse sur la tombe du
passereau de son amie :

> Lugete, o Veneres Cupidinesque.

V. 2. Virgile, *Géorg.,* I, 399 :

> Dilectæ Thetidi alcyones. . . . .

Thétis, la fille de Nérée et la plus belle des Néréides. Comme nous le

Elle a vécu, Myrto, la jeune Tarentine !
Un vaisseau la portait aux bords de Camarine :
Là, l'hymen, les chansons, les flûtes, lentement   5
Devaient la reconduire au seuil de son amant.
Une clef vigilante a, pour cette journée,
Sous le cèdre enfermé sa robe d'hyménée,
Et l'or dont au festin ses bras seront parés,
Et pour ses blonds cheveux les parfums préparés.   10

verrons, v. 20, les Néréides étaient des divinités clémentes ; c'est pour
cela sans doute que les alcyons leur étaient chers (Théocrite, *Idyl.*, VII,
57). On ne sait pas au juste quel est cet oiseau célèbre dans l'antiquité ;
voy. le *Scholiaste* de Théocrite. Les quatorze jours (sept avant, sept
après le solstice d'hiver) dont il parle, sont une époque de calme appelée l'époque des alcyons, comme le dit Apollonidas, *Anth.*, IX, 271.
Cf. Pline, X, xxxii ; Aristote, *Hist. an.*, VIII, iii ; Ovide, *Mét.*, XI, 741. —
Cette invocation aux alcyons rappelle celle que, dans Euripide, *Iphig. en
Taur.*, 1089, le chœur adresse à l'alcyon :

> . . . . ᾿Αλκυὼν,
> ἔλεγον οἶτον ἀείδεις, κ. τ. λ.

V. 4. « *Camarine*, » ville de Sicile, *Schol. Pind. Olymp.*, V, 1.
V. 5. Sur ces cérémonies, relire les épithalames des poëtes anciens.
V. 6. Lucrèce, I, 97 :

> . . . . . . Ut, solenni more sacrorum
> Perfecto, posset claro comitari Hymenæo.

Cette mort touchante d'une jeune vierge enlevée par les flots cruels,
alors qu'on la conduisait au seuil de son amant, a souvent inspiré les
poëtes. Voici une épigramme qui semble avoir inspiré Chénier ; elle est de
Xénocrite de Rhodes, *Anth.*, VII, 291 :

> Χαῖταί σου στάζουσιν ἔθ' ἁλμυρά, δύσμορε κουρη,
>   ναυηγοῦ φθιμένης εἰν ἁλὶ, Λυσιδίκη.
> Ἡ γὰρ ὀρινομένου πόντου, δείσασα θαλάσσης
>   ὕβριν, ὑπὲρ κοίλου δούρατος ἐξέπεσες.
> Καὶ σὸν μὲν φωνεῖ τάφος οὔνομα, καὶ χθόνα Κύμην,
>   ὀστέα δὲ ψυχρῷ κλύζετ' ἐπ' αἰγιαλῷ,
> πικρὸν ᾿Αριστομάχῳ γενέτῃ κακὸν, ὅς σε κομίζων
>   ἐς γάμον, οὔτε κόρην ἤγαγεν, οὔτε νέκυν.

Cf. Antipater de Thessalonique, *Anth.*, IX, 215 et aussi *Anth.*, VII, 188.
V. 8. « *Sous le cèdre*, » détail précis. Euripide, *Alc.*, 160 :

> . . . . . ᾿Εκ δ' ἑλοῦσα κεδρίνων δόμων
> ἐσθῆτα κόσμον τε. . . . .

Mais, seule sur la proue, invoquant les étoiles,
Le vent impétueux qui soufflait dans ses voiles
L'enveloppe : étonnée, et loin des matelots,
Elle tombe, elle crie, elle est au sein des flots.

Elle est au sein des flots, la jeune Tarentine !   15
Son beau corps a roulé sous la vague marine.
Thétis, les yeux en pleurs, dans le creux d'un rocher,
Aux monstres dévorants eût soin de le cacher.
Par son ordre bientôt les belles Néréides
S'élèvent au-dessus des demeures humides,   20
Le poussent au rivage, et dans ce monument
L'ont au cap du Zéphyr déposé mollement ;
Et de loin, à grands cris appelant leurs compagnes,
Et les nymphes des bois, des sources, des montagnes,
Toutes, frappant leur sein et traînant un long deuil,   25
Répétèrent, hélas ! autour de son cercueil :

V. 11. Souvenir de Virgile (*Énéide*, VI, 338), heureusement modifié
pour l'approprier au sujet :

> . . . . Dum sidera servat,
> Exciderat puppi (Palinurus), mediis effusus in undis.

V. 13. Nous n'avons pas adopté la ponctuation du *Mercure*.

V. 15. Voy. dans les deux vers cités plus haut, de l'élégie de Bion,
un exemple remarquable de la répétition de l'hémistiche.

V. 19. Properce, III, vii, 67, s'écrie, lorsque les flots viennent d'entraîner l'infortuné Pætus dans l'abîme :

> O centum æquoreæ Nereo genitore puellæ,
> Et tu materno tacta dolore Theti,
> Vos decuit lasso subponere brachia mento :
> Non poterat vestras ille gravare manus.

Mais les Naïades et les Néréides étaient clémentes, surtout pour les
femmes, comme le dit Coluthus, *Rapt d'Hél.*, 361.

V. 22. Le promontoire *Zephyrium*, à la pointe méridionale du Brutium,
au sud de Locres (Strabon, VI, i, 7). — Ce passage de *la Jeune Tarentine*
paraît une réminiscence d'une épigramme de l'*Anthologie*, VII, 1 :

> Νέκταρι δ' εἰνάλιαι Νηρηΐδες ἐχρίσαντο,
> καὶ νέκυν ἀκταίη θῆκαν ὑπὸ σπιλάδι.

« Hélas ! chez ton amant tu n'es point ramenée,
Tu n'as point revêtu ta robe d'hyménée,
L'or autour de tes bras n'a point serré de nœuds,
Et le bandeau d'hymen n'orna point tes cheveux. »   30

III

NÉÈRE

. . . .
. . Tel qu'à sa mort, pour la dernière fois,
Un beau cygne soupire, et de sa douce voix,
De sa voix qui bientôt lui doit être ravie,
Chante, avant de partir, ses adieux à la vie,
Ainsi, les yeux remplis de langueur et de mort,   5
Pâle, elle ouvrit sa bouche en un dernier effort :

« O vous, du Sébéthus naïades vagabondes,

V. 29. Toutes les éditions :

> L'or autour de ton bras n'a point serré de nœuds.

Nous suivons la leçon du *Mercure,* justifiée d'ailleurs par le v. 9.

III. — V. 1-4. Ovide, *Héroïd.,* VII, 1 :

> Sic, ubi fata vocant, udis abjectus in herbis
> Ad vada Mæandri concinit albus olor.

Sur le chant du cygne, voy. Ælien, *Nat. An.,* V, xxxiv. — Euripide y fait très-souvent allusion : *Herc. fur.,* 110, 692 ; *Iph. Taur.,* 1104 ; *Hél.,* 1115, etc. Cf. Callimaque, *Hym. à Délos,* 249 ; Platon, *Phædon* (Ed. Bekker, tom. V, p. 60).

V. 6. Virgile, *Énéide,* XI, 151.

> Et via vix tandem voci laxata dolore est.

V. 7. Les poëtes latins n'ont que rarement parlé de la nymphe *Sébé-thide;* son nom ne se trouve qu'une fois dans Virgile, *Én.,* VII, 734. — Cf. Stace, *Silv.,* I, ii, 261. Vibius Sequester, *de Flum. fontibusque,* n'en dit que peu de mots. Cf. Érythræus (N. Rossi), *Index Virg.* Dans

Coupez sur mon tombeau vos chevelures blondes.
Adieu, mon Clinias! moi, celle qui te plus,
Moi, celle qui t'aimai, que tu ne verras plus.   1
O cieux, ò terre, ò mer, prés, montagnes, rivages,
Fleurs, bois mélodieux, vallons, grottes sauvages,
Rappelez-lui souvent, rappelez-lui toujours
Néère tout son bien, Néère ses amours;
Cette Néère, hélas! qu'il nommait sa Néère,   15
Qui pour lui criminelle abandonna sa mère;
Qui pour lui fugitive, errant de lieux en lieux,

Sannazar, surnommé le Cygne du Sébéthus, ce nom revient souvent; dans
une élégie (éd. 1536, p. 117), il s'écrie comme André :

> Quin etiam flevere suis Sebethides antris
> Naiades et passis Parthenopea comis.

Le *Sébéthus*, traverse Naples; il s'appelle aujourd'hui *Fiume della
Maddalena*. Ronsard, dans le *Baing de Callirée*, s'est aussi souvenu de
la nymphe Sébéthide; Eurymédon appelle Callirée : « O corps *sébétien*. »
  V. 8. Cet usage antique de consacrer des chevelures sur des tombeaux
se retrouve à chaque pas dans les poëtes grecs et latins. Stace, *Silv.*, V,
v, 13, venant de perdre son fils adoptif, s'écrie avec un mouvement
poétique semblable à celui d'André :

> . . . . . Huc patres, et aperto pectore matres
> Conveniant; crinesque rogis, et munera ferte.

  V. 9. Il faudrait grammaticalement : Moi, celle qui te *plut,* moi, celle
qui t'*aima.* Bien préférable est cette tournure de Virgile : « Ille ego,
qui quondam... vicina coegi, » puisque les pronoms y sont inversement
placés.
  V. 11-13. Ronsard. *Amours*, I, LXVI, a eu une heureuse inspiration
dans un semblable adieu :

> Je vous supply, ciel, air, vents, monts et plaines,
> Taillis, forêts, rivages et fontaines,
> Antres, prés, fleurs, dites-le-luy pour moy.

Les poëtes grecs abondent en appels désespérés à la nature. La poésie
moderne, plus émue, plus expansive encore, en offre de touchants
exemples. Voy. *le Lac* de Lamartine et *la Solitude* d'Alfred de Musset.
  V. 16. C'est un souvenir d'Ariane gémissant sur le rivage de Naxos et
suivant des yeux le vaisseau qui emporte son amant. Catulle, LXIV, 117 :

> . . . . . Ut linquens genitoris filia vultum,
> Ut consanguineæ complexum, ut denique matris,
> Quæ misera in gnata flevit deperdita, læta
> Omnibus his Thesei dulcem præoptarit amorem?

Aux regards des humains n'osa lever les yeux.
Oh ! soit que l'astre pur des deux frères d'Hélène
Calme sous ton vaisseau la vague ionienne ;   20
Soit qu'aux bords de Pæstum, sous ta soigneuse main,
Les roses deux fois l'an couronnent ton jardin ;
Au coucher du soleil, si ton âme attendrie
Tombe en une muette et molle rêverie,
Alors, mon Clinias, appelle, appelle-moi.   25
Je viendrai, Clinias ; je volerai vers toi.
Mon âme vagabonde, à travers le feuillage,
Frémira ; sur les vents ou sur quelque nuage
Tu la verras descendre, ou du sein de la mer,
S'élevant comme un songe, étinceler dans l'air,   50
Et ma voix, toujours tendre et doucement plaintive,
Caresser en fuyant ton oreille attentive. »

V. 19. Castor et Pollux, fils de Jupiter et de Léda, propices aux navigateurs ; voy. Homère, *Hym.*, XXIII, *aux Dioscures.* Ce vers est imité d'Horace, *Od.*, I, III :

> Sic fratres Helenæ, lucida sidera.

V. 20. Horace, *Od.*, I, XII, 27 :

> . . . . Quorum simul alba nautis
> Stella refulsit,
> Defluit saxis agitatus humor.

V. 22. « *Pæstum,* » ville de la Lucanie, célèbre par ses roses ; Virgile, *Géorgiques*, IV, 118 :

> Forsitan et, pingues hortos quæ cura colendi
> Ornaret, canerem, biferique rosaria Pæsti.

Cf. Properce, IV, v, 59 ; Claudien, *Épith. d'Honorius et de Marie.*

V. 50. Se souvenir du passage de l'*Iliade*, XXIII, où l'âme de Patrocle vient caresser l'oreille d'Achille endormi et se dissipe en légère fumée entre les bras qui se tendent pour la saisir. — « *S'élevant comme un songe.* » Homère, *Odyssée*, XI, 207 :

> . . . . . Σκιῇ εἴκελον, ἢ καὶ ὀνείρῳ.

Virgile, *Énéide*, VI, 701 :

> Ter frustra comprensa manus effugit imago,
> Par levibus ventis, volucrique simillima somno.

IV

CLYTIE

MES MANES A CLYTIE. « Adieu, Clytie, adieu.
Est-ce toi dont les pas ont visité ce lieu ?
Parle, est-ce toi, Clytie, ou dois-je attendre encore ?
Ah ! si tu ne viens pas seule ici, chaque aurore,
Rêver au peu de jours où j'ai vécu pour toi,　　　　　5
Voir cette ombre qui t'aime et parler avec moi,
D'Élysée à mon cœur la paix devient amère,
Et la terre à mes os ne sera plus légère.
Chaque fois qu'en ces lieux un air frais du matin
Vient caresser ta bouche et voler sur ton sein,　　　　10
Pleure, pleure, c'est moi ; pleure, fille adorée ;
C'est mon âme qui fuit sa demeure sacrée,
Et sur ta bouche encore aime à se reposer,
Pleure, ouvre-lui tes bras et rends-lui son baiser. »

Entre autres manières dont cela peut être placé (écrit Chénier),
en voici une : Un voyageur, en passant sur un chemin, entend des
pleurs et des gémissements. Il s'avance ; il voit au bord d'un ruisseau une jeune femme échevelée, tout en pleurs, assise sur un
tombeau, une main appuyée sur la pierre, l'autre sur ses yeux.
Elle s'enfuit à l'approche du voyageur, qui lit sur la tombe cette
épitaphe.

IV. — Voy. Sainte-Beuve, *Portr. litt.*
V. 9. et suiv. Dans *le Souhait* de Gessner, la même pensée est poétiquement exprimée : « Ah ! souvent mon âme viendra planer autour de
toi ; souvent, lorsque, rempli d'un sentiment noble et sublime, tu médi-
teras dans la solitude, un souffle léger effleurera tes joues : qu'un doux
frémissement pénètre alors ton âme[1] ! »

[1] André ne savait pas l'allemand ; c'est pourquoi nous donnons la traduction
d'Huber parue en 1776, et dans laquelle il lisait Gessner.

Alors il prend des fleurs et de jeunes rameaux,   15

et les répand sur cette tombe en disant :

« O jeune infortunée, ... »

(quelque chose de tendre et d'antique) ; puis il remonte à cheval
et s'en va la tête penchée et mélancoliquement ; il s'en va

Pensant à son épouse et craignant de mourir.

Ce pourrait être le voyageur qui conte lui-même à sa famille ce
qu'il a vu le matin.

V

CHRYSÉ

Pourquoi, belle Chrysé, t'abandonnant aux voiles,
T'éloigner de nos bords sur la foi des étoiles ?
Dieux ! je t'ai vue en songe ; et, de terreur glacé,
J'ai vu sur des écueils ton vaisseau fracassé,
Ton corps flottant sur l'onde, et tes bras avec peine   5

V. 15. Antique et touchante coutume, sur laquelle on peut consulter
Euripide, *Hécube*, 573 ; Virgile, *Égl.*, V, 40 et *Énéide*, VI, 882.
V. 17. Il y a dans Saint-Lambert, *Automne*, un tableau semblable
d'une délicate sensibilité : Deux amants rencontrent, au penchant d'une
colline, le tombeau de Lycoris ; ce spectacle les émeut ; ils s'arrêtent :

> Enfin, les yeux remplis des pleurs qu'ils vont répandre,
> Et jetant l'un à l'autre un regard triste et tendre,
> Pénétrés à la fois de douleur et d'amour,
> Ils jurent de s'aimer jusqu'à leur dernier jour.

V. — Properce, II, xxvi, 1 :

> Vidi te in somnis fracta, mea vita, carina
>   Ionio lassas ducere rore manus,
> Et quæcumque in me fueras mentita fateri,
>   Nec jam humore graves tollere posse comas:
> Qualem purpureis agitatam fluctibus Hellen,
>   Aurea quam molli tergore vexit ovis.

Cherchant à repousser la vague ionienne.

Les filles de Nérée ont volé près de toi.

Leur sein fut moins troublé de douleur et d'effroi,

Quand, du bélier doré qui traversait leurs ondes,

La jeune Hellé tomba dans leurs grottes profondes.   10

Oh! que j'ai craint de voir à cette mer, un jour,

Tiphys donner ton nom et plaindre mon amour !

Que j'adressai de vœux aux dieux de l'onde amère !

Que de vœux à Neptune, à Castor, à son frère !

Glaucus ne te vit point ; car sans doute avec lui   15

> Quam timui, ne forte tuum mare nomen haberet,
>   Atque tua labens navita fleret aqua!
> Quæ tum ego Neptuno, quæ tum cum Castore fratri,
>   Quæque tibi excepi tum, dea Leucothoe!
> At tu, vix primas extollens gurgite palmas,
>   Sæpe meum nomen jam peritura vocas.
> Quod si forte tuos vidisset Glaucus ocellos,
>   Esses Ionii facta puella maris,
> Et tibi ob invidiam Nereides increpitarent
>   Candida Nesæe, cærula Cymothoe.
> Sed tibi subsidio delphinum currere vidi,
>   Qui, puto, Arioniam vexerat ante lyram.

V. 10. Hellé et Phrixus étaient enfants d'Athamas et de Néphélé ; Ino, seconde femme d'Athamas, prit en haine les enfants de Néphélé, fit en secret empoisonner les blés, puis fit consulter l'oracle, qui répondit que, pour apaiser les dieux, il fallait sacrifier Hellé et Phrixus. Ils étaient déjà à l'autel quand Néphélé leur envoya un bélier doré, sur le dos duquel ils se placèrent et traversèrent les mers. Durant le trajet, Hellé tomba dans la mer qu'on appela depuis l'Hellespont. Voy. Apollodore, I, ix ; Val. Flaccus, *Arg.*, I, 278.

V. 12. « *Tiphys,* » le pilote du navire *Argo*, voy. Apollonius, *Arg.*, I, 105. C'est au figuré qu'André emploie ce nom pour *un pilote, un navigateur.* Mais un nom propre que ne précède aucun déterminant ne désigne que l'individu qui porte ce nom ; il faut toujours qu'un mot, article ou pronom, indique que ce nom n'est employé que par comparaison. Malherbe, p. 257, est correct en disant :

> Mon Apollon t'assure et t'engage sa foi
> Qu'employant *ce Tiphys*, Syrtes et Cyanées
> Seront havres pour toi.

C'est une faute qu'André a commise plusieurs fois. Voy. *Élég.*, III, iv, 13.

V. 15. « *Glaucus,* » un des dieux de la mer, qui aima la blanche Galatée, voy. Ovide, *Mét.*, XIII, 917 ; Claudien, *Rapt de Proserpine*, III, 12 ; Athénée, VII, p. 295.

Déesse au sein des mers tu vivrais aujourd'hui.
Déjà tu n'élevais que des mains défaillantes ;
Tu me nommais déjà de tes lèvres mourantes,
Quand, pour te secourir, j'ai vu fendre les flots
Au dauphin qui sauva le chanteur de Lesbos.   20

VI

AMYMONE

Salut, belle Amymone ; et salut, onde amère
A qui je dois la belle à mes regards si chère.
Assise dans sa barque, elle franchit les mers.
Son écharpe à longs plis serpente dans les airs.
Ainsi l'on vit Thétis flottant vers le Pénée,   5
Conduite à son époux par le blond Hyménée,
Fendre la plaine humide, et, se tenant au frein,
Presser le dos glissant d'un agile dauphin.
Si tu fusses tombée en ces gouffres liquides,

V. 17-18. En imitant Properce, il se souvient de Valérius Flaccus, *Arg.*, I, 291, qui a chanté la chute d'Hellé :

> Quis tibi, Phrixe, dolor, rapido quum concitus æstu
> Respiceres miseræ clamantia virginis ora,
> Extremasque manus, sparsosque per æquora crines !

V. 20. « *Le chanteur de Lesbos.* » Arion, quittant la cour de Périandre, s'embarqua pour retourner à Méthymne, sa patrie, sur un navire dont les matelots, convoitant ses trésors, voulurent attenter à ses jours. Il demanda à jouer une dernière fois de la lyre ; un dauphin accourut à ses accents ; Arion se précipita dans les flots et put gagner le rivage, porté par le dauphin charmé ; voy. Lucien, *Dial. mar.*, VIII ; Hérodote, *Clio*, XXIV.

VI — V. 5. Tibulle, I, v, 45 :

> Talis ad Hæmonium Nereis Pelea quondam
> Vecta est *frenato* cærula pisce Thetis.

Cf. Nonnus, *Dionys.* I, 57 ; VI, 310. — Sur le navire *Argo*, il y avait une peinture qui représentait cette scène ; voy. Val. Flaccus, *Arg.*, I, 130.

La troupe aux cheveux noirs des fraîches Néréides   10
A ton aspect sans doute aurait eu de l'effroi,
Mais pour te secourir n'eût point volé vers toi.
Près d'elle descendue, à leurs yeux exposée,
Opis et Cymodoce et la blanche Nésée
Eussent rougi d'envie, et sur tes doux attraits   15
Cherché, non sans dépit, quelques défauts secrets ;
Et loin de toi chacune, avec un soin extrême,
Sous un roc de corail menant le dieu qu'elle aime,
L'eût tourmenté de cris amers, injurieux,
S'il avait en partant jeté sur toi les yeux.   20

VII

PASIPHAÉ

Tu gémis sur l'Ida, mourante, échevelée,
O reine ! ô de Minos épouse désolée !
Heureuse si jamais, dans ses riches travaux,

V. 10. L'idée exprimée dans les vers suivants est le développement de deux vers de Properce, II, xxvi :

> Et tibi præ invidia Nereides increpitarent
> Candida Nesæe, cærula Cymothoe.

V. 14. Toutes les éditions : « *la blanche Nérée ;* » faute évidente à la seule lecture des vers de Properce. De plus, il n'a jamais existé de Néréide du nom de *Nérée*. Opis, Cymodoce et Nésée sont nommées, dans Virgile, *Géorg.*, IV, 334-344, parmi les nymphes qui entourent Cyrène.
V. 15-16. Horace, *Sat.*, VI, 67 :

> . . . . Velut si
> Egregio inspersos reprehendas corpore nævos.

V. 19. C'est ainsi par des paroles injurieuses, ὀνειδείοις ἐπέεσσιν, que Junon avait coutume de tourmenter Jupiter. Voyez *Iliade*, I, 519.
VII. — V. 3-12. Virgile, *Égl.*, VI, 45 :

> Et fortunatam si nunquam armenta fuissent,
> Pasiphaen nivei solatur amore juvenci.

Cérès n'eût pour le joug élevé des troupeaux !
Tu voles épier sous quelle yeuse obscure,   5
Tranquille, il ruminait son antique pâture ;
Quel lit de fleurs reçut ses membres nonchalants ;
Quelle onde a ranimé l'albâtre de ses flancs.
O nymphes, entourez, fermez, nymphes de Crète,
De ces vallons fermez, entourez la retraite.   10
Oh ! craignez que vers lui des vestiges épars
Ne viennent à guider ses pas et ses regards.
Insensée, à travers ronces, forêts, montagnes,
Elle court. O fureur ! dans les vertes campagnes,
Une belle génisse à son superbe amant   15

> Ah ! virgo infelix, quæ te dementia cepit !...
> Ah ! virgo infelix, tu nunc in montibus erras;
> Ille, latus niveum molli fultus hyacintho,
> Ilice sub nigra pallentes ruminat herbas;
> Aut aliquam in magno sequitur grege ! Claudite, Nymphæ,
> Dictææ Nymphæ, nemorum jam claudite, saltus ;
> Si qua forte ferant oculis sese obvia nostris
> Errabunda bovis vestigia ; forsitan illum
> Aut herba captum viridi, aut armenta secutum,
> Perducant aliquæ stabula ad Gortynia vaccæ.

Voy. l'histoire de Pasiphaé, et comment, par l'art de Dédale, elle eut un commerce criminel avec le taureau, Apollodore, III, 1.

V. 6. L'épithète *antique* est un peu forcée. Comme quelquefois chez les Latins (Virg., *Én.*, IV, 458; Ovide, *Fast.*, V, 536 et *Am.*, III, v, 18), elle présente simplement une idée d'antériorité. Calpurnius, III, 15, a dit, en employant une épithète plus précise :

> Et *matutinas* revocat palearibus herbas.

V. 13-22. Ovide, *Art d'aimer*, I, 313 :

> Ah ! quoties vaccam vultu spectavit iniquo,
>   Et dixit : « Domino cur placet ista meo !
> Adspice ut ante ipsum teneris exsultet in herbis;
>   Nec dubito quin se stulta decere putet. »
> Dixit, et ingenti jamdudum de grege duci
>   Jussit, et immeritam sub juga curva trahi ;
> Aut cadere ante aras commentaque sacra coegit,
>   Et tenuit læta pellicis exta manu.
> Pellicibus quoties placavit numina cæsis,
>   Atque ait, exta tenens : « Ite, placete meo ! »

V. 15. C'est l'expression de Virgile, *Géorg.*, III, 217-218 : « Superbos... amantes. »

Adressait devant elle un doux mugissement.
La perfide mourra ; Jupiter la demande.
Elle-même à son front attache la guirlande,
L'entraîne, et sur l'autel prenant le fer vengeur :
« Sois belle maintenant, et plais à mon vainqueur. »   20
Elle frappe. Et sa haine, à la flamme lustrale,
Rit de voir palpiter le cœur de sa rivale.

VIII

LA JEUNE LOCRIENNE

« Fuis, ne me livre point. Pars avant son retour ;
« Lève-toi ; pars, adieu ; qu'il n'entre, et que ta vue
« Ne cause un grand malheur, et je serais perdue !
« Tiens, regarde, adieu, pars : ne vois-tu pas le jour ? »

Nous aimions sa naïve et riante folie,   5
Quand soudain, se levant, un sage d'Italie,
Maigre, pâle, pensif, qui n'avait point parlé,

V. 21. « *Flamme lustrale.* » L'épithète *lustrale* est rarement appli-
quée à la flamme. La flamme lustrale, c'est la flamme du sacrifice, celle
qui purifie. Ovide, *Met.*, VII, 261 :

Terque senem *flamma*, ter aqua, ter sulfure *lustrat*.

VIII. — Voy. Sainte-Beuve, *Portr. litt.*, I.
V. 1-4. Comme nous l'a fait remarquer M. Léo Joubert, ces vers sont
la traduction d'une de ces chansons appelées Locriennes, si répandues
dans l'antiquité, qui célébraient l'amour et souvent l'adultère. Voici le
fragment conservé par Athénée, XV, p. 697, C :

Μὴ προδῷς ἄμμ', ἱκετεύω· πρὶν καὶ μολὲν κεῖνον. ἀνίστω·
μὴ κακὸν μέγα ποιήσῃς σε, καί με τὴν δειλάκραν.
ἀμέρα καὶ ἤδη· τὸ φῶς διὰ τᾶς θυρίδος οὐκ ἐκορῇς.

V. 7-8. Tel est le portrait que Théocrite, *Idyl.*, XIV, 3, trace d'un pythagoricien.

Pieds nus, la barbe noire, un sectateur zélé
Du muet de Samos qu'admire Métaponte,
Dit : « Locriens perdus, n'avez-vous pas de honte ?   10
Des mœurs saintes jadis furent votre trésor ;
Vos vierges, aujourd'hui riches de pourpre et d'or,
Ouvrent leur jeune bouche à des chants adultères.
Hélas ! qu'avez-vous fait des maximes austères
De ce berger sacré que Minerve autrefois   15
Daignait former en songe à vous donner des lois ? »
Disant ces mots, il sort... Elle était interdite ;
Son œil noir s'est mouillé d'une larme subite ;
Nous l'avons consolée, et ses ris ingénus,
Ses chansons, sa gaîté, sont bientôt revenus.   20
Un jeune Thurien, aussi beau qu'elle est belle
(Son nom m'est inconnu), sortit presque avec elle :
Je crois qu'il la suivit et lui fit oublier
Le grave Pythagore et son grave écolier.

V. 9. Pythagore est né à Samos (Jamblique, *Pyth.*, II) ; selon d'autres,
à Phliase, à Métaponte (Porphyre, *Pyth. init.*) ; on sait qu'il imposait le
silence à ses disciples, ou mieux des jeûnes de parole (Jamblique, *Pyth.*,
XVII). A Métaponte, où il mourut, les citoyens avaient pour lui une telle
admiration, qu'ils voulaient appliquer à la direction de leurs affaires
publiques ses préceptes philosophiques (Jambl., XXXV). — Voy. Apulée,
Flor., XV ; Valère Maxime, VIII, vii.

V. 13. Construction latine ; voyez les vers de Virgile cités dans une
note de *l'Aveugle*, 110.

V. 15. Zaleucus, berger, pythagoricien, fit croire aux Locriens que Minerve, lui ayant apparu en songe, lui avait dicté des lois. Voy. Jambl.,
Pyth., XXXVI et *passim* ; Plutarque, *Comment on peut se louer...* ;
Schol. Pindar. Olymp., X, 17 ; Clément d'Alex., *Strom.*, I, p. 258, A.
— Zaleucus avait beaucoup voyagé ; il avait étudié les lois de la Crète,
de la Laconie, de l'Attique (Strabon, VI, i, 8). Il avait établi des lois
très-sévères contre l'intempérance (Athénée, X, vii, p. 429, A) et contre
le luxe (Diodore, XXII, xx).

V. 21. Sur la ville de *Thurium* et sur ses lois indulgentes pour la
femme qui quitte son mari, voy. Diodore, XII.

IX

Bel astre de Vénus, de son front délicat
Puisque Diane encor voile le doux éclat,
Jusques à ce tilleul, au pied de la colline,
Prête à mes pas secrets ta lumière divine.
Je ne vais point tenter de nocturnes larcins,   5
Ni tendre aux voyageurs des piéges assassins.
J'aime : je vais trouver des ardeurs mutuelles,
Une nymphe adorée, et belle entre les belles,
Comme, parmi les feux que Diane conduit,
Brillent tes feux si purs, ornement de la nuit.   10

IX. — Imité de Bion, XVI :

Ἕσπερε, τᾶς ἐρατᾶς χρύσεον φάος Ἀφρογενείας,
Ἕσπερε, κυανέας ἱερὸν φίλε νυκτὸς ἄγαλμα,
τόσσον ἀφαυρότερος μήνας, ὅσον ἔξοχος ἄστρων,
χαῖρε φίλος, καί μοι ποτὶ ποιμένα κῶμον ἄγοντι
ἀντί σελαναίας τὺ δίδου φάος, ὥνεκα τήνα
σάμερον ἀρχομένα τάχιον δύεν· οὐκ ἐπὶ φωρὰν
ἔρχομαι, οὐδ' ἵνα νυκτὸς ὁδοιπορέοντας ἐνοχλέω·
ἀλλ' ἐράω· καλὸν δέ τ' ἐρασσαμένῳ συνέρασθαι.

André a rejeté l'ἔξοχος ἄστρων à la fin, en le rapportant poétiquement à
la *nymphe adorée,* ce qui rappelle la manière de Méléagre.

Ronsard, *Od.*, IV, xvii, a imité aussi cette idylle ; l'odelette est en vers
de neuf pieds, peu employés aujourd'hui ; l'étoile de Vénus, Vesper,
c'est celle que Nonnus, *Dionys.*, VII, 297, appelle ἠθὰς πομπὸς Ἐρώτων.
— Voyez d'autres imitations de l'idylle de Bion dans le *Tableau de la
Poésie française au seizième siècle,* par M. Sainte-Beuve, p. 438, 2ᵉ édit.

V. 9-10. Horace, *Od.*, I, xii :

. . . . Micat inter omnes
Julium sidus, velut inter ignes
Luna minores.

IDYLLES

LA LIBERTÉ

UN CHEVRIER, UN BERGER.

LE CHEVRIER.

Berger, quel es-tu donc ? qui t'agite ? et quels dieux
De noirs cheveux épars enveloppent tes yeux ?

LE BERGER.

Blond pasteur de chevreaux, oui, tu veux me l'apprendre ;
Oui, ton front est plus beau, ton regard est plus tendre.

I. — J.-J. Rousseau a dit : « C'est la force et la liberté qui font les
excellents hommes ; la faiblesse et l'esclavage n'ont jamais fait que des
méchants. » Cette pensée est dans toutes les âmes à l'époque (1787) à laquelle André écrit cette idylle ; c'est elle qui anime à la grande lutte qui
se prépare les poëtes et les philosophes. *La liberté* démontre, avec une
poétique et remarquable clarté, la nécessité d'affranchir l'humanité pour
l'améliorer. Dans cette antithèse qu'André se plaît à prolonger, dans ce
tableau frappant qu'il nous trace de la générosité de l'homme libre et du
désespoir envieux de l'esclave, ce n'est plus seulement la corde sonore de
sa lyre qui nous subjugue et nous entraîne, c'est l'âme tout entière du
poëte qui croit à sa mission et qui, plusieurs années avant cette époque,
à l'âge où d'ordinaire les hommes pensent peu, plaignant déjà *l'indigent
laboureur* [1], appelait de ses vœux une France meilleure,

> Où loin des ravisseurs la main cultivatrice
> Recueillera les dons d'une terre propice.

[1] Voy. l'*Hymne à la France.*

LE CHEVRIER.

Quoi! tu sors de ces monts où tu n'as vu que toi,   5
Et qu'on n'approche point sans peine et sans effroi!

LE BERGER.

Tu te plais mieux sans doute aux bois, à la prairie ;
Tu le peux. Assieds-toi parmi l'herbe fleurie ;
Moi, sous un antre aride, en cet affreux séjour,
Je me plais sur le roc à voir passer le jour.   10

LE CHEVRIER.

Mais Cérès a maudit cette terre âpre et dure ;
Un noir torrent pierreux y roule une onde impure ;
Tous ces rocs, calcinés sous un soleil rongeur,
Brûlent et font hâter les pas du voyageur.
Point de fleurs, point de fruits ; nul ombrage fertile   15
N'y donne au rossignol un balsamique asile.
Quelque olivier au loin, maigre fécondité,
Y rampe et fait mieux voir leur triste nudité.
Comment as-tu donc su d'herbes accoutumées
Nourrir dans ce désert tes brebis affamées ?   20

LE BERGER.

Que m'importe ? est-ce à moi qu'appartient ce troupeau ?
Je suis esclave.

LE CHEVRIER.

        Au moins un rustique pipeau
A-t-il chassé l'ennui de ton rocher sauvage ?
Tiens, veux-tu cette flûte ? Elle fut mon ouvrage.
Prends : sur ce buis, fertile en agréables sons,   25
Tu pourras des oiseaux imiter les chansons.

V. 11-20. Rapprochez de ce passage quelques vers de Sénèque, *ad Corsicam.*

V. 19. « *D'herbes accoutumées.* » Virgile, *Égl.*, I, 50, a dit : « Insueta pabula. » Ovide, *Mét.*, VII, 119 : « Insuetum campum. » Pascal, *Pensées*, XXIV, x : « Qu'est-ce que nos principes naturels, sinon nos principes *accoutumés ?* » La Fontaine, *Fables*, VIII, XVII:

> Car il te donnera sans faute à son réveil
>   Ta portion *accoutumée.*

LE BERGER.

Non, garde tes présents. Les oiseaux de ténèbres,
La chouette et l'orfraie, et leurs accents funèbres,
Voilà les seuls chanteurs que je veuille écouter ;
Voilà quelles chansons je voudrais imiter.   30
Ta flûte sous mes pieds serait bientôt brisée :
Je hais tous vos plaisirs. Les fleurs et la rosée,
Et de vos rossignols les soupirs caressants,
Rien ne plaît à mon cœur, rien ne flatte mes sens ;
Je suis esclave.

LE CHEVRIER.

Hélas ! que je te trouve à plaindre !   35
Oui, l'esclavage est dur ; oui, tout mortel doit craindre
De servir, de plier sous une injuste loi,
De vivre pour autrui, de n'avoir rien à soi.
Protége-moi toujours, ô Liberté chérie !
O mère des vertus, mère de la patrie !   40

LE BERGER.

Va, patrie et vertu ne sont que de vains noms.
Toutefois tes discours sont pour moi des affronts :
Ton prétendu bonheur et m'afflige et me brave ;
Comme moi, je voudrais que tu fusses esclave.

LE CHEVRIER.

Et moi, je te voudrais libre, heureux comme moi.   45
Mais les dieux n'ont-ils point de remède pour toi ?
Il est des baumes doux, des lustrations pures
Qui peuvent de notre âme assoupir les blessures,
Et de magiques chants qui tarissent les pleurs.

V. 76-37. Euripide, *Hécube*, 332 :

    Αἰαῖ· τὸ δοῦλον ὡς κακὸν πεφυκέναι,
    τολμᾷ θ' ἃ μὴ χρή, τῇ βίᾳ νικώμενον.

V. 41. Ce vers rappelle le mot célèbre attribué à Brutus.

V. 49. Virgile, *Énéide*, IV, 487 :

    Hæc se carminibus promittit solvere mentes
    Quas velit, aut aliis duras immittere curas.

LE BERGER.

Il n'en est point ; il n'est pour moi que des douleurs :   5
Mon sort est de servir, il faut qu'il s'accomplisse.
Moi, j'ai ce chien aussi qui tremble à mon service ;
C'est mon esclave aussi. Mon désespoir muet
Ne peut rendre qu'à lui tous les maux qu'on me fait.

LE CHEVRIER.

La terre, notre mère, et sa douce richesse   55
Ne peut-elle du moins égayer ta tristesse ?
Vois combien elle est belle ; et vois l'été vermeil,
Prodigue de trésors brillants fils du soleil,
Qui vient, fertile amant d'une heureuse culture,
Varier du printemps l'uniforme verdure ;   60
Vois l'abricot naissant, sous les yeux d'un beau ciel,
Arrondir son fruit doux et blond comme le miel ;
Vois la pourpre des fleurs dont le pêcher se pare
Nous annoncer l'éclat des fruits qu'il nous prépare
Au bord de ces prés verts regarde ces guérets,   65
De qui les blés touffus, jaunissantes forêts,
Du joyeux moissonneur attendent la faucille.
D'agrestes déités quelle noble famille :
La Récolte et la Paix, aux yeux purs et sereins,

Sur ces croyances des anciens dans les chants magiques et dans les
philtres, voy. Théocrite, *Idyl.*, II ; Virgile, *Égl.*, VIII ; Horace, *Épod.*,
V et XVII ; Tibulle, I, ii et v ; Lucain, *Phars.*, VI, etc.
    V. 56 et 57. Éd. 1826 et 1839 :

> Sont-elles sans pouvoir pour bannir ta tristesse ?
> Vois la belle campagne ! . . . .

    V. 62. Lucrèce, I, 937 :

> . . . . . Mellis *dulci flavoque* liquore.

    V. 68. « *Agrestes déités.* » Tibulle, II, 1, 36 :

> Redditur *agricolis* gratia *Cælitibus.*

    V. 69 et suiv. La Récolte est couronnée d'épis comme Cérès, qu'Hé-
siode et Homère appellent ἐϋστέφανος ; et Orphée, *de Lapid.*, 240,

Les épis sur le front, les épis dans les mains,   70
Qui viennent, sur les pas de la belle Espérance,
Verser la corne d'or où fleurit l'abondance !

LE BERGER.

Sans doute qu'à tes yeux elles montrent leurs pas ;
Moi, j'ai des yeux d'esclave, et je ne les vois pas.
Je n'y vois qu'un sol dur, laborieux, servile,   75
Que j'ai, non pas pour moi, contraint d'être fertile ;
Où, sous un ciel brûlant, je moissonne le grain
Qui va nourrir un autre et me laisse ma faim.
Voilà quelle est la terre. Elle n'est point ma mère,
Elle est pour moi marâtre ; et la nature entière   80
Est plus nue à mes yeux, plus horrible à mon cœur,

σταχυοπλόκαμος Δημήτηρ. Cf. Callimaque, *Hym. à Cérès*, 130; Théocrite,
Idyl., VII, 155. — Bacchylide, ce rival parfois heureux de Pindare, à qui
nous devons une des plus belles odes d'Horace (*Od.*, I, xv), nous a laissé
de beaux vers sur la Paix, qu'on peut rapprocher d'un magnifique
fragment du *Cresphonte* d'Euripide. — Tibulle, I, x, 67, s'adressant à la
Paix, comme Virgile à Vénus :

> At nobis, Pax alma, veni, spicamque teneto ;
> Perfluat et pomis candidus ante sinus.

Ronsard, *Od.*, I, i, appelle la Paix : « Douce nourricière des hommes. »
— Cf. Malherbe, p. 169, et la note d'André ; Racine, *Idylle.*
  V. 71. Tibulle, I, i, 9 :

> Nec spes destitut, sed frugum semper acervos
> Præbeat. . . . .

V. 72. Sur l'abondance, Horace, *Od.*, I, xvii :

> . . . . Hic tibi copia
> Manabit ad plenum benigno
> Ruris honorum opulenta cornu.

La *corne d'abondance*, c'est ce que les Grecs appellent τὸ τῆς Ἀμαλθείας
κέρας. Lucien, *Rhet. prœcept.*, 6, la donne comme attribut à la Rhétorique. Les sculpteurs la mettaient souvent à la main de la Fortune. Voy.
Pausanias, IV, xxx ; VI, xxv ; VII, xxvi. — Comme le remarque judicieu-
sement M. Brutus, *ad Horat.*, il faudrait un volume si l'on voulait
rapporter tous les passages des auteurs an i ns qui ont trait à la corne
d'abondance.

Que ce vallon de mort qui te fait tant d'horreur.

LE CHEVRIER.

Le soin de tes brebis, leur voix douce et paisible,
N'ont-ils donc rien qui plaise à ton âme insensible?
N'aimes-tu point à voir les jeux de tes agneaux?   8
Moi, je me plais auprès de mes jeunes chevreaux ;
Je m'occupe à leurs jeux, j'aime leur voix bêlante ;
Et quand sur la rosée et sur l'herbe brillante
Vers leur mère en criant je les vois accourir,
Je bondis avec eux de joie et de plaisir.   90

LE BERGER.

Ils sont à toi : mais, moi, j'eus une autre fortune ;
Ceux-ci de mes tourments sont la cause importune.
Deux fois, avec ennui, promenés chaque jour,
Un maître soupçonneux nous attend au retour.
Rien ne le satisfait : ils ont trop peu de laine ;   95
Ou bien ils sont mourants, ils se traînent à peine ;
En un mot, tout est mal. Si le loup quelquefois
En saisit un, l'emporte et s'enfuit dans les bois,
C'est ma faute ; il fallait braver ses dents avides.
Je dois rendre les loups innocents et timides.   100
Et puis, menaces, cris, injure, emportements,
Et lâches cruautés qu'il nomme châtiments.

LE CHEVRIER.

Toujours à l'innocent les dieux sont favorables :

V. 85 et 88. Lucrèce, II, 319 :

> Invitant *herbæ gemmantes* rore recenti :
> Et satiati agni ludunt, blandeque coniscant.

V. 91. « *Fortune,* » pour sort, comme chez les poëtes. La Fontaine,
Fab., VI, xi :

> . . . . Il obtint changement de fortune.

Racine, *Androm.*, I, i :

> Ma fortune va prendre une face nouvelle.

V. 94. Voy. plus loin, v. 124.

Pourquoi fuir leur présence, appui des misérables ?
Autour de leurs autels, parés de nos festons,   105
Que ne viens-tu danser, offrir de simples dons,
Du chaume, quelques fleurs, et, par ces sacrifices,
Te rendre Jupiter et les nymphes propices ?

LE BERGER.

Non : les danses, les jeux, les plaisirs des bergers,
Sont à mon triste cœur des plaisirs étrangers.   110
Que parles-tu de dieux, de nymphes et d'offrandes ?
Moi, je n'ai pour les dieux ni chaumes ni guirlandes :
Je les crains, car j'ai vu leur foudre et leurs éclairs ;
Je ne les aime pas, ils m'ont donné des fers.

LE CHEVRIER.

Eh bien ! que n'aimes-tu ? Quelle amertume extrême   115
Résiste aux doux souris d'une vierge qu'on aime ?
L'autre jour, à la mienne, en ce bois fortuné,
Je vins offrir le don d'un chevreau nouveau-né.
Son œil tomba sur moi, si doux, si beau, si tendre !...
Sa voix prit un accent !... Je crois toujours l'entendre.   120

LE BERGER.

Eh ! quel œil virginal voudrait tomber sur moi ?
Ai-je, moi, des chevreaux à donner comme toi ?
Chaque jour, par ce maître inflexible et barbare,
Mes agneaux sont comptés avec un soin avare.
Trop heureux quand il daigne à mes cris superflus   125
N'en pas redemander plus que je n'en reçus.

V. 107. « *Du chaume,* » précision. Calpurnius, *Égl.*, VIII, 66 :

> Dant Fauni, quod quisque valet, de vite racemos,
> De campo *culmos*, omnique ex arbore fruges.

V. 122-124. Théocrite, *Idyl.*, VIII, 15 :

> Οὐ θησῶ ποκὰ ἀμνόν, ἐπεὶ χαλεπὸς θ' ὁ πατήρ μευ
> χ' ἁ μάτηρ · τὰ δὲ μᾶλα ποθέσπερα πάντ' ἀριθμεῦντι.

Mais André, à ce trait de la vie humiliante de l'esclave, se souvenait aussi

O juste Némésis ! si jamais je puis être
Le plus fort à mon tour, si je puis me voir maître,
Je serai dur, méchant, intraitable, sans foi,
Sanguinaire, cruel comme on l'est avec moi !   130

LE CHEVRIER.

Et moi, c'est vous qu'ici pour témoins j'en appelle,
Dieux ! de mes serviteurs la cohorte fidèle
Me trouvera toujours humain, compatissant,
A leurs justes désirs facile et complaisant,
Afin qu'ils soient heureux et qu'ils aiment leur maître,   135
Et bénissent en paix l'instant qui les vit naître.

LE BERGER.

Et moi, je le maudis, cet instant douloureux
Qui me donna le jour pour être malheureux ;
Pour agir quand un autre exige, veut, ordonne ;
Pour n'avoir rien à moi, pour ne plaire à personne ;   140
Pour endurer la faim, quand ma peine et mon deuil
Engraissent d'un tyran l'insolence et l'orgueil.

LE CHEVRIER.

Berger infortuné ! ta plaintive détresse
De ton cœur dans le mien fait passer la tristesse.
Vois cette chèvre mère et ces chevreaux, tous deux   145
Aussi blancs que le lait qu'elle garde pour eux ;
Qu'ils aillent avec toi, je te les abandonne.
Adieu. Puisse du moins ce peu que je te donne
De ta triste mémoire effacer tes malheurs,
Et, soigné par tes mains, distraire tes douleurs !   150

LE BERGER.

Oui, donne et sois maudit ; car si j'étais plus sage,
Ces dons sont pour mon cœur d'un sinistre présage.

des vers de Virgile, *Égl.*, III, 32, imités de ce passage de Théocrite :

> De grege non ausim quidquam deponere tecum :
> Est mihi namque domi pater, et injusta noverca ;
> Bisque die numerant ambo pecus, alter et hædos.

De mon despote avare ils choqueront les yeux.

Il ne croit pas qu'on donne : il est fourbe, envieux ;

Il dira que chez lui j'ai volé le salaire   155

Dont j'aurai pu payer les chevreaux et la mère,

Et, d'un si beau prétexte ardent à se servir,

C'est à moi que lui-même il viendra les ravir.

Commencé le vendredi au soir 16 (1) et fini le dimanche au soir 18 mars 1787.

II

OARISTYS

DAPHNIS, NAÏS.

DAPHNIS.

Hélène daigna suivre un berger ravisseur ;

Berger comme Pâris, j'embrasse mon Hélène.

NAÏS.

C'est trop t'enorgueillir d'une faveur si vaine.

(1) 16 et 18 mars et non pas 10 et 12. Le 10 mars 1787 était un samedi, non un vendredi, et le 12 était un lundi.

II. — Imité de Théocrite, *Idylles*, XXVII. L'Oaristys est une idylle en forme de dialogue, une conversation familière (ὀαριστὺς) entre un jeune homme et une jeune fille. Voy. l'imitation de Le Brun. Dans presque toutes les éditions de Théocrite, cette idylle a pour titre : Ὀαριστὺς Δάφνιδος καὶ κόρης; l'édition de Florence, et, d'après elle, trois éditeurs, donnent : Ὀαριστὺς Δάφνιδος καὶ Νηΐδος. Et Brunck, dont André suit le texte, remarque, *Anal., lect.*, III, p. 86, que rien n'empêche que le nom de la jeune fille soit Naïs ; mais ce qui a surtout engagé André à nommer ainsi la jeune fille, c'est le passage suivant de Théocrite, *Id.*, VIII, 92 :

Κὴκ τούτω Δάφνις παρὰ ποιμέσι πρᾶτος ἔγεντο,
καὶ νύμφαν, ἄκρηβος ἐὼν ἔτι, Ναΐδα γᾶμεν.

DAPHNIS.

Ah ! ces baisers si vains ne sont pas sans douceur.

[NAÏS.

Tiens, ma bouche essuyée en a perdu la trace.   5

DAPHNIS.

Eh bien ! d'autres baisers en vont prendre la place.

NAÏS.

Adresse ailleurs ces vœux dont l'ardeur me poursuit :
Va, respecte une vierge.

DAPHNIS.

Imprudente bergère,
Ta jeunesse te flatte ; ah ! n'en sois pas si fière :
Comme un songe insensible elle s'évanouit.   10

NAÏS.

Chaque âge a ses honneurs, et la saison dernière
Aux fleurs de l'oranger fait succéder son fruit.

DAPHNIS.

Viens sous ces oliviers ; j'ai beaucoup à te dire.

NAÏS.

Non ; déjà tes discours ont voulu me tenter.

DAPHNIS.

Suis-moi sous ces ormeaux ; viens, de grâce, écouter   15
Les sons harmonieux que ma flûte respire :
J'ai fait pour toi des airs, je te les veux chanter ;
Déjà tout le vallon aime à les répéter.

NAÏS.

Va, tes airs langoureux ne sauraient me séduire.

V. 4. Ronsard, II, *Amours*, *Voy. de Tours:*
> Souvent un vain baiser quelque plaisir apporte.

Segrais, *Égl.*, III :
> Baiser frivole et vain et pourtant délectable.

V. 5. André a heureusement modifié l'expression du poëte grec ἀπο-
πτύω τὸ φίλημα.

V. 9. *Flatter*, leurrer d'espérances, comme La Fontaine, *Fab.*, XII, v .
> La jeunesse se *flatte*, et croit tout obtenir.

DAPHNIS.

Eh quoi! seule à Vénus penses-tu résister?   20

NAÏS.

Je suis chère à Diane; elle me favorise.

DAPHNIS.

Vénus a des liens qu'aucun pouvoir ne brise.

NAÏS.

Diane saura bien me les faire éviter.

Berger, retiens ta main,... berger, crains ma colère.

DAPHNIS.

Quoi! tu veux fuir l'amour! l'amour, à qui jamais   25
Le cœur d'une beauté ne pourra se soustraire?

NAÏS.

Oui, je veux le braver. Ah!... si je te suis chère...
Berger, retiens ta main,... laisse mon voile en paix.

DAPHNIS.

Toi-même, hélas! bientôt livreras ces attraits
A quelque autre berger bien moins digne de plaire.   30

NAÏS.

Beaucoup m'ont demandée, et leurs désirs confus
N'obtinrent, avant toi, qu'un refus pour salaire.

V. 21. Diane était la déesse protectrice de la virginité; elle avait
obtenu de Jupiter la faveur de rester éternellement vierge. Voy. Callimaque, *Hym. à Diane;* Catulle, XXXIV, *à Diane.*

V. 24. Le Tasse, *Aminte,* III, I, a imité ce passage de Théocrite :

> Pastor, non mi toccar : son di Diana :
> Per me stessa saprò sciogliermi i piedi.

André suit ici exactement le texte de Brunck ; il est donc probable qu'il
s'est servi pour traduire cette idylle des *Analecta,* ce qui donne à cette
composition une date qui n'est pas antérieure à 1782. Brunck, en effet,
diffère ici des éditeurs de Théocrite ou de Moschus, dont les uns inter-
calent entre les deux vers qu'il met dans la bouche de la jeune fille,
celui-ci qu'ils attribuent à Daphnis :

Δ. — μὴ προβάλῃς τὰν χεῖρα · καὶ εἰσέτι χεῖλος ἀμέλξω,

et dont les autres l'omettent ainsi que le suivant : μὴ 'πιβάλῃς... Les
éditeurs modernes les donnent ou les omettent tous deux; voy. édit.
Didot, éd. Boissonade.

DAPHNIS.

Et je ne dois comme eux attendre qu'un refus ?

NAÏS.

Hélas ! l'hymen aussi n'est qu'une loi de peine ;
Il n'apporte, dit-on, qu'ennuis et que douleurs.   35

DAPHNIS.

On ne te l'a dépeint que de fausses couleurs :
Les danses et les jeux, voilà ce qu'il amène.

NAÏS.

Une femme est esclave...

DAPHNIS.

Ah ! plutôt elle est reine.

NAÏS.

Tremble près d'un époux et n'ose lui parler.

DAPHNIS.

Eh ! devant qui ton sexe est-il fait pour trembler ?   40

NAÏS.

A des travaux affreux Lucine nous condamne.

DAPHNIS.

Il est bien doux alors d'être chère à Diane.

NAÏS.

Quelle beauté survit à ces rudes combats ?

DAPHNIS.

Une mère y recueille une beauté nouvelle :
Des enfants adorés feront tous tes appas ;   45
Tu brilleras en eux d'une splendeur plus belle.

V. 41. *Lucine* est le nom latin de la déesse qui présidait aux accou-
chements, *Ilithyie*, le nom grec. On se sert indifféremment de l'un ou
l'autre. Horace, *Carm. sæcul.*, 14 :

> Lenis *Ilithyia* . . . .
> Sive tu *Lucina* probas vocari,
> Seu genitalis.

Catulle, XXXIV, *à Diane*, dit que Lucine n'est qu'un surnom que les
femmes près d'accoucher donnaient à Diane. Au surplus, les poëtes confondent souvent Diane avec Lucine.

NAÏS.

Mais, tes vœux écoutés, quel en serait le prix ?

DAPHNIS.

Tout : mes troupeaux, mes bois et ma belle prairie ;
Un jardin grand et riche, une maison jolie,
Un bercail spacieux pour tes chères brebis ;   50
Enfin, tu me diras ce qui pourra te plaire ;
Je jure de quitter tout pour te satisfaire :
Tout pour toi sera fait aussitôt qu'entrepris.

NAÏS.

Mon père...

DAPHNIS.

          Oh ! s'il n'est plus que lui qui te retienne,
Il approuvera tout dès qu'il saura mon nom.   55

NAÏS.

Quelquefois il suffit que le nom seul prévienne :
Quel est ton nom ?

DAPHNIS.

               Daphnis ; mon père est Palémon.

NAÏS.

Il est vrai, ta famille est égale à la mienne.

DAPHNIS.

Rien n'éloigne donc plus cette douce union.

NAÏS.

Montre-les-moi, ces bois qui seront mon partage.

DAPHNIS.

Viens ; c'est à ces cyprès de leurs fleurs couronnés.

V. 49. Le mot *joli* a beaucoup vieilli dans le style poétique. Autrefois
il donnait de la grâce au substantif qu'il accompagnait. Ainsi Marot,
Rond. à son amie :

> Dedans Paris, *ville jolie.* . . . .

Regnier, *Sat.*, IX :

> Aussi je les compare à ces *femmes jolies.*

La Fontaine, *Psyché*, I :

> Pour plaire aux yeux d'une *nymphe jolie.*

NAÏS.

Restez, chères brebis, restez sous cet ombrage.

DAPHNIS.

Taureaux, paissez en paix ; à celle qui m'engage
Je vais montrer les biens qui lui sont destinés.

NAÏS.

Satyre, que fais-tu ? Quoi ! ta main ose encore...   65

DAPHNIS.

Eh ! laisse-moi toucher ces fruits délicieux...
Et ce jeune duvet...

NAÏS.

          Berger,... au nom des dieux !...
Ah !... je tremble...

DAPHNIS.

          Et pourquoi? Que crains-tu ? je t'adore.
Viens.

NAÏS.

     Non ; arrête... Vois, cet humide gazon
Va souiller ma tunique, et je serais perdue ;   70
Mon père le verrait.

DAPHNIS.

          Sur la terre étendue,
Saura te garantir cette épaisse toison.

NAÏS.

Dieux ! quel est ton dessein ? Tu m'ôtes ma ceinture ?

DAPHNIS.

C'est un don pour Vénus ; vois, son astre nous luit.

NAÏS.

Attends. Si quelqu'un vient... Ah ! dieux ! j'entends du bruit. 75

V. 73. Les femmes grecques portaient une ceinture, les femmes au-
dessous des seins, et les vierges sur les hanches. Les vierges, déliant
leur ceinture, la consacraient à Diane, voy. Suidas : λυσίζωνος γυνή. —
Cet usage de porter une ceinture étant commun aux vierges et aux
femmes, délier sa ceinture, λύειν ζώνην, signifiait tantôt perdre sa virginité, διαπαρθενεύεσθαι, et tantôt enfanter pour la première fois, πρώτως
τίκτειν; voy. Schol. Apollonius, Arg., I, 288.

DAPHNIS.

C'est ce bois qui de joie et s'agite et murmure.

NAÏS.

Tu déchires mon voile!... Où me cacher ? Hélas !
Me voilà nue ! où fuir ?

DAPHNIS.

        A ton amant unie,
De plus riches habits couvriront tes appas.

NAÏS.

Tu promets maintenant, tu préviens mon envie ;   80
Bientôt à mes regrets tu m'abandonneras.

DAPHNIS.

Oh! non, jamais. Pourquoi, grands dieux ! ne puis-je pas
Te donner et mon sang, et mon âme, et ma vie !

NAÏS.

Ah !... Daphnis ! je me meurs... Apaise ton courroux,
Diane.

DAPHNIS.

    Que crains-tu? L'Amour sera pour nous.   85

NAÏS.

Ah ! méchant ! qu'as-tu fait?

DAPHNIS.

        J'ai signé ma promesse.

NAÏS.

J'entrai fille en ce bois et chère à ma déesse.

DAPHNIS.

Tu vas en sortir femme et chère à ton époux.

V. 88. Il y a encore dans Théocrite cinq vers, qu'André n'a pas traduits.

III

MNASYLE ET CHLOÉ

CHLOÉ.

Fleurs, bocage sonore, et mobiles roseaux
Où murmure Zéphyre au murmure des eaux,
Parlez, le beau Mnasyle est-il sous vos ombrages ?
Il visite souvent vos paisibles rivages.
Souvent j'écoute, et l'air qui gémit dans vos bois   5

III. — Cette idylle charmante est une peinture naïve et vraie de la
timidité des amants, éternelle timidité des bergers et des héros, qui
inspire la poésie pastorale et la poésie dramatique. Racan, II, v, fait dire
à Ydalie :

> Ce que j'ai dans le cœur se lit dans mon visage ;
> Je voudrais bien le dire et ne le dire point.

Voy. dans Thomson, *Été*, l'épisode de Damon et de Musidore. Dans Racine,
Bér., I, ii, Antiochus exprime le même sentiment :

> Pourrai-je sans trembler lui dire : Je vous aime?
> Mais quoi ! déjà je tremble ; et mon cœur agité
> Craint autant ce moment que je l'ai souhaité.

Mais dans cette idylle d'André Chénier peut-être la naïveté n'est-elle que
feinte, et peut-être n'est-ce que de la coquetterie amoureuse. — C'est à
tort que jusqu'à présent le nom de Mnasyle a été écrit Mnazile. Virgile
aurait dû nous avertir ; car c'est dans la VIᵉ *Églogue*, v. 13, qu'André
a pris le nom de son berger
V. 1-3. Le début de l'idylle est imité de Calpurnius, *Égl.*, IX, 20 :

> Quæ colitis silvas, Dryades, quæque antra, Napææ,
> Et quæ marmoreo pede, Naiades, uda secatis
> Littora, purpureosque alitis per gramina flores,
> Dicite, quo prato Donacen, qua forte sub umbra
> Inveniam, roseis stringentem lilia palmis ?

La Fontaine, *Psyché*, I :

> Ruisseaux, enseignez-moi l'objet de mon amour ;
> Guidez vers lui mes pas, vous dont l'onde est si pure.

Dans Gessner, *Chloé*, l'amante de Lycas, s'adresse aux nymphes et s'écrie :
« Si vous veillez, ô Nymphes favorables, prêtez l'oreille à mes plaintes.
J'aime... hélas !... j'aime Lycas aux cheveux blonds ! N'avez-vous point
vu quelquefois ce jeune berger ?... N'avez-vous point entendu sa voix
lorsqu'il chante ?... »

A mon oreille au loin vient apporter sa voix.

MNASYLE.

Onde, mère des fleurs, naïade transparente
Qui pressez mollement cette enceinte odorante,
Amenez-y Chloé, l'amour de mes regards.
Vos bords m'offrent souvent ses vestiges épars.   10
Souvent ma bouche vient, sous vos sombres allées,
Baiser l'herbe et les fleurs que ses pas ont foulées.

CHLOÉ.

Oh ! s'il pouvait savoir quel amoureux ennui
Me rend cher ce bocage où je rêve de lui !
Peut-être je devais d'un souris favorable   15
L'inviter, l'engager à me trouver aimable.

MNASYLE.

Si pour m'encourager quelque dieu bienfaiteur
Lui disait que son nom fait palpiter mon cœur !
J'aurais dû l'inviter, d'une voix douce et tendre,
A se laisser aimer, à m'aimer, à m'entendre.   20

CHLOÉ.

Ah ! je l'ai vu ; c'est lui. Dieux ! je vais lui parler !
O ma bouche, ô mes yeux, gardez de vous troubler.

MNASYLE.

Le feuillage a frémi. Quelque robe légère...
C'est elle ! O mes regards, ayez soin de vous taire.

V. 10. Ovide, *Hér.*, X, 53 :
> Et tua, qua possum, pro te vestigia tango.

Racine, *Bér.*, I, IV :
> Je cherchais en pleurant la trace de vos pas.

Généralement André emploie le mot *vestiges*, contrairement à Racine, qui
semble partout préférer le mot *traces*.

V. 12. Nonnus, *Dion.*, XLII, 71, a tracé la même peinture de l'amour
timide de Bacchus pour la nymphe Béroé :

> Καὶ κύσε νηρίθμοισι φιλήμασι, λάθριος ἕρπων,
> χῶρον, ὅπῃ πόδα θῆκε. . . . .

V. 13. André donne presque toujours au mot *ennui* le sens relevé de
peine, chagrin, qu'il avait dans la langue poétique du dix-septième siècle.

CHLOÉ.

Quoi ! Mnasyle est ici ? Seule, errante, mes pas   25
Cherchaient ici le frais et ne t'y croyaient pas.

MNASYLE.

Seul, au bord de ces flots que le tilleul couronne,
J'avais fui le soleil et n'attendais personne...

. . . .

FRAGMENT

Vous, du blond Anio naïade au pied fluide ;
Vous, filles de Zéphyre et de la Nuit humide,   30
Fleurs. . . . .

IV

ARCAS ET PALÉMON

PALÉMON.

Tu poursuis Damalis ; mais cette blonde tête
Pour le joug de Vénus n'est point encore prête.

V. 27. Ovide, *Mét.*, V, 388 : « Silva coronat aquas. »

FRAGMENT. Le petit fragment que nous joignons à l'idylle précédente,
et que M. Sainte-Beuve a retrouvé dans les manuscrits, n'est, selon
toute probabilité, que le début d'un premier essai inachevé. Il suffit,
pour s'en convaincre, de le rapprocher des vers de Calpurnius cités
ci-dessus. Peut-être ces deux vers étaient-ils le début, supprimé ensuite
(à cause de la répétition de *Zéphyre*), de l'idylle telle que nous l'avons.
- « *Naïade au pied fluide.* » Lucrèce, V, 272 et VI, 637 :

> . . . . . Inde super terras fluit agmine dulci,
> Qua via secta semel *liquido pede* detulit undas.

IV. — V. 1-14. Imité d'Horace, *Od.*, II, v :

> Nondum subacta ferre jugum valet
> Cervice, nondum munia comparis

C'est une enfant encore ; elle fuit tes liens,

Et ses yeux innocents n'entendent pas les tiens.

Ta génisse naissante, au sein du pâturage,   5

Ne cherche au bord des eaux que le saule et l'ombrage ;

Sans répondre à la voix des époux mugissants,

Elle se mêle aux jeux de ses frères naissants.

Le fruit encore vert, la vigne encore acide

Tentent de ton palais l'inquiétude avide.   10

Va, l'automne bientôt succédant à des fleurs

Saura mûrir pour toi leurs mielleuses liqueurs.

Tu la verras bientôt, lascive et caressante,

Tourner vers les baisers sa tête languissante.

> Æquare, nec tauri ruentis
> In Venerem tolerare pondus.
> Circa virentes est animus tuæ
> Campos juvencæ, nunc fluviis gravem
> Solantis æstum, nunc in udo
> Ludere cum vitulis salicto
> Prægestientis. Tolle cupidinem
> Immitis uvæ : jam tibi lividos
> Distinguet Autumnus racemos
> Purpureo varius colore.
> Jam te sequetur : currit enim ferox
> Ætas, et illi, quos tibi dempserit,
> Apponet annos ; jam proterva
> Fronte petet Lalage maritum...

V. 5. Cette image qu'Horace et André développent est très-fréquente chez les Grecs ; les noms de jeunes animaux s'appliquent aux jeunes garçons et aux jeunes filles, non pas seulement dans le style pastoral ou dans le style lyrique, mais encore dans le style dramatique. Dans Euripide, *Hécube*, 144, le chœur désigne Polyxène par le mot πῶλος, jeune cavale, et plus loin, v. 207, Polyxène elle-même se désigne par le mot μόσχος, génisse. André suit son image jusque dans le nom de la jeune fille, δάμαλις, génisse.

V. 11. Par *automne* il faut entendre non pas la saison que nous appelons l'automne, mais cette partie de l'année, la fin de l'été, que les Grecs nommaient ὀπώρα, mot dont ils se servaient pour désigner l'âge de la puberté, époque et âge de la maturité des fruits ; voy. Pindare, *Ném.*, V, 11.

V. 14. Horace, *Od.*, II, xii, 25 .

> Dum flagrantia detorquet ad oscula
> Cervicem. . . . .

Attends. Le jeune épi n'est point couronné d'or;   15
Le sang du doux mûrier ne jaillit point encor ;
La fleur n'a point percé sa tunique sauvage ;
Le jeune oiseau n'a point encore de plumage.
Qui prévient le moment l'empêche d'arriver.

ARCAS.

Qui le laisse échapper ne peut le retrouver.   20
Les fleurs ne sont pas tout. Le verger vient d'éclore,
Et l'automne a tenu les promesses de Flore.
Le fruit est mûr et garde en sa douce âpreté
D'un fruit à peine mûr l'aimable crudité.
L'oiseau d'un doux plumage enveloppe son aile.   25
Du milieu des bourgeons le feuillage étincelle.
La rose et Damalis de leur jeune prison
Ont ensemble percé la jalouse cloison.
Effrayée et confuse, et versant quelques larmes,
Sa mère en souriant a calmé ses alarmes.   30
L'hyménée a souri quand il a vu son sein
Pouvoir bientôt remplir une amoureuse main.

V. 22. André se souvenait du vers *divin* de Malherbe, *St. à Henri*,
p. 71 :

Et les fruits passeront la promesse des fleurs.

V. 27. On sait la signification que les comiques grecs donnaient aux
mots *rose* et *rosier.*

V. 29. Ce vers se rapporte, non à la mère, qui est le sujet de la
phrase, mais à la jeune fille. C'est une construction elliptique naturelle
aux langues à flexion, où les cas expriment nettement les rapports, mais
qui souvent amène de la confusion en français. On en trouve cependant
des exemples dans les meilleurs écrivains. Ainsi Racine, dans *Mithridate :*

Songez de quelle ardeur dans Éphèse adorée,
Aux filles de cent rois je vous ai préférée.

Quoique, dans cet exemple de Racine, la confusion ne soit possible qu'à
l'audition, où l'on ne distingue pas *adoré* de *adorée.*

V. 32. Claudien, *Épith. de Pallade et de Célérine*, 125 : « Matura
tumescit virginitas. » Maximien, *Égl.*, V, 27, a dit :

Urebant oculos duræ stantesque papillæ,
Et quas adstringens clauderet una manus.

Sur le coing parfumé le doux printemps colore
Une molle toison intacte et vierge encore.
La grenade entr'ouverte au fond de ses réseaux   35
Nous laisse voir l'éclat de ses rubis nouveaux.

.   .   .   .

.   .   .   .

V

HYLAS

AU CHEVALIER DE PANGE

Le navire éloquent, fils des bois du Pénée,
Qui portait à Colchos la Grèce fortunée,

V. 33. Calpurnius, *Égl.*, II, 89 :

> .   .   .   . Etenim sic flore juventæ
> Induimus vultus, ut in arbore sæpe notavi
> Cerea sub tenui lucere Cydonia lana.

V. 35. Callimaque, *Hym. sur les bains de Pallas*, 27, compare la
rougeur de Pallas à celle des grains de la grenade :

> Ὦ κῶραι, τὸ δ' ἔρευθος ἀνέδραμε, πρώϊον οἷαν
> ἢ ῥόδον, ἢ σίβδης κόκκος ἔχει χροίαν.

La grenade était chez les anciens un symbole aphrodisiaque.

V. — Cette histoire a été souvent l'objet des récits des poëtes ; elle se
trouvait, du reste, intimement liée à l'expédition des Argonautes. Cf. Orphée, *Arg.*, 646 ; Apollonius, *Arg.*, I, 1207 ; Théocrite, *Idyl.*, XIII ; Val.
Flaccus, *Arg.*, III, 545 ; Properce, I, xx ; Parny, *la Journée champêtre*.
C'est directement de Théocrite que s'est souvenu André.

V. 1-2. Comme dans l'éd. de 1826, nous avons mis la virgule après *éloquent*, qui doit se rapporter à navire. Orphée, *Arg.*, 491 : πολυηγόρος
'Αργώ. Malherbe, p. 193 : « La navire qui parlait. » Lebrun, *le Vengeur* :
« Argo, la nef à voix humaine. » Le navire s'appelait Argo, du nom de son
constructeur (Apoll., I, 18). « *Éloquent*, » car Minerve avait tiré d'un
chêne de la forêt de Dodone une poutre merveilleuse qui rendait des
oracles (Apoll., I, 526) ; cette poutre formait la quille du vaisseau (Orphée,

Craignant près de l'Euxin les menaces du Nord,
S'arrête, et se confie au doux calme d'un port.
Aux regards des héros le rivage est tranquille ;   5
Ils descendent. Hylas prend un vase d'argile,
Et va, pour leurs banquets sur l'herbe préparés,
Chercher une onde pure en ces bords ignorés.
Reines, au sein d'un bois, d'une source prochaine,
Trois naïades l'ont vu s'avancer dans la plaine.   10
Elles ont vu ce front de jeunesse éclatant,
Cette bouche, ces yeux. Et leur onde à l'instant
Plus limpide, plus belle, un plus léger zéphyre,
Un murmure plus doux l'avertit et l'attire :

---

265). Le reste des bois de construction avait été coupé sur le Pélion,
près des rives du Pénée. « *Fils des bois du Pénée.* » Horace, *Od.*, I,
XIV, s'adressant au vaisseau de la république : « Pontica pinus, silvæ
filia nobilis. » — Le nom de *Colchos*, qui se trouve au second vers, a
donné lieu à cette remarque de M. Boissonade : [Cette ville de *Colchos*
n'est guère connue que des poëtes français. Chardin dit dans son voyage :
« Les ruines de Colchos sont perdues, je n'en aperçois rien. » Il n'y a
point eu de ville de Colchos, partant point de ruines. *Colchi*, à l'accusatif
Colchos, sont les peuples de la Colchide. Les vers de Racine

> Vous pourriez à *Colchos* vous exprimer ainsi.
> — Je le puis à *Colchos*, et je le puis ici.

n'en sont pas moins bons. La faute est comme consacrée. Boissonade].

V. 3. Ovide, *Fast.*, IV, 132, a dit :

> ... Nec hibernas jam timuisse minas.

V. 4. Le Port de Cios, au fond d'un golfe de la Propontide (*Schol.*
Théocrite, *Idyl.*, XIII, 30).

V. 6. C'est ici que commence l'imitation de Théocrite, *Idyl.*, XIII, 36.
Nous nous contentons de renvoyer le lecteur à l'idylle grecque, trop longue pour être citée ici.

V. 13. Éd. 1826 et 1839 :

> Plus limpide pour lui coule ; un léger zéphire.

V. 14. Éd. 1826 :

> D'un murmure plus doux l'avertit et l'attire.

Il accourt. Devant lui l'herbe jette des fleurs ;   15
Sa main errante suit l'éclat de leurs couleurs ;
Elle oublie, à les voir, l'emploi qui la demande,
Et s'égare à cueillir une belle guirlande.
Mais l'onde encor soupire et sait le rappeler.
Sur l'immobile arène il l'admire couler,   20
Se courbe, et, s'appuyant à la rive penchante,
Dans le cristal sonnant plonge l'urne pesante.
De leurs roseaux touffus les trois nymphes soudain
Volent, fendent leurs eaux, l'entraînent par la main
En un lit de joncs frais et de mousses nouvelles.   25
Sur leur sein, dans leurs bras, assis au milieu d'elles,
Leur bouche, en mots mielleux où l'amour est vanté,
Le rassure, et le loue, et flatte sa beauté.
Leurs mains vont caressant sur sa joue enfantine
De la jeunesse en fleur la première étamine,   30
Ou sèchent en riant quelques pleurs gracieux
Dont la frayeur subite avait rempli ses yeux.

« Quand ces trois corps d'albâtre atteignaient le rivage,
D'abord j'ai cru, dit-il, que c'était mon image
Qui, de cent flots brisés prompte à suivre la loi,   35
Ondoyante, volait et s'élançait vers moi. »

V. 15. « *L'herbe jette des fleurs ;* » voy. *Invention*, 224. — Le
verbe *jeter*, employé ainsi, c'est le grec βρύειν. Anacréon, *Od.* XXXVII :

> Ἴδε πῶς, Ἔαρος φανέντος,
> χάριτες ῥόδα βρύουσιν.

V. 17. Éd. 1839 :

> Il oublie, à les voir, l'emploi qui le demande.

V. 21. Éd. 1826 et 1839 :

> Se courbe, et s'appuyant sur la rive penchante.

V. 30. C'est bien, observe M. Sainte-Beuve, le *prima lanugine ma-
las* des Latins.
V. 33-36. Ces quatre jolis vers ne sont pas dans l'idylle de Théocrite.

Mais Alcide inquiet, que presse un noir augure,
Va, vient, le cherche, crie auprès de l'onde pure :
« Hylas ! Hylas ! » Il crie et mille et mille fois.
Le jeune enfant de loin croit entendre sa voix,   40
Et du fond des roseaux, pour adoucir sa peine,
Lui répond d'une voix inentendue et vaine.

De Pange, c'est vers toi qu'à l'heure du réveil
Court cette jeune Idylle au teint frais et vermeil.
Va trouver mon ami, va, ma fille nouvelle,   45
Lui disais-je. Aussitôt, pour te paraître belle,
L'eau pure a ranimé son front, ses yeux brillants ;
D'une étroite ceinture elle a pressé ses flancs ;
Et des fleurs sur son sein, et des fleurs sur sa tête,
Et sa flûte à la main, sa flûte qui s'apprête   50
A défier un jour les pipeaux de Segrais,
Seuls connus parmi nous aux nymphes des forêts.

V. 38-39. Virgile, *Égl.*, VI, 43 :

> His adjungit, Hylan nautæ quo fonte relictum
> Clamassent, ut litus, Hyla, Hyla, omne sonaret.

V. 44. Éd. 1822 et 1826 :

> Court cette jeune fille au teint frais et vermeil.

V. 45. C'est une personnification poétique qui rappelle celle que fait
Théocrite, *Id.*, XVI, des Grâces, qu'il représente mal reçues dans leur
requête et regagnant tristement leur demeure. Elle rappelle aussi, par
les détails, le début du chant II de l'*Art poétique* de Boileau.

V. 52. Racan est antérieur à Segrais, mais avec raison André dit que
les pipeaux de Segrais sont *seuls connus aux nymphes des forêts.*
Segrais, bien qu'il soit resté au-dessous de ses modèles, a cependant
suivi et respecté les traditions léguées par Théocrite et Virgile. Racan, en
fait de poésie pastorale, a le goût italien ; l'idylle lui est inconnue ; il n'a
composé que des drames champêtres, qui appartiennent au genre le plus
faux et le plus éloigné de la vérité. Racan était essentiellement élégiaque ; et quelques passages, où il s'est laissé aller à son instinct tendre et
délicat, ont suffi pour assurer sa gloire. Il faut d'ailleurs ajouter que
Boileau, dans son *Art poétique*, avait en quelque sorte consacré la répu-
tation de Segrais dans l'églogue.

VI

LYDÉ

« Mon visage est flétri des regards du soleil.
Mon pied blanc sous la ronce est devenu vermeil.
J'ai suivi tout le jour le fond de la vallée ;
Des bêlements lointains partout m'ont appelée.
J'ai couru ; tu fuyais sans doute loin de moi :   5
C'était d'autres pasteurs. Où te chercher, ô toi
Le plus beau des humains ? Dis-moi, fais-moi connaître
Où sont donc tes troupeaux, où tu les mènes paître.

O jeune adolescent ! tu rougis devant moi.
Vois mes traits sans couleur ; ils pâlissent pour toi :   10
C'est ton front virginal, ta grâce, ta décence.
Viens ; il est d'autres jeux que les jeux de l'enfance.
O jeune adolescent, viens savoir que mon cœur
N'a pu de ton visage oublier la douceur.
Bel enfant, sur ton front la volupté réside ;   15
Ton regard est celui d'une vierge timide.
Ton sein blanc, que ta robe ose cacher au jour,

VI. — L'amour de Lydé tient de la passion de Simetha (Théocrite, *Idyl.*, II) ; mais Chénier a eu soin d'adoucir et d'écarter la magie. — C'est bien cet oubli de la pudeur dont parle Virgile, quand il dépeint l'amour de Didon, *Énéide*, IV, 170. Tel est aussi dans Ovide, *Mét.*, IV, l'amour de Salmacis pour Hermaphrodite.

V. 15. Voyez ce que nous avons dit sur le verbe *asseoir* dans l'*Aveugle*, 142. Ici André emploie *résider* pour *asseoir*. En grec on mettrait ἐφίζεται. — Pindare, *Ném.*, VIII, 3, en parlant de la jeunesse :

> ....Παρθενίοισι καὶ παίδων ἐφίζοι-
> σα βλεφάροις. . . . .

Marot, *Chant royal*, a dit avec *asseoir :*

L'âme de celle où l'amour est *assise.*

Semble encore ignorer qu'on soupire d'amour ;
Viens le savoir de moi ; viens, je veux te l'apprendre.
Viens remettre en mes mains ton âme vierge et tendre,   20
Afin que mes leçons, moins timides que toi,
Te fassent soupirer et languir comme moi ;
Et qu'enfin rassuré, cette joue enfantine
Doive à mes seuls baisers cette rougeur divine.
Oh ! je voudrais qu'ici tu vinsses un matin   25
Reposer mollement ta tête sur mon sein !
Je te verrais dormir, retenant mon haleine,
De peur de t'éveiller, ne respirant qu'à peine.
Mon écharpe de lin que je ferais flotter,
Loin de ton beau visage aurait soin d'écarter   30
Les insectes volants et la jalouse abeille... »

. . . .

La nymphe l'aperçoit, et l'arrête, et soupire.
Vers un banc de gazon, tremblante, elle l'attire ;
Elle s'assied. Il vient, timide avec candeur,
Ému d'un peu d'orgueil, de joie et de pudeur.   35
Les deux mains de la nymphe errent à l'aventure.
L'une, de son front blanc, va de sa chevelure
Former les blonds anneaux. L'autre de son menton

V. 18. Dans Ovide, *Mét.*, IV, 429, Hermaphrodite aussi est à cet âge
d'innocence :

> . . . . Pueri rubor ora notavit,
> Nescia quid sit amor. . . . .

V. 29-31. Dans les peintures gracieuses comme dans les peintures héroïques, on rencontre presque toujours le grand Homère. Le tableau que
trace Chénier se trouve dans Homère, *Iliade*, IV, 130, employé comme
comparaison :

> Ἡ δὲ τόσον μὲν ἔεργεν ἀπὸ χροὸς, ὡς ὅτε μήτηρ
> παιδὸς ἐέργῃ μυῖαν, ὅθ' ἡδέϊ λέξεται ὕπνῳ.

Cf. Nonnus, *Dionys.*, III, 405 ; le Tasse, *Ger. lib.*, XIV, LXVII.

Caresse lentement le mol et doux coton.

« Approche, bel enfant, approche, lui dit-elle,   40

Toi si jeune et si beau, près de moi jeune et belle.

Viens, ô mon bel ami, viens, assieds-toi sur moi.

Dis, quel âge, mon fils, s'est écoulé pour toi ?

Aux combats du gymnase as-tu quelque victoire ?

Aujourd'hui, m'a-t-on dit, tes compagnons de gloire,   45

Trop heureux ! te pressaient entre leurs bras glissants,

Et l'olive a coulé sur tes membres luisants.

Tu baisses tes yeux noirs ? Bienheureuse la mère

Qui t'a formé si beau, qui t'a nourri pour plaire !

Sans doute elle est déesse. Eh quoi ! ton jeune sein   50

Tremble et s'élève ? Enfant, tiens, porte ici ta main.

Le mien plus arrondi s'élève davantage.

Ce n'est pas (le sais-tu ? déjà dans le bocage

Quelque voile de nymphe est-il tombé pour toi ?),

V. 39. Expression fréquente chez les poëtes pour exprimer le premier
duvet de l'adolescence. Ronsard, *Franc.*, II :

> Ce jouvencel à qui le blond coton,
> Première fleur, sort encor du menton.

Malherbe, p. 47 :

> Qu'autant que le premier coton
> Qui de jeunesse est le message.

Racan, *Ode à M. de Bellegarde :*

> A peine le coton ombrageoit son visage.

V. 41. Virgile, *Égl.*, II, 45 :

> Huc ades, o formose puer. . . . .

V. 42. Ovide, *Héroïdes*, XV, 93 :

> O nec adhuc juvenis nec jam puer, utilis ætas,
> O decus atque ævi gloria magna tui,
> Huc ades, inque sinus, formose, relabere nostros.

V. 47. Simetha a aussi remarqué la brillante poitrine de son amant au
sortir du gymnase (Théocrite, *Idyl.*, II, 79).

V. 48-49. Dans Ovide, *Mét.*, IV, 322, Salmacis dit à Hermaphrodite :

> Sive es mortalis, qui te genuere beati
> Et frater felix, et fortunata profecto
> Si qua tibi soror est et quæ dedit ubera nutrix.

Ce n'est pas cela seul qui diffère chez moi.   55
Tu souris? tu rougis? Que ta joue est brillante!
Que ta bouche est vermeille et ta peau transparente!
N'es-tu pas Hyacinthe au blond Phœbus si cher?
Ou ce jeune Troyen ami de Jupiter?
Ou celui qui, naissant pour plus d'une immortelle,   60
Entr'ouvrit de Myrrha l'écorce maternelle?
Enfant, qui que tu sois, oh! tes yeux sont charmants,
Bel enfant, baise-moi. Mon cœur de mille amants
Rejeta mille fois la poursuite enflammée;
Mais toi seul, aime-moi, j'ai besoin d'être aimée.   65

. . . .

La pierre de ma tombe à la race future
Dira qu'un seul hymen délia ma ceinture.

. . . .

Viens : là sur des joncs frais ta place est toute prête.

V. 58. Voy. Ovide, *Mét.*, X, 162.
V. 59. Ganymède, que Jupiter fit enlever au ciel pour lui verser le
nectar. Voy. Ovide, *Mét.*, X, 155 ; Homère, *Hym. à Vénus.*
V. 60–61. Adonis. — Myrrha, ayant eu un commerce incestueux avec
son père Cinyre, fut, après sa fuite en Arabie, changée en l'arbre d'où
découle la myrrhe. Elle était mère ; quand le terme fut arrivé, l'écorce
s'entr'ouvrit, et Adonis vint au monde (Ovide, *Mét.*, X). Adonis fut aimé
par Vénus; qui ne connaît l'idylle de Bion : *Chant funèbre sur la mort
d'Adonis?* Même après sa mort il excita des passions (Théocrite, *Idyl.*,
XV,86). Jupiter avait décidé que Vénus et Proserpine se partageraient
l'amour d'Adonis (*Schol.* Théoc., *Idyl.*, III, ad v. 48).
V. 62. L'éd. 1833 donne un vers incomplet :

> ... Oh! qui que tu sois, oh! tes yeux sont charmants.

V. 63. Éd. 1826 et 1839 :

> Bel enfant, aime-moi. Mon cœur de mille amants.

V. 66. Imité de Properce, IV, xi, 36 :

> In lapide hoc uni nupta fuisse legar.

V. 68. Le reste de cette pièce est donné dans l'éd. de 1833 comme
fragment, avec ce titre : IMITÉ DE SHAKESPEARE, chanson des yeux,
et dans l'éd. de 1839, dans les *Poésies diverses*, avec celui-ci : CHANSON
DES YEUX, imité de Shakespeare. En étudiant attentivement le style et

Viens, viens, sur mes genoux, viens reposer ta tête.

Les yeux levés sur moi, tu resteras muet,   70

Et je te chanterai la chanson qui te plait.

Comme on voit, au moment où Phœbus va renaître,

La nuit prête à s'enfuir, le jour prêt à paraître,

Je verrai tes beaux yeux, les yeux de mon ami, .

En un léger sommeil se fermer à demi.   75

Tu me diras : « Adieu ! je dors ; adieu ! ma belle. »

Adieu ! dirai-je, adieu ! dors, mon ami fidèle,

Car le   .   .   .   aussi dort, le front vers les cieux,

Et j'irai te baiser et le front et les yeux.

.   .   .   .

.   .   .   .

Ne me regarde point ; cache, cache tes yeux ;   80

Mon sang en est brûlé ; tes regards sont des feux.

la suite des idées de cette idylle, on se convainc facilement que ce fragment appartient et fait suite à l'idylle de *Lydé*. — Lydé cherche le jeune
enfant : « Oh ! je voudrais qu'ici tu vinsses un matin... » Elle l'aperçoit,
l'attire sur un banc de gazon, et quand l'enfant séduit est prêt à tomber
dans ses bras, elle l'entraîne sur un lit de joncs frais... Mais l'indication
de la *Chanson des yeux*, que porte le manuscrit, s'applique au vers 80.
Quant à l'idée générale de ce fragment, elle semble tirée de Gessner,
Idylles, Damon et Philis : « Assieds-toi, ma chère Philis, assieds-toi ici
sur le trèfle. Oh ! que ne puis-je voir sans cesse ton sourire et tes yeux !
Non, ne me regarde pas ainsi, dit-il ; et il ferma doucement les yeux de
la jeune bergère. »

V. 78. Peut-être : « Car le *bel Endymion...* » ou plutôt : « Car le
dieu d'amour... » C'est la mesure qui a forcé André à laisser provisoire-
ment son vers incomplet.

V. 79. Il se souvient de Properce, II, xv, 7 ·

> Illa meos somno lapsos patefecit ocellos
> Ore suo. . . . . ·

V. 80. Shakespeare, *Meas. for Meas.*, IV, i :

> Take, oh take those lips away,
>   That so sweetly were forsworn ;
> And those eyes, the break of day,
>   Lights that do mislead the morn :
> But my kisses bring again,
>   Seals of love, but seal'd in vain.

Viens, viens. Quoique vivant, et dans ta fleur première,
Je veux avec mes mains te fermer la paupière,
Ou malgré tes efforts je prendrai ces cheveux
Pour en faire un bandeau qui te cache les yeux.   85

. . . .

FRAGMENT

« Laisse, ô blanche Lydé, toi par qui je soupire,
Sur ton pâle berger tomber un doux sourire,
Et, de ton grand œil noir daignant chercher ses pas,
Dis-lui : Pâle berger, viens, je ne te hais pas.

— Pâle berger aux yeux mourants, à la voix tendre,   5
Cesse, à mes doux baisers, cesse enfin de prétendre.
Non, berger, je ne puis; je n'en ai point pour toi.
Ils sont tous à Mœris, ils ne sont plus à moi. »

Ces vers de Shakespeare et d'André Chénier font songer à la superbe
apostrophe d'un chœur de l'*Hippolyte* d'Euripide, v. 525 :

> Ἔρως, Ἔρως, ὃ κατ' ὀμμάτων
> στάζεις πόθον. . . . . . .

FRAG. — Ce petit fragment devait peut-être s'ajouter à l'idylle précédente comme dernière scène. L'idée a pu lui en être fournie par la sixième
idylle de Moschus :

> Ἤρατο Πὰν Ἀχῶς τᾶς γείτονος, ἤρατο δ' Ἀχὼ
> σκιρτατᾶ Σατύρῳ, Σάτυρος δ' ἐπεμήνατο Λύδᾳ.

V. 1-4. Théocrite, *Idyl.*, III, 18 :

> Ὢ τὸ καλὸν ποθορεῦσα, τὸ πᾶν λίθος· ὦ κυάνοφρυ
> Νύμφα, πρόσπτυξαί με τὸν αἰπόλον, ὥς τυ φιλάσω.

V . 4. Litote dont Corneille, *le Cid*, III, IV, a fait un emploi célèbre.

VII

L'AMOUR ET LE BERGER

Loin des bords trop fleuris de Gnide et de Paphos,
Effrayé d'un bonheur ennemi du repos,
J'allais, nouveau pasteur, aux champs de Syracuse
Invoquer dans mes vers la nymphe d'Aréthuse,
Lorsque Vénus, du haut des célestes lambris,   5
Sans armes, sans carquois, vint m'amener son fils.
Tous deux ils souriaient : « Tiens, berger, me dit-elle,
Je te laisse mon fils, sois son guide fidèle ;
Des champêtres douceurs instruis ses jeunes ans ;
Montre-lui la sagesse, elle habite les champs. »   10
Elle fuit. Moi, crédule à cette voix perfide,
J'appelle près de moi l'enfant doux et timide.
Je lui dis nos plaisirs et la paix des hameaux ;
Un dieu même au Pénée abreuvant des troupeaux ;
Bacchus et les moissons ; quel dieu, sur le Ménale,   15

VII. — V. 1. *Gnide* ou Cnide, ville de Carie, célèbre par son temple
et par sa statue de Vénus, ouvrage de Praxitèle (Lucien, *Am.*, 11). —
Paphos, dans l'île de Cypre, consacrée à Vénus (Lucien, *de Sacrif.*, 10) ;
du temps de Strabon (XIV, vi), il y avait encore un temple, mais Paphos
avait déjà modifié son nom.

V. 5 et suiv. Imité de Bion, *Idyl.*, III :

'Α μεγάλα μοι Κύπρις ἔθ' ὑπνώοντι παρέστα,
νηπίαχον τὸν Ἔρωτα καλᾶς ἐκ χειρὸς ἄγοισα
ἐς χθόνα νευστάζοντα, τόσον δέ μοι ἔφρασε μῦθον. κ. τ. λ.

L'imitation qu'a faite Ronsard, *Od.*, V, xxii, de cette idylle ne manque
pas d'une certaine grâce.

V. 14. Apollon, qui garda les troupeaux chez Admète ; voy. Euripide,
Alceste.

V. 15. Ce fut sur les bords du Ladon, fleuve d'Arcadie, près du Ménale,
qu'eut lieu la métamorphose de Syrinx en flûte (Ovide, *Mét.*, I), la

Forma de neuf roseaux une flûte inégale.

Mais lui, sans écouter mes rustiques leçons,

M'apprenait à son tour d'amoureuses chansons :

La douceur d'un baiser et l'empire des belles ;

Tout l'Olympe soumis à des beautés mortelles ;   20

Des flammes de Vénus Pluton même animé ;

Et le plaisir divin d'aimer et d'être aimé.

Que ses chants étaient doux ! je m'y laissai surprendre.

Mon âme ne pouvait se lasser de l'entendre.

Tous mes préceptes vains, bannis de mon esprit,   25

Pour jamais firent place à tout ce qu'il m'apprit.

Il connaît sa victoire, et sa bouche embaumée

Verse un miel amoureux sur ma bouche pâmée.

Il coula dans mon cœur ; et, de cet heureux jour,

Et ma bouche et mon cœur n'ont respiré qu'amour.   30

construction de la syrinx ou flûte de Pan est longuement expliquée dans
Achilles Tatius, *de Clit. et Leuc.*, VIII, vi.

V. 21. Allusion à l'enlèvement de Proserpine par Pluton ; voy. Apollodore, I, v ; Claudien, *Rapt de Proserpine.*

V. 22. Trait charmant dont Catulle, XLV, embellit les amours d'Acmé
et de Septimius :

> Nunc ab auspicio bono profecti
> Mutuis animis amant, amantur.

C'est là ce plaisir divin que la poésie a souvent célébré (voy. Plaute,
Cist., I, iii, 43 ; le Tasse, *Aminte*, I, i), *cette amour mutuelle*,
comme dit André, *Élégies*, I, ix, 61, qu'il souhaite à ses plus chers amis.

V. 28. Cette comparaison du baiser à la douceur du miel est fréquente
chez les petits poëtes grecs. Méléagre, *Anth.*, XII, 133 :

> Καὶ γὰρ ἐγὼ τὸν καλὸν ἐν ἤϊθέοισι φιλήσας
> Ἀντίοχον, ψυχῆς ἡδὺ πέπωκα μέλι.

Et Argentarius, *Anth.*, V, 32 :

> Καὶ μέλι μὲν στάζεις ὑπὸ χείλεσιν ἡδὺ φιλεῦσα.

Éd. 1826. Après avoir mis *Il connut*, au v. 27 :

> Me versa son doux miel sur ma bouche pâmée.
> Il coula dans mon cœur ; et, dès cet heureux jour.

VIII

PANNYCHIS

Plusieurs jeunes filles entourent un petit enfant... le caressent...,
« On dit que tu as fait une chanson pour Pannychis ta cousine ?...
— Oui, je l'aime, Pannychis... elle est belle ; elle a cinq ans comme
moi... Nous avons arrondi ce berceau en buisson de roses... Nous
nous promenons sous cet ombrage... On ne peut pas nous y troubler,
car il est trop bas pour qu'on y puisse entrer. Je lui ai donné
une statue de Vénus que mon père m'a faite avec du buis : elle
l'appelle sa fille, elle la couche sur des feuilles dans une écorce de
grenade... Tous les amants font toujours des chansons pour leur
bergère... et moi aussi j'en ai fait une pour elle... — Eh bien,
chante-nous ta chanson, et nous te donnerons des raisins, des figues
mielleuses... »

Donnez-les-moi d'abord, et puis je vais chanter...

Il tend ses deux mains... on lui donne... et puis,

D'une voix douce et claire il se met à chanter :

VIII. — Cette idylle est imitée de Gessner, *Clymène et Damon* [1] :
« Dis-moi, mon bien-aimé, que veux-tu faire de ce petit autel ?... —
... Ne te souvient-il plus qu'aux jours de notre enfance c'était notre asile
favori ? Là nous n'étions pas plus hauts que cette jeune ancolie [2]...
— ... Autour de cet autel je planterai du myrte et des rosiers. Si Pan
les protége, leurs rameaux s'élèveront bientôt au-dessus de l'autel et
formeront un petit temple de verdure... — Vois-tu ces buissons ? ils
s'élèvent encore en cintre, quoique incultes maintenant ; c'était notre
demeure. Nous en avions élevé la voûte aussi haut que nous pouvions
atteindre... — N'avais-je pas planté devant cette maison un petit jardin ?
Ne l'avions-nous pas entouré d'une haie de joncs ? Une brebis l'eût
broutée dans un instant, tant elle était grande. — ... Tu trouvas heureusement une petite image mutilée de l'Amour. En bonne mère, tu lui

[1] Dans d'autres éditions, *Daphné et Micon*.
[2] Dans *le Premier Navigateur*, I, Mélide dit : « Je me souviens du temps où
je n'étais guère plus haute qu'un pied d'œillet. »

« Ma belle Pannychis, il faut bien que tu m'aimes ;
Nous avons même toit, nos âges sont les mêmes.
Vois comme je suis grand ! vois comme je suis beau !
Hier je me suis mis auprès de mon chevreau ;
Par Pollux et Minerve ! il ne pouvait qu'à peine
Faire arriver sa tête au niveau de la mienne.
D'une coque de noix j'ai fait un abri sûr
Pour un beau scarabée étincelant d'azur ;   10
Il couche sur la laine, et je te le destine.
Ce matin j'ai trouvé parmi l'algue marine
Une vaste coquille aux brillantes couleurs ;
Nous l'emplirons de terre, il y viendra des fleurs.
Je veux, pour te montrer une flotte nombreuse,   15
Lancer sur notre étang des écorces d'yeuse.
Le chien de la maison est si doux ! chaque soir

prodiguais tes soins et tes caresses ; une coquille de noix était son lit ;
là, bercé par tes chants, il reposait sur des feuilles de roses. » Puis
l'idée de la cigale s'y ajoute ; mais, dans Gessner, la cigale se blesse en
s'envolant, et après ces souvenirs de leur enfance, Damon s'écrie : « Ainsi
s'écoulèrent les jours de notre enfance, lorsque dans nos jeux tu étais
ma femme et moi ton époux. »

Le nom de *Pannychis,* qu'André donne à la petite fille, est curieux et
témoigne qu'en traçant ce tableau si chaste et si enfantin, il se souvenait de l'épisode licencieux de Giton et de Pannychis, dans Pétrone,
Sat., XXV.

V. 5. Avec un goût exquis André applique au petit enfant amoureux
de Pannychis des traits qu'il emprunte au discours que dans Ovide,
Mét., XIII, 840 et suiv., le géant Polyphème adresse à la blanche Galatée. Ici c'est l'enfant orgueilleux de sa taille comme le géant de la
sienne (v. 841) :

> . . . . . Placuitque mihi mea forma videnti.
> Adspice, sim quantus : non est hoc corpore major
> Jupiter in cœlo. . . . .

Polyphème se compare à Jupiter et le petit enfant à son chevreau.

V. 10. Dans Ovide, ce sont deux ours que le géant amoureux destine
à Galatée.

V. 17-20. A côté de ce tableau nous mettrons une épigramme d'Anyté,
Anth., VI, 312 :

> Ἡνία δή τοι παῖδες ἔνι, τράγε, φοινικόεντα
> θέντες, καὶ λασίῳ φιμὰ περὶ στόματι,

Mollement sur son dos je veux te faire asseoir ;
Et marchant devant toi jusques à notre asile,
Je guiderai les pas de ce coursier docile. »   20

...Il s'en va bien baisé, bien caressé... Les jeunes beautés le suivent de loin. Arrivées aux rosiers, elles regardent par-dessus le
berceau, sous lequel elles les voient occupés à former avec des
buissons de myrte un temple de verdure autour d'un petit autel,
pour leur statue de Vénus. Elles rient. Ils lèvent la tête, les voient
et leur disent de s'en aller. On les embrasse... et, en s'en allant,
la jeune Myrto dit : « Heureux âge !... Mes compagnes, venez voir
aussi chez moi les monuments de notre enfance... J'ai entouré
d'une haie, pour le conserver, le jardin que j'avais alors... Une
chèvre l'aurait brouté tout entier en une heure... C'est là que je
vivais avec Clinias ; il m'appelait déjà sa femme, et je l'appelais mon
époux... Nous n'étions pas plus haut que telle plante(1). Nous nous
serions perdus dans une forêt de thym... Vous y verrez encore les
romarins s'élever en berceau comme des cyprès autour du tombeau
de marbre où sont écrits les vers d'Anyté... Mon bien-aimé m'avait
donné une cigale et une sauterelle ; elles moururent, je leur élevai
ce tombeau parmi le romarin. J'étais en pleurs... La belle Anyté (2)

> ἵππια παιδεύουσι θεοῦ περὶ ναὸν ἄεθλα,
> ὄφρ' αὐτοὺς φορέῃς ἤπια τερπομένους.

Dans l'Anthologie grecque, on rencontre moins souvent qu'on ne pourrait
le croire de ces sortes d'épigrammes ; l'amour et la mort y jouent un
plus grand rôle que l'enfance. — Ces vers charmants d'André nous enga-
gent à rappeler au lecteur un très-joli passage d'Apollonius, *Arg.*, III,
114, où sont décrits les jeux de Ganymède et de Cupidon.

V. 18. « *Mollement.* » Properce, II, xxvi, a dit en parlant d'Hellé :

> Aurea quam *molli tergore* vexit ovis.

(1) Ici bien probablement André se serait souvenu, en le modifiant,
du vers de Virgile, *Égl.*, VIII, 39 :

> Jam fragilis poteram a terra contingere ramos,

qu'avait imité le Tasse, *Aminte*, I, ii, et que Racan, II, ii, avait ainsi
imité de l'italien :

> Je n'avois pas douze ans quand la première flamme
> Des beaux yeux d'Alcidor s'alluma dans mon âme ;
> Il me passoit d'un an et de ses petits bras
> Cueilloit déjà des fruits dans les branches d'en bas.

(2) « *Anyté*, » poëtesse d'une époque incertaine, dont fait mention
Tatien, *Or. ad Gr.* Elle a laissé quelques épigrammes sur des oiseaux,

passa, sa lyre à la main : « Qu'as-tu? me demanda-t-elle. — Ma
cigale et ma sauterelle sont mortes... — Ah! dit-elle, nous devons
tous mourir... » (Cinq ou six vers de morale.) Puis elle écrivit sur
la pierre :

« O sauterelle, à toi, rossignol des fougères,

A toi, verte cigale, amante des bruyères,

Myrto de cette tombe éleva les honneurs,

Et sa joue enfantine est humide de pleurs ;

Car l'avare Achéron, les Sœurs impitoyables   25

Ont ravi de ses jeux ces compagnons aimables. »

des épitaphes et des épigraphes; voy. Brunck, *Anal.*, I, p. 197. Dans ce
qui nous reste d'elle, il y a une grande douceur et une délicate sensibilité.
Méléagre, *Anal.*, I, p. 1, ι, a comparé ses poésies à des lis.

V. 21-26. Anyté, *Anth.*, VII, 190 :

'Ακρίδι τᾷ κατ' ἄρουραν ἀηδόνι, καὶ δρυοκοίτᾳ
τέττιγι ξυνὸν τύμβον ἔτευξε Μυρὼ,
παρθένιον στάξασα κόρα δάκρυ · δισσὰ γὰρ αὐτᾶς
παίγνι' ὁ δυσπειθὴς ᾤχετ' ἔχων 'Αΐδας.

Quelques-uns attribuent cette épigramme soit à Léonidas, soit à Érynné;
voy. *Anth.* Grotii, II, p. 220, et V, p. 57. Il existe sur le même sujet
une épigramme d'Argentarius, *Anth.*, VII, 364, mais qui, plus sèche de
style et de pensée, ne semble être qu'un exercice littéraire d'un imitateur d'Anyté.

V. 22. M. Chopin, *Épigr. trad. de l'Anth. grecque*, p. 48, reproche
justement à Chénier d'avoir donné à la cigale l'épithète de *verte*. La
cigale, en effet, a le corps brun, et André avait dû en voir en Italie. C'est
par une méprise commune à tous les gens du Nord que Chénier appelle
cigale la grande sauterelle verte, la *locusta viridissima* de Linné.

V. 23. Nous aurions peut-être rétabli dans ce vers le nom de *Myro*
qui est dans Anyté, si, averti par *la jeune Tarentine*, nous n'avions pas
dû penser qu'André, trouvant ce nom peu harmonieux, a pu le modifier.
— « *Les honneurs*, » tout ce qui en fait l'ornement et la parure, la
pierre, l'inscription, les offrandes, en un mot tout ce qui a pour but
d'honorer la mémoire d'un mort.

IX

LES COLOMBES

Deux belles s'étaient baisées... Le poëte-berger, témoin jaloux
de leurs caresses, chante ainsi :

« Que les deux beaux oiseaux, les colombes fidèles,
Se baisent. Pour s'aimer les dieux les firent belles.
Sous leur tête mobile, un cou blanc, délicat,
Se plie, et de la neige effacerait l'éclat.
Leur voix est pure et tendre, et leur âme innocente,   5
Leurs yeux doux et sereins, leur bouche caressante.
L'une a dit à sa sœur : « Ma sœur. . . . . .

Ma sœur, en un tel lieu croissent l'orge et le millet...

L'autour et l'oiseleur, ennemis de nos jours,
De ce réduit, peut-être, ignorent les détours,
Viens.   10

IX. — Segrais, *Égl.*, IV, se souvenant de Properce, a tracé un petit
tableau qu'il est intéressant de rapprocher de l'idylle de Chénier :

> Aminte, arrête un peu ; vois sur ce vieux cormier
> Le baiser amoureux du sauvage ramier,
> Les caresses qu'il fait à sa compagne aimée,
> Qui d'un même désir se fait voir animée.
> Peut-on, considérant leur innocent souci,
> Ne pas dire en soi-même : Heureux qui vit ainsi! etc.

Et Desportes, dans une pièce pleine de sentiment, *Bergeries, chanson :*

> Que de plaisir de voir deux colombelles,
> Bec contre bec, en trémoussant des ailes
> Mille baisers se donner tour à tour,
> Puis, tout ravy de leur grâce naïve,
> Dormir au frais d'une source d'eau vive,
> Dont le doux bruit semble parler d'amour.

Gessner, *Damon et Philis :* « Vois-tu, Philis, vois-tu là-bas sur cet arbre
ces deux colombes? Regarde, regarde comme elles entrelacent admirablement leurs ailes! Écoute comme elles gémissent tendrement!... »

Je te choisirai moi-même les graines que tu aimes, et mon bec s'en-
trelacera dans le tien. »

. . . .

L'autre a dit à sa sœur : « Ma sœur, une fontaine
Coule dans ce bosquet. . . . .

L'oie ni le canard n'en ont jamais souillé les eaux, ni leurs cris.
Viens, nous y trouverons une boisson pure,

Et nous y baignerons notre tête et nos ailes,

et mon bec ira polir ton plumage. » — Elles vont, elles se promènent en roucoulant au bord de l'eau; elles boivent, se baignent,
mangent, puis, sur un rameau, leurs becs s'entrelacent; elles se
polissent leur plumage l'une à l'autre.

Le voyageur, passant en ces fraîches campagnes,
Dit : « O les beaux oiseaux ! ô les belles compagnes ! »   15

Il s'arrêta longtemps à contempler leurs jeux ;
Puis, reprenant sa route et les suivant des yeux,
Dit : « Baisez, baisez-vous, colombes innocentes,
Vos cœurs sont doux et purs et vos voix caressantes ;
Sous votre aimable tête, un cou blanc, délicat,   20
Se plie, et de la neige effacerait l'éclat. »

V. 14. Ce voyageur n'est pas le berger du commencement. Il ne joue
qu'un rôle épisodique dans le chant du berger.
V. 18. Voy. un sonnet de Ronsard, *Am.*, II, LXII, qui se termine ainsi :

O gentils oiselets, que vous estes heureux ! etc.

et dont le souvenir se retrouve dans Racan, I, III :

Petits oiseaux des bois, que vous estes heur
De plaindre librement vos tourments amoureux.

Ici ces *colombes* sont les *deux belles* du début.
V. 20-21. Voy. A. de Musset, *Une soirée perdue.*

ÉPIGRAMMES

I

DE JUPITER ET D'EUROPE

Étranger, ce taureau qu'au sein des mers profondes
D'un pied léger et sûr tu vois fendre les ondes,
Est le seul que jamais Amphitrite ait porté.

1. — Cette pièce et les suivantes sont du genre de celles que les Grecs appelaient ἐπιγράμματα. On en trouve dans l'*Anthologie* un grand nombre sur des statues, des peintures, des médailles, mais il n'y en a aucune sur Jupiter et Europe. (Voyez ci-dessous, au v. 3.) André, toujours artiste, décrit le groupe avant l'enlèvement d'Europe. Cette pièce est imitée d'une idylle de Moschus (II, 95 et sqq.), dont les différents traits sont répartis par André dans la description du groupe et dans le récit de l'enlèvement. — Les passages imités par André sont aux vers 95, 108 et 125 :

ᾅ δέ μιν ἀμφαφάασκε καὶ ἠρέμα χείρεσιν ἀφρόν, κ. τ. λ.
Ὡς φαμένη νώτοισιν ἐφίζανε μειδιόωσα, κ. τ. λ.
ᾅ δ' ἄρ' ἐφεζομένη Ζηνὸς βοέοις ἐπὶ νώτοις, κ. τ. λ.

Cf. Lucien, *Dial. mar.*, XV; Achilles Tatius, *Clit. et Leuc.*, I, 1; Nonnus, *Dionys.*, I, 46 ; Ovide, *Mét.*, II, 850, et *Fastes*, V, 605-618; Horace, *Od.*, III, 27 ; Le Brun, *Od.*, I, *Europe*.

V. 1. Voici une semblable forme de début dans Catulle, II :

Phaÿellus ille, quem videtis, hospites.

« *Étranger*, » ξένε en grec, *hospes* en latin, expression qu'on rencontre si fréquemment dans les inscriptions funéraires.

V. 3. Anacréon, XXXV, dans une ode qui est une véritable épigramme sur un groupe de Jupiter et d'Europe :

Il nage aux bords crétois. Une jeune beauté
Dont le vent fait voler l'écharpe obéissante   5
Sur ses flancs est assise, et d'une main tremblante
Tient sa corne d'ivoire, et, les pleurs dans les yeux,
Appelle ses parents, ses compagnes, ses jeux ;
Et, redoutant la vague et ses assauts humides,
Retire et veut sous soi cacher ses pieds timides.   10

L'art a rendu l'airain fluide et frémissant.
On croit le voir flotter. Ce nageur mugissant,
Ce taureau, c'est un dieu, c'est Jupiter lui-même.
Dans ces traits déguisés, du monarque suprême
Tu reconnais encore et la foudre et les traits.   15
Sidon l'a vu descendre au bord de ses guérets,
Sous ce front emprunté couvrant ses artifices,
Brillant objet des vœux de toutes les génisses.

La vierge tyrienne, Europe, son amour,
Imprudente, le flatte : il la flatte à son tour ;   20

Οὐκ ἂν δὲ ταῦρος ἄλλος
ἐξ ἀγέλης ἐλασθεὶς
ἔπλευσε τὴν θάλασσαν,
εἰ μὴ μόνος γ' ἐκεῖνος.

V. 5-7. Ovide, *Mét.*, II, 874 :

> . . . . . Dextra cornum tenet, altera dorso
> Imposita est : tremulæ sinuantur flamine vestes.

V. 9-10. Ce détail charmant et plein de grâce est imité d'Ovide,
Fastes, V, 611 :

> Sæpe puellares subduxit ab æquore plantas
> Et metuit tactus assilientis aquæ.

V. 11. Dans une description semblable, un poëte de l'*Anthologie* (IX,
709) a dit de même :

Ἁ δὲ τέχνα ποταμῷ συνεπήριχεν· ἀ τίς ὁ πείσας
χαλκὸν κωμάζειν ὕδατος ὑγρότερον ;

Voy. *Ant.* (éd. Didot), XVI, 97, *Annotationes.*
V. 16. Europe avait pour père Agénor de Sidon.
V. 18. « *Objets des vœux.* » Les poëtes emploient l'un pour l'autre, et

Et, se fiant à lui, la belle désirée
Ose asseoir sur son flanc cette charge adorée.
Il s'élance dans l'onde ; et le divin nageur,
Le taureau, roi des dieux, l'humide ravisseur,
A déjà passé Chypre et ses rives fertiles ;   25
Il approche de Crète, et va voir les cent villes.

II

MNAÏS

Bergers, vous dont ici la chèvre vagabonde,
La brebis se traînant sous sa laine féconde,

sans distinction, les mot *sujet* et *objet*, parce que l'être aimé est réellement en même temps le *sujet* qui fait naître l'amour et l'*objet* auquel
se rapporte l'amour. Ainsi Racine, *Phèdre*, II, v, a dit :

> Lorsque de notre Crète il traversa les flots,
> Digne *sujet des vœux* des filles de Minos.

Au contraire, Malherbe, p. 35, avait dit :

> Que vous ont fait ces cheveux,
> Dignes *objets de tant de vœux ?*...

La Fontaine, *Ode pour Madame*, a employé les deux mots en même
temps :

> Elle eut honte qu'un *objet*,
> De tant de vœux le *sujet*...

V. 22. Tout en imitant Moschus, André n'oublie pas Ovide, qui a dit,
Mét., II, 868 :

> . . . . Ausa est quoque regia virgo,
> Nescia quem premeret, tergo considere tauri.

II. — Les éditions précédentes donnent à la jeune fille le nom d'*In-
naïs*, qui n'est ni grec ni latin, et qui ne se trouve dans aucun poëte.
Mnaïs se lit dans un fragment de Sappho (éd. Volger, Lipsiæ, p. 55).
Cf. Bergk, *Lyrici græci*, 2ᵉ éd., p. 684. Cette pièce est une épitaphe
traduite de Léonidas de Tarente, *Anth.*, VII, 657 :

> Ποιμένες, οἳ ταύτην ὄρεος ῥάχιν οἰοπολεῖτε
> αἶγας κ' εὐείρους ἐμβατέοντες ὄϊς,

Au front de la colline accompagnent les pas,
A la jeune Mnaïs rendez, rendez, hélas !
Par Cybèle et Cérès et sa fille adorée,   5
Une grâce légère, une grâce sacrée.
Naguère auprès de vous elle avait son berceau,
Et sa vingtième année a trouvé le tombeau.
Que vos agneaux au moins viennent près de ma cendre
Me bêler les accénts de leur voix douce et tendre,   10
Et paître au pied d'un roc où, d'un son enchanteur,
La flûte parlera sous les doigts du pasteur.
Qu'au retour du printemps, dépouillant la prairie,
Des dons du villageois ma tombe soit fleurie ;
Puis, d'une brebis mère et docile à sa main,   15
En un vase d'argile il pressera le sein ;
Et sera chaque jour d'un lait pur arrosée
La pierre en ce tombeau sur mes mânes posée.

> Κλειταγόρη, πρὸς Γῆς, ὀλίγην χάριν, ἀλλὰ προσηνῆ
> τίνοιτε, χθονίης εἵνεκα Φερσεφόνης.
> Βληχήσαιντ' ὄϊές μοι, ἐπ' ἀξέστοιο δὲ ποιμὴν
> πέτρης συρίζοι πρηέα βοσκομέναις,
> εἴαρι δὲ πρώτῳ λειμώνιον ἄνθος ἀμέρσας
> χωρίτης στεφέτω τύμβον ἐμὸν στεφάνῳ,
> καί τις ἀπ' εὐάρνοιο καταχραίνοιτο γάλακτι
> οἰὸς, ἀμολγαῖον μαστὸν ἀνασχόμενος,
> κρηπῖδ' ὑγραίνων ἐπιτύμβιον · εἰσὶ θανόντων,
> εἰσὶν ἀμοιβαῖαι κἀν φθιμένοις χάριτες.

V. 3. Virgile, *Énéide*, VIII, 462 :

> Præcedunt *gressumque* canes *comitantur* herilem.

V. 4. « *Rendez,* » accordez.

V. 6. « *Grâce légère,* » peu considérable, ὀλίγη, comme dans ce vers
de Racine, *Frères ennemis*, II, III :

> Pouvez-vous refuser cette *grâce légère ?*

V. 16. *Sein* ne se dit en français qu'en parlant de la femme. André
l'a employé comme le mot grec μαστός qui signifie également le sein de
la femme et la mamelle des animaux.

V. 17. Sur ces libations propitiatoires, voy. *Odyssée*, X, 518 ; Eschyle,
Perses, 607 ; Sophocle, *Électre*, 893 ; Euripide, *Oreste*, 115 ; *Énéide*,
II, 62, etc.

Morts et vivants, il est encor pour nous unir
Un commerce d'amour et de doux souvenir.   20

FRAGMENT I

Et la blanche brebis de laine appesantie...

FRAGMENT II

Syrinx parle et respire aux lèvres du berger...

III

A L'HIRONDELLE

Fille de Pandion, ô jeune Athénienne,
La cigale est ta proie, hirondelle inhumaine,

I. — Voy. Sainte-Beuve, *Portr. litt.* Ce vers semble être une note
jetée sur le papier par André, à la première lecture de l'épigramme de
Léonidas ; la nécessité de la rime l'a modifié, et il est devenu :

La brebis se traînant sous sa laine féconde.

II. — Voy. Sainte-Beuve, *Portr. litt.* André sans doute avait remarqué dans Léonidas l'expression : « ἐπ' ἀξέστοιο δὲ ποιμὴν πέτρης συρίζοι. » Le mot συρίζοι, par lui-même fait image, et c'est justement cette
image qu'André a voulu rendre, en se souvenant d'Ovide, *Mét.*, I, 707.
Mais ce vers n'est encore qu'une simple note de poëte ; par le changement de *berger* en *pasteur* il eût pu devenir une variante du vers 12.
III. — Événus de Paros, *Anth.*, IX, 122 :

> Ἀτθὶ κόρα, μελίθρεπτε, λάλος λάλον ἁρπάξασα
> τέττιγ', ἀπτῆσιν δαῖτα φέρεις τέκεσι,
> τὸν λάλον ἁ λαλόεσσα, τὸν εὔπτερον ἁ πτερόεσσα,
> τὸν ξένον ἁ ξείνα, τὸν θερινὸν θερινά·
> Οὐχὶ τάχος ῥίψεις ; οὐ γὰρ θέμις, οὐδὲ δίκαιον
> ὅλλυσθ' ὑμνοπόλους ὑμνοπόλοις στόμασιν.

V. 1. Pandion avait deux filles : Procné et Philomèle. Térée, roi de

Et nourrit tes petits qui, débiles encor,
Nus, tremblants, dans les airs n'osent prendre l'essor.
Tu voles ; comme toi la cigale a des ailes.   5
Tu chantes ; elle chante. A vos chansons fidèles
Le moissonneur s'égaye, et l'automne orageux
En des climats lointains vous chasse toutes deux.
Oses-tu donc porter, dans ta cruelle joie,
A ton nid sans pitié cette innocente proie ?   10
Et faut-il voir périr un chanteur sans appui
Sous la morsure, hélas ! d'un chanteur comme lui !

Thrace, après avoir épousé Procné, conçoit une passion criminelle pour
Philomèle, l'enferme dans une grotte, la viole et lui coupe la langue ;
mais Philomèle parvient à instruire sa sœur, qui la délivre pendant les
fêtes de Bacchus, et toutes deux se vengent en faisant manger à Térée
son propre fils. Térée furieux se précipite sur elles l'épée à la main ;
mais soudain Philomèle est changée en rossignol, Procné en hirondelle,
et Térée en huppe. Voy. Ovide, *Mét.*, VI, 412 et sqq. Sur le genre des
métamorphoses, les poëtes et les commentateurs varient. Cf. Anacréon,
XI ; Tzetzès, *Chil.*, VII, 142 ; *Schol.* Aristoph., *Aves*, 216. — C'est
avec raison qu'au vers 2 André appelle l'hirondelle inhumaine par rapport à la cigale, dont elle est en effet l'ennemie redoutable (Ælien, *Hist.
Anim.*, VIII, vi).

V. 6. «*Fidèles*, » qui ne le trompent point, qui sont pour lui le signe
du retour de la belle saison et de l'été. Voy. plus loin *Élégies*, I, i, 19,
et dans la note le vers d'Anacréon :

Θέρεος γλυκὺς προφήτης.

V. 9-10. *Sans pitié* se rapporte au nid et non pas à l'hirondelle. Dans
l'imitation que fait André de l'épigramme grecque, il enchaîne habilement un vers de Virgile, *Géorg.*, IV, 17 :

Ore ferunt dulcem nidis immitibus escam ;

vers dont s'était déjà souvenu la Fontaine, *Fab.*, X, vii :

La sœur de Philomèle, attentive à sa *proie,*
Malgré le bestion happait mouches dans l'air
Pour ses petits, pour elle, *impitoyable joie.*

IV

L'AMOUR LABOUREUR

Nouveau cultivateur, armé d'un aiguillon,
L'Amour guide le soc et trace le sillon ;
Il presse sous le joug les taureaux qu'il enchaîne.
Son bras porte le grain qu'il sème dans la plaine.
Levant le front, il crie au monarque des dieux :   5
« Toi, mûris mes moissons, de peur que loin des cieux
Au joug d'Europe encor ma vengeance puissante
Ne te fasse courber ta tête mugissante. »

V

L'AMOUR ENDORMI

Là reposait l'Amour, et sur sa joue en fleur
D'une pomme brillante éclatait la couleur.

IV. — Imité de Moschus, *Épigr.*, VIII (*Anth.*, XVI, *Plan.*, 200) :

Λαμπάδα θεὶς καὶ τόξα βοηλάτιν εἵλετο ῥάβδον
οὖλος Ἔρως, πήρην δ' εἶχε κατωμαδίην ·
καὶ ζεύξας ταλαεργὸν ὑπὸ ζυγὸν αὐχένα ταύρων,
ἔσπειρεν Δηοῦς αὔλακα πυροφόρον.
Εἶπε δ' ἄνω βλέψας αὐτῷ Διΐ· Πλῆσον ἀρούρας,
μή σε τὸν Εὐρώπης βοῦν ὑπ' ἄροτρα βάλω.

Nonnus, *Dionys.*, I, 80, s'est souvenu de cette épigramme. — Au vers 5
de l'épigramme grecque, Brunck donne βρέξον (*pro* πλῆσον) ; or il est à
remarquer que Chénier a adopté la leçon πρῆσον, contrairement à l'avis
de Brunck (*Analecta*, III, *Lect. et emend.*, p. 95).

V. — Imité de Platon, *Anth. Pl.*, 210 :

Ἄλσος δ' ὡς ἱκόμεθα βαθύσκιον εὕρομεν ἔνδον
πορφυρέοις μήλοισιν ἐοικότα παῖδα Κυθήρης.

Je vis, dès que j'entrai sous cet épais bocage,
Son arc et son carquois suspendus au feuillage.
Sur des monceaux de rose au calice embaumé   5
Il dormait. Un souris sur sa bouche formé
L'entr'ouvrait mollement, et de jeunes abeilles
Venaient cueillir le miel de ses lèvres vermeilles.

VI

« Virginité chérie ! ô compagne innocente !
Où vas-tu ! Je te perds ; ah ! tu fuis loin de moi !
— Oui, je pars loin de toi ; pour jamais je m'absente,
Adieu. C'est pour jamais. Je ne suis plus à toi. »

> Οὐδ' ἔχεν ἰοδόχον φαρέτρην, οὐ καμπύλα τόξα ·
> ἀλλὰ τὰ μὲν δένδρεσσιν ὑπ' εὐπετάλοισι κρέμαντο·
> αὐτὸς δ' ἐν καλύκεσσι ῥόδων πεπεδημένος ὕπνῳ
> εὗδεν μειδιόων · ξουθαὶ δ' ἐφύπερθε μέλισσαι
> κηροχύτοις ἐντὸς λαροῖς ἐπὶ χείλεσι βαῖνον.

Ronsard, *Am.*, II, ii, se souvenait sans doute de Platon, quand il disait
à Marie :

> Marie, vous avez la joue aussi vermeille
> Qu'une rose de may. . . . .
> Quand vous estiez petite, une mignarde abeille
> Dans vos lèvres forma son nectar savoureux.

V. — André, dit-on, composa à seize ans cette pièce, imitée de Sappho. Voici les vers de Sappho, conservés par Démétrius de Phalère, *de*
Elocut., CXL :

> Παρθενία, παρθενία, ποῖ με λιποῖσα οἴχῃ;
> οὐκέτ' ἥξω πρός σε, οὐκέτ' ἥξω.

Démétrius, en citant ce fragment, nous donne son jugement : « Αἱ δὲ
ἀπὸ τῶν σχημάτων χάριτες δῆλαί εἰσι καὶ πλεῖσται παρὰ Σαπφοῖ· οἷον ἐκ
τῆς ἀναδιπλώσεώς που νύμφη πρὸς τὴν παρθενίαν φησί. » Sans doute les
vers de Chénier n'ont pas la rapidité concise de ceux de Sappho ; la rime
lui a demandé quatre vers au lieu de deux. Mais on doit remarquer le
goût d'André, qui déjà s'attache à la forme ; car, qu'il ait lu Démétrius
ou qu'il obéisse à son instinct de poëte, il est évident qu'il cherche à
rendre ces répétitions qu'admire le critique grec.

VII

MÉDÉE

Au sang de ses enfants, de vengeance égarée,
Une mère plongea sa main dénaturée;
Et l'amour, l'amour seul avait conduit sa main.
Mère, tu fus impie, et l'amour inhumain.
Mère! amour! qui des deux eut plus de barbarie?   5
L'amour fut inhumain; mère, tu fus impie.

Plût aux dieux que la Thrace aux rameurs de Jason
Eût fermé le Bosphore, orageuse prison ;
Que, Minerve abjurant leur fatale entreprise,

VII. — V. 1-6. Ces vers sont fidèlement et heureusement imités de
Virgile, *Égl.*, VIII, 47 :

> Sævus amor docuit gnatorum sanguine matrem
> Commaculare manus : crudelis tu quoque, mater;
> Crudelis mater magis, an puer improbus ille?
> Improbus ille puer : crudelis tu quoque, mater.

On peut reprocher quelque subtilité à cette succession d'antithèses ; mais,
dans une églogue, ce défaut disparaît et donne même une valeur toute
poétique aux chants du berger. Dans une tragédie, ces vers n'eussent
pas été à leur place ; chaque genre a des beautés diverses. Aussi c'est
une imprécation qu'Euripide, dans sa *Médée*, 1323, met à la bouche de
Jason.

V. 5. Dans Euripide, *Ion*, 960, Créuse, séduite par Apollon, a exposé
son fils ; le vieillard qui l'interroge lui dit, énonçant avec un sens affir-
matif la même pensée que nous trouvons dans Virgile dans un sens dubi-
tatif :

> Φεῦ · τλήμων σὺ τόλμης, ὁ δὲ θεὸς μᾶλλον σέθεν.

V. 7 et suiv. Euripide, *Médée*, 1 :

> Εἴθ' ὤφελ' Ἀργοῦς μὴ διαπτάσθαι σκάφος
> Κόλχων ἐς αἶαν κυανέας Συμπληγάδας,
> μηδ' ἐν νάπαισι Πηλίου πεσεῖν ποτε
> τμηθεῖσα πεύκη, μηδ' ἐρετμῶσαι χέρας

Pélion n'eût jamais, au bord du bel Amphryse,   10
Vu le chêne, le pin, ses plus antiques fils,
Former, lancer aux flots sous la main de Tiphys,
Ce navire animé, fier conquérant du Phase,
Qui sut ravir aux bois du menaçant Caucase
L'or du bélier divin, présent de Néphélé,   15
Téméraire nageur qui fit périr Hellé !

VIII

Ah ! prends un cœur humain, laboureur trop avide.
Lorsque d'un pas tremblant l'indigence timide
De tes larges moissons vient, le regard confus,
Recueillir après toi les restes superflus,

> ἀνδρῶν ἀρίστων, οἳ τὸ πάγχρυσον δέρος
> Πελίᾳ μετῆλθον. . . . .

Cf. Phèdre, *Fab.*, IV, vii ; Ennius, *Médée;* Apollonius, *Arg.*, IV, 32 ;
Ovide, *Am.*, II, xi, 4 ; et de semblables mouvements poétiques dans Catulle, LXIV, 171 ; Virgile, *Én.*, IV, 657.

V. 10. « *Amphryse,* » fleuve de Thessalie (Strabon, IX, v, 8), qui se
jette dans le golfe Pélasgique. Ovide, *Mét.*, I, 580, l'a appelé « lenis
Amphrysos.» Dans l'idylle d'*Hylas*, André nomme le navire « fils des
bois du Pénée » d'une façon plus générale, le Pénée remplissant de ses
eaux ou de celles de ses affluents toute la Thessalie. Ici il est plus précis, l'Amphryse coulant aux pieds d'un des contre-forts du Pélion. Pour
les détails mythologiques, historiques, géographiques, voy. ci-dessus les
deux notes, *Idyll.*, V, 1, et *Élég.*, V, 10.

V. 13. « *Navire animé,* » navire doué d'une âme, puisqu'il rendait des
oracles. Dans l'idylle d'*Hylas* il l'a appelé *navire éloquent.*

VIII. — Imité de Thomson, *Automne :*

> Be not too narrow, husbandmen ! but fling
> From the full sheaf, with charitable stealth,
> The liberal handful. Think, oh grateful think !
> How good the God of harvest is to you :
> Who pours abundance o'er your flowing fields.
> While these unhappy partners of your kind
> Wide hover round you, like the fowls of heaven,
> And ask their humble dole. . . . .

Souviens-toi que Cybèle est la mère commune.   5
Laisse la probité que trahit la fortune,
Comme l'oiseau du ciel, se nourrir à tes pieds
De quelques grains épars sur la terre oubliés.

IX

Fille du vieux pasteur, qui d'une main agile
Le soir emplis de lait trente vases d'argile,
Crains la génisse pourpre, au farouche regard,
Qui marche toujours seule, et qui paît à l'écart.
Libre, elle lutte et fuit intraitable et rebelle.   5
Tu ne presseras point sa féconde mamelle,
A moins qu'avec adresse un de ses pieds lié
Sous un cuir souple et lent ne demeure plié.

Vu et fait à Catillon, près Forges, le 4 août 1792, et écrit à
Gournay le lendemain.

IX. — V. 7. Théocrite, *Idyll.*, XXV, 102, a tracé un petit tableau semblable :

> Ἀλλ' ὁ μὲν ἀμφὶ πόδεσσιν ἐϋτμήτοισιν ἱμᾶσιν
> καλοπέδιλ' ἀράρισκε, παρασταδὸν ἐγγὺς ἀμέλγων.

V. 8. « *Lent* » est la traduction du latin *lentus* que Virgile emploie,
par exemple, *Égl.*, III, 38, 83, pour les arbustes qui plient mais ne
rompent pas ; et, *Énéide*, VII, 634, pour l'argent qui est malléable ;
mais *lent* n'ajoute pas beaucoup à l'idée de *souple ;* cependant *souple*
s'applique à la nature du cuir et *lent* à l'effet qu'on en attend.

ÉTUDES ET FRAGMENTS

I

BACCHUS

Viens, ò divin Bacchus, ô jeune Thyonée,
O Dionyse, Évan, Iacchus et Lénée ;

I. — Cette pièce est imitée d'Ovide, *Mét.*, IV, 11 et sqq. :

> . . . . . Bacchumque vocant, Bromiumque, Lyæumque,
> Ignigenamque, satumque iterum, solumque bimatrem.
> Additur his Nyseus, indetonsusque Thyoneus,
> Et cum Lenæo genialis consitor uvæ,
> Nycteliusque, Eleleusque parens, et Iacchus, et Evan;
> Et quæ præterea per Graias plurima gentes
> Nomina, Liber, habes. . . . .
> . . . . . Tu bijugum pictis insignia frenis
> Colla premis lyncum : Bacchæ Satyrique sequuntur;
> Quique senex ferula titubantes ebrius artus
> Sustinet, aut pando non fortiter hæret asello.
> Quacumque ingrederis, clamor juvenilis, et una
> Femineæ voces, impulsaque tympana palmis,
> Concavaque æra sonant, longoque foramine buxus.

En lisant les vers d'André, il ne faut pas oublier qu'il se souvenait aussi
d'un passage d'Ovide, *Art d'aimer*, I, 541, de Catulle, LXIV, 255, et du
Silène de Virgile.

V. 1. « *Thyonée*, » fils de Thyone, surnom de Sémélé ; voy. *Schol.*
Apollonius, *Arg.*, I, 636.

V. 2. « *Dionyse*, » dieu de Nysa ; c'est l'explication qu'avait adoptée
Chénier, comme on le voit dans le fragment qui suit cette pièce. Nonnus
et les mythographes sont en désaccord sur la signification et l'étymologie
de ce nom. — « *Évan*, » nom de Bacchus qui peut-être a son origine
dans le cri d'*Évohé*, *Évoë*, que poussaient les Bacchantes dans leurs

Viens, tel que tu parus aux déserts de Naxos,
Quand ta voix rassurait la fille de Minos.
Le superbe éléphant, en proie à ta victoire,   5
Avait de ses débris formé ton char d'ivoire.
De pampres, de raisins mollement enchaîné,
Le tigre aux larges flancs de taches sillonné,
Et le lynx étoilé, la panthère sauvage,
Promenaient avec toi ta cour sur ce rivage.   10
L'or reluisait partout aux axes de tes chars.
Les Ménades couraient en longs cheveux épars
Et chantaient Évius, Bacchus et Thyonée,
Et Dionyse, Évan, Iacchus et Lénée,
Et tout ce que pour toi la Grèce eut de beaux noms.   15
Et la voix des rochers répétait leurs chansons ;

chants en l'honneur du dieu. Sur les significations et étymologies de
ce nom, consultez les *Scholies* d'Aristophane. Clém. d'Alex., *Adm. ad
gentes*, p. 7, D, le fait dériver de εὔια, nom hébraïque du serpent fe-
melle. Par contre voyez Curtius, *Griech. Etymol.*, II, p. 156 et 159. Sur
une autre origine d'Évoë (*euge!* courage !), voy. Acron, *Comm. in Horat.
Od.*, I, xviii. Quoi qu'il en soit, c'est un des plus vieux débris des chants
dithyrambiques en l'honneur de Bacchus ; voy. Plutarque, *Sur le mot* ΕΙ
de Delphes. — « *Iacchus,* » le nom de l'antique Bacchus ; voy. Nonnus,
Dionys., XXXI, 63. Cf. Hérodote, VIII, lxv. — « *Lénée,* » surnom de
Bacchus, qui vient de λῆνος, pressoir. Nonnus, *Dionys.*, XIV, 99, fait de
Lénée un des fils de Silène. C'est de ce nom que les petites Dionysiaques
s'appelèrent *Lénéennes.* — D'ailleurs, voy. Rolle, *Recherches sur le
culte de Bacchus.*

V. 4. Ariane, abandonnée du parjure Thésée, errait éplorée sur le
rivage de Naxos ; Bacchus triomphant lui apparaît, et l'amour du dieu
la console de la fuite du héros. Voy. Ovide, *Art d'aimer*, I ; Catulle,
LXIV, 254.

V. 9. « *Étoilé,* » signifie-t-il « parsemé de taches » (cf. Frag. I, v. 4),
ou bien, « aux yeux d'étoiles, » c'est-à-dire dont les yeux brillent
comme des étoiles et percent l'obscurité? En latin, *stellatus* a les deux
sens.

V. 12. «*Ménades,*» surnom des Bacchantes (μαίνομαι) ; voy. Euripide, *Bacch.*, passim.

V. 13. Évius, Εὔιος, et non *Évoë*, qui n'est qu'un cri. C'est sous ce
nom d'Évius qu'on invoquait Bacchus dans les festins (Athénée, VIII,
p. 363, B).

Et le rauque tambour, les sonores cymbales,
Les hautbois tortueux, et les doubles crotales
Qu'agitaient en dansant sur ton bruyant chemin
Le faune, le satyre et le jeune sylvain,　　　　　2(
Au hasard attroupés autour du vieux Silène,
Qui, sa coupe à la main, de la rive indienne,
Toujours ivre, toujours débile, chancelant,
Pas à pas cheminait sur son âne indolent.

FRAGMENT I

C'est le dieu de Nysa, c'est le vainqueur du Gange,

V. 17. En donnant au mot *et* qui commence ce vers la valeur de *ainsi que*, on n'a pas besoin de supposer un verbe sous-entendu dans les vers suivants. — Le *tambour*, c'était le *tympanum*, sorte de tambour de basque, qu'on frappait avec les mains ; voy. Lucrèce, II, 618 ; les *cymbales* étaient ce qu'elles sont encore aujourd'hui ; voy. Lucrèce, *id*. Les épithètes *rauque* et *sonores*, qu'André donne au tambour et aux cymbales, correspondent à *rauca* et à *mollia*. Quelques éd. de Properce (III, xvii, 33 et 36) donnent à tort *mollia tympana* et *cymbala rauca*. Burmann [1] et Lachmann ont changé ces épithètes, et mis, v. 33, *mollia cymbala*, et, v. 36, *tympana rauca*. *Sonores* est la signification très-juste de *mollia*, car *mollia cymbala* signifie des cymbales sensibles au moindre toucher, c'est-à-dire *sonores*.

V. 18. « *Le hautbois tortueux*, » tibia curva, Tibulle, II, I, 86. — Les *crotales* sont les castagnettes antiques ; « *doubles*, » parce que les crotales se composaient de deux lames. Bien qu'Ovide et Catulle ne parlent pas de cet instrument dans la description du cortége de Bacchus, il était cependant usité dans les Bacchanales, comme le prouve ce passage d'Euripide. *Cycl.*, 203 :

Τί βαχχιάζετ'; Οὐχὶ Διώνυσος τάδε,
οὐ κρόταλα χαλκοῦ, τυμπάνων τ' ἀράγματα.

V. 19. De même, en chantant le Io-Pæan (Homère, *Hym. à Apollon*, 514), les Crétois dansent sur le chemin en accompagnant Apollon, qui joue de la cithare.

V. 21. Le souvenir du Silène de Virgile s'ajoute ici. Silène avait élevé Bacchus ; il l'accompagna dans la guerre des Indes (Lucien, *Bacchus*).

FRAGMENT I. — Ces quatre vers, qu'a retrouvés M. Sainte-Beuve, ne

[1] Il est probable qu'André se servait de l'édition de Burmann, qui venait de paraître en 1780.

Au visage de vierge, au front ceint de vendange,
Qui dompte et fait courber sous son char gémissant
Du lynx aux cent couleurs le front obéissant...

FRAGMENT II

Bacchus, Hymen, ces dieux toujours adolescents...

II

HERCULE

Œta, mont ennobli par cette nuit ardente,
Quand l'infidèle époux d'une épouse imprudente

sont en quelque sorte qu'une variante, une seconde imitation des vers
d'Ovide :

> Virgineum caput est. Oriens tibi victus, ad usque
> Decolor extremo qua tinguitur India Gange, etc.

Peut-être est-ce un premier essai qu'André aura abandonné pour donner
à son début un accent plus marqué d'invocation. On peut comparer ce
fragment avec les passages de Virgile, *Énéide*, VI, 803, et d'Horace,
Od., III, III, 13. — « *Front ceint de vendange.* » Le mot *vendange*
signifie le raisin lui-même comme parfois en latin. Voy. Virgile, *Géorg.*,
II, 89.

V. 4. C'est le « Lynces Bacchi variæ » de Virgile, *Géorg.*, III, 264.
Cf. Virgile, *Énéide*, I, 323 : « Maculosæ tegmine lyncis. »

FRAGMENT II. — Ce fragment ne se rattache qu'indirectement à l'hymne
à Bacchus ; cependant il semble là mieux à sa place que dans les fragments séparés. La première idée est dans Ovide (vers cités ci-dessus) :

> . . . . Tibi enim inconsumpta juventas.
> Tu puer æternus. . . . .

Mais André se souvient également de Tibulle, I, IV, 37 :

> Solis æterna est Phœbo Bacchoque juventas,

et crée un vers isolé qui prendra place quelque jour dans une idylle, ou
restera ainsi à l'état de note poétique.

II. — V. 1-4. Le centaure Nessus, portant un jour Déjanire sur ses
épaules pour lui faire traverser l'Événus, l'outrage de sa main lascive ;

Reçut de son amour un présent trop jaloux,
Victime du centaure immolé par ses coups.
Il brise tes forêts : ta cime épaisse et sombre
En un bûcher immense amoncelle sans nombre
Les sapins résineux que son bras a ployés.
Il y porte la flamme; il monte, sous ses pieds
Étend du vieux lion la dépouille héroïque,
Et l'œil au ciel, la main sur la massue antique   10
Attend sa récompense et l'heure d'être un dieu.
Le vent souffle et mugit. Le bûcher tout en feu
Brille autour du héros, et la flamme rapide
Porte aux palais divins l'âme du grand Alcide!

elle crie, Hercule se retourne et tue Nessus, qui, pour se venger, recommande en mourant à Déjanire de conserver son sang comme un
philtre amoureux propre à ramener son infidèle époux. Lorsque, après une
longue et victorieuse course, Hercule ramène dans ses foyers la jeune Iole,
Déjanire, jalouse, lui envoie en présent une tunique trempée dans le sang
empoisonné de Nessus; Hercule le revêt, et, bientôt en proie à des tortures qu'il ne peut supporter, amoncelle un bûcher au sommet de l'Œta
et se livre aux flammes. (Sophocle, *Trach.*)

V. 5-14. Ovide, *Met.*, IX, 229 :

> . . . . . . At tu, Jovis inclyta proles,
> Arboribus cæsis, quas ardua gesserat Œte,
> Inque pyram structis . . . .
> . . . . Quo flamma ministro
> Subdita, dumque avidis comprenditur ignibus agger,
> Congeriem silvæ Nemæo vellere summam
> Sternis : et imposita clavæ cervice recumbis,
> Haud alio vultu, quam si conviva jaceres,
> Inter plena meri redimitus pocula sertis.
> Jamque valens, et in omne latus diffusa sonabat,
> Securosque artus, contemptoremque petebat
> Flamma suum. . . . .
> Quem pater omnipotens, inter cava nubila raptum,
> Quadrijugo curru radiantibus intulit astris.

André, toujours plein de goût, n'a pas rendu la pensée faible et molle
d'Ovide, qui compare Hercule à un convive couronné de fleurs. Cf. Sénèque, *Herc.*, 1483; Stace, *Silv.*, III, 1.

V. 14. Horace, *Od.*, III, III, 10.

> . . . . . Arces attigit igneas.

Cf. Pindare, *Ném.*, I, épode IV.

III

J'apprends, pour disputer un prix si glorieux,
Le bel art d'Érichthon, mortel prodigieux,
Qui sur l'herbe glissante, en longs anneaux mobiles,
Jadis homme et serpent, traînait ses pieds agiles.
Élevé sur un axe, Érichthon le premier   5
Aux liens du timon attacha le coursier,
Et vainqueur, près des mers, sur les sables arides,
Fit voler à grand bruit les quadriges rapides.
Le Lapithe hardi dans ses jeux turbulents,
Le premier, des coursiers osa presser les flancs.   10
Sous lui, dans un long cercle achevant leur carrière,

III. — Érichthon, quatrième roi d'Athènes, fils de Vulcain et de la
Terre (Apollodore, III, xiv), l'inventeur du quadrige. C'est Érichthon,
comme le dit Manilius, *Astr.*, I, 359,

> Quem primum curru volitantem Juppiter alto
> Quadrijugis conspexit equis, cœloque sacravit.

Il était contrefait, ce qui lui fit donner par la fable des pieds de serpent.
Ovide, *Mét.*, II, 560, prétend qu'un serpent s'était glissé dans son berceau. Euripide, *Ion*, 21, veut que Minerve l'ait confié à la garde de deux
serpents, d'où l'usage se répandit chez les Athéniens de mettre des serpents dorés dans le berceau des enfants, lesquels serpents étaient des
colliers, comme Euripide le dit plus loin, v. 1431.

V. 5 et suiv. Virgile, *Géorg.*, III, 113 :

> Primus Erichthonius currus et quattuor ausus
> Jungere equos, rapidusque rotis insistere victor.
> Frena Pelethronii Lapithæ gyrosque dedere
> Imposti dorso, atque equitem docuere sub armis
> Insultare solo, et gressus glomerare superbos.

Cf. Lucrèce, V, 1296 ; Val. Flaccus, *Arg.*, VII, 605. — Sur l'emploi de
axe pour *char*, voy. *Élégies*, I, x, 2.

V. 9. Ce furent, dit-on, les Lapithes, qui imaginèrent de soumettre
le cheval au frein. Outre l'autorité de Virgile, consultez Pline, VII, 56.

V. 11-14. Virgile, *Géorg.*, III, 191 :

> Carpere mox gyrum incipiat, *gradibusque* sonare
> *Compositis*. . . . .

Ils surent aux liens livrer leur tête altière,
Blanchir un frein d'écume, et légers, bondissants,
Agiter, mesurer leurs pas retentissants.

IV

LE SATYRE ET LA FLUTE

Toi, de Mopsus ami! Non loin de Bérécynte
Certain satyre un jour trouva la flûte sainte

« *Mesurer*, » soumettre à une mesure, à un rhythme. C'est l'expression
de Virgile.

IV. — Les poëtes n'ont jamais traité les satyres avec beaucoup de
respect ; plus loin, nous en verrons un rival d'un bouc ; ici le tableau
est plus relevé : le rival du satyre est Hyagnis. Un jour, dit la Fable,
le rival fut un dieu ; cette fois le satyre paya son orgueil de sa vie, mais
il devait avoir au delà de la tombe la consolation de voir son épitaphe
composée par Alcée (*Anal.*, I, p. 488).

V. 1. — Le premier hémistiche est précieux, et permet en quelque
sorte de rétablir l'ensemble de l'idylle. On peut se figurer deux bergers
se disputant entre eux le prix du chant, ou mieux, chacun des deux bergers fondant sur son talent poétique l'espérance qu'il a de gagner le
cœur de son amante. La jalousie s'allume ; ils s'excitent réciproquement ;
l'un d'eux, pour prouver son talent, rappelle à son rival l'amitié que
Mopsus a conçue pour lui, amitié d'artistes, née d'une mutuelle admiration (Mopsus, en effet, nous est présenté comme un chanteur et un poëte
émérite dans Virgile, *Égl.*, V) ; mais le rival aussitôt lui répond qu'il
s'est laissé prendre aux éloges railleurs de Mopsus, et il lui cite l'histoire
de ce satyre qui, lui aussi, s'imaginait avoir le talent d'Hyagnis. Au
surplus, n'est-ce pas la même pensée que dans le passage de Virgile,
Égl., III, 25, où Damète se vante d'avoir vaincu Damon, et où Ménalque
lui répond :

> Cantando tu illum? aut unquam tibi fistula cera
> Juncta fuit? Non tu in triviis, indocte, solebas
> Stridenti miserum stipula disperdere carmen?

et dans le passage de Calpurnius, *Égl.*, VI, 22, où Astylas répond à
Lycidas qui se vante de sa victoire :

> Vincere tu quemquam! Vel te certamine quisquam
> Dignetur, qui vix stillantes, aride, voces
> Rumpis et expellis, male singultantia verba?

Dont Hyagnis calmait ou rendait furieux
Le cortége énervé de la mère des dieux.
Il appelle aussitôt, des fanges du Méandre,   5
Les nymphes de l'Asie, et leur dit de l'entendre ;
Que tout l'art d'Hyagnis n'était que dans ce bui ;
Qu'il a, grâce au destin, des doigts tout comme lui.
On s'assied. Le voilà qui se travaille et sue,
Souffle, agite ses doigts, tord sa lèvre touffue,   10
Enfle sa joue épaisse, et fait tant qu'à la fin
Le bois résonne et pousse un cri rauque et chagrin.

« *Bérécynte,* » montagne de Phrygie, où se célébraient les mystères de Cybèle, *la mère des dieux* (Strabon, X, iii, 12). Selon Étienne de Byzance, une ville de Phrygie portait aussi ce nom. — Ronsard, *Franc.,* appelle Cybèle la *Bérécyntienne.*

V. 3. « *Hyagnis,* » selon Apulée, *Flor.,* III, fut le père et le maître de Marsyas, le joueur de flûte. Voy. *Pseudo-Plut.,* X, *Marsyas, de Fluviis.*

V. 4. Voy. Catulle, *de Berecynthia et Aty.* — « *Énervé,* » non pas au figuré, mais au sens réel et physique, en latin *semivir.* Martial, III, 91 :

> *Semiviro* Cybeles cum *grege* junxit iter.

Cf. Virgile, *Énéide,* IV, 215. On le rendrait aussi en latin par *eviratus ;* voy. Catulle, LXIII.

V. 5-6. Voici un de ces passages où il serait nécessaire d'avoir le manuscrit sous les yeux, car nous soupçonnons ici une correction fâcheuse de M. de Latouche. En tout cas, André suppose le satyre, non loin de Bérécynte, placé sur les bords du Méandre, au cours lent et vaseux, et près du confluent du Marsyas ; et c'est de là (*des fanges du Méandre*) qu'il appelle à grands cris *les nymphes de l'Asie.* Ici l'Asie n'est point la contrée qui porte ce nom, mais le lac ou marais d'Asia, dont parle Virgile, *Géorg.,* I, 384 et *Énéide,* VII, 701, et qui s'étend dans le bassin du Caystre jusqu'aux collines qui séparent ce fleuve du Méandre.

V. 8. Hyagnis fut, dit-on, le premier qui imagina de lever et de baisser les doigts sur la flûte. Voy. Apulée, *Flor.,* III ; cf. *Anth.,* IX, 340.

V. 9. Dans le combat d'Apollon et de Marsyas (Apulée, *Flor.,* III) : « Musæ cum Minerva dissimulamenti gratia judices adstitere, ad deridendam scilicet monstri illius barbariem, nec minus ad stoliditatem puniendam. » De même, dans le combat des Muses et des Piérides (Ovide, *Mét.,* V, 317), les Nymphes sont juges et s'assoient sur des siéges taillés dans le roc.

V. 12. Dans Calpurnius, *Égl.,* X, 6, des enfants qui ont trouvé la flûte

L'auditoire étonné se lève, non sans rire.
Les éloges railleurs fondent sur le satyre,
Qui pleure, et des chiens même, en fuyant vers le bois,   15
Évite comme il peut les dents et les abois.

V

. . . .

Accours, jeune Chromis, je t'aime et je suis belle,
Blanche comme Diane et légère comme elle,
Comme elle grande et fière; et les bergers, le soir,
Lorsque, les yeux baissés, je passe sans les voir,
Doutent si je ne suis qu'une simple mortelle,   5
Et, me suivant des yeux, disent : « Comme elle est belle ! »

de Pan nous offrent un petit tableau semblable à celui que nous trace
André :

> Hanc pueri (tanquam prædam pro carmine possent
> Sumere, fasque esset calamos tractare deorum)
> Invadunt furto : sed nec resonare canorem
> Fistula, quem suerat, nec vult contexere carmen ;
> Sed pro carminibus male dissona sibila reddit.

V. 13. Les Muses (Apulée, *Flor.*, III) traitent avec autant d'irrévé-
rence le pauvre Marsyas : « Risere Musæ quum audirent hoc genus cri-
mina, sapienti exoptanda, Apollini objectata. »

V. 15. « *Des chiens même.* » Ici, selon les grammairiens, *même* devrait prendre la marque du pluriel ; mais le mot *même*, pour André
comme pour nos vieux écrivains, est presque toujours adverbe et l's finale
n'est alors qu'une lettre facultative. Voy. Génin, *Variations du langage
français*, p. 101 et suiv. Très-souvent dans Chénier on trouve *eux-
même, nous-même* et *vous-même*. Les poëtes de l'époque d'André offrent
de fréquents exemples de cette licence.

V. — C'est à tort que l'édition 1839 avait joint ces vers aux suivants
et que nous avions fait de même dans notre première édition. Ce sont
deux fragments différents.

V. 5-6. Ce passage rappelle les paroles que, dans l'*Iliade*, III, échan-
gent à voix basse les vieillards troyens quand ils voient Hélène s'avancer
vers la tour.

VI

Néère, ne va point te confier aux flots
De peur d'être déesse, et que les matelots
N'invoquent, au milieu de la tourmente amère,
La blanche Galatée et la blanche Néère.

VII

EUPHROSYNE

Ah! ce n'est point à moi qu'on s'occupe de plaire.
Ma sœur plus tôt que moi dut le jour à ma mère.
Si quelques beaux bergers apportent une fleur,
Je sais qu'en me l'offrant ils regardent ma sœur;
S'ils vantent les attraits dont brille mon visage,   5
Ils disent à ma sœur : « C'est ta vivante image. »
Ah! pourquoi n'ai-je encore vu que douze moissons?
Nul amant ne me flatte en ses douces chansons;
Nul ne dit qu'il mourra si je suis infidèle.
Mais j'attends. L'âge vient. Je sais que je suis belle.   10
Je sais qu'on ne voit point d'attraits plus désirés

VI. — Ce fragment, différent du précédent, rappelle les vers déjà cités
de Properce, p. 64 :

>   Quod si forte tuos vidisset Glaucus ocellos
>   Esses Ionii facta puella maris.

V. 4. « *Galatée,* » fille de Doris et de Nérée, aimée de Polyphème.
(Lucien, *Dial. mar.*, I ; Ovide, *Mét.*, XIII, 738.)

VII. — V. 6. Dans Racine, *Mithr.*, III, v, Monime dit à Mithridate en
lui parlant de son fils :

>   Cette *vivante image* en qui vous vous plaisez.

Qu'un visage arrondi, de longs cheveux dorés,
Dans une bouche étroite un double rang d'ivoire,
Et sur de beaux yeux bleus une paupière noire.

VIII

A compter nos brebis je remplace ma mère ;
Dans nos riches enclos j'accompagne mon père ;
J'y travaille avec lui. C'est moi de qui la main,
Au retour de l'été, fait résonner l'airain
Pour arrêter bientôt d'une ruche troublée   5
Avec ses jeunes rois la jeunesse envolée.
Une ruche nouvelle à ces peuples nouveaux
Est ouverte ; et l'essaim, conduit dans les rameaux
Qu'un olivier voisin présente à son passage,
Pend en grappe bruyante à son amer feuillage.   10

VIII. — V. 4. Virgile, *Géorg.*, IV, 64 :

> Tinnitusque cie et Matris quate cymbala circum.
> Ipsæ consident medicatis sedibus ; ipsæ
> Intima more suo sese in cunabula condent.

Ces vers de Virgile ont fourni une belle comparaison à Lucain, *Phars.*,
IX, 284, et à Claudien, *Six. Cons. d'Honorius*, 259.

V. 5-9. Virgile, *Géorg.*, IV, 20 :

> . . . . . Vestibulum aut ingens oleaster inumbret :
> Ut, quum prima novi ducent examina reges
> Vere suo, ludetque favis emissa juventus,...
> Obviaque hospitiis teneat frondentibus arbos.

V. 10. C'est ainsi que Virgile, *Géorg.*, IV, 557, nous montre les
abeilles :

> . . . . Arbore summa
> Confluere, et lentis uvam demittere ramis.

Détail sur lequel il revient dans l'*Énéide*, VII, 66 :

> . . . . . . Et, pedibus per mutua nexis,
> Examen subitum ramo frondente pependit.

IX

J'étais un faible enfant qu'elle était grande et belle ;
Elle me souriait et m'appelait près d'elle.
Debout sur ses genoux, mon innocente main
Parcourait ses cheveux, son visage, son sein,
Et sa main quelquefois, aimable et caressante,   5
Feignait de châtier mon enfance imprudente.
C'est devant ses amants, auprès d'elle confus,
Que la fière beauté me caressait le plus.
Que de fois (mais, hélas ! que sent-on à cet âge ?)
Les baisers de sa bouche ont pressé mon visage !   10
Et les bergers disaient, me voyant triomphant :
« O que de biens perdus ! ô trop heureux enfant ! »

X

Toujours ce souvenir m'attendrit et me touche,
Quand lui-même, appliquant la flûte sur ma bouche,

Ce qui nous ramène jusqu'à Homère, *Iliade*, II, 86 :

. . . . . . Ἐπεσσεύοντο δὲ λαοί.
Ἠΰτε ἔθνεα εἶσι μελισσάων ἀδινάων,
πέτρης ἐκ γλαφυρῆς ἀεὶ νέον ἐρχομενάων,
βοτρυδὸν δὲ πέτονται ἐπ᾽ ἄνθεσιν εἰαρινοῖσιν.

IX. — V. 5-6. Combien, selon la nature, les impressions diffèrent ! On se rappelle l'effet que produisent sur J.-J. Rousseau les châtiments de mademoiselle Lambercier. Voy. *Confess.*, I, I.

X. — Tableau ravissant et complet, qui a déjà dû tenter plus d'un peintre, plus d'un sculpteur. Quelques sujets très-peu nombreux sont ainsi sur la limite des trois arts. Celui-ci dans l'antiquité avait tenté Polygnote, dont une des peintures à Delphes (Pausanias, X, 30) représentait Marsyas apprenant à jouer de la flûte à Olympos. C'était un de ces

Riant et m'asseyant sur lui, près de son cœur,
M'appelait son rival et déjà son vainqueur.
Il façonnait ma lèvre inhabile et peu sûre   5
A souffler une haleine harmonieuse et pure;
Et ses savantes mains prenaient mes jeunes doigts,
Les levaient, les baissaient, recommençaient vingt fois,
Leur enseignant ainsi, quoique faibles encore,
A fermer tour à tour les trous du buis sonore.   10

XI

Je sais, quand le midi leur fait désirer l'ombre,
Entrer à pas muets sous le roc frais et sombre,
D'où parmi le cresson et l'humide gravier
La naïade se fraye un oblique sentier.

sujets célèbres que les anciens aimaient à reproduire dans la décoration
intérieure de leurs maisons. Ce petit morceau est peut-être dû à un
souvenir de Gessner, *Lycas et Milon* : « Lorsque je balbutiais encore,
assis sur les genoux de mon père, s'il jouait quelque air sur son chalumeau, je l'écoutais dès lors avec attention, et je bégayais l'air après lui,
ou bien je lui tirais, en souriant, sa flûte de la bouche, et je formais des
sons dissonants. » Longus, *Daphnis et Chloé*, II, trace avec bien moins de
bonheur le tableau de Philétas apprenant à jouer de la flûte aux jeunes
bergers. On pourrait rapprocher aussi de ces vers un passage délicieux de
Stace, *Achill.*, I, 572, où le poëte dépeint les jeux d'Achille et de Déidamie :

> . . . . Modo dulcia notæ
> Fila lyræ, tenuesque modos, et carmina monstrat
> Chironis, ducitque manum, digitosque sonanti
> Infringit citharæ : nunc occupat ora canentis,
> Et ligat amplexus, et mille per oscula laudat.

On a déjà justement remarqué la science avec laquelle, dans ces vers,
André a vaincu la difficulté d'exprimer ces détails. J.-B. Rousseau, *Pal.
et Daph.*, *Églogue*, a dit moins heureusement, surtout moins clairement :

> Quand sous tes doigts légers, l'air, trouvant un passage,
> Exprimait les accents dont ils traçaient l'image.

XI. — V. 4. Horace, *Od.*, II, III :

> . . . . . Et obliquo laborat
> Lympha fugax trepidare rivo.

Là j'épie à loisir la nymphe blanche et nue   5
Sur un banc de gazon mollement étendue,
Qui dort, et sur sa main, au murmure des eaux,
Laisse tomber son front couronné de roseaux.

XII

L'impur et fier époux que la chèvre désire
Baisse le front, se dresse et cherche le satyre.
Le satyre averti de cette inimitié
Affermit sur le sol la corne de son pied ;
Et leurs obliques fronts lancés tous deux ensemble   5
Se choquent ; l'air frémit, le bois s'agite et tremble.

V. 5 et suiv. Imité de Gessner, *à Daphné :* « Souvent ma Muse se
cache dans l'épaisseur des bois pour écouter les dryades et les satyres aux
pieds de chèvre ; elle épie dans les grottes les nymphes couronnées de
roseaux. »

XII. — Ce petit tableau a une belle couleur poétique ; André s'est heureusement rencontré avec Oppien, Virgile et Thomson. Voyez Oppien,
Chasse, II, 334, et Thomson, *Spring,* au moment où le taureau aperçoit
son rival. Virgile, *Géorg.,* III, 222, décrit ainsi le combat des deux taureaux :

> Versaque in obnixos urgentur cornua vasto
> Cum gemitu : reboant silvæque et magnus Olympus.

V. 1. Périphrase fréquente chez les poëtes grecs et latins. Léonidas,
Anth., IX, 99 :

> Ἴξαλος εὐπώγων αἰγὸς πόσις. . . . .

Théocrite, *Id.,* VIII, 49 :

> Ὦ τράγε, τᾶν λευκᾶν αἰγῶν ἄνερ. . . . .

Virgile, *Égl.,* VII, 7, appelle le bouc : « Vir gregis, » et Horace, *Od.,* I,
xvii, 7, les chèvres : « Olentis uxores mariti. »

XIII

Voilà ce que chantait aux Naïades prochaines
Ma Muse jeune et fraîche, amante des fontaines,
Assise au fond d'un antre aux nymphes consacré,
D'acanthe et d'aubépine et de lierre entouré.
L'Amour, qui l'écoutait caché dans le feuillage,   5
Sortit, la salua Sirène du bocage.
Ses blonds cheveux flottants par lui furent pressés
D'hyacinthe et de myrte en couronne tressés :

XIII. — Imité de Gessner, *à Daphné :* « Souvent aussi l'Amour vient
surprendre ma Muse ; tantôt dans les grottes vertes, tissues de bran-
chages touffus, tantôt près des ruisseaux ombragés de saules, il écoute
ses chants et couronne sa chevelure flottante, quand elle célèbre la tendresse et les doux plaisirs. » — Il pourrait y avoir là aussi un souvenir
d'un chœur charmant des *Oiseaux* d'Aristophane (v. 737). Comme dans
les vers du poëte grec, la *Muse bocagère* d'André chante assise *sous des
ombrages.* À la fin l'Amour compare la douceur de ses chants à la douceur du miel ; Aristophane aussi compare Phrynichus à l'abeille :

> Μοῦσα λοχμαία,
> ποικίλη μεθ' ἧς ἐγὼ
> νάπαισι καὶ κορυφαῖς ἐν ὀρείαις
> ἱζόμενος μελίας ἐπὶ φυλλοκόμου,
> δι' ἐμῆς γέννος ξουθῆς μελέων
> Πανὶ νόμους ἱεροὺς ἀναφαίνω
> σεμνά τε μητρὶ χορεύματ' ὀρείᾳ,
> ἔνθεν ὡσπερεὶ μέλιττα
> Φρύνιχος ἀμβροσίων μελέων ἀπεβόσκετο καρπὸν, ἀεὶ φέρων γλυκεῖαν ᾠδάν.

V. 6. « *Sirène du bocage,* » Muse du bocage. Chez les poëtes grecs
d'une époque un peu récente, σειρήν est devenu synonyme de μοῦσα. Un
poëte anonyme de l'Anthologie, *Anth., App.,* 377, a ces vers qui ne sont
pas sans rapports avec ceux d'André Chénier :

> Φειδρὸν ἑταῖρον Ἔρωτος ὁρᾷς, σειρῆνα θεάτρων,
> τόνδε Μένανδρον, ἀεὶ κρᾶτα πυκαζόμενον.

Un autre poëte de l'*Anthologie,* IX, 184, appelle Bacchylide λάλε Σειρήν

« Car ta voix, lui dit-il, est douce à mon oreille,
« Autant que le cytise à la mielleuse abeille. »   10

XIV

Proserpine incertaine. . . . .
Sur sa victime encor suspendait ses ciseaux,
Et le fer, respectant ses longues tresses blondes,

V. 9-10. Théocrite, *Idyll.*, IX, 34 :

. . . . Οὔτε μελίσσαις
ἄνθεα, ὅσσον ἐμὶν Μῶσαι φίλαι . . . . .

Virgile, *Égl.*, X, 29 :

> Nec lacrymis crudelis Amor, nec gramina rivis,
> Nec cytiso saturantur apes, nec fronde capellæ.

Dans les fragments qui précèdent, on pourrait peut-être deviner le plan vague d'une idylle. Les fragments IX et X y entreraient comme chants alternés de deux bergers ; le fragment XI serait un tableau épisodique, et le fragment XIII, le final du chant de l'un des bergers. D'autres fragments pourraient encore trouver leur place dans cette idylle imaginée après coup. Nous indiquons cela en passant et sans vouloir nous aventurer plus loin dans le champ de la conjecture.

XIV. — Virgile, *Énéide*, IV, 698 :

> Nondum illi flavum Proserpina vertice crinem
> Abstulerat, stygioque caput damnaverat Orco.
> Ergo Iris croceis per cœlum roscida pennis,
> Mille trahens varios adverso sole colores,
> Devolat, et supra caput adstitit : « Hunc ego Diti
> Sacrum jussa fero, teque isto corpore solvo. »
> Sic ait, et dextra *crinem* secat : omnis et una
> Dilapsus calor, atque in ventos vita recessit.

Ces vers ont été publiés par M. A. France, dans l'*Intermédiaire des chercheurs et curieux*, n° 10, 10 août 1864, d'après une copie faite sur le manuscrit même d'André. Dans le n° 12, 31 août 1864, M. Gabriel de Chénier a répondu que ces vers ne pouvaient pas être d'André : 1° parce qu'il n'écrivait jamais sur ses livres ; 2° parce que ces vers étaient fort mauvais. A la date du 25 octobre 1865, M. P. Lacroix a répondu avec raison qu'il importait peu que ces vers eussent été copiés sur la marge même d'un Virgile ou sur une feuille volante, et qu'on reconnaissait au plus haut degré la manière et le style d'André.

Ne l'avait pas vouée aux infernales ondes.

Iris, du haut des cieux, sur ses ailes de feu,   5
Descend vers Proserpine : « Oui, qu'à l'infernal dieu
Didon soit immolée ; emporte enfin ta proie... »

. . . .

Elle dit ; sous le fer soudain le crin mortel
Tombe ; son œil se ferme au sommeil éternel   10
Et son souffle s'envole à travers les nuages.

XV

PETITS FRAGMENTS ET NOTES

(Extrait des Portraits littéraires de M. Sainte-Beuve. — *Documents
sur André Chénier.)*

Les papiers d'André Chénier sont couverts de projets d'imitation :

I. — En lisant une épigramme de Platon sur Pan qui joue de la
flûte, il en remarque le dernier vers, où il est question des *Nymphes
hydriades :* « Je ne connaissais pas encore ces nymphes, » se dit-
il ; et on sent qu'il se propose de ne pas s'en tenir là avec elles.

II. — Il copie de sa main une épigramme de Myro la Byzantine,
qu'il trouve charmante, adressée aux *Nymphes hamadryades* par un
certain Cléonyme, qui leur dédie des statues dans un lieu planté de
pins.

XV. — Petits fragments et notes.

I. Platon, *Anth.*, IX, 823 :

> Αἱ δὲ πέριξ θαλεροῖσι χορὸν ποσὶν ἐστήσαντο
> Ὑδριάδες Νύμφαι, Νύμφαι Ἀμαδρυάδες.

Il est encore fait mention de ces nymphes dans une épigramme de Paulus
Silentiarius *(Anth.,* VI, 57). Cf. Nonnus. *Dionys.*, II, 92, et Properce,
I, xx, 12.

II. Myro, *Anth.*, VI, 189 :

> Νύμφαι Ἀμαδρυάδες, ποταμοῦ κόραι, αἱ τάδε βένθη
> ἀμβρόσια ῥοδέοις στείβετε ποσσὶν ἀεὶ,

III. — Il va quêtant partout son butin choisi. Tantôt, ce sont
deux vers d'une petite idylle de Méléagre *sur le printemps :*

L'alcyon sur les mers, près des toits l'hirondelle,
Le cygne au bord du lac, sous le bois Philomèle;

IV. — Tantôt, c'est un seul vers de Bion (*Épithalame d'Achille
et de Déidamie*) :

Et les baisers secrets et les lits clandestins;

Il les traduit exactement et se promet bien de les enchâsser quelque
part un jour. A mesure qu'il augmente son trésor, il n'est pas toujours sûr de ne pas les avoir employés déjà : « Je crois (dit-il en un
endroit) avoir déjà mis ce vers quelque part, mais je ne puis me
souvenir où. »

V. — Il guettait de l'œil, comme une tendre proie, les excellents

χαίρετε καὶ σώζοιτε Κλεώνυμον, ὃς τάδε καλὰ
εἴσαθ᾽ ὑπαὶ πιτύων ὔμμι θεαὶ ξόανα.

Il est juste d'ajouter que ces *Nymphes Hamadryades* ('Αμαδρυάδες)
sont, depuis l'époque d'André, devenues les *Nymphes Anigriades* ('Ανι-
γριάδες), d'après une savante correction de Unger. Voy. *Anth. Pal.*, VI,
189, *Annotationes*, p. 243 (éd. Didot).

III. Méléagre, *Anth.*, IX, 363 :

Ἀλκυόνες περὶ κῦμα, χελιδόνες ἀμφὶ μέλαθρα,
κύκνος ἐπ᾽ ὄχθαισιν ποταμοῦ, καὶ ὑπ᾽ ἄλσος ἀηδών.

Cf. Virgile, *Géorg.*, III, 338, et IV, 307 ; en joignant les deux passages,
on retrouve presque les deux vers de Méléagre :

Littoraque Alcyonem resonant, Acalanthida dumi…
. . . . tignis nidum suspendat hirundo.

IV. Bion, *Anal.*, I, p. 390 (*Epith.*) :

Σκύριον ὦ Λυκίδα, ζαλῶ μέλος, ἁδὺν ἔρωτα,
λάθρια Πηλείδαο φιλάματα, λάθριον εὐνάν.

Le texte de Bion donne λάθριον εὐνάν ; le pluriel, *les lits clandestins*,
est une tournure poétique. Le pluriel se trouve employé ainsi poétiquement dans Euripide, *Hécube*, 935 ; Eschyle, *Agam.*, 1193 ; Pindare,
Pyth., IX, 19, etc.

V. Denys le Périégète, 843 :

. . . Παρθενικαὶ, νεοθηλέες οἷά τε νεβροὶ,
σκαίρουσιν· τῆσιν καὶ πέρι σμαραγεῦντες ἀῆται

vers de Denys le géographe, où celui-ci peint les femmes de Lydie
dans leurs danses en l'honneur de Bacchus, et les jeunes filles qui
sautent et bondissent *comme des faons nouvellement allaités,*

> . . . lacte mero mentes perculsa novellas (LUCRÈCE, I, 262) ;

et les vents, frémissant autour d'elles, agitent sur leurs poitrines
leurs tuniques élégantes.

VI. — Il voulait imiter l'idylle de Théocrite (XX), dans laquelle
la courtisane Eunica se raille des hommages d'un pâtre ; chez André,
c'eût été une contre-partie probablement ; on aurait vu une fille des
champs raillant un *beau* de la ville, et lui disant : Allez, vous
préférez

Aux belles de nos champs vos belles citadines.

VII. — La troisième élégie du livre IV de Tibulle, dans laquelle le
poëte suppose Sulpicie éplorée, s'adressant à son amant Cérinthe et
le rappelant de la chasse, tentait aussi André, et il en devait mettre
une imitation dans la bouche d'une femme.

VIII. — « Il ne sera pas impossible (dit-il) de parler quelque part

> ἱμερτοὺς δονέουσιν ἐπὶ στήθεσσι χιτῶνας.
> Ἀλλὰ τὰ μὲν Λυδοῖσι μετ' ἀνθρώποισι μέλονται.

Le tableau charmant de ces jeunes Lydiens, qui suivent d'un regard
amoureux ces belles vierges dansantes, devait plaire au goût délicat
d'André ; cette description est poétique et a une grâce tout orientale.
Dans le *Râmâyana,* des courtisanes qui veulent séduire un richi, dansent autour de lui ; leurs vêtements, en tournoyant, se soulèvent avec
toutes leurs parures, et le cœur du richi en paraît amoureusement remué.
— Mais André ne s'était-il pas déjà souvenu de Denys le géographe en
traçant, dans le *Jeune Malade,* ce délicieux tableau :

> O vent sonore et frais qui troublais le feuillage,
> Et faisais frémir l'onde, et sur leur jeune sein
> Agitais les replis de leur robe de lin !
> De légères beautés troupe agile et dansante !

VII. Dans l'élégie de Tibulle, Sulpicie tremble que son amant ne succombe sous les dents redoutables d'un sanglier ; il y avait là une situation poétique que le poëte latin n'exprime pas, mais qu'André eût probablement saisie avec empressement, et qui rappelle l'élégie de Bion et
la mort du bel Adonis.

VIII. Athénée, VIII, xv, p. 359 et 360 :

> Ἐσθλοὶ Κορώνῃ χεῖρα πρόςδοτε κριθῶν,

de ces mendiants charlatans qui demandaient pour la mère des
dieux, et aussi de ceux qui, à Rhodes, mendiaient pour la corneille
et l'hirondelle ; et traduire les deux jolies chansons qu'ils disaient
en demandant cette aumône et qu'Athénée a conservées. »

IX. — Il était si en quête de ses gracieuses chansons, de ces
noëls de l'antiquité, qu'il en allait chercher d'analogues jusque dans
la poésie chinoise, à peine connue de son temps : il regrette qu'un
missionnaire habile n'ait pas traduit en entier le *Chi-King*, le Livre
des vers, ou du moins ce qui en reste. Deux pièces, citées dans le
treizième volume de la grande histoire de la Chine qui venait de
paraître, l'avaient surtout charmé. Dans une ode sur l'amitié fraternelle, il relève les paroles suivantes : « *Un frère pleure son frère
avec des larmes véritables. Son cadavre fût-il suspendu sur un
abîme à la pointe d'un rocher, ou enfoncé dans l'eau infecte
d'un gouffre, il lui procurera un tombeau.* »

X. — « Voici (ajoute-t-il) une chanson écrite sous le règne d'Yao,
2350 ans avant Jésus-Christ. C'est une de ces petites chansons que

> τῇ παιδὶ τοῦ Ἀπόλλωνος ἢ λέχος πυρῶν,
> ἢ ἄρτον ἢ ἥμαιθον, ἢ ὅ, τι τις χρήξει · κ. τ. λ.

Mais surtout quel charmant début que celui de la chanson pour l'hirondelle ! « Ἦλθ' ἦλθε χελιδών, καλὰς ὥρας ἄγουσα καὶ καλοὺς ἐνιαυτούς ·
κ. τ. λ. » C'est avec un sentiment bien poétique que Linné, en commençant sa description de l'hirondelle, imite ainsi cette chanson : « Venit,
venit hirundo, pulchra adducens tempora et pulchros annos. » Mais
comment André eût-il rendu l'harmonieuse rapidité de l'ἦλθ' ἦλθε χελιδών ? Le grec a des ailes.

IX. Le treizième volume de l'*Histoire de la Chine* avait paru en 1785.
Le passage que remarque Chénier se trouve dans le *Chi-King*, part. II,
chap. I, ode IV. En 1830, il parut une traduction latine de tout ce qui
reste du *Chi-King*. Voici le passage de l'ode IV qui n'est pas tout à fait
semblable à la traduction française : « Si celebrandum funus agatur, tunc
maxime apparet fraternus amor. Si (post prœlium commissum) acervatim
et promiscue jaceant (cadavera) in locis sive præruptis sive depressis,
tunc frater huc certe properat (fratris sui cadaver) quæsiturus. »

X. La petite chanson qu'André avait lue dans le treizième volume de
l'*Histoire générale de la Chine* n'est pas une ode du *Chi-King* ; elle
se trouvait rapportée dans le *Tong-tchi* (Histoire pénétrante), qui était
la réduction en un seul corps de toute l'histoire chinoise. Cf. Fortia
d'Urban, *Hist. antédiluvienne de la Chine*, II, p. 147-148 et 562.

les Grecs appellent SCOLIES : « *Quand le soleil commence sa course, je me mets au travail; et quand il descend sous l'horizon, je me laisse tomber dans les bras du sommeil. Je bois l'eau de mon puits, je me nourris des fruits de mon champ. Qu'ai-je à gagner ou à perdre à la puissance de l'empereur ?* »

XI. — Est-ce un emprunt, est-ce une idée originale que ces lignes riantes que je trouve parmi les autres, et sans plus d'indication : « O ver luisant lumineux,... petite étoile terrestre,... ne te retire point encore... prête-moi la clarté de ta lampe pour aller trouver ma mie qui m'attend dans le bois ! »

XII. — Pindare, cité par Plutarque au *Traité de l'adresse et de l'instinct des animaux*, s'est comparé aux dauphins, qui sont sensibles à la musique; André voulait encadrer l'image ainsi : « On peut faire un petit *quadro* d'un jeune enfant assis sur le bord de la mer, sous un joli paysage. Il jouera sur deux flûtes :

Deux flûtes sur sa bouche, aux antres, aux Naïades,
Aux Faunes, aux Sylvains, aux belles Oréades,
Répètent des amours. . . . .

Et les dauphins accourent vers lui. »

Mémoires concernant les Chinois, XIII, p. 268 ; *Histoire générale*, de Mailla, *préface*, p. XLI.

XI. Cette petite pièce a pu lui être inspirée par la XVIe idylle de Bion, qu'il a traduite ; peut-être lui a-t-elle été fournie par Gessner, *la Nuit*. Dans ce petit poëme allemand, l'amant, apercevant des feux follets s'écrie : « Oui, vous êtes des divinités bienfaisantes, qui daignez apparaître la nuit pour conduire l'amant égaré auprès de son amante qui l'attend avec impatience... » Les feux follets disparaissent, et l'amant-poëte poursuit : « Je ne vois plus de feux dans la contrée ténébreuse : je n'y aperçois plus qu'un petit vermisseau, qui, semblable à une petite lampe, brille suspendu à la tige d'une plante... » Ici l'idée, qui n'est pas venue au poëte de Zurich, d'invoquer le secours de l'insecte lumineux, a dû se présenter naturellement à l'esprit d'André, et il y aurait là, à bien examiner, comme une critique de Gessner, qui, au lieu de terminer par cette invocation toute poétique, se lance dans une dissertation mythologique sur la lumière du ver luisant.

XII. Voy. les vers de Pindare ci-dessous, XIII. — [André dans ces notes emploie, à diverses reprises, cette expression : *j'en pourrai faire*

XIII. — En attendant, il avait traduit, ou plutôt développé les vers de Pindare :

Comme aux jours de l'été, quand d'un ciel calme et pur
Sur la vague aplanie étincelle l'azur,
Le dauphin sur les flots sort et bondit et nage,
S'empressant d'accourir vers l'aimable rivage
Où, sous des doigts légers, une flûte aux doux sons   5
Vient égayer les mers de ses vives chansons ;
Ainsi. . . . .

XIV. — Ailleurs ce n'est plus le gracieux enfant, c'est Andromède exposée au bord des flots, qui appelle la muse d'André : il

un QUADRO ; cela paraît vouloir dire un petit tableau peint ; car il était peintre aussi, comme il nous l'a appris dans une élégie :

> Tantôt de mon pinceau les timides essais
> Avec d'autres couleurs cherchent d'autres succès.

Peut-être aussi le poëte n'emploie-t-il, en certains cas, cette expression de QUADRO que métaphoriquement et par allusion à son petit cadre poétique. SAINTE-BEUVE.] Les deux flûtes, qu'on plaçait en même temps dans la bouche, s'appelaient *tibiæ pares* ou *tibiæ impares*, selon qu'elles étaient ou non dans le même ton.

XIII. Pindare, éd. Heyne [1], *Frag.* XLIX, et Plutarque, *de Solert. anim.*, XXXVI (cf. *Quæst. conv.*, VII, v, 2) : Δελφῖνι Πίνδαρος ἀπεικάζων ἑαυτὸν ἐρεθίζεσθαι, φησίν,

> Ἁλίου δελφῖνος ὑπόκρισιν,
> τὸν μὲν ἀκύμονος ἐν πόντου πελάγει
> αὐλῶν ἐκίνησεν ἐρατὸν μέλος.

Cf. Oppien, *Pêche*, V, 453 ; Apollonius, *Arg.*, I, 572 ; Stace, *Silv.*, II, II, 119, etc. L'amour du dauphin pour la musique est connu, témoin la fable d'Arion ; ce qui ne l'est pas moins, c'est son affection pour l'homme, « Pline le dit, il faut l'en croire. »

V. 2. « *Vague aplanie ;* » c'est l'expression latine « stratum æquor. » Voy. Virgile, *Égl.*, IX, 57.

XIV. Manilius, *Astr.*, V, 552 :

> Supplicia ipsa decent. Nivea cervice reclinis
> Molliter ipsa, suæ custos est ipsa figuræ.
> Defluxere sinus humeris, fugitque lacertos
> Vestis, et effusi scapulis lusere capilli.

[1] C'est probablement l'édition dont se servait André ; voy. *Œuvres en prose*, lettre V, p. 262.

cite et transcrit les admirables vers de Manilius à ce sujet, au Ve livre
des *Astronomiques ;* ce supplice d'où la grâce et la pudeur n'ont
pas disparu, ce charmant visage confus, allant chercher une blanche
épaule qui le dérobe. André remarque que « c'est en racontant
l'histoire d'Andromède à la troisième personne que le poëte lui
adresse brusquement ces vers : *Te circum,* etc., sans la nommer en
aucune façon. C'est tout cela (ajoute-t-il) qu'il faut imiter. Le traducteur met les alcyons volants autour de *vous, infortunée princesse.*
Cela ôte de la grâce. »

XV. — Il disait encore dans ce même exquis sentiment de la diction poétique : « La huitième épigramme de Théocrite est belle
(Épitaphe de Cléonice) ; elle finit ainsi : Malheureux Cléonice, sous
le propre coucher des Pléiades, *cum Pleiadibus, occidisti.* Il faut
traduire et rendre l'opposition de paroles... la mer t'a reçu avec
elles (les Pléiades). »

XVI. — « La jeune fille qu'on appelait *la belle de Scio...* son
amant mourut... elle devint folle... elle courait les montagnes (la
peindre d'une manière antique). — (J'en pourrai, un jour, faire un
tableau, un *quadro*)... et, longtemps après elle, on chantait cette
chanson faite par elle dans sa folie :

> Te circum Alcyones pennis planxere volantes,
> Fleveruntque tuos miserando carmine casus,
> Et tibi contextas umbram fecere per alas; etc.

Le traducteur qu'André reprend, c'est Pingré, dont le *Manilius* parut
en 1786. La réflexion d'André est précieuse, en y regardant bien ; car
la critique, par delà le dix-huitième siècle, atteint un peu le dix-septième.

XV. Théocrite, *Ép.*, VIII.

> Ἔμπορος, ὦ Κλεόνικε · δύσιν δ' ὑπὸ Πλειάδος αὐτὴν
>   ποντοπορῶν, αὐτῇ Πλειάδι συγκατέβης.

C'est avec intention que nous donnons la leçon de Brunck (συγκατέβης
pro συγκατέδυς) ; car, ainsi que nous l'avons déjà fait remarquer, c'est
dans les *Analecta* qu'André lit Théocrite, et il est encore facile ici de
le voir : cette épigramme dans les *Anal.* est la huitième (comme le dit
André), et dans les autres éditions de Théocrite elle est la neuvième.

XVI. [*Nina, ou la Folle par amour*, ce touchant drame de Marsollier,
fut représenté, pour la première fois, en 1786 ; André Chénier put y
assister ; il dut être ému aux tendres sons de la romance de Dalayrac :

> Quand le bien-aimé reviendra
> Près de sa languissante amie, etc.

Ne reviendra-t-il pas? Il reviendra sans doute.
Non, il est sous la tombe : il attend, il écoute.
Va, belle de Scio, meurs! il te tend les bras;
Va trouver ton amant : il ne reviendra pas! »

Et comme *post-scriptum*, il indique en anglais la chanson du quatrième acte d'*Hamlet*, que chante Ophélia dans sa folie.

XVII

Et le dormir suave au bord d'une fontaine...

Ceci n'est qu'une conjecture, mais que semble confirmer et justifier le canevas d'André, qui n'est autre que le sujet de Nina, transporté en Grèce, et où se retrouve jusqu'à l'écho des rimes de la romance. SAINTE-BEUVE.] Ce drame de *Nina* avait en effet beaucoup frappé les contemporains. Riouffe, qui publia ses *Mémoires d'un détenu* en l'an III, dit en parlant de l'arrivée de la veuve de Camille Desmoulins à la Conciergerie : « Elle était encore dans le vertige de la douleur; *elle marchait et regardait comme Nina.* » — André, voulant peindre la jeune fille *courant sur les montagnes*, se rappelait la Pasiphaé de Virgile, *Égl.*, VI, 52 :

> Ah! virgo infelix, tu nunc in montibus erras!

Il y a une petite chanson grecque intitulée *la Belle de Scio* (M. de Marcellus, *Chants du peuple en Grèce*, II, 266) ; mais l'idée n'est pas la même; la petite pièce d'André aurait plutôt quelques rapports avec une autre chanson, intitulée *la Jeune Folle* (id., II, 16).

XVII. — Horace, *Éptt.*, I, xiv, 35 :

> . . . . .Et prope rivum somnus in herba :

vers souvent imité, cf. Marot, *Élég.*, I; Segrais, *la Paix*, etc. La Fontaine, dans *le Songe de Vaux :*

> Écouter en rêvant le bruit d'une fontaine,
> Ou celui d'un ruisseau roulant sur des cailloux.

A ce vers M. Sainte-Beuve en avait joint quelques autres, découverts ià et là dans les manuscrits. On trouvera ces petits fragments aux passages suivants des *Poésies antiques : Idyll.*, III; *Épigr.*, II; *Ét. et Frag.*, I, et un vers encore plus loin dans les poésies diverses.

EPILOGUE

Ma Muse pastorale aux regards des Français
Osait ne point rougir d'habiter les forêts.
Elle eût voulu montrer aux belles de nos villes
La champêtre innocence et les plaisirs tranquilles;
Et, ramenant Palès des climats étrangers,
Faire entendre à la Seine enfin de vrais bergers.
Elle a vu, me suivant dans mes courses rustiques,
Tous les lieux illustrés par des chants bucoliques.
Ses pas de l'Arcadie ont visité les bois,
Et ceux du Mincius, que Virgile autrefois   10
Vit à ses doux accents incliner leur feuillage;
Et d'Hermus aux flots d'or l'harmonieux rivage,
Où Bion, de Vénus répétant les douleurs,
Du beau sang d'Adonis a fait naître des fleurs;
Vous, Aréthuse aussi, que de toute fontaine   15
Théocrite et Moschus firent la souveraine;
Et les bords montueux de ce lac enchanté,
Des vallons de Zurich pure divinité,
Qui du sage Gessner à ses nymphes avides
Murmure les chansons sous leurs antres humides.   20

Épilogue. — V. 1. Virgile, *Égl.*, VI :

> Prima Syracusio dignata est ludere versu
> Nostra, nec erubuit silvas habitare, Thalia.

V. 3. Voy. *Poésies antiques, Ét. et Frag.*, XV, VI.

V. 12. L'*Hermus aux flots d'or* (auro turbidus Hermus, dit Virgile,
Géorg., II, 137), coule à Smyrne où était né Bion, selon Suidas (v. Θεόκριτος). C'est ainsi un *harmonieux rivage* que celui où Bion a *répété* les
douleurs de Vénus (*Chant funèbre sur la mort d'Adonis*). On sait que
la mort d'Adonis a eu lieu en Phénicie, sur les bords de l'Adonis, près
de Bybla; voy. Ovide, *Mét.*, X, 521 ; Strabon, XVI, II, 18, 19.

« V. 15. *Aréthuse,* » fontaine de Sicile; voy. Théocrite, *pvssim.*

Elle s'est abreuvée à ces savantes eaux,
Et partout sur leurs bords a coupé des roseaux.
Puisse-t-elle en avoir pris sur les mêmes tiges
Que ces chanteurs divins, dont les doctes prestiges
Ont aux fleuves charmés fait oublier leurs cours,   25
Aux troupeaux l'herbe tendre, au pasteur ses amours !
De ces roseaux liés par des nœuds de fougère
Elle osait composer sa flûte bocagère,
Et voulait, sous ses doigts exhalant de doux sons,
Chanter Pomone et Pan, les ruisseaux, les moissons,   30
Les vierges aux doux yeux, et les grottes muettes,
Et de l'âge d'amour les ardeurs inquiètes.

V. 25. Virgile, *Égl.*, VIII :

> Pastorum Musam Damonis et Alphesibœi,
> Immemor herbarum quos est mirata juvenca
> Certantes, quorum stupefactæ carmine lynces
> Et mutata suos requierunt flumina cursus.

Ce passage de Virgile est lui-même imité d'un chœur d'Euripide, *Alceste*, 579 :

> Σὺν δ' ἐποιμαίνοντο χαρᾷ μελέων βαλιαί τε λύγκες,
> ἔϐα δὲ λιποῦσ' Ὄθρυος νάπαν λεόντων
> ἁ δαφοινὸς ἴλα.

Cf. Calpurnius, *Égl.*, II, 18. — J.-B. Rousseau, *Égl. héroïque*, imitant aussi Virgile :

> Le zéphyre oublia d'agiter les feuillages,
> Et les troupeaux, épris de leurs concerts touchants,
> Négligeant la pâture, écoutèrent leurs chants.

V. 28. Segrais, *Athis*, II, appelle le peuple des campagnes : « Ce peuple *bocager*. » Marot, traduisant la 1re *Égl.* de Virgile, a dit : « La fluste *rurale.* »

ÉLÉGIES

LIVRE PREMIER

MÉDITATIONS — VOYAGES

I

A ABEL

Abel, doux confident de mes jeunes mystères,
Vois, mai nous a rendu nos courses solitaires.
Viens à l'ombre écouter mes nouvelles amours;
Viens. Tout aime au printemps, et moi j'aime toujours.
Tant que du sombre hiver dura le froid empire,   5
Tu sais si l'aquilon s'unit avec ma lyre.
Ma Muse aux durs glaçons ne livre point ses pas;
Délicate, elle tremble à l'aspect des frimas,

I. — V. 6. « *S'unit.* » André avait d'abord mis *s'accorde.*
V. 7. Vers inspiré de Virgile, *Égl.*, X, 48, lorsque Gallus s'écrie en
pensant à Lycoris seule, hélas! et loin de lui :

   Ah! tibi ne teneras glacies secet aspera plantas.

Et près d'un pur foyer, cachée en sa retraite,
Entend les vents mugir, et sa voix est muette.   10
Mais sitôt que Procné ramène les oiseaux,
Dès qu'au riant murmure et des bois et des eaux,
Les champs ont revêtu leur robe d'hyménée,
A ses caprices vains sans crainte abandonnée,
Elle renaît ; sa voix a retrouvé des sons ;   15
Et comme la cigale, amante des buissons,
De rameaux en rameaux tour à tour reposée,
D'un peu de fleur nourrie et d'un peu de rosée,

Properce, I, viii, 7, écrit à Cynthie :

> Tu pedibus teneris positas sulcare pruinas!

Cf. le Tasse, *Ger. lib.*, XVI, xxxix.

V. 9. « *Pur,* » clair et vif, *purus.*

V. 11. « *Procné,* » l'hirondelle. Voy. *Poés. ant.*, *Épigr.*, III.

V. 16-20. Cette comparaison est tout un tableau, à la manière large
des maîtres. André enchâsse dans son élégie l'ode XLIII d'Anacréon, avec
une telle habileté que, si l'on ne connaissait aussi bien le poëte de Téos,
on ne se douterait pas du larcin :

> Μακαρίζομέν σε, τέττιξ,
> ὅτι δενδρέων ἐπ᾽ ἄκρων,
> ὀλίγην δρόσον πεπωκὼς,
> βασιλεὺς ὅπως, ἀείδεις....
> Σὺ δὲ φίλτατος γεωργοῖς,
> ἀπὸ μηδενός τι βλάπτων·
> σὺ δὲ τίμιος βροτοῖσι,
> θέρεος γλυκὺς προφήτης.

Nonnus, *Dionys.*, V, 245, dit aussi de l'abeille qu'elle se nourrit d'un
peu de rosée. Méléagre, *Anth.*, VII, 196, dans une épigramme tout ana-
créontique, emploie une charmante expression : « Τέττιξ δροσεραῖς στα-
γόνεσσι μεθυσθείς. » Mais l'expression d'André se rapproche davantage
de celle de Virgile, *Égl.*, V, 77 : « Rore pascuntur cicadæ. » L'odelette
d'Anacréon elle-même n'est qu'une imitation d'un passage d'Hésiode,
Scut., 393. Cf. Ronsard, *Amours*, II, xxxii. Gœthe a traduit aussi les
vers d'Anacréon. Antipater Thessalonicus, dans une épigramme, *Anth.*,
IX, 92, a aussi comparé le poëte à la cigale :

> Ἀρκεῖ τέττιγας μεθύσαι δρόσος· ἀλλὰ πιόντες
>   ἀείδειν κύκνων εἰσὶ γεγωνότεροι.
> Ὡς καὶ ἀοιδὸς ἀνὴρ, ξενίων χάριν, ἀνταποδοῦναι
>   ὕμνους εὐέρκταις οἶδε, κ. τ. λ.

S'égaye, et, des beaux jours prophète harmonieux,
Aux chants du laboureur mêle son chant joyeux ; 20
Ainsi, courant partout sous les nouveaux ombrages,
Je vais chantant Zéphyr, les nymphes, les bocages,
Et les fleurs du printemps et leurs riches couleurs,
Et mes belles amours, plus belles que les fleurs.

II

Jeune fille, ton cœur avec nous veut se taire
Tu fuis, tu ne ris plus ; rien ne saurait te plaire.
La soie à tes travaux offre en vain des couleurs ;
L'aiguille sous tes doigts n'anime plus des fleurs.
Tu n'aimes qu'à rêver, muette, seule, errante, 5
Et la rose pâlit sur ta bouche mourante.
Ah ! mon œil est savant et depuis plus d'un jour,
Et ce n'est pas à moi qu'on peut cacher l'amour.

V. 19. Aristophane, *Ois.*, 276, appelle un oiseau ὁ μουσόμαντις. C'est
en indiquant aux hommes les saisons, le printemps, l'hiver, l'automne, etc.,
que les oiseaux sont prophètes. Voy. Aristophane, *Ois.*, 709.

V. 21. Éd. 1839 :

Ainsi courant partout sous les nombreux ombrages.

Nous avons vérifié le texte de cette élégie sur le manuscrit que possède
M. P. Lacroix. « *Nouveaux ombrages,* » c'est le *novis frondibus* de
Virgile, *Géorg.*, II, 362.

II. - - V. 1-4. Horace, *Od.*, III, xii :

Tibi qualum Cythereæ puer ales, tibi telas,
Operosæque Minervæ studium aufert, Neobule,
Liparæi nitor Hebri.

Il y a dans Horace comme un souvenir de Sappho (*Fragm.*, VII, éd.
Volger) :

Γλυκεῖα μάτερ, οὔτοι δύναμαι κρέκειν τὸν ἱστὸν,
ποθῶ δαμεῖσα παιδὸς, βραδινὰν δι' Ἀφροδίταν.

V. 7-8. Tibulle, I, viii, 7 :

Non ego celari possim, quid nutus amantis,
Quidve ferant miti lenia verba sono.

Les belles font aimer; elles aiment. Les belles
Nous charment tous. Heureux qui peut être aimé d'elles!   10
Sois tendre, même faible (on doit l'être un moment),
Fidèle, si tu peux. Mais conte-moi comment,
Quel jeune homme aux yeux bleus, empressé sans audace,
Aux cheveux noirs, au front plein de charme et de grâce...
Tu rougis? On dirait que je t'ai dit son nom.   15
Je le connais pourtant. Autour de ta maison
C'est lui qui va, qui vient; et, laissant ton ouvrage,
Tu cours, sans te montrer, épier son passage.
Il fuit vite; et ton œil, sur sa trace accouru,
Le suit encor longtemps quand il a disparu.   20
Nul, en ce bois voisin où trois fêtes brillantes
Font voler au printemps nos nymphes triomphantes,
Nul n'a sa noble aisance et son habile main
A soumettre un coursier aux volontés du frein.

III

AU CHEVALIER DE PANGE

Quand la feuille en festons a couronné les bois,
L'amoureux rossignol n'étouffe point sa voix.
Il serait criminel aux yeux de la nature,
Si, de ses dons heureux négligeant la culture,
Sur son triste rameau, muet dans ses amours,   5

V. 20. Delille a, dans *les Jardins,* un vers un peu semblable:
  Quand je ne vois plus, mon œil le suit encore.
C'est une hyperbole dont les poëtes ont un peu abusé. Avant Delille, la
Motte avait dit dans une églogue:
  Je crois te voir encor, quand je ne te vois plus.
V. 24. Horace aussi dit à Néobulé du jeune Hébrus:
  Eques ipso melior Bellerophonte.

Il laissait sans chanter expirer les beaux jours.
Et toi, rebelle aux dons d'une si tendre mère,
Dégoûté de poursuivre une Muse étrangère
Dont tu choisis la cour trop bruyante pour toi,
Tu t'es fait du silence une coupable loi !   10
Tu naquis rossignol. Pourquoi, loin du bocage
Où des jeunes rosiers le balsamique ombrage
Eût redit tes doux sons sans murmure écoutés,
T'en allais-tu chercher la Muse des cités?
Cette muse, d'éclat, de pourpre environnée,   15
Qui, le glaive à la main, du diadème ornée,
Vient au peuple assemblé, d'une dolente voix,
Pleurer les grands malheurs, les empires, les rois?
Que n'étais-tu fidèle à ces Muses tranquilles
Qui cherchent la fraîcheur des rustiques asiles,   20
Le front ceint de lilas et de jasmins nouveaux,
Et vont sur leurs attraits consulter les ruisseaux?
Viens dire à leurs concerts la beauté qui te brûle.
Amoureux avec l'âme et la voix de Tibulle,
Fuirais-tu les hameaux, ce séjour enchanté   25
Qui rend plus séduisant l'éclat de la beauté?

III. — V. 12. Éd. 1859 :

> Où de jeunes rosiers le balsamique ombrage.

V. 16. Cette élégie a beaucoup de rapports avec celle dans laquelle
Ovide, *Am.*, III, I, met aussi en présence la Muse de l'élégie et la Muse
de la tragédie. André, après avoir peint la seconde sous les mêmes
traits que le poëte latin :

> Læva manus sceptrum late regale tenebat,

trace de la première, au vers 21, un portrait qui rappelle Ovide .

> Venit odoratos Elegeia nexa capillos.

Et c'est aussi à la Muse de l'élégie qu'il accorde la préférence.
V. 24. De tous les élégiaques latins Tibulle est certainement celui que
préférait André.

L'Amour aime les champs, et les champs l'ont vu naître.
La fille d'un pasteur, une vierge champêtre,
Dans le fond d'une rose, un matin du printemps,
Le trouva nouveau-né.   30
Le sommeil entr'ouvrait ses lèvres colorées.
Elle saisit le bout de ses ailes dorées,
L'ôta de son berceau d'une timide main,
Tout trempé de rosée, et le mit dans son sein.
Tout, mais surtout les champs sont restés son empire.   35
Là tout aime, tout plaît, tout jouit, tout soupire ;
Là de plus beaux soleils dorent l'azur des cieux ;
Là les prés, les gazons, les bois harmonieux,
De mobiles ruisseaux la colline animée,
L'âme de mille fleurs dans les zéphyrs semée ;   40
Là parmi les oiseaux l'Amour vient se poser ;
Là sous les antres frais habite le baiser.
Les Muses et l'Amour ont les mêmes retraites.
L'astre qui fait aimer est l'astre des poëtes.

V. 27. Tibulle, II, ı, 67 :

> Ipse interque greges interque armenta Cupido
> Natus et indomitas dicitur inter aquas.

Cf. *Pervigilium Veneris*, 155 ; Parny, *Journ. champ.* ; Le Brun, *Él. à Fanny*, etc.

V. 28. Le poëte encadre ici une épigramme de Julianus, *Anth.*, *Pl.*, 388 :

> Στέφος πλέκων ποθ' εὗρον
> ἐν τοῖς ῥόδοις Ἔρωτα,
> καὶ τῶν πτερῶν κατασχὼν
> ἐβάπτισ' εἰς τὸν οἶνον,
> λαβὼν δ' ἔπιον αὐτόν·
> καὶ νῦν ἔσω μελῶν μου
> πτεροῖσι γαργαλίζει.

André modifie avec beaucoup de goût l'image grecque, ἔπιον αὐτόν : la vierge champêtre le met dans son sein.

V. 29. Éd. 1839 :

> Dans le fond d'une rose, un matin de printemps.

V. 40. Saint-Lambert, *Print.*, a dit : « Le doux *esprit* des fleurs. »

Bois, écho, frais zéphyrs, dieux champêtres et doux,   45
Le génie et les vers se plaisent parmi vous.
J'ai choisi parmi vous ma Muse jeune et chère ;
Et, bien qu'entre ses sœurs elle soit la dernière,
Elle plaît. Mes amis, vos yeux en sont témoins.
Et puis une plus belle eût voulu plus de soins ;   50
Délicate et craintive, un rien la décourage,
Un rien sait l'animer. Curieuse et volage,
Elle va parcourant tous les objets flatteurs,
Sans se fixer jamais, non plus que sur les fleurs
Les zéphyrs vagabonds, doux rivaux des abeilles,   55
Ou le baiser ravi sur des lèvres vermeilles.
Une source brillante, un buisson qui fleurit,
Tout amuse ses yeux ; elle pleure, elle rit.
Tantôt à pas rêveurs, mélancolique et lente,
Elle erre avec une onde et pure et languissante ;   60
Tantôt elle va, vient, d'un pas léger et sûr
Poursuit le papillon brillant d'or et d'azur,
Ou l'agile écureuil, ou dans un nid timide
Sur un oiseau surpris pose une main rapide.
Quelquefois, gravissant la mousse du rocher,   65
Dans une touffe épaisse elle va se cacher,
Et sans bruit épier sur la grotte pendante
Ce que dira le faune à la nymphe imprudente,
Qui, dans cet antre sourd et des faunes ami,
Refusait de le suivre, et pourtant l'a suivi.   70
Souvent même, écoutant de plus hardis caprices,
Elle ose regarder au fond des précipices,

V. 52-55. Il embellit un vers qu'Ovide (*loc. cit.*) met dans la bouche
de la Muse de l'élégie :

Sum levis, et mecum levis est, mea cura, Cupido.

V. 65. Gessner, *à Daphné :* « Ma Muse dans les halliers épais épie
les dryades et le faune aux pieds de chèvre et les nymphes couronnées
de roseaux dans les grottes. »

Où sur le roc mugit le torrent effréné,
Du droit sommet d'un mont tout à coup déchaîné.
Elle aime aussi chanter à la moisson nouvelle,   75
Suivre les moissonneurs et lier la javelle.
L'Automne au front vermeil, ceint de pampres nouveaux,
Parmi les vendangeurs l'égare en des coteaux ;
Elle cueille la grappe, ou blanche, ou purpurine ;
Le doux jus des raisins teint sa bouche enfantine ;   80
Ou, s'ils pressent leurs vins, elle accourt pour les voir,
Et son bras avec eux fait crier le pressoir.

Viens, viens, mon jeune ami ; viens, nos Muses t'attendent ;
Nos fêtes, nos banquets, nos courses te demandent ;
Viens voir ensemble et l'antre et l'onde et les forêts.   85
Chaque soir une table aux suaves apprêts
Assoira près de nous nos belles adorées ;
Ou, cherchant dans le bois des nymphes égarées,
Nous entendrons les ris, les chansons, les festins ;
Et les verres emplis sous les bosquets lointains   90
Viendront animer l'air, et, du sein d'une treille,
De leur voix argentine égayer notre oreille.
Mais si, toujours ingrat à ces charmantes sœurs,
Ton front rejette encor leurs couronnes de fleurs ;
Si de leurs soins pressants la douce impatience   95

V. 77. et suiv. Chénier se souvient certainement de Virgile, *Géorg.*,
II, 7 :

> . . . . Tibi pampineo gravidus autumno
> Floret ager, spumat plenis vindemnia labris.
> Huc, pater o Lenæe, veni, nudataque musto
> Tinge novo mecum dereptis crura cothurnis.

V. 84. Virgile, *Égl.*, I, 38

> . . . . Ipsæ te, Tityre, pinus,
> Ipsi te fontes, ipsa hæc arbusta vocabant.

Cf. Horace, *Od.*, II, vi. La tournure est grecque ; la voici dans Théocrite,
Id., IV, 12 :

> Ταὶ δαμάλαι δ' αὐτὸν μυκώμεναι ὧδε ποθεῦντι.

N'obtient que d'un refus la dédaigneuse offense ;
Qu'à ton tour la beauté dont les yeux t'ont soumis
Refuse à tes soupirs ce qu'elle t'a promis ;
Qu'un rival loin de toi de ses charmes dispose ;
Et, quand tu lui viendras présenter une rose,   100
Que l'ingrate étonnée, en recevant ce don,
Ne t'ait vu de sa vie et demande ton nom.

IV

O Muses, accourez ; solitaires divines,
Amantes des ruisseaux, des grottes, des collines!

V. 99. De même Tibulle, III, vi, 10, voue à l'infidélité de leur maîtresse
ceux qui ne veulent pas le suivre à de joyeux festins :

> Neve neget quisquam, me duce se comitem.
> Aut si quis vini certamen mite recusat,
> Fallat eum tecto cara puella dolo.

IV. — V. 1.-8. Imité d'Aristophane, *Nuées*, 269 :

> Ἔλθετε δῆτ', ὦ πολυτίμητοι Νεφέλαι, τῷδ' εἰς ἐπίδειξιν·
> εἴτ' ἐπ' Ὀλύμπου κορυφαῖς ἱεραῖς χιονοβλήτοισι κάθησθε,
> εἴτ' Ὠκεανοῦ πατρὸς ἐν κήποις ἱερὸν χορὸν ἵστατε Νύμφαις,
> εἴτ' ἄρα Νείλου προχοαῖς ὑδάτων χρυσέαις ἀρύεσθε πρόχοισιν...

[Cette manière d'invoquer les divinités, en les appelant des différents
lieux qu'elles aiment à habiter, est imitée des poëtes anciens. Dans l'*Iliade*,
XVI, 514, Apollon est ainsi invoqué par Glaucus :

> Κλῦθι, ἄναξ, ὅς που Λυκίης ἐν πίονι δήμῳ
> εἷς, ἢ ἐνὶ Τροίῃ . . . .

Alcman avait fort employé cette forme d'invocation, comme le témoigne
Ménandre le grammairien, au troisième chapitre de son traité de l'*Éloge*.
Il y en a un bel exemple dans Théocrite, *Id.*, I, 123 :

> Ὦ Πάν, Πάν, αἴτ' ἐσσὶ κατ' ὤρεα μακρὰ Λυκαίω,
> αἴτε τύγ' ἀμφιπολεῖς μέγα Μαίναλον, ἐνθ' ἐπὶ νᾶσον
> τὰν Σικελάν. . . . .

Claudien, dans ses *Invectives contre Rufin*, I, 334, l'emploie avec son
faste ordinaire. Aristide, dans son *Hymne à Jupiter*, appelle en prose
poétique les Muses à son aide, soit que dans l'Olympe elles forment avec

Soit qu'en ses beaux vallons Nîme égare vos pas ;
Soit que de doux pensers, en de riants climats,
Vous retiennent aux bords de Loire ou de Garonne ;   5
Soit que, parmi les chœurs de ces nymphes du Rhône,
La lune, sur les prés où son flambeau vous luit,
Dansantes, vous admire au retour de la nuit ;
Venez. J'ai fui la ville aux Muses si contraire,
Et l'écho fatigué des clameurs du vulgaire.   10
Sur les pavés poudreux d'un bruyant carrefour
Les poétiques fleurs n'ont jamais vu le jour.
Le tumulte et les cris font fuir avec la lyre
L'oisive rêverie au suave délire ;
Et les rapides chars et leurs cercles d'airain   15
Effarouchent les vers, qui se taisent soudain.
Venez. Que vos bontés ne me soient point avares.

Mais, oh ! faisant de vous mes pénates, mes lares,
Quand pourrai-je habiter un champ qui soit à moi !
Et, villageois tranquille, ayant pour tout emploi   20

Apollon un divin concert, soit qu'elles habitent les doctes retraites de
Piérie, soit qu'elles dansent en chœur sur l'Hélicon de Béotie. Boissonade.]
Cf. Stace, *Théb.*, i, 696.

V. 5. Au lieu du Nil, qui se trouve dans les vers d'Aristophane, André
nomme des fleuves français.

V. 6. Dans les vers d'Aristophane, les nymphes forment leurs chœurs
dans les jardins de l'Océan ; ici c'est sur les bords du Rhône.

V. 7. Éd. 1826 et 1839 :

> Phœbé dans la prairie, où son flambeau vous luit.

André se souvient peut-être d'Horace, *Od.*, I, iv :

> Jam Cytherea choros ducit Venus, imminente luna.

et sans doute aussi d'un gracieux et mélancolique passage d'Aristophane,
Gren., 344 et suiv.

> Φλογὶ φέγγεται δὲ λειμών · κ. τ. λ.

V. 9-11. Boileau, *Épît.*, VI :

> J'ai besoin du silence et de l'ombre des bois :
> Ma Muse, qui se plaît dans leurs routes perdues,
> Ne saurait plus marcher sur le pavé des rues.

V. 19. Voy. ci-dessous, au v. 35.

Dormir et ne rien faire, inutile poëte,
Goûter le doux oubli d'une vie inquiète!
Vous savez si toujours, dès mes plus jeunes ans,
Mes rustiques souhaits m'ont porté vers les champs;
Si mon cœur dévorait vos champêtres histoires,   25
Cet âge d'or si cher à vos doctes mémoires,
Ces fleuves, ces vergers, Éden aimé des cieux
Et du premier humain berceau délicieux;
L'épouse de Booz, chaste et belle indigente,
Qui suit d'un pas tremblant la moisson opulente;   30
Joseph, qui dans Sichem cherche et retrouve, hélas!
Ses dix frères pasteurs qui ne l'attendaient pas;
Rachel, objet sans prix qu'un amoureux courage
N'a pas trop acheté de quinze ans d'esclavage.
Oh! oui, je veux un jour, en des bords retirés,   35
Sur un riche coteau ceint de bois et de prés,
Avoir un humble toit, une source d'eau vive
Qui parle, et dans sa fuite et féconde et plaintive
Nourrisse mon verger, abreuve mes troupeaux.

V. 21. André partage sa vie, comme la Fontaine, en deux parts, qui
se passent

> L'une à dormir, et l'autre à ne rien faire.

V. 22. C'est l'*oblivia vitæ* d'Horace; voy. au vers 35. Ronsard, *Am.*, I
LXXVI, a dit : « Le doux oubli du tourment où je suis. »
V. 31. *Genèse*, XXXVII, 12.
V. 34. Voy. *Genèse*, XXIX. Cf. Pétrarque, *Triomphe d'amour*, III, 34.
V. 35. Horace, *Sat.*, II, VI, 1 :

> Hoc erat in votis : modus agri non ita magnus
> Hortus ubi, et tecto vicinus jugis aquæ fons,
> Et paulum sylvæ super his foret, etc.

Et plus loin, au v. 60 de la même satire :

> O rus, quando ego te adspiciam? quandoque licebit
> Nunc veterum libris, nunc sommo et inertibus horis
> Ducere sollicitæ jucunda oblivia vitæ?

Boileau, *Épît.*, VI :

> Qu'heureux est le mortel qui, du monde ignoré,
> Vit content de soi-même en un coin retiré.

Là je veux, ignorant le monde et ses travaux,   40
Loin du superbe ennui que l'éclat environne,
Vivre comme jadis, aux champs de Babylone,
Ont vécu, nous dit-on, ces pères des humains
Dont le nom aux autels remplit nos fastes saints;
Avoir amis, enfants, épouse belle et sage;   45
Errer, un livre en main, de bocage en bocage;
Savourer sans remords, sans crainte, sans désirs,
Une paix dont nul bien n'égale les plaisirs.

Douce mélancolie ! aimable mensongère,
Des antres, des forêts déesse tutélaire,   50
Qui vient d'une insensible et charmante langueur
Saisir l'ami des champs et pénétrer son cœur,
Quand, sorti vers le soir des grottes reculées,
Il s'égare à pas lents au penchant des vallées,
Et voit des derniers feux le ciel se colorer,   55
Et sur les monts lointains un beau jour expirer.
Dans sa volupté sage, et pensive et muette,
Il s'assied, sur son sein laisse tomber sa tête.
Il regarde à ses pieds, dans le liquide azur
Du fleuve qui s'étend comme lui calme et pur,   60
Se peindre les coteaux, les toits et les feuillages,
Et la pourpre en festons couronnant les nuages.
Il revoit près de lui, tout à coup animés,

V. 49–62. [Qui va s'asseoir ainsi au déclin du jour sur le penchant de
la montagne, pour voir le soleil se coucher dans la plaine,

Dont le tableau changeant se déroule à ses pieds?

qui décrit avec une simplicité si pénétrante le charme du soir ? qui surprend une ressemblance entre le calme du fleuve et la paix de l'âme ?
qui cherche ainsi les secrètes harmonies de la nature et de l'homme ?
Ce n'est pas Horace, c'est plutôt M. de Lamartine. Chénier, parti du *hoc
erat in votis*, aboutit à la première méditation. Voilà la rêverie véritable,
voilà la mélancolie. Rigault, *Étude sur Horace.*]

Ces fantômes si beaux, de nos cœurs tant aimés,
Dont la troupe immortelle habite sa mémoire :   65
Julie, amante faible et tombée avec gloire ;
Clarisse, beauté sainte où respire le ciel,
Dont la douleur ignore et la haine et le fiel,
Qui souffre sans gémir, qui périt sans murmure ;
Clémentine adorée, âme céleste et pure,   70
Qui, parmi les rigueurs d'une injuste maison,
Ne perd point l'innocence en perdant la raison.
Mânes aux yeux charmants, vos images chéries
Accourent occuper ses belles rêveries ;
Ses yeux laissent tomber une larme. Avec vous   75
Il est dans vos foyers, il voit vos traits si doux.
A vos persécuteurs il reproche leur crime.
Il aime qui vous aime, il hait qui vous opprime.
Mais tout à coup il pense, ô mortels déplaisirs !
Que ces touchants objets de pleurs et de soupirs   80
Ne sont peut-être, hélas ! que d'aimables chimères,
De l'âme et du génie enfants imaginaires.
Il se lève, il s'agite à pas tumultueux ;
En projets enchanteurs il égare ses vœux :
Il ira le cœur plein d'une image divine,   85
Chercher si quelques lieux ont une Clémentine,
Et dans quelque désert, loin des regards jaloux,
La servir, l'adorer et vivre à ses genoux.

V. 64. Toutes les éditions donnent :

> Ces fantômes si beaux, à nos pleurs tant aimés,

vers auquel il est difficile de trouver un sens. Le manuscrit aura sans
doute été mal lu. Comparez ce passage avec les vers 15-18 de l'élégie XV
du même livre.

V. 66, 67, 70. « *Julie,* » héroïne de la *Nouvelle Héloïse* de Rousseau ;
« *Clarisse, Clémentine,* » de deux romans de Richardson : *Clarisse
Harlowe* et *Grandisson.*

V. 84. Malherbe, p. 56, a dit :

> *Égarer* à l'écart nos pas et *nos discours.*

V

A LE BRUN

Mânes de Callimaque, ombre de Philétas,
Dans vos saintes forêts daignez guider mes pas.
J'ose, nouveau pontife, aux antres du Permesse,
Mêler des chants français dans les chœurs de la Grèce.

V. — V. 1 et suiv. Imité de Properce, III, ɪ, 1 :

> Callimachi manes, et Coi sacra Philetæ,
>   In vestrum, quæso, me sinite ire nemus.
> Primus ego ingredior puro de fonte sacerdos
>   Italia per Graios orgia ferre choros.
> Dicite, quo pariter carmen tenuastis in antro,
>   Quove pede ingressi, quamve bibistis aquam.
> Ah ! valeat, Phœbum quicumque moratur in armis!
>   Exactus tenui pumice versus eat,
> Quo me Fama levat terra sublimis, et a me
>   Nota coronatis Musa triumphat equis ;
> Et mecum in curru parvi vectantur amores,
>   Scriptorumque meas turba sequuta rotas.
> Quid frustra missis in me certatis habenis?
>   Non datur ad Musas currere lata via.

« *Callimaque*, » né à Cyrène, en Libye, contemporain de Ptolémée Philadelphe ; les poëtes latins ont fait de lui le plus grand éloge : ils ont, au
surplus, largement puisé dans ses œuvres. Versé dans toutes les sciences
de son temps, il avait composé un nombre considérable d'ouvrages de
toutes sortes (Ernesti, *Call.*, p. 416) ; presque tout a péri. « *Philétas*, »
précepteur de Ptolémée Philadelphe ; Properce, III, ɪɪɪ, 52, et IV, vɪ, 3,
en parle avec admiration ; cf. Théocrite, VII, 40. — Athénée, XII, xɪɪɪ,
p. 552, B, nous dit quelques mots sur sa personne, et IX, xɪv, p. 401, E,
nous donne son épitaphe. Cf. Hésychius de Milet.

V. 3. Tibulle, II, v :

> Phœbe fave ; novus ingreditur tua templa sacerdos.

V. 4. Horace, *Od.*, III, xxx, a dit de lui-même :

> Princeps Æolium carmen ad Italos
> Deduxisse modos. . . . .

Cf. Manilius, *Astr.*, I, 4. — Il y a un vers presque semblable de Régnier,
Sat., II, quand il dit : Béthune, écoute les chansons que la muse

> Me fait dire en françois au rivage latin.

Dites en quel vallon vos écrits médités   5
Soumirent à vos vœux les plus rares beautés.
Qu'aisément à ce prix un jeune cœur s'embrase !
Je n'ai point pour la gloire inquiété Pégase.
L'obscurité tranquille est plus chère à mes yeux
Que de ses favoris l'éclat laborieux.   10
Peut-être, n'écoutant qu'une jeune manie,
J'eusse aux rayons d'Homère allumé mon génie,
Et, d'un essor nouveau jusqu'à lui m'élevant,
Volé de bouche en bouche heureux et triomphant ;
Mais la tendre Élégie et sa grâce touchante   15
M'ont séduit : l'Élégie à la voix gémissante,
Au ris mêlé de pleurs, aux longs cheveux épars,
Belle, levant au ciel ses humides regards.
Sur un axe brillant c'est moi qui la promène
Parmi tous ces palais dont s'enrichit la Seine ;   20
Le peuple des Amours y marche auprès de nous ;

V. 8. Dans un sonnet de Zappi, qu'André a imité, il y a ce vers :

> Non canto no per glorioso farmi.

V. 11. « *Manie*, » avec la signification du grec μανία, folie ; jadis poétique ; ainsi Racine, *Iphig.*, IV, i :

> Ah ! que me dites-vous ? quelle étrange *manie*
> Vous peut faire envier le sort d'Iphigénie ?

Boileau, *Ép.*, VIII :

> Ainsi, toujours flatté d'une douce *manie*,
> Je sens de jour en jour dépérir mon génie.

V. 17. Expressions consacrées pour peindre la Muse de l'Élégie. Boileau, *Art. poét.* :

> La plaintive Élégie, en longs habits de deuil,
> Sait, les cheveux épars, gémir sur un cercueil.

Gentil Bernard, *Art d'aimer*, II :

> Les yeux en pleurs et les cheveux épars,
> Levant au ciel le feu de ses regards.

V. 18. Racine, *Britannicus*, II, ii

> Triste, levant au ciel ses yeux mouillés de larmes.

V. 21. *Peuple* pour *foule* est fréquent en poésie. C'est du reste une

La lyre est dans leurs mains, cortége aimable et doux,
Qu'aux fêtes de la Grèce enleva l'Italie,
Et ma fière Camille est la sœur de Délie.

L'Élégie, ô Le Brun, renaît dans nos chansons,   25
Et les Muses pour elle ont amolli nos sons.

Avant que leur projet, qui fut bientôt le nôtre,
Pour devenir amis nous offrît l'un à l'autre,
Elle avait ton amour comme elle avait le mien ;
Elle allait de ta lyre implorer le soutien.   30
Pour montrer dans Paris sa langueur séduisante,
Elle implorait aussi ma lyre complaisante.

Femme, et pleine d'attraits, et fille de Vénus,
Elle avait deux amants l'un à l'autre inconnus.

J'ai vu qu'à ses faveurs ta part est la plus belle ;   35
Et pourtant je me plais à lui rester fidèle,
A voir mon vers au rire, aux pleurs abandonné,
De rose ou de cyprès par elle couronné.

Par la lyre attendris, les rochers du Riphée

---

expression grecque. Euripide, dans un fragment d'*Andromède* (éd. Didot,
p. 652) : « Πᾶς δὲ ποιμένων ἔρρει λεώς. »

V. 24. « *Délie*, » la maîtresse de Tibulle.

V. 25. « *Chansons*, » avec le sens plus relevé de l'italien *canzone*.
Presque tous les poëtes français l'ont d'ailleurs employé ainsi.

V. 35. La postérité n'a pas ratifié le jugement trop modeste d'André
Chénier. Il est clair qu'il s'abusait sur la valeur des œuvres de Le Brun.
On ne juge bien qu'à distance.

V. 39 et suiv. Properce, III, ii, 1 :

> Orphea delinisse feras, et concita dicunt
>   Flumina Threicia sustinuisse lyra ;
> Saxa Cithæronis Thebas agitata per artem
>   Sponte sua in muri membra coisse ferunt ;
> Quin etiam, Polypheme, fera Galatea sub Ætna
>   Ad tua rorantes carmina flexit equos :
> Miremur, nobis et Baccho et Apolline dextro,
>   Turba puellarum si mea verba colit?

Les monts *Riphées* étaient au nord de la Thrace ; mais leur place n'était
pas nettement déterminée ; c'était un pays un peu fabuleux. Voy. Strabon,
VII, iii, 1 et 6 ; Apollonius, *Arg.*, 284 et *Schol.* ; Damastes (ap. Stephan,
Byz.) ; Hécate d'Abdère (Ælien, *H. n.*, XI, 1).

Se pressaient, nous dit-on, sur les traces d'Orphée ;   40
Des murs, fils de la lyre, ont gardé les Thébains ;
Arion à la lyre a dû de longs destins.
Je lui dois des plaisirs : j'ai vu plus d'une belle,
A mes accents émue, accuser l'infidèle
Qui me faisait pleurer et dont j'étais trahi,   45
Et souhaiter l'amour de qui le sent ainsi.
Mais, dieux ! que de plaisir quand, muette, immobile,
Mes chants font soupirer ma naïve Camille ;
Quand mon vers, tour à tour humble, doux, outrageant,
Éveille sur sa bouche un sourire indulgent ;   50
Quand, ma voix altérée enflammant son visage,
Son baiser vole et vient l'arrêter au passage !
Oh ! je ne quitte plus ces bosquets enchanteurs
Où rêva mon Tibulle aux soupirs séducteurs,
Où le feuillage encor dit Corinne charmante,   55
Où Cynthie est écrite en l'écorce odorante,
Où les sentiers français ne me conduisaient pas,
Où mes pas de Le Brun ont rencontré les pas.

Ainsi, que mes écrits, enfants de ma jeunesse,
Soient un code d'amour, de plaisir, de tendresse ;   60

V. 41. Thèbes, fondée par Cadmus, fut agrandie par Zéthus et par
Amphion, qui, dit-on, amenait les pierres au son de la lyre ; voy. Apoll.,
Arg., I, 735.
V. 42. Voy. *Poésies antiques, Élégies*, v, 20.
V. 46. Ovide, *Am.*, II, xvii, 27 :

> Sunt mihi pro magno felicia carmina censu,
> Et multæ per me nomen habere volunt.
> Novi aliquam, quæ se circumferat esse Corinnam.

Segrais, *Égl.*, I, imitant Virgile, *Égl.*, II, 35 :

> Que n'eût pas fait Iris, pour en apprendre autant?

V. 54. « *Mon Tibulle.* » Voy. *le Jeu de Paume,* v. 44, et *Élégies,*
I, iii, 24. — Boileau, *Art. poét.*, II, a dit :

> Amour dictait les vers que *soupirait* Tibulle.

V. 55, 56. « *Corinne,* » la muse d'Ovide ; « *Cynthie,* » la muse de Properce (cf. Prop., I, xviii, 21).

Que partout de Vénus ils dispersent les traits;
Que ma voix, que mon âme y vivent à jamais;
Qu'une jeune beauté, sur la plume et la soie,
Attendant le mortel qui fait toute sa joie,
S'amuse à mes chansons, y médite à loisir   65
Les baisers dont bientôt elle veut l'accueillir..
Qu'à bien aimer tous deux mes chansons les excitent;
Qu'ils s'adressent mes vers, qu'ensemble ils les récitent;
Lassés de leurs plaisirs, qu'au feu de mes pinceaux
Ils s'animent encore à des plaisirs nouveaux;   7
Qu'au matin sur sa couche, à me lire empressée,
Lise du cloître austère éloigne sa pensée;
Chaque bruit qu'elle entend, que sa tremblante main
Me glisse dans ses draps et tout près de son sein;
Qu'un jeune homme, agité d'une flamme inconnue,   75

V. 63. Properce, III, iii, 18 :

> Mollia sunt parvis prata terenda rotis,
> Ut tuus in scamno jactetur sæpe libellus,
> Quem legat exspectans sola puella virum.

V. 69. Éd. 1839 :

> Lassés de leurs plaisirs, qu'aux feux de mes pinceaux.

V. 70. Properce, III, ix, 43 :

> Inter Callimachi sat erit placuisse libellos,
> Et cecinisse modis, pure poeta, tuis.
> Hæc urant pueros, hæc urant scripta puellas;
> Meque deum clament, et mihi sacra ferant.

V. 73. Bertin, Am., I, xvi :

> Ah! si d'un tendre amour la fille un jour éprise
> Me consulte en secret sur son trouble naissant,
> Et, vingt fois en sursaut par sa mère surprise,
> Dans son sein entr'ouvert me cache en rougissant,
> Je ne veux point d'autre gloire.

La fin de l'élégie d'André n'est pas digne des soixante premiers vers;
style et pensées appartiennent au genre faux et maniéré de l'époque.

V. 75. Ovide, Am., II, i, 7 :

> Atque aliquis juvenum, quo nunc ego, saucius arcu
> Agnoscat flammæ conscia signa suæ,
> Miratusque diu « quo » dicat « ab indice doctus
> Composuit casus iste poeta meos!

S'écrie aux doux tableaux de ma muse ingénue :
« Ce poëte amoureux, qui me connaît si bien,
Quand il a peint son cœur, avait lu dans le mien. »

VI

Les esclaves d'Amour ont tant versé de pleurs !
S'il a quelques plaisirs, il a tant de douleurs !
Qu'il garde ses plaisirs. Dans un vallon tranquille
Les Muses contre lui nous offrent un asile ;
Les Muses, seul objet de mes jeunes désirs,   5
Mes uniques amours, mes uniques plaisirs.
L'Amour n'ose troubler la paix de ce rivage.
Leurs modestes regards ont, loin de leur bocage,
Fait fuir ce dieu cruel, leur légitime effroi.
Chastes Muses, veillez, veillez toujours sur moi.   10

Mais, non, le dieu d'amour n'est point l'effroi des Muses ;
Elles cherchent ses pas, elles aiment ses ruses.
Le cœur qui n'aime rien a beau les implorer,

VI. — V. 9. C'est aussi la pensée d'Ovide, s'adressant à l'Amour,
Am., I, 1 :

> Quis tibi, sæve puer, dedit hoc in carmina juris?
> Pieridum vates, non tua turba, sumus.

V. 11-20. Imité de Bion, *Idyll.*, IV :

> Ταὶ Μοῖσαι τὸν Ἔρωτα τὸν ἄγριον οὐ φοβέονται·
> ἐκ θυμῷ δὲ φιλεῦντι καὶ ἐκ ποδὸς αὐτῷ ἕπονται,
> κἢν μὲν ἄρα ψυχάν τις ἔχων ἀνέραστον ὀπαδῇ,
> τῆνον ὑπεκφεύγοντι, καὶ οὐκ ἐθέλοντι διδάσκην·
> ἢν δὲ νόον τις ἔρωτι δονεύμενος ἁδὺ μελίσδῃ,
> ἐς τῆνον μάλα πᾶσαι ἐπειγόμεναι προρέοντι.
> Μάρτυς ἐγών, ὅτι μῦθος ὅδ' ἔπλετο πᾶσιν ἀλαθής·
> ἢν μὲν γὰρ βροτὸν ἄλλον, ἢ ἀθανάτων τινὰ μέλπω,
> βαμβαίνει μευ γλῶσσα, καὶ ὡς πάρος οὐκέτ' ἀείδει·
> ἢν δ' αὖτ' ἐς τὸν Ἔρωτα καὶ ἐς Λυκίδαν τι μελίσδω,
> καὶ τόκ' ἐμὶν χαίροισα διὰ στόματος ῥέει ᾠδά.

Leur troupe qui s'enfuit ne veut pas l'inspirer.
Qu'un amant les invoque, et sa voix les attire;   15
C'est ainsi que toujours elles montent ma lyre.
Si je chante les dieux ou les héros, soudain
Ma langue balbutie et se travaille en vain;
Si je chante l'Amour, ma chanson d'elle-même
S'écoule de ma bouche et vole à ce que j'aime.   20

                              VII

Oh! puisse le ciseau qui doit trancher mes jours
Sur le sein d'une belle en arrêter le cours!
Qu'au milieu des langueurs, au milieu des délices,
Achevant de Vénus les plus doux sacrifices,
Mon àme, sans efforts, sans douleurs, sans combats,   5

V. 17. Voy. aussi la première ode d'Anacréon.
V. 20. L'imitation que Ronsard a faite de l'idylle de Bion se termine
ainsi :

> Mais quand je veux d'amour ou escrire ou parler,
> Ma langue se dénoue, et lors je sens couler
> Ma chanson d'elle-même aisément en la bouche.

Avec les mêmes expressions, André atteint à une pureté de style inconnue à Ronsard.

VII. — Imité d'Ovide, *Am.*, II, x, 29 :

> Felix, quem Veneris certamina mutua rumpunt!
>   Di faciant, leti causa sit ista mei !...
> At mihi contingat Veneris languescere motu,
>   Quum moriar, medium solvar et inter opus :
> Atque aliquis nostro lacrimans in funere dicat :
>   Conveniens vitæ mors fuit ista suæ.

Ronsard, *Am.*, I, xlvi :

> Je veux mourir ès amoureux combats,
> Laissant l'amour qu'au cœur je porte enclose,
> Toute une nuit au milieu de tes bras.

Ronsard, *Am.*, I, lxxix, imite plus directement Ovide ; mais, dans la pensée et dans l'expression, il reste beaucoup trop au-dessous de son modèle.

Se dégage et s'envole, et ne le sente pas !
Qu'attiré sur ma tombe, où la pierre luisante
Offrira de ma fin l'image séduisante,
Le voyageur ému dise avec un soupir :
« Ainsi puissé-je vivre et puissé-je mourir ! »   10

VIII

A DE PANGE

De Pange, le mortel dont l'âme est innocente,
Dont la vie est paisible et de crimes exempte,
N'a pas besoin du fer qui veille autour des rois,
Des flèches dont le Scythe a rempli son carquois,
Ni du plomb que l'airain vomit avec la flamme.   5

V. 7. « *Luisante,* » brillante par le poli, ξεστή. — Il veut qu'un bas-relief le représente expirant entre les bras de ses maîtresses.

VIII. — Dans cette élégie, André enchaîne avec un art exquis une pensée d'Horace, une idylle de Bion et tous les fragments de l'élégiaque Mimnerme. C'est bien, comme il le dit lui-même, le travail de l'abeille qui, de sucs ravis à tant de fleurs, compose le miel le plus doux. — Chénier a su parler de la vieillesse avec mesure et avec un grand choix de pensées ; en la plaignant de ses maux, on sent qu'il la respecte. L'élégie de Maximien n'est que la plainte languissante d'un vieillard dont le cœur est resté ardent dans un corps usé et flétri. Juvénal, dans sa *Satire X*, 188 et sqq., présente un tableau hideux de la vieillesse. Il ne s'est pas aperçu que ce vieillard qu'il couvre de boue, ce fut son père, ce sera lui-même, son fils, l'humanité tout entière ; trop habitué à rechercher le pittoresque des effets et des pensées, Juvénal est descendu à un réalisme affligeant qui cesse d'être de l'art. — Le début de l'élégie est d'Horace, *Od.*, I, xxii :

> Integer vitæ, scelerisque purus,
> Non eget Mauris jaculis, neque arcu,
> Nec venenatis gravida sagittis,
>   Fusce, pharetra.

V. 3 et 4. Éd. 1826 et 1839 :

> N'a besoin ni du fer qui veille autour des rois,
> Ni des traits dont le Scythe a rempli son carquois.

Incapable de nuire, il ne voit dans son âme
Nulle raison de crainte, et, loin de s'alarmer,
Confiant, il se livre aux délices d'aimer.
O de Pange! ami sage, est bien fou qui s'ennuie.
Si les destins deux fois nous permettaient la vie,   10
L'une pour les travaux et les soins vigilants,
L'autre pour les amours, les plaisirs nonchalants,
On irait d'une vie âpre et laborieuse
Vers l'autre vie au moins pure et voluptueuse.
Mais si nous ne vivons, ne mourons qu'une fois,   15
Eh! pourquoi, malheureux, sous de bizarres lois,
Tourmenter cette vie et la perdre sans cesse,
Haletants vers le gain, les honneurs, la richesse;

V. 10-20. Bion, *Idyll.*, VI :

> Εἰ μὲν γὰρ βιότῳ διπλόον χρόνον ἄμμιν ἔδωκεν
> ἢ Κρονίδας ἢ Μοῖρα πολύτροπος, ὥστ' ἀνύεσθαι
> τὸν μὲν ἐς εὐφροσύναν καὶ χάρματα, τὸν δ' ἐνὶ μόχθῳ,
> ἦν τάχα μοχθήσαντι ποθ' ὕστερον ἐσθλὰ δέχεσθαι.
> Εἰ δὲ θεοὶ κατένευσαν ἕνα χρόνον ἐς βίον ἐλθεῖν
> ἀνθρώποις, καὶ τόνδε βραχὺν καὶ μήονα πάντων,
> ἐς πόσον, ἆ δειλοί, καμάτως κεῖς ἔργα πονεῦμες;
> ψυχὰν δ' ἄχρι τίνος ποτὶ κέρδεα καὶ ποτὶ τέχνας
> βάλλομες, ἱμείροντες ἀεὶ πολὺ πλήονος ὄλβω;
> λαθόμεθ' ἢ ἄρα πάντες ὅτι θνατοὶ γενόμεσθα,
> χώς βρχχὺν ἐκ Μοίρας λάχομεν χρόνον.

Dans l'*Hercules furens*, d'Euripide, 655, le chœur, au milieu de
vers qui sont une véritable élégie sur la vieillesse, regrette que les dieux
n'accordent point à l'homme de bien une double jeunesse, et que bons
et méchants ne puissent être distingués dans cette vie, qui se passe à
accumuler des richesses.

V. 15 et suiv. Voyez la même pensée dans Plutarque, *Consol. ad
Apoll.*, XXXI.

V. 17. Manilius, qui, au milieu de vaines dissertations, a souvent de
belles pensées exprimées en beaux vers, a dit, *Astr.*, IV, 1 :

> Quid tam sollicitis vitam consumimus annis?
> Torquemurque metu, cæcaque cupidine rerum;
> Æternisque senes curis, dum quærimus ævum,
> Perdimus. . . . .

Cf. Horace, *Od.*, II, XVI.

Oubliant que le sort immuable en son cours,
Nous fit des jours mortels, et combien peu de jours? 20
Sans les dons de Vénus, quelle serait la vie?
Dès l'instant où Vénus me doit être ravie,
Que je meure! Sans elle ici-bas rien n'est doux.

. . . .

. . . .

Humains, nous ressemblons aux feuilles d'un ombrage

V. 21. Mimnerme, *Anal.*, I, p. 60, 61 :

> Τίς δὲ βίος, τί δὲ τερπνὸν ἄτερ χρυσῆς Ἀφροδίτης;
> τεθναίην, ὅτε μοι μηκέτι ταῦτα μέλοι.

Cf. Plutarque, *de Virt. mor.*, VI. Horace, qui estimait Mimnerme, et le mettait même au-dessus de Callimaque (*Épit.*, II, ii, 100), s'est aussi souvenu de cette pensée, *Épit.*, I, vi, 65 :

> Si Mimnermus uti censet, sine amore jocisque
> Nil est jucundum, vivas in amore jocisque.

Cf. Properce, I, xiv, 10. — Ronsard, *Am.*, II, viii, a dit, avec un sentiment très-juste de la belle langue poétique :

> Eh! qu'est-il rien de doux sans Vénus? las! à l'heure
> Que je n'aimeray plus, puissé-je trespasser.

Ces vers de Ronsard sont d'une coupe charmante, c'est de l'André Chénier; mais plus loin, *Am.*, II, xxiii, il dira :

> Sans toy, nymphe *aime-ris*, la vie est languissante, etc.

On pourrait retrouver cette pensée dans les petits poëtes français en allant jusqu'à Parny, *Poés. érot.*, III, xiii. Elle résume même assez bien le côté élégiaque de tout poëte ; la Fontaine, *Élég.*, II, n'a-t-il pas dit :

> Si l'on ne suit l'amour, il n'est douceur aucune?

V. 24. Mimnerme :

> Ἡμεῖς δ' οἷά τε φύλλα φύει πολυάνθεμος ὥρη
> ἔρος, ὅτ' αἶψ' αὐγὴ αὔξεται ἠελίου,
> τοῖς ἴκελοι, πήχυιον ἐπὶ χρόνον ἄνθεσιν ἥβης
> τερπόμεθα, πρὸς θεῶν εἰδότες οὔτε κακόν
> οὔτ' ἀγαθόν. . . . .

Cette belle comparaison est due à Homère, *Iliade*, VI, 146 :

> Οἵη περ φύλλων γενεὴ, τοίηδε καὶ ἀνδρῶν·
> Φύλλα τὰ μέν τ' ἄνεμος χαμάδις χέει, ἄλλα δέ θ' ὕλη
> τηλεθόωσα φύει· ἔαρος δ' ἐπιγίγνεται ὥρη·
> ὣς ἀνδρῶν γενεὴ ἡμὲν φύει, ἠδ' ἀπολήγει.

André s'en souvient et embellit Mimnerme de toute la magnificence

Dont au faîte des cieux le soleil remonté   25
Rafraîchit dans nos bois les chaleurs de l'été.
Mais l'hiver, accourant d'un vol sombre et rapide,
Nous sèche, nous flétrit, et son souffle homicide
Secoue et fait voler, dispersés dans les vents,
Tous ces feuillages morts qui font place aux vivants.   30
La Parque, sur nos pas, fait courir devant elle
Midi, le soir, la nuit, et la nuit éternelle,
Et par grâce, à nos yeux qu'attend le long sommeil,
Laisse voir au matin un regard du soleil.
Quand cette heure s'enfuit, de nos regrets suivie,   35
La mort est désirable et vaut mieux que la vie.
O jeunesse rapide! ô songe d'un moment!

d'Homère. Voici maintenant cette même pensée, moins l'ornement, dans
l'*Ecclésiaste*, I, 1, 4 : « Generatio præterit. et generatio advenit : terra
autem in æternum stat. » — Et ce qu'a dit l'homme de Chio, selon
l'expression de Simonide, a résonné depuis sur toutes les lyres du monde.
Cf. Euripide, *Ino, fragm.* (Plutarque, *Cons. ad Apoll.*); Aristophane, *Ois.*,
685 ; Musée (apud Clém. Alex., *Strom.*, VI, p. 247, A), etc. La comparaison en elle-même est susceptible de nuances et d'applications infinies ;
voy. Virgile, *Én.*, VI, 509 ; Horace, *Art poét.*, 60 ; Properce, II, xv, 51 ;
J.-B. Rousseau, *Od. sacrées*, I, ix, etc. La poésie moderne l'a souvent
reproduite, comparant l'exilé à la feuille qu'emporte le vent.

 V. 29. Éd. 1833 :

> Secoue et fait voler, dispersés par les vents.

 V. 31. Mimnerme :

> . . . . Κῆρες γὰρ παρεστήκασι μέλαιναι,
> ἡ μὲν ἔχουσα τέλος γήραος ἀργαλέου,
> ἡ δ' ἑτέρη θανάτοιο· μίνυνθα δὲ γίνεται ἥβης
> καρπός, ὅσον τ' ἐπὶ γῆν κίδναται ἠέλιος·
> αὐτὰρ ἐπὴν δὴ τοῦτο τέλος παραμείψεται ὥρης,
> αὐτίκα δὴ τεθνάναι βέλτιον, ἢ βίοτος.

 V. 33. « *Le long sommeil*, » c'est le *longus somnus* d'Horace, *Od.*,
III, xi. Ronsard, *Am.*, II, xlv, a cette belle expression : « Le dormir de
la mort. »
 V. 37. Mimnerme :

> Ἀλλ' ὀλιγοχρόνιον γίνεται ὥσπερ ὄναρ
> ἥβη, τιμήεσσα, τὸ δ' ἀργαλέον καὶ ἄμορφον
> γῆρας ὑπὲρ κεφαλῆς αὐτίχ' ὑπερκρέμαται,

Puis l'infirme vieillesse, arrivant tristement,
Presse d'un malheureux la tête chancelante,
Courbe sur un bâton sa démarche tremblante,   40
Lui couvre d'un nuage et les yeux et l'esprit,
Et de soucis cuisants l'enveloppe et l'aigrit :
C'est son bien dissipé, c'est son fils, c'est sa femme,
Ou les douleurs du corps, si pesantes à l'âme,
Ou mille autres ennuis. Car, hélas ! nul mortel   45
Ne vit exempt de maux sous la voûte du ciel.
Oh ! quel présent funeste eut l'époux de l'Aurore,

> ἐχθρὸν ὁμῶς καὶ ἄτιμον, ὅ τ' ἄγνωστον τιθεῖ ἄνδρα,
> βλάπτει δ' ὀφθαλμοὺς καὶ νόον ἀμφιχυθέν.

Cf. Rufin, *Anth.*, V, 12, et le beau chœur de l'*OEdipe à Colone* de
Sophocle, 1293. Pindare, *Pyth.*, VIII, 135, a dit dans des vers profonds :

> . . . . Τί δέ τις; τί δ' οὖ τις;
> σκιᾶς ὄναρ, ἄνθρωποι. . . . .

Cette vieillesse, γῆρας οὐλόμενον, fille de la nuit (Hésiode, *Théog.*, 225),
c'est la triste vieillesse de Virgile, *Géorg.*, III, 66 :

> Optima quæque dies miseris mortalibus ævi
> Prima fugit ; subeunt morbi, tristisque senectus,
> Et labor et duræ rapit inclementia mortis.

Vers que commente Sénèque, *Ép. à Luc.*, CVIII, contredisant un peu ce
qu'il a dit dans le traité *de Brevit. vitæ*. Mais l'homme est inconstant
parce qu'il est enthousiaste ; André lui-même reviendra dans une heure
de calme et de sagesse sur cette élégie, et chantera les charmes de la
vieillesse.

V. 43. Mimnerme :

> Πολλὰ γὰρ ἐν θυμῷ κακὰ γίνεται, ἄλλοτε δ' οἶκος
> τρυχοῦται, πενίης δ' ἔργ' ὀδυνηρὰ πέλει.
> Ἄλλος δ' αὖ παίδων ἐπιδεύεται, ὧν τε μάλιστα
> ἱμείρων κατὰ γῆς ἔρχεται εἰς Ἀΐδην.
> Ἄλλος νοῦσον ἔχει θυμοφθόρον, οὐδέ τις ἐστὶν
> ἀνθρώπων, ᾧ Ζεὺς μὴ κακὰ πολλὰ διδῷ.

V. 47. Mimnerme :

> Τιθωνῷ μὲν ἔδωκεν ἔχειν κακὸν ἄφθιτον ὁ Ζεύς,
> γῆρας, ὃ καὶ θανάτου ῥίγιον ἀργαλέου. . . .

L'Aurore, qui aimait Tithon, fils de Laomédon (Apollodore, III, xii), l'enleva et demanda à Jupiter d'accorder à son amant l'immortalité ; mais,
comme elle oublia de demander pour lui la jeunesse éternelle, Tithon
fut voué à une immortelle vieillesse ; voy. Homère, *Hymn. à Vénus*, 219.

De vieillir chaque jour, et de vieillir encore,
Sans espoir d'échapper à l'immortalité !
Jeune, son front plaisait. Mais quoi ! toute beauté   50
Se flétrit sous les doigts de l'aride vieillesse.
Sur le front du vieillard habite la tristesse ;
Il se tourmente, il pleure ; il veut que vous pleuriez.
Ses yeux par un beau jour ne sont plus égayés.
L'ombre épaisse et touffue, et les prés et Zéphyre   55
Ne lui disent plus rien, ne le font plus sourire.
La troupe des enfants, en l'écoutant venir,
Le fuit comme ennemi de leur jeune plaisir ;
Et s'il aime, en tous lieux sa faiblesse exposée
Sert aux jeunes beautés de fable et de risée.   60

V. 50. Mimnerme :

> Τὸ πρὶν ἐὼν κάλλιστος, ἐπὴν παραμείψεται ὤρη,
> οὐδὲ πατὴρ παισὶν τίμιος οὔτε φίλοις.

Platon, *Anth.*, IX, 51 :

> Αἰὼν πάντα φέρει. Δολιχὸς χρόνος οἶδεν ἀμείβειν
> οὔνομα, καὶ μορφήν, καὶ φύσιν, ἠδὲ τύχην.

Cf. Ronsard, *Od.*, III, xix.
V. 55. Mimnerme :

> Αἰεὶ μὲν φρένας ἀμφὶ κακαὶ τείρουσι μέριμναι,
> οὐδ' αὐγὰς προσορῶν τέρπεται ἠελίου.
> Ἀλλ' ἐχθρὸς μὲν παισίν, ἀτίμαστος δὲ γυναιξίν.
> Οὕτως ἀργαλέον γῆρας ἔθηκε θεός.

La Fontaine, *Fab.*, VIII, i, représente la vieillesse sous le même aspect .

> . . . . Plus de goût, plus d'ouïe ;
> Toute chose pour toi semble être évanouie ;
> Pour toi l'astre du jour prend des soins superflus :
> Tu regrettes des biens qui ne te touchent plus.

IX

AUX FRÈRES DE PANGE

Aujourd'hui qu'au tombeau je suis prêt à descendre,
Mes amis, dans vos mains je dépose ma cendre.
Je ne veux point, couvert d'un funèbre linceul,
Que les pontifes saints autour de mon cercueil,
Appelés aux accents de l'airain lent et sombre,   5
De leur chant lamentable accompagnent mon ombre,
Et sous des murs sacrés aillent ensevelir
Ma vie et ma dépouille, et tout mon souvenir.

IX. — Cette élégie jette une grande lueur sur le génie d'André, en nous permettant d'observer les évolutions successives de sa pensée, et comment l'imitation conduit un vrai poëte à la création. En effet, elle peut être considérée comme le magnifique prélude de *la Jeune captive*. L'élégie de Tibulle, qui s'encadre ici entre Properce et Virgile, nous peint la situation d'âme du poëte au seuil de la mort ; c'est la plainte déchirante du génie qui voit la vie, l'avenir prêt à lui échapper, et c'est le même cri de désespoir, transfiguré par la grandeur de l'infortune, qui rejaillira de son cœur dans les murs de Saint-Lazare, non plus sous la forme un peu abandonnée de l'élégie, mais sous la forme serrée et synthétique de l'ode. Ici la plainte est plus personnelle, et c'est un des caractères de l'élégie ; dans *la Jeune captive*, elle est plus générale, plus totalement humaine, ce qui est un des caractères sacrés de l'ode. L'étude attentive et comparée de ces deux élégies donne le secret du génie d'appropriation d'André Chénier. — Le début est de Properce, II, xiii, 17 :

> Quandocumque igitur nostros mors claudet ocellos,
>   Accipe, quæ serves, funeris acta mei.
> Nec mea tunc longa spatietur imagine pompa,
>   Nec tuba sit fati vana querela mei ; . . . . .
> Et sit in exiguo laurus superaddita busto,
>   Quæ tegat exstincti funeris umbra locum.

Cf. Horace, *Od.*, II, xx ; Le Brun, *Élég.*, I, ii ; et Parny, III, *Ma mort.*
V. 1. André a employé *prêt à* avec la signification de *près de*. Les poëtes du dix-septième et du dix-huitième siècle font souvent cette confusion. Voltaire a dit dans *Zaïre*, II, iii :

> Vous voyez qu'au tombeau je suis prêt à descendre.

Eh ! qui peut sans horreur, à ses heures dernières,
Se voir au loin périr dans des mémoires chères ?   10
L'espoir que des amis pleureront notre sort
Charme l'instant suprême et console la mort.
Vous-mêmes choisirez à mes jeunes reliques
Quelque bord fréquenté des pénates rustiques,
Des regards d'un beau ciel doucement animé,   15
Des fleurs et de l'ombrage, et tout ce que j'aimai.
C'est là, près d'une eau pure, au coin d'un bois tranquille,
Qu'à mes mânes éteints je demande un asile :
Afin que votre ami soit présent à vos yeux,
Afin qu'au voyageur amené dans ces lieux,   20
La pierre, par vos mains de ma fortune instruite,
Raconte en ce tombeau quel malheureux habite ;

V. 13. [Ce mot de *reliques* (dit André dans ses notes sur Malherbe,
p. 94) est beau et sonore ; de plus, employé rarement, il est encore presque tout neuf. C'est pourquoi il ne faut point qu'il soit perdu pour notre
poésie. Racine, qui connaissait les véritables richesses et qui ne les
laissait point échapper, l'a mis en usage deux fois. Dans *Phèdre :*

> . . . . Ces tombeaux antiques
> Où des rois ses aïeux sont les froides *reliques.*

Dans *Bajazet :*

> Déjà, sur un vaisseau dans le port préparé,
> Chargeant de mon débris les *reliques* plus chères,
> Je méditais ma fuite aux rives étrangères.

Ce dernier exemple est bien beau et bien hardi.] Comme dans toutes
ses notes sur Malherbe, André oublie Ronsard, qui l'a employé dans le
Bocage royal, Panégyr. de la Renom., quand il peint le jeune phénix :

> (Portant) le lit funèbre et l'odoreuse cendre,
> *Reliques* de son père. . . . .

Voy. la belle élégie intitulée *la Promenade*, de M.-J. Chénier.
V. 17. N'est-ce pas là le vœu éternel des poëtes ? Nous aussi, hommes
d'une autre génération, n'avons-nous pas entendu la même pensée résonner sur la lyre d'un poëte aimé, mais, hélas ! trop tôt parti ?

> Mes chers amis, quand je mourrai,
> Plantez un saule au cimetière :
> J'aime son feuillage éploré ;
> La pâleur m'en est douce et chère,
> Et son ombre sera légère
> A la terre où je dormirai.

Quels maux ont abrégé ses rapides instants ;
Qu'il fut bon, qu'il aima, qu'il dut vivre longtemps.
Ah ! le meurtre jamais n'a souillé mon courage.   25
Ma bouche du mensonge ignora le langage,
Et jamais, prodiguant un serment faux et vain,
Ne trahit le secret recélé dans mon sein.
Nul forfait odieux, nul remords implacable
Ne déchire mon âme inquiète et coupable.   30
Vos regrets la verront pure et digne de pleurs.
Oui, vous plaindrez sans doute, en mes longues douleurs,
Et ce brillant midi qu'annonçait mon aurore,
Et ces fruits dans leur germe éteints avant d'éclore,

V. 25. C'est ici que commence l'imitation de Tibulle, III, v, 5 :

> At mihi Persephone nigram denunciat horam :
>   Immerito juveni parce nocere, dea.
> Non ego tentavi, nulli temeranda virorum,
>   Audax laudandæ sacra docere deæ.
> Nec mea mortiferis infecit pocula succis
>   Dextera, nec cuiquam tetra venena dedit ;
> Nec nos sacrilegos templis admovimus ignes ;
>   Nec cor sollicitant facta nefanda meum ;
> Nec nos, insaniæ meditantes jurgia linguæ,
>   Impia in adversos solvimus ora deos.
> Et nondum cani nigros læsere capillos ;
>   Nec venit tardo curva senecta pede.

Déjà, dans une autre élégie, Tibulle, I, iii, 51 :

> Parce, pater ! timidum non me perjuria terrent,
>   Non dicta in sanctos impia verba deos.

Cf. Ovide, *Hér.*, XXI, 173 ; Claudien, *Rapt de Pros.*, II, 257.

Au v. 25, André par le mot *meurtre* désigne le duel, qu'il détestait, et qu'il flétrit dans ses *Œuvres en prose*, p. 49 : « Les femmes... de tout temps admiratrices secrètes ou déclarées de ces *assassinats chevaleresques* appelés duels, semblent encourager, par d'homicides applaudissements, cette férocité lâche et stupide. »

V. 27. Voy. dans les *Œuvres en prose*, p. 268, le fragment très-curieux sur le serment.

V. 34. Cette pensée rappelle Tibulle, III, v, 19 :

> Quid fraudare juvat vitem crescentibus uvis ?
>   Et modo nata mala vellere poma manu ?

Mais comme cette belle image s'élève encore dans *la Jeune captive !*

Que mes naissantes fleurs auront en vain promis.   55
Oui, je vais vivre encore au sein de mes amis.
Souvent à vos festins qu'égaya ma jeunesse,
Au milieu des éclats d'une vive allégresse,
Frappés d'un souvenir, hélas! amer et doux,
Sans doute vous direz : « Que n'est-il avec nous! »   40

Je meurs. Avant le soir j'ai fini ma journée.
A peine ouverte au jour, ma rose s'est fanée.
La vie eut bien pour moi de volages douceurs ;
Je les goûtais à peine, et voilà que je meurs.
Mais, oh! que mollement reposera ma cendre,   45

V. 35. Malherbe, p. 71 (vers qu'André qualifie de virgilien, de divin) :
> Et les fruits passeront la promesse des fleurs.

V. 41. Malherbe, *Larmes de Saint-Pierre*, p. 11, a dit :
> N'ayant qu'un jour à vivre, il ne peut l'achever,

vers *divin*, dit André. Plus loin, même pièce, p. 15, Malherbe dit encore :
> Le soir fut avancé de leurs belles journées.

[Le même vers que j'ai noté p. 11 (remarque André). Peut-être à cette
source nous devons le vers divin de la Fontaine :
> Rien ne trouble sa fin ; c'est le soir d'un beau jour.

Pétrarque a dit dans un vers délicieux, par la bouche de Laure :
> E compi mia giornata inanzi sera.

Et moi, dans une de mes élégies :
> Je meurs. Avant le soir j'ai fini ma journée.]

Ronsard, *Am.*, I, xix, avait dit avant Malherbe :
> Avant ton soir se clorra ta journée.

J.-B. Rousseau, *Ode* IX, rendant la pensée d'Isaïe (xxviii, 10), a dit :
> Au midi de mes années
> Je touchais à mon couchant.

V. 44. « *Voilà que je meurs.* » Cette forme a pu paraître négligée ;
elle est au contraire toute biblique. *Rois*, I, xiv, 43 : « Gustans gustavi in
summitate virgæ... paupulum mellis, *et ecce ego morior.* » Cf. *Psaumes*,
xxxvi, 35.

V. 45. En rapprochant de ce vers le v. 49, et en lisant :
> Mais, oh! que mollement reposera ma cendre,
> Si vos chants de mes feux vont redisant l'histoire ;

Si parfois, un penchant impérieux et tendre
Vous guidant vers la tombe où je suis endormi,
Vos yeux en approchant pensent voir leur ami ;
Si vos chants de mes feux vont redisant l'histoire ;
Si vos discours flatteurs, tout pleins de ma mémoire,   50
Inspirent à vos fils, qui ne m'ont point connu,
L'ennui de naître à peine et de m'avoir perdu !
Qu'à votre belle vie ainsi ma mort obtienne
Tout l'âge, tous les biens dérobés à la mienne ;
Que jamais les douleurs, par de cruels combats,   55
N'allument dans vos flancs un pénible trépas ;
Que la joie en vos cœurs ignore les alarmes ;
Que les peines d'autrui causent seules vos larmes ;
Que vos heureux destins, les délices du ciel,
Coulent toujours trempés d'ambrosie et de miel,   60
Et non sans quelque amour paisible et mutuelle.
Et quand la mort viendra, qu'une amante fidèle,
Près de vous désolée, en accusant les dieux,
Pleure, et veuille vous suivre, et vous ferme les yeux.

X

Souffre un moment encor : tout n'est que changement.
L'axe tourne, mon cœur : souffre encore un moment.

on aurait, admirablement rendus, les deux vers de Virgile, *Égl.*, X, 33 :

     . . . O mihi tum quam molliter ossa quiescant,
     Vestra meos olim si fistula dicat amores !

     V. 54. Sur cette pensée souvent exprimée par les anciens, voy. *Élé-gies*, III, VI, 34.

     X. — V. 2. « *Axe*, » poétique pour *roue, char*. Homère, *Il.*, XVI, 378, emploie ἄξων pour τροχός :

     . . . . . . Ὑπὸ δ' ἄξοσι φῶτες ἔπιπτον

Et Virgile, *Én.*, V, 820, *axis* pour *currus :*

     . . . . . Tumidumque sub axe tonanti
     Sternitur æquor aquis. . . . .

La vie est-elle toute aux ennuis condamnée ?
L'hiver ne glace point tous les mois de l'année.
L'Eurus retient souvent ses bonds impétueux ;　　　5
Le fleuve, emprisonné dans des rocs tortueux,
Lutte, s'échappe, et va, par des pentes fleuries,
S'étendre mollement sur l'herbe des prairies.
C'est ainsi que, d'écueils et de vagues pressé,
Pour mieux goûter le calme il faut avoir passé,　　　10
Des pénibles détroits d'une vie orageuse,
Dans une vie enfin plus douce et plus heureuse.
La Fortune arrivant à pas inattendus
Frappe, et jette en vos mains mille dons imprévus :

La comparaison de la vie humaine à la roue se retrouve dans Anacréon,
Od., IV :

Τροχὸς ἅρματος γὰρ οἷα
βίοτος τρέχει κυλισθείς.

Cf. Plutarque, *Cons. ad Apoll.*, V ; Silius Italicus, *Bell. Punic.*, VI, 121 ;
Hérodien, *Hist. rom.*, I.

V. 4 et suiv. Imité d'Horace, *Od.*, II, ix :

Non semper imbres nubibus hispidos
Manant in agros, aut mare Caspium
　　Vexant inæquales procellæ
　　　Usque ; nec Armeniis in oris,
Amice Valgi, stat glacies iners
Menses per omnes ; aut aquilonibus
　　Querceta Gargani laborant,
　　　Et foliis viduantur orni.

André sans doute se souvenait aussi de ce passage d'Euripide, *Herc. fur.*,
101, où la même pensée est exprimée :

Κάμνουσι γάρ τοι καὶ βροτῶν αἱ συμφοραὶ,
καὶ πνεύματ' ἀνέμων οὐκ ἀεὶ ῥώμην ἔχει,
οἵ τ' εὐτυχοῦντες διὰ τέλους οὐκ εὐτυχεῖς·
ἐξίσταται γὰρ πάντ' ἀπ' ἀλλήλων δίχα

Cf. Euripide, *Troy.*, 102 ; Pindare, *Ol.*, II. — L'ode d'Horace a eu beaucoup d'imitateurs dans la poésie française. Voy. Ronsard, *Am.*, I, clxvi,
et *Od.*, IV, xxi ; Racan, *Berg.*, III, *Chœur*, et V, *Épith.* ; Malherbe,
p. 233 et p. 247 ; Rousseau, *Od.*, II, iv.

V. 14. À chacun des vers 14, 15, 16, la césure avance d'une syllabe.
Par cette coupe savante, André parvient à imiter les mètres variés de la
fable.

On le dit. Sur mon seuil jamais cette volage   15
N'a mis le pied. Mais quoi ! son opulent passage,
Moi qui l'attends plongé dans un profond sommeil,
Viendra, sans que j'y pense, enrichir mon réveil.

Toi qu'aidé de l'aimant plus sûr que les étoiles,
Le nocher sur la mer poursuit à pleines voiles ;   20
Qui sais de ton palais, d'esclaves abondant,
De diamant, d'azur, d'émeraudes ardent,
Aux gouffres du Potose, aux antres de Golconde,
Tenir les rênes d'or qui gouvernent le monde,
Brillante déité ! tes riches favoris   25
Te fatiguent sans cesse et de vœux et de cris :
Peu satisfait le pauvre. O belle souveraine !

V. 17. La Fontaine, *Fables*, VII, xii :

> Il la trouve assise à la porte
> De son ami plongé dans un profond sommeil.

La fortune, avec ses vicissitudes, est un thème éternel de poésie ; Manilius, *Astr.*, IV, 78, a dit : « Transit per illum, ex illo fortuna venit. » Les tragiques grecs abondent en semblables pensées ; c'est comme une leçon perpétuelle qu'ils donnaient aux volages Athéniens. Voy. Sophocle, *Ant.*, 1158.

V. 19. Ici se dressent les deux grands noms de Pindare et d'Horace.
— Pindare, *Ol.*, XII, invoque la Fortune Libératrice :

> Τὶν γὰρ ἐν πόντῳ κυβερνῶνται θοαὶ
> νᾶες, ἐν χέρσῳ τε λαιψηροὶ πόλεμοι,
> κἀγοραὶ βουλαφόροι · αἵγε μὲν ἀνδρῶν
> πόλλ' ἄνω, ταὶ δ' αὖ κάτω
> ψεύδη μεταμώνια τέμνοι–
> σαι, κυλίνδοντ' ἐλπίδες, κ. τ. λ.

Et Horace, *Od.*, I, xxxv, s'inspirant du poëte thébain :

> O Diva, gratum quæ regis Antium. . . .
> Te pauper ambit sollicita prece
> Ruris colonus ; te dominam æquoris,
>   Quicumque Bithyna lacessit
>   Carpathium pelagus carina, etc.

A côté de ces belles invocations à la Fortune, on peut mettre les beaux vers de Pétrone, *Sat.*, CXX. Cf. Dante, *Div. Com*, *Enfer*, VII.

V. 27. Éd. 1826 et 1839 :

> Peu contente le pauvre. O belle souveraine !

l'eu ; seulement assez pour que, libre de chaîne,
Sur les bords où, malgré ses rides, ses revers,
Belle encor, l'Italie attire l'univers,   30
Je puisse au sein des arts vivre et mourir tranquille !
C'est là que mes désirs m'ont promis un asile ;
C'est là qu'un plus beau ciel peut-être dans mes flancs
Éteindra les douleurs et les sables brûlants.
Là j'irai t'oublier, rire de ton absence ;   35
Là, dans un air plus pur respirer, en silence
Et nonchalant du terme où finiront mes jours,
La santé, le repos, les arts et les amours.

Horace, *Épît.*, I, vii, 44 : « Parvum parva decent. » Et *Od.*, III, xvi :

> . . . . . Bene est cui deus obtulit
> Parca, quod satis est, manu.

C'est cette douce médiocrité que le bon la Fontaine, *Fab.*, VII, vi, appelle : « Mère du bon esprit, compagne du repos. »

    V. 35. C'est la philosophique indifférence d'Horace, *Od.*, III, xxix :

> Laudo manentem : si celeres quatit
> Pennas, resigno quæ dedit, et mea
>   Virtute me involvo, probamque
>   Pauperiem sine dote quæro.

André ne tient pas aux biens de la Fortune ; si la capricieuse déesse les
lui enlève, il pourra dire avec Sénèque, *Cons. ad Helv.*, V : « Abstulit
illa, non avulsit. »

    V. 37. Montaigne, I, xix : « Je veux... que la mort me trouve plantant
mes choulx, mais *nonchalant d'elle* et encores plus de mon jardin im-
parfait. » — « *Nonchalant de...* » Dans notre langue moderne, le mot
nonchalant, comme beaucoup d'autres, n'a conservé que le sens dérivé.
Cependant l'emploi qu'André fait ici de *nonchalant*, avec la préposition
de, est logique et conforme au sens primitif et vrai de ce mot, qui vient
de *chaloir*, inquiéter, embarrasser. Villon, *Grand Testament*, LXXI :
« Mais de cela il ne m'en chault. » Le verbe *chaloir* était expressif et
vif ; il est à regretter, ainsi que l'emploi de *nonchalant* avec complément. Régnier, *Sat.*, VII :

> Si l'autre est, au rebours, *des lettres nonchalante.*

C'est aussi la langue de Pascal, *Pensées sur l'éloquence et le style*, XVIII :
« Il (Montaigne) inspire *une nonchalance du salut* sans crainte et sans
repentir. »

XI

AUX FRÈRES DE PANGE

Vous restez, mes amis, dans ces murs où la Seine
Voit sans cesse embellir les bords dont elle est reine,
Et près d'elle partout voit changer tous les jours
Les fêtes, les travaux, les belles, les amours.
Moi, l'espoir du repos et du bonheur peut-être,   5
Cette fureur d'errer, de voir et de connaître,
La santé que j'appelle et qui fuit mes douleurs
(Bien sans qui tous les biens n'ont aucunes douceurs),
A mes pas inquiets tout me livre et m'engage.
C'est au milieu des soins, compagnons du voyage,   10
Que m'attend une sainte et studieuse paix
Que les flèches d'amour ne troubleront jamais.
Je suivrai des amis; mais mon âme d'avance,
Vous, mes autres amis, pleure de votre absence,

XI. — V. 8. Horace a dit, *Épit.*, I, xii, 5, que lorsque l'on possède la
santé,

. . . . Nil
Divitiæ poterunt regales addere majus.

Cf. Horace, *Épit.*, I, ii, 47. — Éd. 1826 et 1839 :

(Bien sans qui tous les biens n'offrent point de douceurs).

Aucun « se met quelquefois au pluriel, » dit l'Académie. Il y en a de
nombreux exemples dans Corneille. Racine a dit dans *Phèdre :*

Aucuns monstres par moi domptés jusqu'aujourd'hui.

On citait souvent chez les anciens ce premier vers d'un scolie attribué
à Simonide ou à Épicharme (voy. Boissonade, *Lyr. græc.*, p. 200) :

Ὑγιαίνειν μὲν ἄριστον ἀνδρὶ θνατῷ.

Un autre vers rendait la même pensée ainsi :

Οὐκ ἔσθ' ὑγείας κρεῖττον οὐδὲν ἐν βίῳ.

V. 10. « *Soins*, » préoccupations, soucis. La Fontaine, *Fab.*, IX, ii :

. . . . Au moins que les travaux,
Les dangers, *les soins du voyage*,
Changent un peu votre courage.

Et voudrait, partagée en des penchants si doux,   15
Et partir avec eux et rester près de vous.
Ce couple fraternel, ces âmes que j'embrasse
D'un lien qui, du temps craignant peu la menace,
Se perd dans notre enfance, unit nos premiers jours,
Sont mes guides encore ; ils le furent toujours,   20
Toujours leur amitié, généreuse, empressée,
A porté mes ennuis et ne s'est point lassée.
Quand Phœbus, que l'hiver chasse de vos remparts,
Va de loin vous jeter quelques faibles regards,
Nous allons, sur ses pas, visiter d'autres rives,   25
Et poursuivre au Midi ses chaleurs fugitives.
Nous verrons tous ces lieux dont les brillants destins
Occupent la mémoire ou les yeux des humains :
Marseille où l'Orient amène la fortune ;
Et Venise élevée à l'hymen de Neptune ;   30
Le Tibre, fleuve-roi ; Rome, fille de Mars,
Qui régna par le glaive et règne par les arts ;
Athènes qui n'est plus, et Byzance, ma mère ;
Smyrne qu'habite encor le souvenir d'Homère.
Croyez, car en tous lieux mon cœur m'aura suivi,   35
Que partout où je suis vous avez un ami.
Mais le sort est secret ! Quel mortel peut connaître

V. 19. Les Trudaine avaient été ses camarades au collége de Navarre.

V. 23. Le contraire dans Virgile, *Géorg.*, IV, 51 :

. . . . Pulsam hiemem sol aureus egit
Sub terras. . . . .

V. 31. Virgile, *Énéide*, VIII, 77, appelle le Tibre : « Hesperidum flu-
vius regnator aquarum. » Il avait dit de l'Éridan, *Géorg.*, I, 482 :
« Fluviorum rex Eridanus. » Stace, *Silves*, III, v, 101, nomme le Tibre :
« Ductor aquarum. »

V. 34. « *Smyrne*, » une des villes qui ont réclamé l'honneur d'avoir
donné naissance à Homère ; voy. Riccius, *Diss. hom.*, p. 15.

V. 37, 38. Tibulle, III, IV, 45 :

Sed, proles Semelæ, Bacchus doctæque sorores
Dicere non norunt, quid ferat hora sequens.

Ce que lui porte l'heure et l'instant qui va naître ?
Souvent ce souffle pur dont l'homme est animé,
Esclave d'un climat, d'un ciel accoutumé,   40
Redoute un autre ciel, et ne veut plus nous suivre
Loin des lieux où le temps l'habitua de vivre.
Peut-être errant au loin, sous de nouveaux climats,
Je vais chercher la mort qui ne me cherchait pas.
Alors, ayant sur moi versé des pleurs fidèles,   45
Mes amis reviendront, non sans larmes nouvelles,
Vous conter mon destin, nos projets, nos plaisirs,
Et mes derniers discours et mes derniers soupirs.

Vivez heureux ! gardez ma mémoire aussi chère,
Soit que je vive encor, soit qu'en vain je l'espère.   50
Si je vis, le soleil aura passé deux fois
Dans les douze palais où résident les mois,
D'une double moisson la grange sera pleine,
Avant que dans vos bras la voile nous ramène.

Car, comme le dit Sénèque, *Cons. à Polybe :* « Nihil ne in totum quidem
diem certi est. » Les poëtes abondent en pensées sur l'incertitude de
l'avenir et sur la fragilité du bonheur ; voy. Pindare, *Olymp.*, II, 55.

V. 38. Éd. 1826 et 1839 :

> Ce que lui porte l'heure ou l'instant qui va naître ?

La conjonction *et* a ici la force de *et même.*

V. 49. Tibulle, III, v, 31 :

> Vivite felices, memores et vivite nostri,
> Sive erimus, seu nos fata fuisse volent.

V. 51-53. Stace, *Théb.*, II, 400, emploie une périphrase analogue :
« Astriferum velox jam circulus orbem torsit. » Malherbe, *Stances aux
ombres de Damon*, p. 57 :

> Depuis que tu n'es plus, la campagne déserte
> A dessous deux hivers perdu sa robe verte,
> Et deux fois le printemps l'a repeinte de fleurs.

La Fontaine, *Ode* IV :

> Deux fois l'hiver en ton empire
> A ramené les aquilons ;
> Et nos climats ont vu l'année
> Deux fois de pampres couronnée.

Si longtemps autrefois nous n'étions point perdus!   55
Aux plaisirs citadins tout l'hiver assidus,
Quand les jours repoussaient leurs bornes circonscrites
Et des nuits à leur tour usurpaient les limites,
Comme oiseaux du printemps, loin du nid paresseux,
Nous visitions les bois et les coteaux vineux,   60
Les peuples, les cités, les brillantes naïades;
Et l'humide départ des sinistres Pléiades
Nous renvoyait chercher la ville et ses plaisirs,
Ou, souvent rassemblés, livrés à nos loisirs,
Honteux d'avoir trouvé nos amours infidèles,   65
Disputer des beaux-arts, de la gloire et des belles.
Ah! nous ressemblions, arrêtés ou flottants,
Aux fleuves comme nous voyageurs inconstants :
Ils courent à grand bruit; ils volent, ils bondissent;
Dans les vallons riants leurs flots se ralentissent;   70
Quand l'hiver, accourant du blanc sommet des monts,
Vient mettre un frein de glace à leurs pas vagabonds,
Ils luttent vainement, leurs ondes sont esclaves;

Les « *douze palais* » représentent les mois ou les douze signes du zodia-
que. Employant l'expression technique, Malherbe, p. 145, a dit :

> Certes l'autre soleil, d'une erreur vagabonde,
> Court inutilement par ses *douze maisons*.

Régnier, *Sat.*, V, avait dit avant lui :

> Selon que le soleil se loge en ses *maisons*.

V. 56. Virgile, *Én.*, IV, 193 :

> Nunc hiemem inter se luxu, quam longa, fovere.

V. 58–62. André veut dire que leur absence autrefois ne durait que
depuis l'équinoxe du printemps jusqu'au coucher héliaque des Pléiades.
V. 63. Éd. 1826 et 1839 :

> Nous renvoyait chercher la ville et les plaisirs.

V. 66. Éd, 1826 et 1839 :

> Nous disputions encor de la gloire et des belles.

Pour rendre la phrase intelligible, il a suffi de supprimer l'accent que
toutes les éditions précédentes mettent sur le mot *ou*, au v. 64.
V. 72. La métaphore, *mettre un frein* à des flots, est très-fréquente.

Mais le printemps revient amollir leurs entraves,
Leur frein s'use et se brise au souffle du zéphyr,   75
Et l'onde en liberté recommence à courir.

XII

De l'art de Pyrgotèle élève ingénieux,
Dont, à l'aide du tour, le fer industrieux
Aux veines des cailloux du Gange ou de Syrie
Sait confier les traits de la jeune Marie,
Grave sur l'améthyste ou l'onyx étoilé   5
Ce que d'elle aujourd'hui les dieux m'ont révélé.

Souvent, lorsqu'aux transports mon âme s'abandonne,
L'harmonieux démon descend et m'environne,

Voy. Ovide, *Mét.*, I, 282; Lucrèce, VI, 529. La Fontaine, *Songe de Vaux*:

> . . . . . Le ciel armé de vents
> Arrêtait le cours des torrents
> Et leur donnait un *frein de glace*.

Ronsard, *Od.*, IV, xxi, avait dit déjà :

> . . . Toujours la *glace* éternelle
> Des fleuves ne *bride* le cours.

XII. — La jeune Marie qui est célébrée dans cette élégie serait-elle, dans la pensée du poëte, Marie de Médicis? La pièce pourrait être alors imitée d'un poëte italien ou d'une poésie latine de l'époque. Le graveur sur pierres fines serait le célèbre Coldoré, valet de chambre de Henri IV. Dans l'ouvrage de Mariette on trouve de lui une gravure sur jaspe de Marie de Médicis. — Dans une autre hypothèse, plus probable peut-être, aurions-nous ici un souvenir du séjour d'André à Rome? Il y allait beaucoup dans le monde. Dans l'*Elégie XIV* il parle d'un cercle *nombreux*. Cette jeune Marie, ornée de talents, peignant, aimant et cultivant la poésie, toujours entourée d'amis, *troupe nombreuse et fidèle*, pourrait être la signora Maria Pizzelli, dont parle Dutens dans ses *Mémoires* (1er vol., p. 291), publiés en 1777, et qui jouait à Rome le rôle d'une marquise de Rambouillet. En 1782, lors du séjour à Rome d'Alfieri et de la comtesse d'Albany, elle était encore dans tout l'éclat de son triomphe. Or André était à Rome dans l'hiver de 1784.

V. 1. « *Pyrgotèle*, » graveur célèbre qui vivait au temps d'Alexandre, et qui partagea avec Apelles, le peintre, et Lysippe ou Polyclète, statuaires,

Chante ; et ses ailes d'or, agitant mes cheveux,
Rafraîchissent mon front qui bouillonne de feux.   10
Il m'a dit ta naissance, ô jeune Florentine !
C'est vous, nymphes d'Arno, qui des bras de Lucine
Vîntes la recueillir ; et vos riants berceaux
L'endormirent au bruit de l'onde et des roseaux ;
Et Phœbus, du Cancer hôte ardent et rapide,   15
Ne pouvait point la voir, dans cette grotte humide,
Sous des piliers de nacre entourés de jasmin,
Reposer sur un lit de pervenche et de thym.
Abandonnant les fleurs, de sonores abeilles
Vinrent en bourdonnant sur ses lèvres vermeilles   20
S'asseoir et déposer ce miel doux et flatteur

le glorieux privilége de reproduire les traits du conquérant. Voy. Apulée,
Flor., VII ; Pline, VII, xxxvii et XXXVII, 1 ; Valère Maxime, VIII, xi.

V. 8. « *Démon*, » génie, dieu inspirateur ; c'est le δαίμων des Grecs.
Tous les poëtes français l'ont employé dans ce sens. Régnier, *Sat.*, II :

> Je ne sais quel *démon* m'a fait devenir poëte.

V. 11. Le passage qui suit est remarquable : il retrace une fiction, une
légende religieuse chère à tous les peuples : les Nymphes, les Muses, les
Grâces du paganisme, venant, ainsi que les Fées de la Germanie, déposer leurs dons dans le berceau du nouveau-né. C'est l'amour maternel
imaginant toutes les délicatesses poétiques et associant les divinités aux
destinées de l'enfant. Telle est, dans Pindare, *Ol.*, VI, la naissance de
Jamus, fils d'Évadné et d'Apollon. Cf. Hésiode, *Théog.*, 81 ; Alcman
(ap. Hephæst.) ; Ibicus (Athénée, XIII, 11, p. 564, F). Telle est la naissance de Jupiter, dans Callimaque, *Hymne à Jup.*, 46 ; de Bacchus, dans
Ovide, *Mét.*, III, 313 ; de l'Amour, dans le *Pervigilium Veneris*. —
Ronsard, *Sonnets pour Hélène*, XXXVII :

> Les œillets et les lis et la rose vermeille
> Servirent de berceau ; la nature et les dieux
> La regardèrent naître en ce mois gracieux ;
> Puis Amour la nourrit des douceurs d'une abeille.
> Les Muses, Apollon, et les Grâces estoient
> Tout à l'entour du lict, qui à l'envy jettoient
> Des fleurs sur l'angelette. . . . .

V. 21. Christodore de Coptos dans l'*Anthologie*, II, v. 386, en parlant
de Pindare :

> . . . . Τικτομένου γὰρ
> ἐζόμεναι λιγυροῖσιν ἐπὶ στομάτεσσι μέλισσαι
> κηρὸν ἀνεπλάσσαντο, σοφῆς ἐπιμάρτυρα μολπῆς.

Qui coule avec sa voix et pénètre le cœur.
Reine aux yeux éclatants, la belle Poésie
Lui sourit et trempa sa bouche d'ambrosie,
Arma ses faibles mains des fertiles pinceaux   25
Qui font vivre la toile en magiques tableaux,
Et mit dans ses regards ce feu, cette âme pure
Qui sait voir la beauté, fille de la nature.
Une lyre aux sept voix lui faisait écouter
Les sons que Pausilippe est fier de répéter.   30
Et les douces Vertus et les Grâces décentes,
Les bras entrelacés, autour d'elle dansantes,
Veillaient sur son sommeil, et surent la cacher
A Vénus, à l'Amour, qui brûlaient d'approcher ;
Et puis au lieu de lait, pour nourrir son enfance,   35
Mêlèrent la candeur, la gaîté, l'indulgence,
La bienveillance amie au sourire ingénu,
Et le talent modeste à lui seul inconnu,
Et la sainte fierté que nul revers n'opprime,
La paix, la conscience ignorante du crime,   40

V. 29. C'est la lyre qu'Horace invoque, *Od.*, III, xi : « Testudo, reso-
nare septem callida nervis. » Pindare, *Ném.*, V, 43, l'appelle ὁ ἑπτάγλωσ-
σος φόρμιγξ.

V. 30. N'est-ce pas, dans la première hypothèse, le poëte italien Marini, qui habitait sur le Pausilippe, à qui André ferait ici allusion ?
Marini, on le sait, a souvent célébré Marie de Médicis. André feindrait
que la Muse ait chanté à Marie au berceau les vers que plus tard devait
lui faire entendre Marini.

V. 31. Horace, *Od.*, I, iv :

> Junctæque Nymphis Gratiæ decentes
> Alterno terram quatiunt pede.

V. 32. C'est ainsi qu'Homère, *Hym. à Apoll.*, 196, nous dépeint les
Grâces :

> 'Ορχεῦντ', ἀλλήλων ἐπὶ καρπῷ χεῖρας ἔχουσαι.

V. 40. [Expression latine (dit André dans ses notes sur Malherbe, p. 20)
dont notre langue a été enrichie par l'usage heureux qu'en a fait Despréaux :

> Mais sans cesse *ignorants de* nos propres besoins.]

La simplicité chaste aux regards caressants,
Près de qui les pervers deviendraient innocents.

Artiste, pour l'honneur de ton durable ouvrage,
Graves-y tous ces dons brillants sur son visage.
Grave, si tu le peux, son âme et ses discours,   45
Sa voix, lien puissant d'où dépendent nos jours,
Les jours de ses amis, troupe heureuse et fidèle,
Qui vivent tous pour elle, et qui mourraient pour elle.
De la seule beauté le flambeau passager
Allume dans les sens un feu prompt et léger ;   50
Mais les douces Vertus et les Grâces décentes
N'inspirent aux cœurs purs que des flammes constantes.

XIII

Que ton œil voyageur de peuples en déserts
Parcoure l'ancien monde et traverse les mers :
Rome antique partout, Rome, Rome immortelle,
Vit et respire, et tout semble vivre par elle.
De l'Atlas au Liban, de l'Euphrate au Bétis,   5
Du Tage au Rhin glacé, de l'Elbe au Tanaïs,
Et des flots de l'Euxin à ceux de l'Hyrcanie,
Partout elle a gravé le sceau de son génie.
Partout de longs chemins, des temples, des cités,

V. 46. *Dépendre* est ici pris avec le sens du latin *dependere*, pendre
de... André veut dire : sa voix est le lien puissant auquel sont attach'·s
nos jours.

V. 51-52. Ce passage paraît imité d'un fragment du *Dictys* d'Euri
pide (éd. Didot, p. 697), dont les vers 3 et 4 sont rapportés par Plutarqu·
dans son traité *sur l'Éducation des enfants :*

Φίλος γὰρ ἦν μοι· καὶ μ' ἔρως ἕλοι ποτε
οὐκ εἰς τὸ μῶρον, οὐδὲ μ' εἰς Κύπριν τρέπων·
ἀλλ' ἔττι δή τις ἄλλος ἐν βροτοῖς ἔρως,
ψυχῆς δικαίας σώφρονός τε κἀγαθῆς.

Des ponts, des aqueducs en arcades voûtés,   10
Des théâtres, des forts assis sur des collines,
Des bains, de grands palais ou de grandes ruines
Gardent empreints encor d'une puissante main,
Et cette Rome auguste et le grand nom romain ;
Et d'un peuple ignorant les débiles courages,   15
Étonnés et confus de si vastes ouvrages,
Aiment mieux assurer que de ces monuments
Le bras seul des démons jeta les fondements.

XIV

Je suis en Italie, en Grèce. O terres ! mères des arts favorables
aux vertus ! ô beaux-arts ! de ceux qui vous aiment délicieux tourments ! Seul au milieu d'un cercle nombreux, tantôt

De vivantes couleurs une toile enflammée

s'offre tout à coup à mon esprit,

Et ma main veut fixer ces rapides tableaux,
Et frémit et s'élance et vole à ses pinceaux ;
Tantôt, m'éblouissant d'une clarté soudaine,
La sainte poésie et m'échauffe et m'entraîne,   5
Et ma pensée, ardente à quelque grand dessein,
En vers tumultueux bouillonne dans mon sein ;
Ou bien dans mon oreille un fils de Polymnie,

XIII. — V. 11. Virgile, *Géorg.*, II. 156 :

. . . . . Congesta manu præruptis oppida saxis.

V. 18. Emploi magnifique du mot *démon*, qu'André avait remarqué
plusieurs fois dans Malherbe, et dont il s'était promis de se servir. Voy.
Malherbe, p. 124 et 166.

XIV. — L'édition de 1839 a joint à tort cette élégie à la précédente.
Ce n'est ni le même ton ni la même pensée.

V. 3. Ce passage prouve qu'André se livrait à des essais de peinture ;
les vers qui suivent trahissent aussi son goût pour la musique.

V. 8. « *Un fils de Polymnie.* » Un élève de la célèbre école de Naples,

A qui Naple enseigna la sublime harmonie,
A laissé pour longtemps un aiguillon vainqueur,   10
Et son chant retentit dans le fond de mon cœur.

Alors mon visage s'enflamme, et celui qui me voit me dit que
ma raison a besoin d'ellébore. Mais des choses bien plus importantes... Je parcours le Forum, le sénat ; j'y suis entouré d'ombres
sublimes. J'entends la voix des Gracchus, etc... Cincinnatus, Caton,
Brutus... Je vois les palais qu'ont habités Germanicus et sa femme...
Thraséas, Soranus, Sénécion, Rusticus. En Grèce, tous les peuples
différents, chacun avec son front, son visage, sa physionomie,
passent en revue devant mes yeux. Chacun est conduit par ses
héros qu'il faut nommer. (Comme l'énumération d'Homère.) [1]
Périssent ceux qui traitent de préjugé l'admiration pour tous ces
modèles antiques, et qui ne veulent point savoir que les grandes
vertus constantes et solides ne sont qu'aux lieux où vit la liberté !
Hos utinam inter heroas tellus me prima tulisset ! [2] Si j'avais
vécu dans ces temps...

Des belles voluptés la voix enchanteresse
N'aurait point entraîné mon oisive jeunesse.

dont sans doute il entendait chanter la musique sur les théâtres d'Italie,
Paisiello peut-être.

V. 10. Imité d'Eupolis le Comique, qui, en parlant de Périclès (*Schol.*
Aristoph., *Acharn.*, 530 et *Pac.*, 1204), avait dit que :

. . . . μόνος τῶν ῥητόρων
τὸ κέντρον ἐγκατέλειπε τοῖς ἀκροωμένοις.

Cette expression a souvent été remarquée ; voy. Diodore de Sicile, XII,
XL ; Cicéron, *Brutus*, IX.

[1] Homère, *Iliade*, II. Longue et magnifique énumération, dont plus
d'un poëte s'est inspiré. Cf. Val. Flaccus, *Arg.*, VI, 33 ; Virgile, *Énéide*,
VI ; Manilius, *Astron.*, I, 755 ; le Tasse, *Ger. lib.*, I, xxxvi ; Milton, *Par.
perdu*, I, *les légions de Satan ;* Thomson, *Sais.*, *Hiver*.

[2] André cite de mémoire ; Horace, *Sat.*, II, ii, 93 :

. . . . Hos utinam inter
Heroas natum tellus me prima tulisset !

V. 12 et suiv. Voici le canevas en prose de tout ce passage : « Si j'a-
vais vécu dans ces temps, je n'aurais point fait des *Art d'aimer*, des
poésies molles, amoureuses ; ma Muse courtisane n'aurait point... j'aurais
mené la vie d'un jeune Romain, au barreau, dans le sénat. J'aurais dé-
fendu la liberté, ou je serais mort à Utique d'un coup de poignard ! »
Voy. M. de Latouche, *Vallée aux loups*.

Je n'aurais point en vers de délices trempés,
Et de l'art des plaisirs mollement occupés,   15
Plein des douces fureurs d'un délire profane,
Livré nue aux regards ma Muse courtisane.
J'aurais, jeune Romain, au sénat, aux combats,
Usé pour la patrie et ma voix et mon bras ;
Et si du grand César l'invincible génie   20
A Pharsale eût fait vaincre enfin la tyrannie,
J'aurais su, finissant comme j'avais vécu,
Sur les bords africains, défait et non vaincu,
Fils de la Liberté, parmi ses funérailles,
D'un poignard vertueux déchirer mes entrailles !   25
Et des pontifes saints les bancs religieux
Verraient même aujourd'hui vingt sophistes pieux
Prouver en longs discours appuyés de maximes
Que toutes mes vertus furent de nobles crimes ;
Que ma mort fut d'un lâche, et que le bras divin   30
M'a gardé des tourments qui n'auront point de fin.

Mais, mes deux amis, mes compagnons, je ne veux point souhaiter un monde meilleur où vous ne seriez pas ! Plût au ciel que
nous y eussions été ensemble. Nous aurions formé un triumvirat
plus vertueux que celui... Mais vivons comme ces grands hommes.
Que la fortune en agisse avec nous comme il lui plaira : *nous
sommes trois contre elle* (¹). (Tout cela doit être fait de verve et
sur les lieux.) (²).

V. 23. Montaigne, I, XXX : « Celui qui tombe obstiné en son courage...
il est battu non pas de nous mais de la fortune ; il est tué, non pa[s]
vaincu. »
V. 26. On peut rapprocher de ces vers le morceau :

        Hommes saints, hommes dieux, exemple des Romains,

qu'il a imité de J.-J. Rousseau.
   (¹) Dans l'*Épître à Le Brun et au marquis de Brazais*, v. 78, il
exprime aussi cette belle pensée :

        Qu'elle arme tous ses traits, nous sommes trois contre elle.

L'épître est antérieure à cette élégie, qu'il adresse aux frères Trudaine,
ses compagnons de voyage.
   (²) Cette dernière phrase avait été supprimée à tort dans les éditions

XV

O délices d'amour ! et toi, molle paresse,
Vous aurez donc usé mon oisive jeunesse !
Les belles sont partout. Pour chercher les beaux-arts,
Des Alpes vainement j'ai franchi les remparts :
Rome d'amours en foule assiége mon asile.   5
Sage vieillesse, accours ! O déesse tranquille,
De ma jeune saison éteins ces feux brûlants,
Sage vieillesse ! Heureux qui dès ses premiers ans
A senti de son sang, dans ses veines stagnantes,
Couler d'un pas égal les ondes languissantes ;   10
Dont les désirs jamais n'ont troublé la raison ;
Pour qui les yeux n'ont point de suave poison ;

.   .   .   .

.   .   .   .

Qui, s'il regarde et loue un front si gracieux,
Ne le voit plus sitôt qu'il a fermé les yeux !
Doux et cruels tyrans, brillantes héroïnes,   15
Femmes, de ma mémoire habitantes divines,
Fantômes enchanteurs, cessez de m'égarer.

precédentes. Nous l'avons rétablie d'après le texte de cette pièce, tel que
M. de Latouche l'a donné dans la *Revue de Paris*. Cette phrase est pré-
cieuse, car elle donne la date de cette élégie, qui a dû être composée à
Rome même.

XV. — André (comme il nous en avertit lui-même plus bas dans une
note) voulait contredire pied à pied l'élégie contre la vieillesse. Comme
André, Anacréon, qui parle souvent de la vieillesse, la présente sous un
aspect tantôt riant, tantôt repoussant. Vᴏy. les *Odes* XI, XLVII, LII, LIV.

V. 7. C'est le souhait de Ronsard, *Am.*, II, xxi :

> Que ne suis-je insensible? ou que n'est mon visage
> De rides labouré? .   .   .   .

V. 16. Le style homérique se plie heureusement aux grâces de l'élégie ;
André parle des femmes comme Homère des Muses.

O mon cœur ! ô mes sens ! laissez-moi respirer ;
Laissez-moi dans la paix et l'ombre solitaire
Travailler à loisir quelque œuvre noble et fière   20
Qui, sur l'amas des temps propre à se maintenir,
Me recommande aux yeux des âges à venir.
Mais non ! j'implore en vain un repos favorable ;
Je t'appartiens, Amour, Amour inexorable !

Eh bien ! conduis-moi aux pieds de... Je ne refuse aucun esclavage... Conduis-moi vers elle, puisque c'est elle que tu me rap-
pelles toujours... Allons, suivons les fureurs de l'âge ; mais puisse-
t-il passer vite !... Puisse venir la vieillesse !... La vieillesse est
seule heureuse. (Contredire pied à pied l'élégie contre la vieillesse.)
    Le vieillard se promène à la campagne, se livre à des goûts
innocents, étudie sans que les vaines fureurs d'Apollon le fatiguent... Les soins de la propreté, une vie innocente, font fleurir
la santé sur son visage ; s'il devient amoureux d'une jeune belle,

Il a le bien d'aimer sans en avoir les peines ;   25
Il n'en exige rien, il ne veut que l'aimer.

Elle y consent, tout le monde le sait ; elle le permet,

. . . . . . et n'en fait pas mystère,
Et ne le reçoit point avec un œil sévère,
N'affecte point de rire en le voyant pleurer,
Ne met point son étude à le désespérer.   30
Non ; il entre, elle accourt ; une aimable indulgence
Sourit dans ses beaux yeux au vieillard qui s'avance :
Il l'embrasse. Il n'a point ces suprêmes plaisirs
Dont son âge paisible ignore les désirs...

V. 25. Saint-Lambert, dans un poëme long et froid, sur *les Charmes
de la vieillesse :*

La beauté peut donner une volupté pure
Sans porter dans nos cœurs le trouble du désir.

Sénèque, *Ép. ad Luc.*, XII, a touché quelques mots des avantages de la
vieillesse, mais, il faut le dire, un peu en rhéteur.

Mais il est assis près d'elle, il la voit : elle livre ses bras à ses
baisers,

A ses débiles mains laisse presser ses flancs,   55
Et le caresse, et joue avec ses cheveux blancs.

Les petits garçons et les petites filles, qui jouent, sautent de joie
en l'entendant venir. Il se mêle avec (¹), il fait la paix, il est
l'arbitre de leurs jeux. Quand il y a une belle partie à la promenade, à l'ombre on l'attend, on lui garde la meilleure place.

Au sein de ses amis il éteint son flambeau,
Et ceux qui l'ont connu pleurent sur son tombeau.

XVI

Partons, la voile est prête, et Byzance m'appelle.
Je suis vaincu ; je suis au joug d'une cruelle.
Le temps, les longues mers peuvent seuls m'arracher
Ses traits que malgré moi je vais toujours chercher ;
Son image partout à mes yeux répandue,   5

(¹) « *Il se mêle avec.* » Dans l'éd. 1839, on a corrigé et mis : « Il se
mêle avec eux. » L'expression d'André n'est qu'une inattention, ou plutôt
c'est le style abrégé d'une note manuscrite. Ce serait une faute. On
trouve cependant le mot *avecque* employé sans complément par nos
vieux écrivains, à l'époque où la langue n'était pas encore fixée. — Villon,
Grand Test., II :

> Foy ne lui doy, ne hommage *avecque*.

On le trouve même dans la Fontaine, *Fabl*, IV, xx :

> Il avait dans la terre une somme enfouie,
> Son cœur avec. . . . .

XVI. — V. 3. Properce, III, xxi :

> Magnum iter ad doctas proficisci cogor Athenas,
> Ut me *longa* gravi solvat amore *via*.
> Crescit enim assidue spectando cura puellæ;
> Ipse alimenta sibi maxima præbet amor.
> Omnia sunt tentata mihi, quacumque fugari
> Possit : at ex omni me premit ille deus.

Horace, *Od.*, III, iii, a la même expression : « *longus pontus.* »

Et les lieux qu'elle habite, et ceux où je l'ai vue,
Son nom qui me poursuit, tout offre à tout moment
Au feu qui me consume un funeste aliment.
Ma chère liberté, mon unique héritage,
Trésor qu'on méconnaît tant qu'on en a l'usage,   10
Si doux à perdre, hélas! et sitôt regretté,
M'attends-tu sur ces bords, ma chère liberté?

XVII

Salut, dieux de l'Euxin, Hellé, Sestos, Abyde,
Et nymphe du Bosphore et nymphe Propontide,
Qui voyez aujourd'hui du barbare Osmalin
Le croissant oppresseur toucher à son déclin;
Hèbre, Pangée, Hæmus, et Rhodope et Riphée,   5
Salut, Thrace, ma mère et la mère d'Orphée,
Galata, que mes yeux désiraient dès longtemps;

V. 9. Tibulle, II, iv :

> Hic mihi servitium video, dominamque paratam :
>   Jam mihi *libertas* illa *paterna* vale.
> Servitium sed triste datur, teneorque catenis,
>   Et nunquam misero vincla remittit amor.

Ronsard, *Son. pour Hélène*, LXVII, regrette aussi sa liberté:

> Ah! belle Liberté, qui me servois d'escorte,
> Quand le pied me portoit où libre je voulois!
> Ah! que je te regrette! Hélas! combien de fois
> Ay-je rompu le joug que malgré moy je porte!

XVII. — V. 1. *Hellé*, voy. *P. ant., Él.*, V. — *Sestos, Abydos,* sur le Bosphore, vis-à-vis l'une de l'autre, célèbres par les amours de Héro et de Léandre.

V. 5. *Hèbre* , fleuve de Thrace; *Pangée*, montagne de Macédoine; *Hæmus,* montagne de Thrace qui s'étend jusqu'au Pont-Euxin (Strab., VII, vi) ; *Rhodope,* montagne de Macédoine; *Riphée,* voy. *Élégies*, I, v, 39.

V. 6. La Thrace fut aussi la mère de Musée et de Thamyris (Strabon, X, iii, 17).

V. 7. Galata est un faubourg de Constantinople.

Car c'est là qu'une Grecque, en son jeune printemps,
Belle, au lit d'un époux nourrisson de la France,
Me fit naître Français dans les murs de Byzance.　　　　10

XVIII

Ainsi, vainqueur de Troie et des vents et des flots,
D'un navire emprunté pressant les matelots,
Le fils du vieux Laërte arrive en sa patrie,
Baise en pleurant le sol de son île chérie.

V. 8. Voy. la *Biographie*. André exprime ici avec quelque fierté un
sentiment très-réel. M. Lacretelle (Charles), qui paraît l'avoir connu lorsqu'ils collaboraient à la rédaction du *Journal de Paris*, a dit dans son
Histoire de la Convention, t. III, p. 49 : « Il était né, à Constantinople, d'un père français et d'une mère grecque. Il s'enorgueillissait de
tenir par son origine à deux belles patries. »

XVIII. — V. 4. Les détails de cette belle comparaison sont imités d'Homère, qui n'oublie pas, lui, l'aède toujours errant, la coutume touchante
d'embrasser, comme une tendre mère, la terre de la patrie. Lorsqu'Ulysse
aborde à Ithaque, *Odyssée*, XIII, 352 :

> . . . . Εἴσατο δὲ χθών·
> γήθησέν τ' ἄρ' ἔπειτα πολύτλας δῖος 'Οδυσσεὺς,
> χαίρων ᾗ γαίῃ · κύσε δὲ ζείδωρον ἄρουρὰν.

Cf. *Odyss.*, IV, 522 ; V, 463, etc.

V. 5–11. Imité d'Homère, *Odyss.*, XIII, 100, dans la description du
port de Phorcys :

> . . . . . 'Εντοσθεν δὲ ἄνευ δεσμοῖο μένουσι
> νῆες ἐΰσσελμοι, ὅταν ὅρμου μέτρον ἵκωνται.
> Αὐτὰρ ἐπὶ κρατὸς λιμένος τανύφυλλος ἐλαίη ·
> ἀγχόθι δ' αὐτῆς, ἄντρον ἐπήρατον, ἠεροειδὲς,
> ἱρὸν νυμφάων, αἱ Νηϊάδες καλέονται.
> 'Εν δὲ κρητῆρές τε καὶ ἀμφιφορῆες ἔασι
> λάϊνοι · ἔνθα δ' ἔπειτα τιθαιβώσσουσι μέλισσαι.
> 'Εν δ' ἱστοὶ λίθεοι περιμήκεες, ἔνθα τε Νύμφαι
> φάρε' ὑφαίνουσιν ἁλιπόρφυρα, θαῦμα ἰδέσθαι.

Ce Phorcys, *vieillard des mers*, était, selon Hésiode, *Théog.*, 237, le fils
de Pont et de la Terre. Quant à l'antre des Nymphes dont parle Homère,
et que rappelle Chénier, il a été le sujet de beaucoup de controverses.
Strabon, *Prol.*, I, III, 18, ne le voit plus, mais veut croire Homère sur

Il reconnaît le port couronné de rochers   5
Où le vieillard des mers accueille les nochers,
Et que l'olive épaisse entoure de son ombre ;
Il retrouve la source et l'antre humide et sombre
Où l'abeille murmure, où, pour charmer les yeux,
Teints de pourpre et d'azur, des tissus précieux   10
Se forment sous les mains des naïades sacrées ;
Et dans ses premiers vœux ces nymphes adorées
(Que ses yeux n'osaient plus espérer de revoir),
De vivre, de régner lui permettent l'espoir.

O des fleuves français brillante souveraine,   15
Salut ! ma longue course à tes bords me ramène,
Moi que ta nymphe pure en son lit de roseaux
Fit errer tant de fois au doux bruit de ses eaux ;
Moi qui la vis couler plus lente et plus facile,
Quand ma bouche animait la flûte de Sicile ;   20
Moi, quand l'amour trahi me fit verser des pleurs,
Qui l'entendis gémir et pleurer mes douleurs.
Tout mon cortége antique, aux chansons langoureuses,
Revole comme moi vers tes rives heureuses.
Promptes dans tous mes pas à me suivre en tous lieux,   25
Le rire sur la bouche et les pleurs dans les yeux,
Partout autour de moi mes jeunes Élégies

parole. Artémidore d'Éphèse, V, en constate l'existence, et Porphyre
écrit une longue dissertation, *de Antro Nympharum.*
    V. 15. André parle de la Seine comme Virgile de l'Éridan et du Tibre.
Catulle, XXXI, revenant de Bithynie, s'écrie, ému à la vue de sa patrie :

> Salve, o venusta Sirmio, atque hero gaude ;
> Gaudete, vosque Lydiæ lacus undæ ;
> Ridete quidquid est domi cachinnorum.

    V. 19-22. Ces quatre vers se retrouvent dans une *Épître* à Le Brun,
vers 61-64.
    V. 20. « *La flûte de Sicile,* » c'est la flûte de Théocrite. Virgile, *Égl* ,
X, 51 .

> . . . . . Pastoris Siculi modulabor avena.

Promenaient les éclats de leurs folles orgies ;
Et, les cheveux épars, se tenant par la main,
De leur danse élégante égayaient mon chemin.   50
Il est bien doux d'avoir dans sa vie innocente
Une Muse naïve et de haines exempte,
Dont l'honnête candeur ne garde aucun secret ;
Où l'on puisse, au hasard, sans crainte, sans apprêt,
Sûr de ne point rougir en voyant la lumière,   35
Répandre, dévoiler son âme tout entière.

C'est ainsi, promené sur tout cet univers,
Que mon cœur vagabond laisse tomber des vers.
De ses pensers errants vive et rapide image,
Chaque chanson nouvelle a son nouveau langage,   40
Et des rêves nouveaux un nouveau sentiment :
Tous sont divers, et tous furent vrais un moment.

Mais que les premiers pas ont d'alarmes craintives!
Nymphe de Seine, on dit que Paris sur tes rives

V. 30. Composition charmante qui pourrait vivre sur la toile. N'est-ce
pas ainsi que dans Homère, *Hym. à Apollon*, 514, s'avance le dieu de
la poésie, sa cithare à la main, tandis qu'autour de lui les Crétois dansent
en chantant un pæan joyeux?
V. 34 et 36. Éd. 1826 et 1839 :

> A laquelle, au hasard, sans crainte, sans apprêt,
> Sûr de ne point rougir en voyant la lumière,
> On puisse dévoiler son âme tout entière.

L'éditeur de 1826 a introduit dans la phrase un contre-sens en voulant
faire disparaître deux incorrections qui n'existent pas. D'abord *où* n'est
pas pour *à laquelle*, mais pour *dans laquelle*, et cet emploi de *où* est
conforme à la langue de tous les grands écrivains du seizième et du
dix-septième siècle ; voyez à ce sujet une dissertation détaillée de M. Génin, *Lexique de Molière*, p. 266-273. Ensuite, au vers 36, il n'y a pas
incohérence d'images dans les deux mots *répandre* et *dévoiler*, qui ne
se rapportent pas au même objet. André dit très-bien ce qu'il veut dire,
qu'il est doux de pouvoir sans crainte dévoiler son âme tout entière en
la répandant dans sa muse (c'est-à-dire dans ses vers), et il n'y a pas
même de faute grammaticale, car on peut dire également : Un poëte répand son âme, dévoile son âme dans ses vers. De plus, *muse* pour *vers*
n'est qu'une métonymie très-ordinaire.

Fait asseoir vingt conseils de critiques nombreux,   45
Du Pinde partagé despotes soupçonneux.
Affaiblis de leurs yeux la vigilance amère ;
Dis-leur que, sans s'armer d'un front dur et sévère,
Ils peuvent négliger les pas et les douceurs
D'une Muse timide et qui, parmi ses sœurs,   50
Rivale de personne et sans demander grâce,
Vient, le regard baissé, solliciter sa place ;
Dont la main est sans tache, et n'a connu jamais
Le fiel dont la satire envenime ses traits.

XIX

Il n'est que d'être roi pour être heureux au monde.
Bénis soient tes décrets, ô Sagesse profonde !

V. 51. « *Rivale de personne.* » André fait ici l'ellipse de la négation, mais c'est à tort : le mot *personne* signifie évidemment *quelqu'un*. La négation est nécessaire. Il faudrait, par exemple : N'étant rivale de personne.

XIX. — Ces vers ont certainement une couleur didactique qui se trahit à un examen attentif. Mais bien que ce morceau ne doive être qu'un fragment d'une composition beaucoup plus importante, quoique inachevée, il mérite, par les sentiments personnels qu'il exprime, de figurer au milieu de cette suite d'admirables élégies. Et en le classant ainsi nous sommes d'accord, il nous semble, avec ce secret instinct qui a poussé le poëte à en poursuivre l'achèvement au milieu de ses plans et de ses ébauches.

V. 1. « *Il n'est que d'être.* » Régnier, *Ép.* II :

> *Il n'est que d'être* libre, et en deniers contans
> Dans le marché d'amour acheter du bon temps...

Molière, *Mal. imag.*, 1er *Int.*, VI

> Ma foi, *il n'est que de jouer* d'adresse en ce monde.

André veut dire que pour être heureux il n'est que d'être libre et maître de soi. Savoir l'être, voilà en effet la suprême sagesse. Horace, *Sat.*, I, III, 132, a dit :

> . . . . . . *Sapiens* operis sic optimus omnis
> Est opifex solus, sic *rex*. . . . .

Qui me voulus heureux et, prodigue envers moi,
M'as fait dans mon asile et mon maître et mon roi.
Mon Louvre est sous le toit, sur ma tête il s'abaisse ;   5
De ses premiers regards l'orient le caresse.
Lit, siéges, table, y sont, portant de toutes parts
Livres, dessins, crayons, confusément épars.
Là, je dors, chante, lis, pleure, étudie et pense ;
Là, dans un calme pur, je médite en silence   10
Ce qu'un jour je veux être, et, seul à m'applaudir,
Je sème la moisson que je veux recueillir.
Là, je reviens toujours, et toujours les mains pleines,
Amasser le butin de mes courses lointaines,
Soit qu'en un livre antique à loisir engagé,   15
Dans ses doctes feuillets j'aie au loin voyagé,
Soit plutôt que, passant et vallons et rivières,
J'aie au loin parcouru les rives étrangères.
D'un vaste champ de fleurs je tire un peu de miel.

Et Horace encore, *Épît.*, I, i, 106 :

> Ad summam, *sapiens* uno minor est Jove, dives,
> Liber, honoratus, pulcher, *rex denique regum.*

Le sage, qui se commande, comme le dit très-bien Cicéron, *de Finibus,*
III, est plus qu'un roi qui ne commande ni à soi-même ni à ses sujets.

V. 5. Racan, *Stances :*

> *Roy* de ses passions, il a ce qu'il désire ;
> Son fertile domaine est son petit empire ;
> Sa cabane est *son Louvre* et son Fontainebleau.

V. 19 et suiv. — Voilà cette charmante comparaison si justement célèbre. Pindare, *Pyth.*, X, 82 :

> Ἐγκωμίων γὰρ ἄωτος ὕμνων
> ἐπ' ἄλλοτ' ἄλλον, ὥστε μέ-
> λισσα, θύνει λόγον.

Ce dont Horace, *Od.*, IV, ii, célébrant Pindare, s'est souvenu :

> . . . . . . Ego, apis Matinæ
>   More modoque .
> Grata carpentis thyma per laborem
> Plurimun, circa nemus uvidique
> Tiburis ripas, operosa parvus
>   Carmina fingo.

Tout m'enrichit et tout m'appelle ; et, chaque ciel   20
M'offrant quelque dépouille utile et précieuse,
Je remplis lentement ma ruche industrieuse.

. . . .

. . . .

. . . .

. . . .

XX

Tel j'étais autrefois et tel je suis encor :
Quand ma main imprudente a tari mon trésor ;
Quand, la nuit, accourant au sortir de la table,
Si Fanni m'a fermé le seuil inexorable,

Lucrèce, III, 11, butine dans les œuvres d'Épicure, « Floriferis ut apes in saltibus omnia limant. » Platon, *Ion*, V, a développé cette comparaison, ce qui nous a valu les vers délicieux de la Fontaine, *Épître à madame de la Sablière :*

> Je m'avoue, il est vrai, s'il faut parler ainsi,
> Papillon du Parnasse, et semblable aux abeilles
> A qui le bon Platon compare nos merveilles :
> Je suis chose légère, et vole à tout sujet ;
> Je vais de fleur en fleur et d'objet en objet.

Cf. Plutarque, *de Amore prolis*, II ; Sénèque, *Ép. à Lucilius*, LXXXIV ; Montaigne, I, xxxv ; la Fontaine, *Fab.*, X, 1 ; Rousseau, *Ode au comte du Luc*. — Boileau, *Disc. au roi*, nous a gâté un peu le charme de cette image, en comparant très-mal à propos le *fiel* de la satire au *miel* de l'abeille :

> Comme on voit au printemps la diligente abeille
> Qui du butin des fleurs va composer son miel,
> Des sottises du temps je compose mon fiel.

Voy. encore l'emploi pathétique et très-remarquable qu'Euripide a fait de cette comparaison dans l'*Herc. fur.*, 487.

XX. — V. 4. L'édition de 1839 donne à tort :

> Si Fanny m'a fermé le seuil inexorable.

La femme dont il s'agit ici n'est qu'une courtisane, comme Glycère, Rose, Amélie, qu'il chante dans les *élégies* à Camille. Il ne faut pas que le lecteur confonde cette *Fanni* avec la chaste et poétique *Fanny* de Lucienne.

Je regagne mon toit. Là, lecteur studieux,   5
Content et sans désirs, je rends grâces aux dieux.
Je crie : « O soins de l'homme, inquiétudes vaines!
Oh! que de vide, hélas! dans les choses humaines!
Faut-il ainsi poursuivre, au hasard emportés,
Et l'argent et l'amour, aveugles déités! »   10
Mais si Plutus revient de sa source dorée
Conduire dans mes mains quelque veine égarée;
A mes signes, du fond de son appartement,
Si ma blanche voisine a souri mollement,
Adieu les grands discours, et le volume antique,   15
Et le sage Lycée, et l'auguste Portique!
Et reviennent en foule et soupirs et billets,
Soins de plaire, parfums et fêtes, et banquets,
Et longs regards d'amour, et molles élégies,
Et jusques au matin amoureuses orgies.   20

V. 7. Perse, *Sat.*, I :

> O curas hominum! o quantum est in rebus inane!

« *Soin*, » *cura*, souci, sollicitude. C'est dans ce sens que Racine emploie
presque toujours ce mot, dont il use beaucoup en en variant les nuances
à l'infini.

V. 11. Perse, *Sat.*, III, 109 :

> . . . . Visa est si forte pecunia, sive
> Candida vicini subrisit molle puella,
> Cor tibi rite salit? . . . .

Vers que M. Sainte-Beuve a justement rapprochés de ceux d'Horace,
Od., I, ix, 21 :

> Nunc et latentis proditor intimo
> Gratus puellæ risus ab angulo.

V. 16. Le *Lycée*, temple d'Apollon Lycéen, fut bâti par Lycus, fils de
Pandion (Pausanias, I, xix). Ce fut l'orateur Lycurgue qui en fit un
gymnase (Plut., *Vit. orat.*, VII), et ce fut là qu'Aristote tint école. Le
Portique, décoré de peintures célèbres (Pausanias, I, xv), où s'assemblaient les philosophes (Lucien, *Jupit. tragœd.*, 16) et où Zénon fonda
l'école stoïcienne. Voy. Diog. Laert., VII, 1, *Zeno*. — Dans les six derniers
vers, la conjonction *et* se trouve onze fois : c'est la manière du dix-septième
siècle ; Pascal emploie ainsi la conjonction *et* à chaque instant, soit entre
deux phrases, soit entre deux membres de phrase.

XXI

O jours de mon printemps, jours couronnés de rose,
A votre fuite en vain un long regret s'oppose.
Beaux jours, quoique. souvent obscurcis de mes pleurs,
Vous dont j'ai su jouir même au sein des douleurs,
Sur ma tête bientôt vos fleurs seront fanées ;   5
Hélas ! bientôt le flux des rapides années
Vous aura loin de moi fait voler sans retour.
Oh ! si du moins alors je pouvais à mon tour,
Champêtre possesseur, dans mon humble chaumière
Offrir à mes amis une ombre hospitalière ;   10
Voir mes lares charmés, pour les bien recevoir,
A de joyeux banquets la nuit les faire asseoir ;
Et là nous souvenir, au milieu de nos fêtes,
Combien chez eux longtemps, dans leurs belles retraites,
Soit sur ces bords heureux, opulents avec choix,   15
Où Montigny s'enfonce en ses antiques bois,
Soit où la Marne lente, en un long cercle d'îles,
Ombrage de bosquets l'herbe et les prés fertiles,

XXI. — Cette élégie est très-belle. On ne saurait trop admirer dans
Chénier cette conviction profonde et inaltérable, que chez l'écrivain le
talent et la moralité doivent marcher de front, et qu'aucune gloire n'absout
les déréglements du poëte.

V. 1. Catulle, LXVIII, 16, a dit avec la même image :

> Jucundum quum ætas florida ver ageret. . .

V. 2. Régnier, *Élég.*, V, débute par ce beau vers :

> L'homme s'oppose en vain contre la destinée.

V. 6. Éd. 1826 et 1839 :

> Hélas ! bientôt le char des rapides années.

V. 9. Voy. même livre, *Élégie* IV, 35.

V. 18. Virgile, *Géorg.*, III, 14 :

> . . . . . Tardis ingens ubi flexibus errat
> Mincius, et tenera prætexit arundine ripas.

J'ai su, pauvre et content, savourer à longs traits
Les muses, les plaisirs, et l'étude et la paix.   20
Qui ne sait être pauvre est né pour l'esclavage.
Qu'il serve donc les grands, les flatte, les ménage;
Qu'il plie, en approchant de ces superbes fronts,
Sa tête à la prière, et son âme aux affronts,
Pour qu'il puisse, enrichi de ces affronts utiles,   25
Enrichir à son tour quelques têtes serviles.
De ses honteux trésors je ne suis point jaloux.
Une pauvreté libre est un trésor si doux !
Il est si doux, si beau, de s'être fait soi-même,
De devoir tout à soi, tout aux beaux-arts qu'on aime;   30
Vraie abeille en ses dons, en ses soins, en ses mœurs,
D'avoir su se bâtir, des dépouilles des fleurs,
Sa cellule de cire, industrieux asile
Où l'on coule une vie innocente et facile;
De ne point vendre aux grands ses hymnes avilis;   35
De n'offrir qu'aux talents de vertus ennoblis,
Et qu'à l'amitié douce et qu'aux douces faiblesses,
D'un encens libre et pur les honnêtes caresses!
Ainsi l'on dort tranquille, et, dans son saint loisir,
Devant son propre cœur on n'a point à rougir.   40
Si le sort ennemi m'assiége et me désole,

V. 27. Tibulle, I, ɪ, 77, a dit avec une certaine fierté :

> . . . . Ego composito securus acervo
> Despiciam dites, despiciamque famem.

V. 28. Très-beau vers, plein de grandeur d'âme; André va plus loin
que l'*aurea mediocritas* d'Horace.

V. 31. Il revient à la comparaison de l'abeille, voy. l'élégie précédente.

V. 34. Éd. 1833 :

> Où l'on coule une vie innocente et tranquille.

V. 37. Éd. 1826 et 1839 :

> A l'amitié sincère, à de tendres faiblesses.

On pleure : mais bientôt la tristesse s'envole ;
Et les arts, dans un cœur de leur amour rempli,
Versent de tous les maux l'indifférent oubli.
Les délices des arts ont nourri mon enfance.   45
Tantôt, quand d'un ruisseau, suivi dès sa naissance,
La nymphe aux pieds d'argent a sous de longs berceaux
Fait serpenter ensemble et mes pas et ses eaux,
Ma main donne au papier, sans travail, sans étude,
Des vers fils de l'amour et de la solitude ;   50
Tantôt de mon pinceau les timides essais
Avec d'autres couleurs cherchent d'autres succès :
Ma toile avec Sappho s'attendrit et soupire ;
Elle rit et s'égaye aux danses du satyre ;
Ou l'aveugle Ossian y vient pleurer ses yeux,   55
Et pense voir et voit ses antiques aïeux
Qui dans l'air, appelés à ses hymnes sauvages,
Arrêtent près de lui leurs palais de nuages.
Beaux-arts, ô de la vie aimables enchanteurs,
Des plus sombres ennuis riants consolateurs,   60
Amis sûrs dans la peine et constantes maîtresses,
Dont l'or n'achète point l'amour ni les caresses,
Beaux-arts, dieux bienfaisants, vous que vos favoris

V. 42. Éd. 1826 et 1839 :.

   Je pleure : mais bientôt la tristesse s'envole.

André, sans y songer sans doute, a été amené à mettre « on pleure, »
parce que c'est l'humanité tout entière qui est ainsi ; c'est une négli-
gence toute poétique.
   V. 47. « Aux pieds d'argent. » Iliade, I, 538 et passim : « Ἀργυρό-
πεζα Θέτις. » Plus d'un passage dans la Fontaine respire le même amour
de l'art pur et de la nature. Voy. Fabl., XI, IV.
   V. 52. Il fait dans ce vers une allusion évidente à ses essais de peinture.
   V. 60. Horace, Od., I, XXXII, ad Lyram : « O laborum dulce leni-
men ! »
   V. 62. Éd. 1826 et 1839 :

   Dont l'or n'achète point l'amour et les caresses.

Par un indigne usage ont tant de fois flétris,
Je n'ai point partagé leur honte trop commune;   65
Sur le front des époux de l'aveugle Fortune
Je n'ai point fait ramper vos lauriers trop jaloux :
J'ai respecté les dons que j'ai reçus de vous.
Je ne vais point, à prix de mensonges serviles,
Vous marchander au loin des récompenses viles,   70
Et partout, de mes vers ambitieux lecteur,
Faire trouver charmant mon luth adulateur.
Abel, mon jeune Abel, et Trudaine et son frère,
Ces vieilles amitiés de l'enfance première,
Quand tous quatre, muets, sous un maître inhumain,   75
Jadis au châtiment nous présentions la main ;
Et mon frère, et Le Brun, les Muses elles-même ;
De Pange, fugitif de ces neuf Sœurs qu'il aime :

V. 64. Ce passage rappelle une note de Chénier sur Malherbe (*Chanson pour le duc de Bellegarde*), où il lui reproche de se faire l'entremetteur du duc de Bellegarde.

V. 68. Même pensée dans les œuvres en prose (*Premier chapitre sur les causes et les effets de la décadence des lettres*) : « Toujours soutenu par mes amis, je sentis au moins dans moi que mes vers et ma prose, goûtés ou non, seraient mis au rang du petit nombre d'ouvrages qu'aucune bassesse n'a flétris. » — Pétrone, *Sat.*, V, a dit :

> Artis severæ si quis hamat effectus,
> Mentemque magnis applicat, prius more
> Frugalitatis lege polleat exacta :
> Nec curet alto regiam trucem vultu,
> Cliensve cœnas impotentium captet.

Et Boileau, *Sat.*, I :

> Je ne sais point en lâche essuyer les outrages
> D'un faquin orgueilleux qui vous tient à ses gages;
> De mes sonnets flatteurs lasser tout l'univers,
> Et vendre au plus offrant mon encens et mes vers.

V. 76. Juvénal, *Sat.*, I, 15, se souvient aussi de ce châtiment de l'enfance :

> Et nos ergo manum ferulæ subduximus.

V. 78. « *Fugitif de...* » Le Brun, *Ode à Buffon* : « Et *fugitive du* cercueil, son âme... » Rousseau, *Épître aux Muses :* « Pour m'éviter, *fugitif de* moi-même. » C'est un latinisme. Horace, *Épît.*, I, x, 10, a cette expression : « Sacerdotis fugitivus. »

Voilà le cercle entier qui, le soir quelquefois,
A des vers non sans peine obtenus de ma voix,   80
Prête une oreille amie et cependant sévère.
Puissé-je ainsi toujours dans cette troupe chère
Me revoir, chaque fois que mes avides yeux
Auront porté longtemps mes pas de lieux en lieux,
Amant des nouveautés compagnes de voyage ;   85
Courant partout, partout cherchant à mon passage
Quelque ange aux yeux divins qui veuille me charmer,
Qui m'écoute ou qui m'aime, ou qui se laisse aimer !

XXII

L'art, des transports de l'âme est un faible interprète ;
L'art ne fait que des vers, le cœur seul est poëte.

V. 80. Horace, *Sat.*, I, IV, 73, nous parle aussi de ce cercle d'amis
sûrs :

> Non recito cuiquam, nisi amicis, idque coactus.

Et *Sat.*, I, x, 80, il nous donne leurs noms. Thomson, *Seas. : Winter*,
célèbre aussi ce cénacle de juges, amis et cependant sévères. — Ce sont
les mœurs littéraires du dix-septième siècle. Boileau, *Art poét.*, I, a dit :

> Faites-vous des amis prompts à vous censurer.
> Qu'ils soient de vos écrits les confidents sincères,
> Et de tous vos défauts les zélés adversaires.

V. 88. Ovide, *Am.*, I, III, 2 :

> Aut amet aut faciat cur ego semper amem.

Éd. 1839 :

> Qui m'écoute ou qui m'aime, ou qui me laisse aimer.

Pour justifier la leçon de l'éd. 1819, il suffit de rappeler le vers de
Mnasyle et Chloé :

> J'aurais dû l'inviter, d'une voix douce et tendre,
> A se laisser aimer, à m'aimer, à m'entendre.

XXII. — V. 2. C'est la pensée de Pindare, *Ol.*, IX, 152 : « Τὸ δὲ φυᾷ,
κράτιστον ἅπαν. » C'est surtout la célèbre pensée de Démocrite telle
que nous la rapporte Cicéron, *de Oratore*, II : « Sæpe enim audivi,
poetam bonum neminem (id quod a Democrito et Platone in scriptis re-
lictum esse dicunt) sine inflammatione animorum existere posse et sine

Sous sa fécondité le génie opprimé
Ne peut garder l'ouvrage en sa tête formé.
Soit que le doux amour des nymphes du Permesse,   5
D'une fureur sacrée enflammant sa jeunesse,
L'emporte malgré lui dans leurs riches déserts,
Où l'air est poétique et respire des vers;
Soit que d'ardents projets son âme poursuivie
L'aiguillonne du soin d'éterniser sa vie;   10
Soit qu'il ait seulement, tendre et né pour l'amour,
Souhaité de la gloire, afin de voir un jour,
Quand son nom sera grand sur les doctes collines,
Les yeux qui rendent faible et les bouches divines
Chercher à le connaître, et, l'entendant nommer,   15
Lui parler, lui sourire, et peut-être l'aimer;
Malgré lui, dans lui-même, un vers sûr et fidèle
Se teint de sa pensée et s'échappe avec elle.
Son cœur dicte; il écrit. A ce maître divin
Il ne fait qu'obéir et que prêter sa main.   20
S'il est aimé, content, si rien ne le tourmente,
Si la folâtre joie et la jeunesse ardente
Étalent sur son teint l'éclat de leurs couleurs,
Ses vers, frais et vermeils, pétris d'ambre et de fleurs,

---

quodam afflatu quasi furoris. » Cette *furor*, c'est l'inspiration, c'est le
dieu, θεός, *qui fatigue le sein du poëte*. C'est ainsi que Platon, *Ion*, V,
nous dépeint le poëte dans l'ivresse de la composition : « Ἔνθεοι, ὥσπερ
οἱ κορυβαντιῶντες. » — Ces transports ne sont ni vains, ni trompeurs;
mais l'art ne suffit pas pour en saisir le secret. Il faut au poëte la nature, le cœur, *l'influence secrète* du dieu. Aussi Horace, *Ep. ad Pis.*,
295, attaque tous ceux qui se croient et se disent poëtes parce qu'ils
savent affecter les signes extérieurs de l'inspiration poétique. Plus loin,
v. 408, il dit dans un passage dont se souvenait certainement André :

> Natura fieret laudabile carmen, an arte,
> Quæsitum est : ego nec studium sine divite vena,
> Nec rude quid possit video ingenium; alterius sic
> Altera poscit opem res, et conjurat amice.

V. 5-16. Nous avons rétabli à leur place ces douze vers, qu'on avait
laissés dans les fragments.

Brillants de la santé qui luit sur son visage,   25
Trouvent doux d'être au monde et que vieillir est sage.
Si, pauvre et généreux, son cœur vient de souffrir
Aux cris d'un indigent qu'il n'a pu secourir ;
Si la beauté qu'il aime, inconstante et légère,
L'oublie en écoutant une amour étrangère ;   30
De sables douloureux si ses flancs sont brûlés,
Ses tristes vers en deuil, d'un long crêpe voilés,
Ne voyant que des maux sur la terre où nous sommes,
Jugent qu'un prompt trépas est le seul bien des hommes.
Toujours vrai, son discours souvent se contredit.   35
Comme il veut, il s'exprime ; il blâme, il applaudit.
Vainement la pensée est rapide et volage :
Quand elle est prête à fuir, il l'arrête au passage.
Ainsi, dans ses écrits partout se traduisant,
Il fixe le passé pour lui toujours présent,   40
Et sait, de se connaître ayant la sage envie,
Refeuilleter sans cesse et son âme et sa vie.

XXIII

J'ai suivi les conseils d'une triste sagesse.
Je suis donc sage enfin ; je n'ai plus de maîtresse.
Sois satisfait, mon cœur. Sur un si noble appui
Tu vas dormir en paix dans ton sublime ennui.
Quel dégoût vient saisir mon âme consternée,   5
Seule dans elle-même, hélas ! emprisonnée ?
Viens, ô ma lyre ! ô toi mes dernières amours
(Innocentes du moins) ; viens, ô ma lyre, accours.
Chante-moi de ces airs qu'à ta voix jeune et tendre
Les lyres de la Grèce ont su jadis apprendre.   10
Quoi ! je suis seul ? O dieux ! où sont donc mes amis ?
Ah ! ce cœur qui, toujours à l'amitié soumis,

D'étendre ses liens fit son besoin suprême,
Faut-il l'abandonner, le laisser à lui-même?
Où sont donc mes amis? Objets chéris et doux!   15
Je souffre, ô mes amis! Ciel! où donc êtes-vous?
A tout ce qu'elle entend, de vous seuls occupée,
De chaque bruit lointain mon oreille frappée
Écoute, et croit souvent reconnaître vos pas;
Je m'élance, je cours, et vous ne savez pas!   20

Ah! vous accuserez votre absence infidèle,
Quand vous saurez qu'ainsi je souffre et vous appelle.
Que je plains un méchant! Sans doute avec effroi
Il porte à tout moment les yeux autour de soi;
Il n'y voit qu'un désert; tout fuit, tout se retire.   25
Son œil ne vit jamais de bouche lui sourire;
Jamais, dans les revers qu'il ose déclarer,
De doux regards sur lui s'attendrir et pleurer.
Oh! de se confier noble et douce habitude!
Non, mon cœur n'est point né pour vivre en solitude :   30
Il me faut qui m'estime, il me faut des amis
A qui dans mes secrets tout accès soit permis;
Dont les yeux, dont la main dans la mienne pressée

XXIII. — V. 18. Tibulle, I, vɪɪɪ, 65, dans l'attente de sa maîtresse
s'écrie aussi :

> Dum mihi venturam fingo, quodcumque movetur,
> Illius credo tunc sonuisse pedem.

Et Bertin, *Am.*, III, vɪɪ, imitant Tibulle :

> J'écoute alors, j'écoute, et si le moindre bruit
> Frappe mon oreille attentive,
> Je crois sous tes pieds *délicats*
> Entendre à mon côté le parquet qui *résonne.*

On ne peut s'empêcher de remarquer dans Bertin et d'autres poëtes élégiaques de la même époque l'impropriété fréquente des termes et souvent même la vulgarité. C'est ainsi que, dans cette même élégie, Bertin,
croyant traduire le *pedibus prœtentat iter, suspensa timore* de Tibulle,
II, ɪ, 77, nous montre sa maîtresse *suspendant sur l'orteil une jambe
craintive!*

Réponde à mon silence, et sente ma pensée.
Ah ! si pour moi jamais tout cœur était fermé,   35
Si nul ne songe à moi, si je ne suis aimé,
Vivre importun, proscrit, flatte peu mon envie.
Et quels sont ses plaisirs, que fait-il de la vie,
Le malheureux qui, seul, exclu de tout lien,
Ne connaît pas un cœur où reposer le sien ;   40
Une âme où dans ses maux, comme en un saint asile,
Il puisse fuir la sienne et se rasseoir tranquille ;
Pour qui nul n'a de vœux, qui jamais dans ses pleurs
Ne peut se dire : « Allons, je sais que mes douleurs
Tourmentent mes amis, et quoiqu'en mon absence   45
Ils accusent mon sort et prennent ma défense ? »

XXIV

Eh ! le pourrais-je au moins ! suis-je assez intrépide ?
Et toute belle enfin serait-elle perfide ?

V. 42. Lucrèce, III, 1081, voulant peindre les désirs changeants de
l'homme pour tout ce qui peut lui faire oublier ses propres misères, dit
avec la même expression qu'André : « Hoc se quisque modo fugit. » Cf.
Sénèque, *de Tranq. anim.*, II. — Horace, *Od.*, II, xvi :

> . . . . . . Patriæ quis exsul
> Se quoque fugit?

Dans Racine, *Esth.*, I, 1, Esther dit, exprimant la pensée contraire :

> Lasse de vains honneurs, et *me cherchant moi-même.*

XXIV. — Nous avons, dans cette élégie, rapproché deux fragments
qui semblent développer une même idée, facile à deviner et à compléter.
Voici comment nous supposons que devait se dérouler la pensée d'André :
Mes amis me le conseillent ; je veux les écouter, me livrer à l'étude,
quitter ce sexe trompeur, perfide...

> Eh ! le pourrais-je au moins ! suis-je assez intrépide ? etc.

En vain on me dit que le plaisir en amour est amer, que les amants
portent des chaînes, qu'ils n'ont point de bonheur...

> S'ils n'ont point le bonheur, en est-il sur la terre ? etc.

V. 1. Tibulle, I, v :

> Asperum et bene dissidium me ferre loquebar;
> At mihi nunc longe gloria fortis abest.

Moi, tendre, même faible, et dans l'âge d'aimer,
Faut-il n'oser plus voir tout ce qui peut charmer!
Quand chacun à l'envi jouit, aime, soupire,   5
Faut-il donc de Vénus abjurer seul l'empire!
Ne plus dire : Je t'aime! et dormir tout le jour,
Sans avoir pour adieux quelques baisers d'amour!
Et lorsque les désirs, les songes, ou l'aurore,
Troubleront mon sommeil, me réveiller encore,   10
Sans que ma main déserte et seule à s'avancer
Trouve dans tout mon lit une main à presser!

. . . .

. . . .

S'ils n'ont point le bonheur, en est-il sur la terre?
Quel mortel, inhabile à la félicité,
Regrettera jamais sa triste liberté,   15
Si jamais des-amants il a connu les chaînes?
Leurs plaisirs sont bien doux, et douces sont leurs peines;
S'ils n'ont point ces trésors que l'on nomme des biens,
Ils ont les soins touchants, les secrets entretiens,
Des regards, des soupirs la voix tendre et divine,   20
Et des mots caressants la mollesse enfantine.
Auprès d'eux tout est beau, tout pour eux s'attendrit.
Le ciel rit à la terre, et la terre fleurit.
Aréthuse serpente et plus pure et plus belle;
Une douleur plus tendre anime Philomèle.   25
Flore embaume les airs; ils n'ont que de beaux cieux.
Aux plus arides bords Tempé rit à leurs yeux.

V. 13. Éd. 1839 :

        S'ils n'ont point de bonheur, en est-il sur la terre?

V. 27. Ainsi qu'*Aréthuse* au v. 24, André emploie ici *Tempé* métaphoriquement, comme Virgile, *Géorg.*, II, 469. Stace, *Théb.*, X, 119, a dit, et c'est peut-être à lui que nous devons le vers d'André :

     . . . . . Effulgent silvæ, tenebrosa *Tempe*
    Arrisere Deæ. . . . .

A leurs yeux tout est pur comme leur âme est pure ;
Leur asile est plus beau que toute la nature.
La grotte, favorable à leurs embrassements,   50
D'âge en âge est un temple honoré des amants.
O rives du Pénée ! antres, vallons, prairies,
Lieux qu'Amour a peuplés d'antiques rêveries ;
Vous, bosquets d'Anio ; vous, ombrages fleuris,
Dont l'épaisseur fut chère aux nymphes du Liris ;   35
Toi surtout, ô Vaucluse ! ô retraite charmante !
Oh ! que j'aille y languir aux bras de mon amante ;
De baisers, de rameaux, de guirlandes lié,
Oubliant tout le monde, et du monde oublié !
Ah ! que ceux qui, plaignant l'amoureuse souffrance,   40
N'ont connu qu'une oisive et morne indifférence,
En bonheur, en plaisir pensent m'avoir vaincu :
Ils n'ont fait qu'exister, l'amant seul a vécu.

V. 28. Ce vers rappelle celui de Racine dans *Phèdre* :
> Le jour n'est pas plus pur que le fond de mon cœur.

V. 32. Sur les rives du Pénée, voy. Euripide, *Troy.*, 214.

V. 35. « *Liris*, » rivière du Latium (Strabon, V, III, 6) ; ce sont les ombrages de la forêt de Marica dont parle André ; voy. Lucain, *Phars.*, II, 424 ; Horace, *Od.*, I, xxxi, et III, xvii.

V. 39. [Horace, *Épit.*, I, xi, 9 :
> . . . . . Tamen illic vivere vellem,
> Oblitusque meorum, obliviscendus et illis.

Cette antithèse a été souvent employée après Horace. Saint-Lambert a ce vers facile dans une élégie :
> Oublié désormais d'un monde que j'oublie.

Héloïse, dans l'*Épître* de Pope, v. 207 :
> How happy is the blameless vestal's lot,
> The world forgetting, by the world forget.

Est-il croyable que Colardeau ait négligé ce trait ? Le vers d'André Chénier en est la traduction littérale. Boissonade.]

V. 43. Publius Syrus :
> Annosus stultus non diu vixit, diu fuit.

Sénèque, *de Brev. vit.*, VIII : « Non est itaque, quod quemquam propter canos aut rugas putes diu vixisse ; non ille diu vixit, sed diu fuit. » — La Fontaine, *Fab.*, XII, xx, parlant des stoïciens, comme Aulu-Gelle :
> Ils font cesser de vivre avant que l'on soit mort.

XXV

Tout homme a ses douleurs. Mais aux yeux de ses frères
Chacun d'un front serein déguise ses misères.
Chacun ne plaint que soi. Chacun dans son ennui
Envie un autre humain qui se plaint comme lui.
Nul des autres mortels ne mesure les peines,   5
Qu'ils savent tous cacher comme il cache les siennes ;
Et chacun, l'œil en pleurs, en son cœur douloureux
Se dit : « Excepté moi, tout le monde est heureux. »
Ils sont tous malheureux. Leur prière importune
Crie et demande au ciel de changer leur fortune.   10
Ils changent ; et bientôt, versant de nouveaux pleurs,
Ils trouvent qu'ils n'ont fait que changer de malheurs.

XXVI

Souvent le malheureux sourit parmi ses pleurs,
Et voit quelque plaisir naître au sein des douleurs.
. . . . Ainsi l'Allobroge recèle
Sur ses monts, de l'hiver la patrie éternelle,
Et les fleurs du printemps et les biens de l'été.   5

XXV. — V. 10. La Fontaine, *Fables*, VI, xi :

. . . . Il obtint changement de *fortune*.

N'est-ce pas la même pensée qui inspire la Fontaine et André ? La Fontaine, dans la même fable :

Notre condition jamais ne nous contente ;
        La pire est toujours la présente.
Nous fatiguons le ciel à force de placets.
Qu'à chacun Jupiter accorde sa requête,
        Nous lui romprons encor la tête.

XXVI. — V. 3. Cette longue comparaison a plus d'un rapport avec
la description qu'on lit dans Rousseau, *Nouvelle Héloïse*, I, xxiii.

Sur d'arides sommets le voyageur porté
S'étonne. Auprès des rocs d'âge en âge entassée
En flots âpres et durs brille une mer glacée.
A peine sur le dos de ces sentiers luisants
Un bois armé de fer soutient ses pas glissants.   10
Il entend retentir la voix du précipice.
Il se tourne, et partout un amas se hérisse
De sommets ou brûlés ou de glace épaissis,
Fils du vaste mont Blanc, sur leurs têtes assis,
Et qui s'élève autant au-dessus de leurs cimes   15
Qu'ils s'élèvent eux-même au-dessus des abîmes.
Mais bientôt à leurs pieds qu'il descende ; à ses yeux
S'étendent mollement vallons délicieux,
Pâturages et prés, doux enfants des rosées,
Trient, Cluses, Magland, humides Élysées,   20
Frais coteaux, où partout sur des flots vagabonds
Pend le mélèze altier, vieil habitant des monts.

XXVII

Ainsi, lorsque souvent le gouvernail agile
De Douvre ou de Tanger fend la route mobile,
Au fond du noir vaisseau sur la vague roulant
Le passager languit malade et chancelant.

V. 19. « *Enfant de...* » La Harpe ne pouvait souffrir cette expression ;
il l'a reprise dans Voltaire. Elle est peut-être mieux employée quand on
l'applique poétiquement à des sentiments. Chénier lui-même en offre de
très-heureux exemples ; voy. plus haut, *Élégies*, I, iv, 82.

XXVII. — Le début de cette pièce indique que cette longue comparaison dans l'esprit d'André devait s'appliquer à quelque pensée saisissable de son âme, comme celle-ci : Souvent dans la vie l'homme est saisi
par le dégoût de toutes choses ; il perd alors toute force, tout courage,
et n'a plus même celui de vivre. *Ainsi*, etc. Cette pièce, on le voit, est du
genre de la précédente, où il développe une pensée au moyen d'une comparaison longue et détaillée.

Son regard obscurci meurt. Sa tête pesante   5
Tourne comme le vent qui souffle la tourmente,
Et son cœur nage et flotte en son sein agité
Comme de bonds en bonds le navire emporté.
Il croit sentir sous lui fuir la planche légère.
Triste et pâle, il se couche, et la nausée amère   10
Soulève sa poitrine, et sa bouche à longs flots
Inonde les tapis destinés au repos.
Il verrait sans chagrin la mort et le naufrage :
Stupide, il a perdu sa force et son courage.
Il ne retrouve plus ses membres engourdis.   15
Il ne peut secourir son ami ni son fils,
Ni soutenir son père, et sa main faible et lente
Ne peut serrer la main de sa femme expirante.

Fait en partie dans le vaisseau, en allant à Douvres, le 6, cou-
ché et souffrant. Écrit à Londres, le 10 décembre 1787.

XXVIII

Sans parents, sans amis et sans concitoyens,
Oublié sur la terre et loin de tous les miens,
Par les vagues jeté sur cette île farouche,
Le doux nom de la France est souvent sur ma bouche.

V. 18. Voy. même livre, *Élégie* xxiv, v. 12 et *Élégie* xxviii, v. 10.
— Tibulle, I, i :

> Te spectem, suprema mihi quum venerit hora,
>   Te teneam moriens deficiente manu,

XXVIII. — V. 1. C'est après avoir senti lui-même les douleurs de
l'éloignement que, dans l'*Avis aux Français*, voulant appeler la pitié
publique sur les émigrés, il les peindra errant « de contrée en contrée,
pauvres, ne tenant à rien, *sans parents, sans amis*, seuls... » Iphigénie
dit dans Euripide, *Iphig. en Taur.*, 218 :

> Νῦν δ' ἀξείνου πόντου ξείνα
> δυσχόρτους οἴκους ναίω
> ἄγαμος, ἄτεκνος, ἄπολις, ἄφιλος.

Auprès d'un noir foyer, seul, je me plains du sort.   5
Je compte les moments, je souhaite la mort ;
Et pas un seul ami dont la voix m'encourage,
Qui près de moi s'asseye, et, voyant mon visage
Se baigner de mes pleurs et tomber sur mon sein,
Me dise : « Qu'as-tu donc ? » et me presse la main.   10

Londres, décembre 1787.

XXIX

O nécessité dure ! ô pesant esclavage !
O sort ! je dois donc voir, et dans mon plus bel âge,
Flotter mes jours, tissus de désirs et de pleurs,
Dans ce flux et reflux d'espoir et de douleurs !

Souvent, las d'être esclave et de boire la lie   5
De ce calice amer que l'on nomme la vie,
Las du mépris des sots qui suit la pauvreté,
Je regarde la tombe, asile souhaité ;
Je souris à la mort volontaire et prochaine ;
Je me prie, en pleurant, d'oser rompre ma chaîne ;   10
Le fer libérateur qui percerait mon sein
Déjà frappe mes yeux et frémit sous ma main ;
Et puis mon cœur s'écoute et s'ouvre à la faiblesse :
Mes parents, mes amis, l'avenir, ma jeunesse,

XXIX. — V. 6. Catulle a employé au propre, XXVII, 2, l'expression
« calices amariores, » que Chénier emploie ici au figuré.
V. 7. Voltaire, *Mérope*, II, II, avait dit :

Il souffre le mépris qui suit la pauvreté.

V. 12. Homère, *Odyss.*, XVI, 294, a dit énergiquement :

. . . . . Αὐτὸς γὰρ ἐφέλκεται ἄνδρα σίδηρος.

C'est ce désir de la mort, maladie terrible, comme le dit Maximien, I :

Quodque omni est pejus funere, velle mori.

Mes écrits imparfaits ; car, à ses propres yeux,   15
L'homme sait se cacher d'un voile spécieux.
A quelque noir destin qu'elle soit asservie,
D'une étreinte invincible il embrasse la vie,
Et va chercher bien loin, plutôt que de mourir,
Quelque prétexte ami de vivre et de souffrir.   20
Il a souffert, il souffre : aveugle d'espérance,
Il se traîne au tombeau de souffrance en souffrance,
Et la mort, de nos maux ce remède si doux,
Lui semble un nouveau mal, le plus cruel de tous.

V. 20. Tibulle, I, ɪɪɪ :

> Quærebam tardas anxius usque moras.

V. 21 et suiv. Voy. la Fontaine, *Fab.*, I, xv ; et dans la suivante :

> Le trépas vient tout guérir ;
> Mais ne bougeons d'où nous sommes :
> Plutôt souffrir que mourir !
> C'est la devise des hommes.

Plus loin encore, *Fab.*, VIII, ɪ :

> Le plus semblable aux morts meurt le plus à regret.

Virgile, *Énéide*, VI, 436, a bien exprimé ce regret de la vie, quand il dit
des morts :

> . . . . Quam vellent æthere in alto
> Nunc et pauperiem et duros perferre labores !

Et Val. Flaccus, *Arg.*, VII, 337, lorsque Médée tient le poison à la main :

> O nimium jucunda dies, quam cara sub ipsa
> Morte magis ! . . . .

V. 23. Milton, XI, 61-62 :

> Till I provided death, so death becomes
> His final *remedy*. . . . .

Eschyle, dans un fragment conservé par Plutarque, *Consol. ad Apoll.*, X,
appelle la mort « μέγιστον ῥῦμα τῶν πολλῶν κακῶν. »

LIVRE SECOND

LYCORIS — CAMILLE — D'.R..

I

Reine de mes banquets, que Lycoris y vienne;
Que des fleurs de sa tête elle pare la mienne ;
Pour enivrer mes sens, que le feu de ses yeux
S'unisse à la vapeur des vins délicieux.
Hâtons-nous, l'heure fuit. Un jour, inexorable,   5
Vénus, qui pour les dieux fit le bonheur durable,
A nos cheveux blanchis refusera des fleurs,
Et le printemps pour nous n'aura plus de couleurs.

I. — Cette élégie est imitée de Properce, III, v, 19 :

> Me juvet in prima coluisse Helicona juventa,
>   Musarumque choris implicuisse manus ;
> Me juvet et multo mentem vincire Lyæo,
>   Et caput in verna semper habere rosa.
> Atque ubi jam Venerem gravis interceperit ætas,
>   Sparserit et nigras alba senecta comas,
> Tum mihi naturæ libeat perdiscere mores :
>   Quis deus hanc mundi temperet arte domum; etc.

V. 5. « *Hâtons-nous, l'heure fuit.* » C'est toujours le *fugit irrepa-*
rabile tempus de Virgile. Mais ici André semble se souvenir d'Horace,
Od., II, xi :

> . . . . Fugit retro
> Levis juventas, et decor, arida
>   Pellente lascivos amores
>   Canitie, facilemque somnum.
> Non semper idem floribus est honos
> Vernis. . . . .

Cf. Tibulle, I, i, 69 ; Racan, IV, iii :

Qu'un sein voluptueux, des lèvres demi-closes,
Respirent près de nous leur haleine de roses ;   10
Que Phryné sans réserve abandonne à nos yeux
De ses charmes secrets les contours gracieux.

Quand l'âge aura sur nous mis sa main flétrissante,
Que pourra la beauté, quoique toute-puissante ?
Nos cœurs en la voyant ne palpiteront plus.   15

. . . .

C'est alors qu'exilé dans mon champêtre asile,
De l'antique sagesse admirateur tranquille,
Du mobile univers interrogeant la voix,
J'irai de la nature étudier les lois :
Par quelle main sur soi la terre suspendue   20
Voit mugir autour d'elle Amphitrite étendue ;
Quel Titan foudroyé respire avec effort
Des cavernes d'Etna la ruine et la mort ;
Quel bras guide les cieux ; à quel ordre enchaînée
Le soleil bienfaisant nous ramène l'année ;   25
Quel signe aux ports lointains arrête l'étranger ;

V. 16. Ces projets de méditation percent souvent dans André et le
conduisent directement à la composition de l'*Hermès*. Ces grands pro ·
blèmes de la nature préoccupent les poëtes ; ils inspiraient aussi la muse
rêveuse de Virgile, *Géorg.*, II, 475 :

> Me vero primum dulces ante omnia Musæ,
> Quarum sacra fero ingenti percussus amore,
> Accipiant, cœlique vias et sidera monstrent,
> Defectus solis varios, lunæque labores ; etc.

Thomson, *Seas.* : *Winter*, s'y laisse séduire ; et il exprime une pensée
qu'André, tel que nous le connaissons, sous-entend certainement ; il rêve
la solitude au milieu des beautés éternelles de la nature, et *with friends.*
V. 22. Le *Titan*, c'est Typhée, fils de la Terre et de Titan ; voy. sa
lutte, sa défaite et son enfouissement sous l'Etna, dans Nonnus, *Dionys.*,
I et II, et dans Val. Flaccus, *Arg.*, II, 21. Mais c'est peut-être aussi
Typhon (il est souvent difficile de ne pas confondre) ; Typhon, né de
Junon (Homère, *Hym. à Apollon*), fut enseveli sous l'Etna ; voy. Pin-
dare, *Ol.*, IV, 12. Cf. Apollodore, I, vi, 3, et la note de Heyne. —
« *Respire*, » souffle ; c'est quelquefois le sens du latin *respirare*.
V. 23. « *Des cavernes*, » ἐκ κευθμώνων, *e latebris*.

Quel autre sur la mer conduit le passager,
Quand sa patrie absente et longtemps appelée
Lui fait tenter l'Euripe et les flots de Malée ;
Et quel, de l'abondance heureux avant-coureur,   30
Arme d'un aiguillon la main du laboureur.
Cependant jouissons ; l'âge nous y convie.
Avant de la quitter, il faut user la vie :
Le moment d'être sage est voisin du tombeau.

Allons, jeune homme, allons, marche ; prends ce flambeau,   35
Marche, allons. Mène-moi chez ma belle maîtresse.
J'ai pour elle aujourd'hui mille fois plus d'ivresse.
Je veux que des baisers plus doux, plus dévorants,
N'aient jamais vers le ciel tourné ses yeux mourants.

II

Ah ! je les reconnais, et mon cœur se réveille.
O sons ! ô douces voix chères à mon oreille !

V. 29. « *L'Euripe*, » canal qui sépare l'Eubée du continent. Les courants, les flux et les reflux, rendaient ce passage difficile (Strabon, *Prol.*, I, iii, 11). — « *Malée*, » promontoire de Laconie (Strabon, VIII, vi, 20) ; passage dont le danger était proverbial.

V. 32. André revient à la pensée déjà exprimée plus haut. Properce, II, xv, 23, a dit :

> Dum nos fata sinunt, oculos satiemus amore :
> Nox tibi longa venit ; nec reditura dies.

Ronsard, dans l'*Ode à Cassandre*, I, xvii, a su rajeunir cette pensée. En même temps que lui, le Tasse, *Ger. lib.*, XVI, xv, la développait presque identiquement sous la même forme, comparant la jeunesse à une fleur passagère (*flosculus*, comme dit Juvénal, *Sat.*, IX, 127). Cf. Racan, *Stances sur le printemps ;* Dorat, *Baisers*, X ; Gent. Bernard, *Ép. mademoiselle S***;* Bertin, *Am.*, III, iv, etc.

V. 35. « *Jeune homme*. » C'est le *puer* du latin. Properce, I, iii, 9 :

> Ebria quum multo traherem vestigia Baccho,
> Et quaterent sera nocte facem pueri.

II. — V. 1-8 et 21-28. Imité d'Horace, *Od.*, III, iv :

> Auditis ? an me ludit amabilis
> Insania ? audire et videòr pios

O mes Muses, c'est vous; vous mon premier amour,
Vous qui m'avez aimé dès que j'ai vu le jour.
Leurs bras, à mon berceau dérobant mon enfance,   5
Me portaient sous la grotte où Virgile eut naissance,
Où j'entendais le bois murmurer et frémir,
Où leurs yeux dans les fleurs me regardaient dormir.
Ingrat! ô de l'amour trop coupable folie!
Souvent je les outrage et fuis, et les oublie;   10
Et sitôt que mon cœur est en proie au chagrin,
Je les vois revenir le front doux et serein.
J'étais seul, je mourais. Seul, Lycoris absente
De soupçons inquiets m'agite et me tourmente.
Je vois tous ses appas, et je vois mes dangers;   15

> Errare per lucos, amœnæ
>   Quos et aquæ subeunt et auræ.
> Me fabulosæ, Vulture in Apulo,
> Altricis extra limen Apuliæ,
>   Ludo fatigatumque somno,
>   Fronde nova puerum palumbes
> Texere; . . . .
> Ut tuto ab atris corpore viperis
> Dormirem et ursis, ut premerer sacra
>   Lauroque collataque myrto,
>   Non sine Dis animosus infans.
> Vester, Camœnæ, vester in arduos
> Tollor Sabinos, seu mihi frigidum
>   Præneste, seu Tibur supinum,
>   Seu liquidæ placuere Baiæ, etc.

V. 6. « *Avoir naissance,* » pour *naître,* est assez rare; cette expression équivaut à *prendre naissance,* qu'on rencontre plus souvent. Racine, *Bér.,* I, IV :

> Il vous souvient des lieux où vous prîtes naissance.

J.-B. Rousseau, *Cant.,* VI, *Thétis :*

> Près de l'humide empire où Vénus prit naissance.

V. 10-20. On peut rapprocher de ce passage quelques vers d'Hésiode, *Théog.,* 96 :

> . . . . . . Ὁ δ' ὄλβιος, ὄντινα Μοῦσαι
> φίλωνται· γλυκερή οἱ ἀπὸ στόματος ῥέει αὐδή.
> Εἰ γάρ τις καὶ πένθος ἔχων νεοκηδέϊ θυμῷ, κ. τ. λι

Ah ! je la vois livrée à des bras étrangers.
Elles viennent ! leurs voix, leur aspect me rassure :
Leur chant mélodieux adoucit ma blessure ;
Je me fuis, je m'oublie, et mes esprits distraits
Se plaisent à les suivre et retrouvent la paix.   20

Par vous, Muses, par vous, franchissant les collines,
Soit que j'aime l'aspect des campagnes sabines,
Soit Catile ou Falerne et leurs riches coteaux,
Ou l'air de Blandusie et l'azur de ses eaux :
Par vous de l'Anio j'admire le rivage,   25
Par vous de Tivoli le poétique ombrage,
Et de Bacchus, assis sous des antres profonds,
La nymphe et le satyre écoutant les chansons.
Par vous la rêverie errante, vagabonde,
Livre à vos favoris la nature et le monde ;   30
Par vous mon âme, au gré de ses illusions,
Vole et franchit les temps, les mers, les nations ;
Va vivre en d'autres corps, s'égare, se promène,
Est tout ce qui lui plaît, car tout est son domaine.

V. 23. « *Catile,* » n'est autre que Tibur dont il reparle au v. 26. —
« *Falerne* » était célèbre par ses vins (Horace, *passim*).

V. 24. « *Blandusie.* » Horace, *Od.*, III, xiii, célèbre sa fontaine aux
belles eaux.

V. 26. C'est à *Tivoli* ou *Tibur* qu'était la maison de campagne d'Horace. Voy. sa description, *Od.*, II, vi.

V. 27. Trait emprunté à Horace, *Od.*, II, xix :

> Bacchum in remotis carmina rupibus
> Vidi docentem, credite, posteri,
> Nymphasque discentes et aures
> Capripedum satyrorum acutas.

V. 33. Cette pensée, qu'il va suivre dans ses détails, n'a qu'une valeur
toute poétique ; mais bien peu de poëtes ont résisté au désir de retracer
cette ingénieuse fiction. Ronsard s'y attache, y revient ; ainsi, dit-il
(*Am.*, I, xl), quand je vois le sein de ma maîtresse,

> Je me transforme en cent métamorphoses.

Ainsi, bruyante abeille, au retour du matin,   35
Je vais changer en miel les délices du thym.

Rose, un sein palpitant est ma tombe divine.

Frêle atome d'oiseau, de leur molle étamine
Je vais sous d'autres cieux dépouiller d'autres fleurs.

Le papillon plus grand offre moins de couleurs ;   40
Et l'Orénoque impur, la Floride fertile
Admirent qu'un oiseau si tendre, si débile,
Mêle tant d'or, de pourpre en ses riches habits,
Et pensent dans les airs voir nager des rubis.

Sur un fleuve souvent l'éclat de mon plumage   45
Fait à quelque Léda souhaiter mon hommage.

Souvent, fleuve moi-même, en mes humides bras
Je presse mollement des membres délicats,
Mille fraîches beautés que partout j'environne ;
Je les tiens, les soulève, et murmure et bouillonne.   50

Mais surtout, Lycoris, Protée insidieux,
Partout autour de toi je veille, j'ai des yeux.

Partout, sylphe ou zéphyre, invisible et rapide,

V. 35. Théocrite, *Id.*, III, 12 :

> . . . . Αἴθε γενοίμαν
> ἀ βομβεῦσα μέλισσα, καὶ ἐς τεὸν ἄντρον ἱκοίμαν,
> τὸν κισσὸν διαδὺς καὶ τὰν πτέριν, ᾇ τὺ πυκάσδῃ.

V. 37. *Anth.*, V, 84 :

> Εἴθε ῥόδον γενόμην ὑποπόρφυρον, ὄφρα με χερσὶν
> ἀραμένη χαρίσῃ στήθεσι χιονέοις.

V. 43. « *Mêle*, » réunit ; c'est le *miscere* des Latins.

V. 47. Anacréon, *Od.*, XX :

> Ὕδωρ θέλω γενέσθαι
> ὅπως σε χρῶτα λούσω.

Voy. Ronsard, *Amours*, I, xx ; *Od.*, IV, xxvi, et *Voyage de Tours*.

V. 51. Changeant de forme comme le *Protée* de la Fable, que Virgile, *Géorg.*, IV, 441, dépeint en deux vers.

V. 53. Parny, *Poés. érot.*, I, x :

> Souvent du zéphyr le plus doux
> Je prendrai l'haleine insensible ; etc.

Je te vois. Si ton cœur complaisant et perfide
Livre à d'autres baisers une infidèle main,   55
Je suis là. C'est moi seul dont le transport soudain,
Agitant tes rideaux ou ta porte secrète,
Par un bruit imprévu t'épouvante et t'arrête.
C'est moi, remords jaloux, qui rappelle en ton cœur
Mon nom et tes serments et ma juste fureur.   60

Mais périsse l'amant que satisfait la crainte !
Périsse la beauté qui m'aime par contrainte,
Qui voit dans ses serments une pénible loi,
Et n'a point de plaisir à me garder sa foi !

III

Souvent le malheureux songe à quitter la vie ;
L'espérance crédule à vivre le convie.

On trouve encore dans l'*Anthologie grecque* d'autres épigrammes sur le
même sujet ; une entre autres, trésor peu considérable, qui ne figure pas
dans l'*Anthologie palatine* et que Brunck a recueillie dans ses *Analecta*,
I, p. 158 :

Εἴθε λύρα καλὴ γενοίμην ἐλεφαντίνη, κ. τ. λ.

Cf. *Anth.*, V, 83 ; Nonnus, *Dionys*, XV, 257. — Ovide, *Am.*, II, xv, 9,
souhaite d'être l'anneau qui va orner le doigt de sa maîtresse. Longus,
dans son roman quelquefois prétentieux (*Daphnis et Chloé*, I, xiv), n'a
pas manqué de mettre ce souhait dans la bouche de Chloé, qui en cet
endroit semble plus savante en amour que ne doit l'être une jeune vierge :
« Εἴθ' αὐτοῦ σύριγξ ἐγενόμην, ἵν' ἐμπνέῃ μοι· εἴθ' αἴξ, ἵν' ὑπ' ἐκείνου
νέμωμαι. » Cf. Gœthe, *l'Amoureux sous mille formes ;* Shakespeare,
Sonnet V.

V. 56. Éd. 1826 et 1839 :

Je suis là. C'est moi seul qui, d'un transport soudain.

III. — V. 1-6. Tibulle, II, vi, 19 :

Jam mala finissem leto ; sed *credula* vitam
   Spes fovet et fore cras semper ait melius.
Spes alit agricolas, spes sulcis credit aratis
   Semina, quæ magno fœnore reddat ager.

Le soldat sous la tente espère, avec la paix,
Le repos, les chansons, les danses, les banquets.
Gémissant sur le soc, le laboureur d'avance   5
Voit ses guérets chargés d'une heureuse abondance.
Moi, l'espérance amie est bien loin de mon cœur.
Tout se couvre à mes yeux d'un voile de langueur;
Des jours amers, des nuits plus amères encore.
Chaque instant est trempé du fiel qui me dévore;   10
Et je trouve partout mon âme et mes douleurs,
Le nom de Lycoris, et la honte et les pleurs.
Ingrate Lycoris! à feindre accoutumée,
Avez-vous pu trahir qui vous a tant aimée?
Avez-vous pu trouver un passe-temps si doux   15
A déchirer un cœur qui n'adorait que vous?
Amis, pardonnez-lui; que jamais vos injures
N'osent lui reprocher ma mort et ses parjures :
Je ne veux point pour moi que son cœur soit blessé,
Ni que pour l'outrager mon nom soit prononcé.   20

La même expression de *credula spes* se trouve aussi dans Horace, *Od.*, IV, I. Voy. dans Ovide, *Pont.*, I, VI, 31, la même pensée, que Ronsard, *Son. pour Hélène*, XVIII, a ainsi rendue :

> L'espoir va soulageant l'homme demy-noyé;
> L'espoir au prisonnier annonce délivrance;
> Le pauvre par l'espoir allége sa souffrance.

Dans l'*Anthologie grecque*, voy. surtout Palladas, IX, 134.

V. 9. Tibulle, II, IV, 11 :

> Nunc et amara dies, et noctis amarior umbra est;
> Omnia jam tristi tempora felle madent.

Properce, I, I, 33 :

> In me nostra Venus noctes exercet amaras,
> Et nullo vacuus tempore defit amor.

Cf. Méléagre, *Anth.*, V, 212. — Ronsard, *Am.*, II, XXIV, a dit, n'observant pas la gradation des épithètes :

> Le jour m'est odieux, la nuit m'est importune.

V. 16. Segrais, *Égl.*, I :

> Celle pour qui je souffre un sort si rigoureux
> Trouve tant de plaisir à me voir malheureux!

Ces amis m'étaient chers ; ils aimaient ma présence.
Je ne veux qu'être seul, je les fuis, les offense,
Ou bien, en me voyant, chacun avec effroi
Balance à me connaître et doute si c'est moi.
Est-ce là cet ami, compagnon de leur joie,   25
A de jeunes désirs comme eux toujours en proie,
Jeune amant des festins, des vers, de la beauté?
Ce front pâle et mourant, d'ennuis inquiété,
Est celui d'un vieillard appesanti par l'âge,
Et qui déjà d'un pied touche au fatal rivage.   30
Sans doute, Lycoris, oui, j'ai fini mon sort
Quand tu ne m'aimes plus et souhaites ma mort.
Amis, oui, j'ai vécu ; ma course est terminée.
Chaque heure m'est un jour, chaque jour une année ;
Les amants malheureux vieillissent en un jour.   35

V. 26. « *Jeunes désirs,* » expression qu'André avait dû remarquer
dans Malherbe (p. 191 et 244).

V. 27. Solon (Plutarque, *Banquet des Sept sages*) :

> Ἔργα δὲ Κυπρογενοῦς νῦν μοι φίλα καὶ Διονύσου,
> καὶ Μουσέων, ἃ τίθησ' ἀνδράσιν εὐφροσύνας.

V. 30. Une note d'André sur Malherbe, p. 79, trouve ici son applica-
tion. [Le mot *fatal* est dans le vrai sens du latin. On ne l'emploie plus
ainsi. C'est une richesse véritable.]

V. 33. Vers emprunté à Virgile, *Én.*, IV, 653 :

> Vixi, et, quem dederat cursum Fortuna, peregi.

V. 34. Lucien, *Anal.*, II, p. 314, xxix :

> Τοῖσι μὲν εὖ πράττουσιν ἅπας ὁ βίος βραχύς ἐστι·
> τοῖς δὲ κακῶς, μία νὺξ ἄπλετός ἐστι χρόνος.

Virgile, *Égl.*, VIII, 43, a dit :

> . . . . Hæc lux toto jam longior anno est.

Cf. Ronsard, *Chanson et sonnet à Marie.* — La Fontaine, *OEuvr. div.*,
Égl., n'a-t-il pas dit : « Tout est siècle aux amants? » Et Racine, *Frères
ennemis*, II, ɪ, dans un passage qui est une véritable élégie dans le goût
d'André Chénier :

> Un moment, loin de vous, me durait une année?

V. 35. Théocrite, *Id.*, XII, 2 :

> . . . . . Οἱ δὲ ποθεῦντες ἐν ἤματι γηράσκουσιν.

Ah! n'éprouvez jamais les douleurs de l'amour :
Elles hâtent encor nos fuseaux si rapides;
Et, non moins que le temps, la tristesse a des rides.
Quoi, Gallus! quoi! le sort, si près de ton berceau,
Ouvre à tes jeunes pas ce rapide tombeau ?   40
Hélas! mais quand j'aurai subi ma destinée,
Du Léthé bienfaisant la rive fortunée
Me prépare un asile et des ombrages verts :
Là, les danses, les jeux, les suaves concerts,
Et la fraîche naïade, en ses grottes de mousse,   45
S'écoulant sur des fleurs, mélancolique et douce.
Là, jamais la beauté ne pleure ses attraits :
Elle aime, elle est constante, elle ne ment jamais;
Là, tout choix est heureux, toute ardeur mutuelle,
Et tout plaisir durable, et tout serment fidèle.   50
Que dis-je? on aime alors sans trouble; et les amants,
Ignorant le parjure, ignorent les serments.

Venez me consoler, aimables héroïnes.
O Léthé! fais-moi voir leurs retraites divines;

Hésiode, *Op. et dies*, 93, avait rendu la même pensée d'une façon plus
générale :

Αἶψα γὰρ ἐν κακότητι βροτοὶ καταγηράσκουσι.

Parny, *Poés. érot.*, III, x :

Quand le feu du désir nous brûle,
Hélas! on vieillit dans un jour!

V. 39. C'est à la Xe *Églogue* de Virgile qu'André emprunte le nom de
Gallus, sous lequel il se plaît à chanter ses tourments et l'abandon de
l'ingrate Lycoris.

V. 44. Cette poétique description semble inspirée de Tibulle, I, iii, 58 :

Ipsa Venus campos ducet in Elysios.
Hic choreæ cantusque vigent;. . . . . . .
Hic juvenum series teneris immixta puellis
Ludit et adsidue prælia miscet amor.

On peut relire les vers de Virgile, *Énéide*, VI, 640. — Bertin, *Am.*, I,
xiii, a fort médiocrement imité Tibulle ; il est bien le poëte de son Élysée,
où les nymphes *forment des pas divers* et où l'Écho *redit les plus aimables vers*.

Viens me verser la paix et l'oubli de mes maux.   55
Ensevelis au fond de tes dormantes eaux
Le nom de Lycoris, ma douleur, mes outrages.
Un jour peut-être aussi, sous tes riants bocages,
Lycoris, quand ses yeux ne verront plus le jour,
Reviendra tout en pleurs demander mon amour ;   60
Me dire que le Styx me la rend plus sincère,
Qu'à moi seul désormais elle aura soin de plaire ;
Que cent fois, rappelant notre antique lien,
Elle a vu que son cœur avait besoin du mien.
Lycoris à mes yeux ne sera plus charmante :   65
Pourtant... O Lycoris ! ô trop funeste amante !
Si tu l'avais voulu, Gallus, plein de sa foi,
Avec toi voulait vivre et mourir avec toi.

IV

Mes chants savent tout peindre ; accours, viens les entendre ;
Ma voix plaît, ô Camille, elle est flexible et tendre.
Philomèle, les bois, les eaux, les pampres verts,
Les Muses, le printemps, habitent dans mes vers.
Le baiser dans mes vers étincelle et respire.   5

V. 56. Horace, *Épodes*, XIV : « Pocula Lethæos..... ducentia somnos. »
V. 60. La Fontaine, *Fab.*, XII, xxvi, a imaginé la même fiction lorsque Alcimadure rejoint Daphnis aux enfers :

> Cependant de Daphnis l'ombre au Styx descendue
> Frémit et s'étonna, la voyant accourir.
> Tout l'Érèbe entendit cette belle homicide
> S'excuser au berger, qui ne daigna l'ouïr,
> Pas plus qu'Ajax Ulysse et Didon son perfide.

V. 68. Le Brun, s'inspirant comme André de la Xe églogue de Virgile, termine ainsi son élégie *sur l'Infidélité d'une amante :*

> J'eus.e été trop heureux si les destins jaloux
> M'eussent permis de vivre ou d'expirer pour vous.

Pensée qui rappelle la chute célèbre d'une ode d'Horace (III, ix) :

> Tecum vivere amem, tecum obeam libens.

La source au pied d'argent, qui m'arrête et soupire,
Y roule en murmurant son flot léger et pur.
Souvent avec les cieux ils se parent d'azur.
Le souffle insinuant, qui frémit sous l'ombrage,
Voltige dans mes vers comme dans le feuillage.   10
Mes vers sont parfumés et de myrte et de fleurs,
Soit les fleurs dont l'été ranime les couleurs,
Soit celles que seize ans, été plus doux encore,
Sur ta joue innocente ont l'art de faire éclore.

V

Va, sonore habitant de la sombre vallée,
Vole, invisible écho, voix douce, pure, ailée,
Qui, tant que de Paris m'éloignent les beaux jours,
Aimes à répéter mes vers et mes amours.

IV. — V. 6. Voy. ci-dessus, *Élég.*, XXI, 47. Cf. Hésiode, *Théog.*,
1006 ; Orphée, *Arg.*, 383. Pindare, *Pyth.*, IX, 16 : « Ἀργυρόπεζ'
Ἀφροδίτα. » La Fontaine, *Fab.*, XI, vi, a dit :

> De l'astre *au front d'argent* la face circulaire.

V. 13. Comparaison fréquente chez les poëtes. Térence, *Eunuchus*, II,
iv, 25 :

> Color verus, corpus solidum, et succi plenum. — Anni ? — *Anni sedecim.*
> — *Flos ipse.*

Voy. le Tasse, *Aminte*, II, 1. — Cette Camille est-elle la Camille de *la
Lampe ?* Certainement non. André a chanté plusieurs femmes sous le nom
de Camille. M. de Latouche d'ailleurs a peut-être mis le nom de Camille où
André avait mis, soit un autre nom, soit des points.

V. — V. 1. Archias, *Anth.*, *Pl.*, 94 :

> Ἠχώ, ἐρημαίης ἐνναέτειρα νάπης.

Théætétus, *Anth.*, *Pl.*, 233 : « Ἡ Ὀρέσσαυλος Ἀχώ. » — Pindare, *Ol.*,
XIV, prie l'Écho de porter jusqu'aux enfers à Cléomane la nouvelle de la
victoire de son fils. Ronsard, *Stances pour Hélène*, a dit :

> Écho, fille de l'air, hostesse solitaire
> Des rochers, où souvent tu me vois retirer.

V. 2. « *Voix ailée ;* » c'est l'expression homérique, ἔπεα πτερόεντα.

Les cieux sont enflammés. Vole, dis à Camille   5
Que je l'attends ; qu'ici, moi, dans ce bel asile,
Je l'attends ; qu'un berceau de platanes épais,
Le même, en cette grotte, où l'autre jour au frais,
Pour nous, s'il lui souvient, l'heure ne fut point lente...
Va. Sous la grotte, ici, parmi l'herbe odorante,   10
D'où l'œil même du jour ne saurait approcher,
Et qu'égaye, en courant, l'eau, fille du rocher...

.   .   .   .

VI

.   .   .   .

Chez toi, dans cet asile où le soir me ramène,
Seul, je mourais d'attendre, et tu ne venais pas.

.   .   .   .

V. 10, « *L'œil du jour.* » Expression fréquente chez les poëtes. **Euripide**, *Iph. in Taur.*, 194 : « Ἱερὸν ὄμμ' αὐγᾶς. » Au vers 110 on trouve déjà : « Νυκτὸς ὄμμα. » Ovide, *Mét.*, IV, 228, nomme le soleil *oculus mundi*. Burmann remarque que Manilius, *Astr.*, I, 135, appelle les étoiles *mundi oculos*. Dans Théophile on rencontre très-souvent cette expression ; par exemple, éd. 1627, p. 162 :

> Il me semble que *l'œil du jour*
> Ne me luit plus qu'avecque peine.

La Fontaine, dans le *Songe de Vaux :*

> L'éclat de ses habits fait honte à *l'œil du jour.*

V. 12. Ronsard, *Eurymédon et Callirée, chant :*

> Ah ! belle Eau-Vive, ah ! *fille d'un rocher.*

VI. — Voy. Parny, *le Cabinet de toilette, Poés. érot.*, III, VII. L'éditeur de Parny a heureusement rapproché de ces vers ce passage de Rousseau, *Nouvelle Héloïse :* « Me voici dans ton cabinet ; me voici dans le sanctuaire de tout ce que mon cœur adore... que ce mystérieux séjour est charmant ! tout y flatte et nourrit l'ardeur qui me dévore (1)... je crois entendre le son flatteur de ta voix... Julie, je te vois, je te sens partout. »

(1) Voilà un vers élégiaque tout fait et digne d'André Chénier. Comparez ce passage de Rousseau avec les vers 5-7 de la seizième élégie du livre Ier.

Ces glaces, tant de fois belles de ta présence,

. . . .

Ces coussins odorants, d'aromates remplis,
Sous tes membres divins tant de fois amollis ;   5
Ces franges en festons que tes mains ont touchées ;
Ces fleurs dans les cristaux par toi-même attachées ;
L'air du soir si suave à la fin d'un beau jour,
Tout embrasait mon sang : tout mon sang est amour.
Non, plus de jeux jamais, non, jamais plus d'ivresses   10
N'ont chatouillé ce cœur affamé de caresses.

VII

Ah ! portons dans les bois ma triste inquiétude.
O Camille ! l'amour aime la solitude.
Ce qui n'est point Camille est un ennui pour moi.
Là, seul, celui qui t'aime est encore avec toi.
Que dis-je ? Ah ! seul et loin d'une ingrate chérie,   5
Mon cœur sait se tromper. L'espoir, la rêverie,
La belle illusion la rendent à mes feux,
Mais sensible, mais tendre, et comme je la veux :
De ses refus d'apprêt oubliant l'artifice,
Indulgente à l'amour, sans fierté, sans caprice,   10
De son sexe cruel n'ayant que les appas.
Je la feins quelquefois attachée à mes pas ;
Je l'égare et l'entraîne en des routes secrètes ;
Absente, je la tiens en des grottes muettes...
Mais présente, à ses pieds m'attendent les rigueurs,   15

VII. — V. 14. Ainsi dans Virgile, *Én.*, IV, 83, Didon séparée d'Énée :
    . . . . Illum absens absentem auditque videtque.
Voy. même livre, *Élégie*, XI, 39.
   V. 15. *Présent*, que donnent les éd. 1819 et 1833, ne doit être qu'une
faute d'impression.

Et, pour des songes vains, de réelles douleurs.
Camille est un besoin dont rien ne me soulage;
Rien à mes yeux n'est beau que de sa seule image.
Près d'elle, tout, comme elle, est touchant, gracieux;
Tout est aimable et doux, et moins doux que ses yeux ;   20
Sur l'herbe, sur la soie, au village, à la ville,
Partout, reine ou bergère, elle est toujours Camille,
Et moi toujours l'amant trop prompt à s'enflammer,
Qu'elle outrage, qui l'aime, et veut toujours l'aimer.

VIII

O lignes que sa main, que son cœur a tracées !
O nom baisé cent fois ! craintes bientôt chassées !
Oui : cette longue route et ces nouveaux séjours,
Je craignais... Mais enfin mes lettres, nos amours,
Ma mémoire, partout sont tes chères compagnes.   5
Dis vrai ! Suis-je avec toi dans ces riches campagnes
Où du Rhône indompté l'Arve trouble et fangeux
Vient grossir et souiller le cristal orageux?

Ta lettre se promet qu'en ces nobles rivages
Où Sénart épaissit ses immenses feuillages,   10
Des vers pleins de ton nom attendent ton retour,
Tout trempés de douceurs, de caresses, d'amour.
Heureux qui, tourmenté de flammes inquiètes,
Peut du Permesse encor visiter les retraites,
Et, loin de son amante égayant sa langueur,   15

V. 16. Éd. 1826 et 1839 :

    Et, pour les songes vains, de réelles douleurs.

VIII. — Voy. dans la *Biographie* ce que nous avons dit de cette élégie, une de celles réellement adressées à madame de Bonneuil.

V. 10. La terre de Bonneuil, où Camille passait ordinairement l'été, était située près de la forêt de Sénart.

Calmer par des chansons les troubles de son cœur !
Camille, où tu n'es point, moi je n'ai pas de Muse.
Sans toi, dans ses bosquets Hélicon me refuse ;
Les cordes de la lyre ont oublié mes doigts,
Et les chœurs d'Apollon méconnaissent sa voix.   20
Ces regards purs et doux, que sur ce coin du monde
Verse d'un ciel ami l'indulgence féconde,
N'éveillent plus mes sens ni mon âme. Ces bords
Ont beau de leur Cybèle étaler les trésors ;
Ces ombrages n'ont plus d'aimables rêveries,   25
Et l'ennui taciturne habite ces prairies.
Tu fis tous leurs attraits : ils fuyaient avec toi
Sur le rapide char qui t'éloignait de moi.
Errant et fugitif, je demande Camille
A ces antres, souvent notre commun asile ;   30
Ou je vais te cherchant dans ces murs attristés,
Sous tes lambris, jamais par moi seul habités,
Où ta harpe se tait, où la voûte sonore
Fut pleine de ta voix et la répète encore ;
Où tous ces souvenirs cruels et précieux   35
D'un humide nuage obscurcissent mes yeux.
Mais pleurer est amer pour une belle absente ;

V. 17. Properce, II, xxx, 40 :

   Nam sine te nostrum non valet ingenium.

Virgile, *Égl.*, V, 34 :

   . . . . Postquam te fata tulerunt
   Ipsa Pales agros atque ipse reliquit Apollo.

V. 20. Éd. 1826 et 1839 :

   Et les chœurs d'Apollon méconnaissent ma voix.

C'est la voix de la lyre que méconnaissent les chœurs d'Apollon.

V. 22. Virgile, *Géorg.*, II, 345 :

   . . . . . Exciperet *cœli indulgentia* terras.

V. 24-28. Quel poëte n'a point exprimé cette pensée ? Voy. Théocrite,
Id., VIII, 41 ; Virgile, *Égl.*, VII, 55 ; Calpurnius, IX, 44 ; Marot, *Elég.*,
III ; Segrais, *Égl.*, I et V ; Racan, *Stances à des Fontaines*, etc.

V. 37. L'inversion rend la pensée de ce vers obscure ; André veut

Il n'est doux de pleurer qu'aux pieds de son amante,
Pour la voir s'attendrir, caresser vos douleurs
Et de sa belle main vous essuyer vos pleurs,   40
Vous baiser, vous gronder, jurer qu'elle vous aime,
Vous défendre une larme et pleurer elle-même.

Eh bien ! sont-ils bien tous empressés à te voir ?
As-tu sur bien des cœurs promené ton pouvoir ?
Vois-tu tes jours suivis de plaisir et de gloire,   45
Et chacun de tes pas compter une victoire ?
Oh ! quel est mon bonheur si, dans un bal bruyant,
Quelque belle tout bas te reproche en riant
D'un silence distrait ton âme enveloppée,
Et que sans doute ailleurs elle est mieux occupée !   50
Mais, dieux ! puisses-tu voir sous un ennui rongeur
De ta chère beauté flétrir toute la fleur,
Plutôt que d'être heureuse à grossir tes conquêtes,
D'aller chercher toi-même et désirer des fêtes,
Ou sourire le soir, assise au coin d'un bois,   55

dire que les pleurs que l'on verse pour une belle absente sont amers ;
s'il était permis de supprimer la conjonction *mais,* on pourrait heureusement corriger ce vers ainsi :

> Amer est de pleurer pour une belle absente.

La pensée est de Properce, I, xiv, 15 :

> Felix, qui potuit præsenti flere puellæ :
> Non nihil adspersis gaudet amor lacrymis.

V. 52. Éd. 1826 et 1839 :

> De ta chère beauté sécher toute la fleur.

André emploie avec intention *flétrir* au neutre pour *se flétrir ;* il l'avait
remarqué dans Malherbe (p. 2), qui a dit :

> Et vos jeunes beautés *flétriront* comme l'herbe.

V. 55-58. Properce, I, xi, 13, s'écrie, en pensant à Cynthie absente :

> Quam vacet alterius blandos audire susurros.
> Molliter in tacito littore compositam ·
> Ut solet amoto labi custode puella
> Perfida, communes nec meminisse deos.

Aux éloges rusés d'une flatteuse voix,
Comme font trop souvent de jeunes infidèles,
Sans songer que le ciel n'épargne point les belles.
Invisible, inconnu, dieux! pourquoi n'ai-je pas
Sous un voile étranger accompagné tes pas?   60
J'ai pu de ton esclave, ardent, épris de zèle,
Porter, comme le cœur, le vêtement fidèle.
Quoi! d'autres loin de moi te prodiguent leurs soins,
Devinent tes pensers, tes ordres, tes besoins!
Et quand d'âpres cailloux la pénible rudesse   65
De tes pieds délicats offense la faiblesse,
Mes bras ne sont point là pour presser lentement
Ce fardeau cher et doux et fait pour un amant!
Ah! ce n'est point aimer que prendre sur soi-même
De pouvoir vivre ainsi loin de l'objet qu'on aime.   70
Il fut un temps, Camille, où, plutôt qu'à me fuir,
Tout le pouvoir des dieux t'eût contrainte à mourir!

Et puis d'un ton charmant ta lettre me demande
Ce que je veux de toi, ce que je te commande!
Ce que je veux? dis-tu. Je veux que ton retour   75

V. 66. Cf. *Élég.*, I, ɪ. — Apollon lui-même ne tremble-t-il pas pour
les pieds de sa maîtresse, et ne s'écrie-t-il pas quand elle fuit (Ovide,
Mét., I, 508):

> Me miserum! ne prona cadas, indignave lædi
> Crura secent sentes; . . . .

V. 73-80. Vers imités des adieux charmants de Thaïs et de Phædria
(Térence, *Eun.*, I, ɪɪ, 110):

> THAIS : Mi Phædria,
> Et tu, numquid vis aliud? — PHÆDRIA: Egone quid velim!
> Cum milite isto præsens, absens ut sies:
> Dies noctesque me ames : me desideres :
> Me somnies : me exspectes : de me cogites:
> Me speres : me te oblectes : mecum tota sis :
> Meus fac sis postremo animus, quando ego sum tuus.

Dans une lettre adressée à M. Sainte-Beuve, M. Alfred de Vigny avait déjà
signalé cette imitation. — La Fontaine n'a pas rendu la tendresse qu'il

Te paraisse bien lent ; je veux que nuit et jour
Tu m'aimes (nuit et jour, hélas ! je me tourmente !).
Présente au milieu d'eux, sois seule, sois absente ;
Dors en pensant à moi ; rêve-moi près de toi ;
Ne vois que moi sans cesse, et sois toute avec moi.   80

Au retour d'un festin, seule, ô dieux ! sur ta couche,
Si cet heureux papier s'approchait de ta bouche !
Enfermé dans la soie, oh ! si ta belle main
Daignait le retrouver, le presser sur ton sein !
Je le saurai ; l'Amour volera me le dire.   85
Dans l'âme d'un poëte un dieu même respire ;
Et ton cœur ne pourra me faire un si grand bien,
Sans qu'un transport subit avertisse le mien.
Fais-le naître, ô Camille. Alors toutes mes peines
S'adoucissent ; alors, dans mes paisibles veines,   90
Mon sang coule en flots purs et de lait et de miel,
Et mon âme se croit habitante du ciel !

y a dans ces vers de Térence. Voici la traduction en vers de M. le
marquis de Belloy :

> Adieu, ne voulez-vous rien de plus aujourd'hui ?
> — Que voudrais-je, Thaïs, sinon que, près de lui,
> Ton âme en soit bien loin ; que tu m'aimes absente ;
> Que je sois ton désir, ton rêve, ton attente,
> Ton ivresse, ton bien ; que tu sois toute à moi,
> De cœur, puisque le mien ne bat plus que pour toi ?

Ovide a dit dans l'*Art d'aimer*, II, 347 :

> Te semper videat, tibi semper præbeat aures ;
> Exhibeat vultus noxque diesque tuos.

V. 80. L'élégie s'arrête à ce vers dans les éd. 1819, 1826, 1833. Ce
que l'éd. 1833 publia comme *Fragments*, l'éd. 1839 le joignit à l'élégie.
Le passage qui suit (v. 81 à 92) s'y adapte heureusement, et nous l'avons
conservé ; mais le fragment : *Ainsi le jeune amant*, etc., ne s'y rapporte
en rien et ne lui appartient pas. On le trouvera dans l'*Art d'aimer*.

V. 86. Ovide, *Art d'aimer*, III, 549 :

> Est Deus in nobis et sunt commercia cœli.

IX

A ABEL

Pourquoi de mes loisirs accuser la langueur ?
Pourquoi vers des lauriers aiguillonner mon cœur ?
Abel, que me veux-tu ? Je suis heureux, tranquille.
Tu veux m'ôter mon bien, mon amour, ma Camille,
Mes rêves nonchalants, l'oisiveté, la paix ;   5
A l'ombre, au bord des eaux, le sommeil pur et frais.
Ai-je connu jamais ces noms brillants de gloire
Sur qui tu viens sans cesse arrêter ma mémoire ?
Pourquoi me rappeler, dans tes cris assidus,
Je ne sais quels projets que je ne connais plus ?   10
Que d'Achille outragé l'inexorable absence
Livre à des feux troyens les vaisseaux sans défense ;

IX. — V. 1. Properce, I, xii :

> Quid mihi desidiæ non cessas fingere crimen,
> Quod faciat nobis conscia Roma moram?

Cf. Bertin, *Am.*, I, xvi.

V. 6. Voy. dans les *Poésies antiques*, *Études et Fragm.*, XV, xvii.

V. 12. On avait proposé de corriger ainsi ce vers :

> Livre aux feux des Troyens les vaisseaux sans d fense.

Cette correction eût été contraire au goût d'André, qui a qualifié du mot
divin ce vers de Malherbe (p. 199) :

> Ces ouvrages des mains célestes,
> Que jusques à leurs derniers restes
> La *flamme grecque* a dévorés !

Comme le remarque André, Horace a dit, *Od.*, I., xv :

> Post certas hyemes uret *achaicus*
> *Ignis* iliacas domos.

Et ailleurs, *Od.*, IV, vi :

> Nescios fari pueros *achivis*
> Ureret *flammis*.

Virgile, *Én.*, II, 276 :

> Vel Danaum *Phrygios* jaculatus puppibus *ignes*.

C'est une tournure très-fréquente chez Ronsard.

Qu'à Colomb, pour le nord révélant son amour,
L'aimant nous ait conduits où va finir le jour...
Jadis, il m'en souvient, quand les bois du Permesse   15
Recevaient ma première et bouillante jeunesse,
Plein de ces grands objets, ivre de chants guerriers,
Respirant la mêlée et les cruels lauriers,
Je me couvrais de fer, et d'une main sanglante
J'animais aux combats ma lyre turbulente;   20
Des arrêts du destin prophète audacieux,
J'abandonnais la terre et volais chez les dieux.
Au flambeau de l'Amour j'ai vu fondre mes ailes.
Les forêts d'Idalie ont des routes si belles!
Là, Vénus, me dictant de faciles chansons,   25
M'a nommé son poëte entre ses nourrissons.
Si quelquefois encore, à tes conseils docile,
Ou jouet d'un esprit vagabond et mobile,
Je veux, de nos héros admirant les exploits,
A des sons généreux solliciter ma voix,   30
Aux sons voluptueux ma voix accoutumée
Fuit, se refuse et lutte, incertaine, alarmée;
Et ma main, dans mes vers de travail tourmentés,
Poursuit avec effort de pénibles beautés.
Mais si, bientôt lassé de ces poursuites folles,   35
Je retourne à mes riens que tu nommes frivoles,
Si je chante Camille, alors écoute, voi:
Les vers pour la chanter naissent autour de moi.
Tout pour elle a des vers! Ils renaissent en foule;

V. 15. Le *Permesse,* petit cours d'eau descendant de l'Hélicon, dans
lequel se baignaient les Muses, comme le dit Hésiode, *Théog.*, 1 et sqq.
   V. 23. N'est-ce point la même pensée qu'Horace, *Od.*, II, xii? N'est-ce
point aussi l'*Ode* I d'Anacréon? N'est-ce point la pensée de tous les
poëtes élégiaques?
   V. 24. « *Idalie,* » ville et forêt de l'île de Chypre; voy. Théocrite,
Id., XV, 100; Virgile, *Énéide*, I, 693.
   V. 27-38. Comparez ce passage avec l'élégie VI du livre I.

Ils brillent dans les flots du ruisseau qui s'écoule ;   40
Ils prennent des oiseaux la voix et les couleurs ;
Je les trouve cachés dans les replis des fleurs.
Son sein a le duvet de ce fruit que je touche ;
Cette rose au matin sourit comme sa bouche ;
Le miel qu'ici l'abeille eut soin de déposer   4
Ne vaut pas à mon cœur le miel de son baiser.
Tout pour elle a des vers ! Ils me viennent sans peine,
Doux comme son parler, doux comme son haleine.
Quoi qu'elle fasse ou dise, un mot, un geste heureux,
Demande un gros volume à mes vers amoureux.   50
D'un souris caressant si son regard m'attire,
Mon vers plus caressant va bientôt lui sourire.
Si la gaze la couvre, et le lin pur et fin,
Mollement, sans apprêt ; et la gaze, et le lin,
D'une molle chanson attend une couronne.   55
D'un luxe étudié si l'éclat l'environne,
Dans mes vers éclatants sa superbe beauté
Vient ravir à Junon toute sa majesté.
Tantôt c'est sa blancheur, sa chevelure noire ;

V. 46. Voy. la même pensée dans le Tasse, *Aminte*, II.
V. 47-64. Imité de Properce, *Élég.*, II, 1, 5 :

> Sive illam Cois fulgentem incedere coccis,
>   Hoc totum in Coa veste volumen erit ;
> Seu vidi ad frontem sparsos errare capillos,
>   Gaudet laudatis ire superba comis ;
> Sive lyræ carmen digitis percussit eburnis,
>   Miramur, faciles ut premat arte manus ;
> Seu quum poscentes somnum declinat ocellos,
>   Invenio causas mille poeta novas ;
> Seu nuda erepto mecum luctatur amictu,
>   Tunc vero longas condimus Iliadas ;
> Seu quidquid fecit, sive est quodcumque loquuta
>   Maxima de nihilo nascitur historia.

Dans la suite, Properce dit, comme André, que sa voix se refuse à chanter
les exploits des héros.
V. 54. Éd. 1826 et 1839 :

> Mollement, sans apprêt ; et la gaze ou le lin.

De ses bras, de ses mains, le transparent ivoire.   60
Mais si jamais, sans voile et les cheveux épars,
Elle a rassasié ma flamme et mes regards,
Elle me fait chanter, amoureuse Ménade,
Des combats de Paphos une longue Iliade;
Et si de mes projets le vol s'est abaissé,   65
A la lyre d'Homère ils n'ont point renoncé.
Mais en la dépouillant de ses cordes guerrières,
Ma main n'a su garder que les cordes moins fières
Qui chantèrent Hélène et les joyeux larcins,
Et l'heureuse Corcyre, amante des festins.   70
Mes chansons à Camille ont été séduisantes.
Heureux qui peut trouver des Muses complaisantes,
Dont la voix sollicite et mène à ses désirs
Une jeune beauté qu'appelaient ses soupirs!
Hier, entre ses bras, sur sa lèvre fidèle,   75
J'ai surpris quelques vers que j'avais faits pour elle.

V. 64. C'est-à-dire : Elle me fait chanter une suite de combats amoureux aussi nombreux et aussi héroïques que les combats qui remplissent l'Iliade. [Les Grecs ont le proverbe Ἰλιὰς κακῶν, et les Latins l'ont quelquefois employé. Ovide, *Pontiques*, II, vii :

> Qua tibi si memori coner perscribere versu,
> Ilias est fatis longa futura meis.

La Fontaine, dans une lettre à l'abbé Vergier : « Vous conterez, s'il vous plaît, à la compagnie l'iliade de mes malheurs. » Boissonade.] Properce, dans les vers cités ci-dessus, multiplie encore la force de la pensée par le pluriel. Plutarque, *Conjug. Præcep.*, 21, a employé cette même expression ainsi : « Ὁ δὲ ἐκείνων (Ἑλένης Πάριδός τ᾽ ὁ γάμος) Ἰλιάδα κακῶν Ἕλλησι καὶ βαρβάροις ἐποίησεν. »
V. 67. Éd. 1826 et 1839 :

> Non : en la dépouillant de ses cordes guerrières.

V. 68. Anacréon, XLVII :

> Δότε μοι λύρην Ὁμήρου,
> φονίης ἄνευθε χορδῆς.

« N'a su garder. » Inversion qu'a nécessitée la mesure du vers. André dit *n'a su garder* pour *a su ne garder*.
V. 70. « Corcyre. » C'est la Phéacie d'Homère; voy. *Odyss.*, VI, VII.

Et sa bouche, au moment que je l'allais quitter,
M'a dit : « Tes vers sont doux, j'aime à les répéter. »
Si cette voix eût dit même chose à Virgile,
Abel, dans ses hameaux il eût chanté Camille,   80
N'eût point cherché la palme au sommet d'Hélicon,
Et le glaive d'Énée eût épargné Didon.

                              X

Et c'est Glycère, amis, chez qui la table est prête?
Et la belle Amélie est aussi de la fête?
Et Rose, qui jamais ne lasse les désirs,
Et dont la danse molle aiguillonné aux plaisirs?
Et sa sœur aux accents de la voix la plus rare   5
Unira, dites-vous, les sons de la guitare?
Et nous aurons Julie, au rire étincelant,
Au sein plus que l'albâtre et solide et brillant?
Certe, en pareille fête autrefois je l'ai vue,
Ses longs cheveux épars, courante, demi-nue :   10
En ses bruyantes nuits Cithéron n'a jamais
Vu Ménade plus belle errer dans ses forêts.
J'y consens. Avec vous je suis prêt à m'y rendre.
Allons. Mais si Camille, ô dieux! vient à l'apprendre!

V. 79-82. Voici la même pensée dans Ronsard, *Am.*, I, LXXXVI :

> Si l'écrivain de la grégeoise armée
> **Eust veu tes yeux qui serf me tiennent pris,**
> Les faits de Mars il n'eust jamais empris,
> Et le duc grec fust mort sans renommée.

V. 82. On sait que Didon se tua avec le glaive d'Énée; voyez Virgile,
Én., IV, 507.

V. 4. Properce, II, XII, a dit en parlant de la démarche de Cynthie :

> . . . . . Ut soleant *molliter* ire pedes.

V. 11. Éd. 1839 :

> En ses brillantes nuits Cithéron n'a jamais.

Quel orage suivra ce banquet tant vanté,   15
S'il faut qu'à son oreille un mot en soit porté !
Oh ! vous ne savez pas jusqu'où va son empire.
Si j'ai loué des yeux, une bouche, un sourire ;
Ou si, près d'une belle assis en un repas,
Nos lèvres en riant ont murmuré tout bas,   20
Elle a tout vu. Bientôt cris, reproches, injure :
Un mot, un geste, un rien, tout était un parjure.
« Chacun pour cette belle avait vu mes égards ;
Je lui parlais des yeux, je cherchais ses regards. »
Et puis des pleurs ! des pleurs, que Memnon sur sa cendre   25
A sa mère immortelle en a moins fait répandre.
Que dis-je ? sa vengeance ose en venir aux coups ;
Elle me frappe. Et moi, je feins, dans mon courroux,
De la frapper aussi, mais d'une main légère,
Et je baise sa main impuissante et colère ;   30
Car ses bras ne sont forts qu'aux amoureux exploits.

V. 22. La Fontaine, *Élégie* V :

> C'est tantôt un clin d'œil, un mot, un vain sourire,
> *Un rien :* et pour ce rien nuit et jour je soupire !

V. 25. « *Que,* » elliptique pour *tellement ·que.* Molière, *Mariage forcé*, I, VI : « Je suis dans une colère, *que* je ne me sens pas. » — « *Memnon,* » fils de l'Aurore et de Tithon (voy. Apollodore, III, XII, 4 ; Homère, *Hym. à Vénus*, 219). Memnon tomba au siége de Troie sous les coups d'Achille ; l'Aurore, depuis sa mort, arrose chaque jour la tombe de son fils de la rosée de ses pleurs. Cf. Ovide, *Mét.*, XIII, 621. — Stace, *Silv.*, V, I, 33, a exprimé la même pensée :

> Mira fides ! citius genitrix Sipylea feretur
> Exhausisse genas ; citius Tithonida mœsti
> Deficient rores, aut exsiccata fatiscet
> Mater Achilleis hiemes affrangere bustis.

Moschus, *Idyl.*, III, 42 :

> Οὐ τόσον ἀώοισιν ἐν ἄγκεσι παῖδα τὸν Ἀοῦς
> ἱπτάμενος περὶ σᾶμα κινύρατο Μέμνονος ὄρνις,
> ὅσον ἀποφθιμένοιο κατωδύραντο Βίωνος.

V. 27. Telle aussi est la plainte de Properce, III, XVI :

> In me mansuetas non habet illa manus.

La fureur ne peut même aigrir sa douce voix.
Ah ! je l'aime bien mieux injuste qu'indolente ;
Sa colère me plaît et décèle une amante.
Si j'ai peur de la perdre, elle tremble à son tour ;   35
Et la crainte inquiète est fille de l'amour.
L'assurance tranquille est d'un cœur insensible.
Loin ! à mes ennemis une amante paisible ;
Moi, je hais le repos. Quel que soit mon effroi
De voir de si beaux yeux irrités contre moi,   40
Je me plais à nourrir de communes alarmes.
Je veux pleurer moi-même, ou voir couler ses larmes,
Accuser un outrage ou calmer un soupçon,
Et toujours pardonner ou demander pardon.

Mais quels éclats, amis ? C'est la voix de Julie :   45
Entrons. Oh ! quelle nuit ! joie, ivresse, folie !

V. 34 et suiv. Properce, III, viii, 9 :

>   Nimirum veri dantur mihi signa caloris;
>   Nam sine amore gravi femina nulla dolet.....
>   His ego tormentis animi sum verus aruspex :
>   Has didici certo sæpe in amore notas.
>   Non est certa fides, quam non injuria versat :
>   Hostibus eveniat lenta puella meis !
>   Immorso æquales videant mea vulnera collo ;
>   Me doceat livor mecum habuisse meam.
>   Aut in amore dolere volo, aut audire volentem ;
>   Sive meas lacrymas, sive videre tuas.
>   Tecta superciliis si quando verba remittis,
>   Aut tua quum digitis scripta silenda notas.
>   Odi ego, quos nunquam pungunt suspiria, somnos :
>   Semper in irata pallidus esse velim.

Comparez avec un passage des *Fâcheux* de Molière, II, iv :

>   C'est aimer froidement que n'être point jaloux ; etc.

V. 36. Apulée, *Mét.*, VI, donne pour suivantes à Vénus la Crainte et
la Tristesse. Ovide, *Hér.*, I, 12, a dit :

>   Res est solliciti plena timoris amor.

V. 38. Ovide, *Am.*, II, xi, et II, xix, forme le même vœu que Properce et André. Cf. le Tasse, *Aminte*, II, ii, et le sonnet de Pétrarque : « Dolci ire, dolci, etc. »

V. 44. Éd. 1826 et 1839 :

>   Et toujours pardonner en demandant pardon.

Que de seins envahis et mollement pressés!
Malgré de vains efforts que d'appas caressés !
Que de charmes divins forcés dans leur retraite!
Il faut que de la Seine, au cri de notre fête,   50
Le flot résonne au loin, de nos jeux égayé,
Et qu'en son lit voisin le marchand éveillé,
Écoutant nos plaisirs d'une oreille jalouse,
Redouble ses baisers à sa trop jeune épouse.

XI

Reste, reste avec nous, ô père des bons vins!
Dieu propice, ô Bacchus ! toi dont les flots divins
Versent le doux oubli de ces maux qu'on adore;

V. 51. Properce, III, x, 25 :

> Dulciaque ingratos adimant convivia somnos;
> Publica vicinæ perstrepat aura viæ.

V. 54. Horace, *Od.*, III, xix :

> .... Sparge rosas. Audiat invidus
> Dementem strepitum Lycus,
> Et vicina seni non habilis Lyco!

XI. — V. 1-6. Cette élégie est imitée de Tibulle, III, vi :

> Candide Liber, ades; sic sit tibi mystica vitis,
> Semper sic hedera tempora geras.
> Aufer et ipse meum pariter medicando dolorem:
> Sæpe tuo cecidit munere victus Amor.
> Care puer, madeant generoso pocula Baccho ;
> I, nobis prona funde falerna manu.
> Ite procul, durum, curæ, genus, ite labores.

Mais André semble se souvenir aussi de Properce, III, xvii :

> Tu potes insanæ Veneris compescere fastus,
> Curarumque tuo fit medicina mero.
> Per te junguntur, per te solvuntur amantes :
> Tu vitium et animo dilue, Bacche, meo.

Parny a médiocrement imité Properce. Voyez l'ode de Le Brun : *A mes amis, dans un festin.*

V. 3. Il y a, au second hémistiche, une antithèse familière aux poëtes ; La Fontaine, *Fab.*, VIII, xiii :

> Ah! si vous connaissiez comme moi certain mal
> Qui nous plait et qui nous enchante!

Toi, devant qui l'amour s'enfuit et s'évapore,
Comme de ce cristal aux mobiles éclairs   5
Tes esprits odorants s'exhalent dans les airs.
Eh bien, mes pas ont-ils refusé de vous suivre?
« Nous venons, disiez-vous, te conseiller de vivre.
Au lieu d'aller gémir, mendier des dédains,
Suis-nous, si tu le peux. La joie à nos festins   10
T'appelle. Viens, les fleurs ont couronné la table;
Viens, viens y consoler ton âme inconsolable. »

Vous voyez, mes amis, si de ce noble soin
Mon cœur tranquille et libre avait aucun besoin.
Camille dans mon cœur ne trouve plus des armes,   15
Et je l'entends nommer sans trouble, sans alarmes;
Ma pensée est loin d'elle, et je n'en parle plus;
Je crois la voir muette et le regard confus,
Pleurante. Sa beauté présomptueuse et vaine
Lui disait qu'un captif, une fois dans sa chaîne,   20
Ne pouvait songer... Mais que nous font ses ennuis?
Jeune homme, apporte-nous d'autres fleurs et des fruits.
Qu'est-ce, amis? nos éclats, nos jeux se ralentissent?

V. 12. André imite le vers célèbre de l'*Athalie* de Racine :

> Pour *réparer* des ans l'*irréparable* outrage.

André reviendra à cette forme savante dans l'*Invention*, v. 24.

V. 19. Voici un exemple de ce participe présent employé comme adjectif; il est de Racine, dans *Andromaque* :

> *Pleurante*, après son char voulez-vous qu'on me voie?

V. 22. Ainsi, dans Tibulle, III, vi, 57, l'image de sa maîtresse reparaît sans cesse à ses yeux; des paroles d'amour montent à ses lèvres, et soudain :

> Naiada Bacchus amat. Cessas, o lente minister!
> Temperet annosum Marcia lympha merum.
> Non ego, si fugiat nostræ convivia mensæ
> Ignotum cupiens vana puella torum,
> Sollicitus repetam tota suspiria nocte.
> Tu puer, i, liquidum fortius adde merun.

Que des verres plus grands dans nos mains se remplissent.
Pourquoi vois-je languir ces vins abandonnés,   25
Sous le liége tenace encore emprisonnés?
Voyons si ce premier, fils de l'Andalousie,
Vaudra ceux dont Madère a formé l'ambrosie,
Ou ceux dont la Garonne enrichit ses coteaux,
Ou la vigne foulée aux pressoirs de Cîteaux.   30
Non, rien n'est plus heureux que le mortel tranquille
Qui, cher à ses amis, à l'amour indocile,
Parmi les entretiens, les jeux et les banquets,
Laisse couler la vie et n'y pense jamais.

Ah! qu'un front et qu'une âme à la tristesse en proie   35
Feignent malaisément et le rire et la joie!
Je ne sais, mais partout je l'entends, je la voi;
Son fantôme attrayant est partout devant moi;
Son nom, sa voix absente errent dans mon oreille :

V. 24. André semble avoir enchâssé dans ces vers une épigramme de
de Rufin, *Anth.*, V, 12 :

    Λουσάμενοι, Προδίκη, πυκασώμεθα, καὶ τὸν ἄκρατον
    Ἕλκωμεν, κύλικας μείζονας αἰρόμενοι.
    Βαιὸς ὁ χαιρόντων ἐστὶν βίος· εἶτα τὰ λοιπὰ
    γῆρας κωλύσει, καὶ τὸ τέλος θάνατος.

Les vers 22, 24, 31 à 34 reproduisent heureusement les différents traits
de l'épigramme.
    V. 34. Éd. 1839 :

        Laisse couler sa vie et n'y pense jamais.

    V. 35. Tibulle, III, vi, 33 :

        Hei mihi! Difficile est imitari gaudia falsa :
        Difficile est tristi fingere mente jocum.

    V. 39. [Le premier qui a employé de la sorte le mot *absent* fut neuf
et hardi; mais on a fort abusé de cette expression. Le Brun a dit dans
une ode :

        La colombe des amours
        Par un vain songe obsédée,
        Souvent expire en idée
        Sous l'ongle *absent* des vautours.

Marie-Joseph Chénier a quelque part aussi cette expression. Palissot,
dans *la Dunciade*, VII, l'imite de Stace, *Théb.*, VI, 401, croyant l'imiter

Peut-être aux feux du vin que l'amour se réveille ;   40
Sous les bosquets de Chypre, à Vénus consacrés,
Bacchus mûrit l'azur de ses pampres dorés.
J'ai peur que, pour tromper ma haine et ma vengeance,
Tous ces dieux malfaisants ne soient d'intelligence.
Du moins il m'en souvient, quand autrefois auprès   45
De cette ingrate aimée, en nos festins secrets,
Je portais à la hâte à ma bouche ravie
La coupe demi-pleine à ses lèvres saisie,
Ce nectar, de l'amour ministre insidieux,
Bien loin de les éteindre, aiguillonnait mes feux.   50
Ma main courait saisir, de transports chatouillée,
Sa tête noblement folâtre, échevelée.
Elle riait ; et moi, malgré ses bras jaloux,
J'arrivais à sa bouche, à ses baisers si doux ;
J'avais soin de reprendre, utile stratagème !   55
Les fleurs que sur son sein j'avais mises moi-même ;
Et sur ce sein, mes doigts égarés, palpitants,
Les cherchaient, les suivaient, et les ôtaient longtemps.

de Claudien. Boisjolin, traduisant *la Forêt de Windsor,* a suivi les traces
de Stace et de l'ope :

> L'impatient coursier palpite dans l'attente
> Sur le sol qui l'arrête, et bat la plaine *absente.*

« La plaine absente ! Quel intolérable jargon ! » s'écrie La Harpe. Il devait se souvenir d'Horace, *Sat.*, II, vii, 28. On trouverait, du reste, des
exemples de cette expression dans Lucain, Valér. Flaccus, Ausone, Sidoine
Apollinaire, etc. Boissonade.]

V. 41. Lucien, *Amours,* 12, dans la description de Cnide : « Ἀμπε-
λαφεῖς ἄμπελοι πυκνοῖς κατήρτηντο βότρυσιν · τερπνοτέρα γὰρ Ἀφροδ.τη
μετὰ Διονύσου. »

V. 50. Ovide, *Héroïdes,* XVI, 229 :

> Sæpe mero volui flammam compescere, at illa
> Crevit, et ebrietas ignis in igne tuit.

V. 58. Voici la même expression dans Racine, *Bérénice,* II, ii :

> Je la revois bientôt de pleurs toute trempée :
> Ma main à les sécher est *longtemps* occupée.

Le passage de *Bérénice,* d'où ces vers sont tirés, est une admirable élégie tout à fait dans le goût de Chénier.

Ah! je l'aimais alors! Je l'aimerais encore,
Si de tout conquérir la soif qui la dévore   60
Eût flatté mon orgueil au lieu de l'outrager,
Si mon amour n'avait qu'un outrage à venger,
Si vingt crimes nouveaux n'avaient trop su l'éteindre,
Si je ne l'abhorrais! Ah! qu'un cœur est à plaindre
De s'être à son amour longtemps accoutumé,   65
Quand il faut n'aimer plus ce qu'on a tant aimé!
Pourquoi, grands dieux! pourquoi la fîtes-vous si belle?
Mais ne me parlez plus, amis, de l'infidèle :
Que m'importe qu'un autre adore ses attraits,
Qu'un autre soit le roi de ses festins secrets :   70
Que tous deux en riant ils me nomment peut-être;
De ses cheveux épars qu'un autre soit le maître;
Qu'un autre ait ses baisers, son cœur; qu'une autre main
Poursuive lentement des bouquets sur son sein?
Un autre! Ah! je ne puis en souffrir la pensée!   75
Riez, amis, nommez ma fureur insensée.
Vous n'aimez pas, et j'aime, et je brûle, et je pars
Me coucher sur sa porte, implorer ses regards :

V. 67. C'est la même pensée que dans Properce, II, II :
> Cur hæc in terris facies humana moratur?

V. 70-71. Properce, III, xxv :
> Risus eram positis inter convivia mensis,
> Et de me poterat quilibet esse loquax.

Mais André semble surtout s'être souvenu d'un autre passage de Properce, II, IX :
> Quin etiam multo duxisti pocula risu;
> Forsitan et de me verba fuere mala.

V. 76. Properce, II, VIII :
> Eripitur nobis jam pridem cara puella,
> Et tu me lacrymas fundere, amice, vetas?
> Nullæ sunt inimicitiæ, nisi amoris, acerbæ :
> Ipsum me jugula, lenior hostis ero.
> Possum ego in alterius positam spectare lacerto?

Cf. Bertin, *Am.*, II, IX; Le Brun, *Él.*, III, VI; II, v.

V. 78. Que de vœux, de menaces, d'imprécations adressées à cette porte par les poëtes! Voy. Catulle, LXVII, etc.

Elle entendra mes pleurs, elle verra mes larmes ;
Et dans ses yeux divins, pleins de grâces, de charmes,　　80
Le sourire ou la haine, arbitres de mon sort,
Vont ou me pardonner, ou prononcer ma mort.

XII

Il n'est donc plus d'espoir, et ma plainte perdue
A son esprit distrait n'est pas même rendue !
Couchons-nous sur sa porte. Ici, jusques au jour
Elle entendra les pleurs d'un malheureux amour.
Mais, non... Fuyons... Une autre avec plaisir tentée　　5
Prendra soin d'accueillir ma flamme rebutée,
Et de mes longs tourments pour consoler mon cœur...
Mais plutôt renonçons à ce sexe trompeur.
Qui ? moi ? j'aurais voulu sur ce seuil inflexible
Tenter à mes douleurs un cœur inaccessible ;　　10
J'aurais flatté, gémi, pleuré, prié, pressé !...

.　.　.　.　.　.　.　.　.　.　.　.　.　.　.　.

Que l'amour au plus sage inspire de folie !
Allons ; me voilà libre, et pour toute ma vie.
Oui, j'y suis résolu ; je n'aimerai jamais ;
J'en jure... Ma perfide avec tous ses attraits　　15
Ferait pour m'apaiser un effort inutile...
J'admire seulement qu'à ce sexe imbécile
Nous daignions sur nos vœux laisser aucun pouvoir ;
Pour repousser ses traits on n'a qu'à le vouloir.
Ingrate que j'aimais, je te hais, je t'abhorre...　　20

V. 79. Éd. 1826 et 1839 :

　　　Elle entendra mes cris, elle verra mes larmes.

　XII. — V. 17. « *Imbécile,* » faible, suivant l'étymologie latine. Corneille, *OEd.*, I, IV :

　　　Le sang a peu de droits dans le *sexe imbécile.*

Mais quel bruit à sa porte?... Ah! dois-je attendre encore?
J'entends crier les gonds... On ouvre, c'est pour moi!...
Oh! ma Camille m'aime et me garde sa foi...
Je l'adore toujours... Ah! dieux! ce n'est pas elle!
Le vent seul a poussé cette porte cruelle.   25

XIII

Allez, mes vers, allez; je me confie en vous;
Allez fléchir son cœur, désarmer son courroux;
Suppliez, gémissez, implorez sa clémence,
Tant qu'elle vous admette enfin en sa présence.
Entrez; à ses genoux prosternez vos douleurs,   5
Le deuil peint sur le front, abattus, tout en pleurs,
Et ne revoyez point mon seuil triste et farouche,
Que vous ne m'apportiez un pardon de sa bouche.

V. 22-25. Ovide, *Am.*, I, VI :

> Fallimur? an verso sonuerunt cardine postes,
> Raucaque concussæ signa dedere fores?
> Fallimur, impulsa est animoso janua vento.

Ce que Passerat imite ainsi :

> On vient à l'huis, on touche à la serrure.
> Je suis trompé : l'huis ainsi que devant
> Demeure clos : c'estoit le bruit du vent
> Qui avec lui ce bel espoir emporte.

Schiller s'est aussi souvenu d'Ovide dans une charmante élégie intitulée
l'Attente.

XIII. — V. 4. « *Tant qu'elle vous admette.* » *Tant que,* suivi du
subjonctif, équivaut à *jusqu'à tant que,* fréquent chez les écrivains du
seizième siècle. *Tant que* est ancien dans la langue. On en trouve des
exemples dans les écrivains des treizième et quatorzième siècles. C'est
à tort, comme le remarque M. Godefroy, que l'Académie a blâmé cette
expression dans Corneille.

XIV

Ah! des pleurs! des regrets! Lisez, amis; c'est elle.
On m'outrage, on me chasse, et puis on me rappelle.
Non : il fallait d'abord m'accueillir sans détours.
Non, non; je n'irai point. La nuit tombe; j'accours.
On s'excuse, on gémit, enfin on me renvoie;   5
Je sors. Chez mes amis je viens trouver la joie,
Et parmi nos festins un billet repentant
Bientôt me suit et vient me dire qu'on m'attend.

« Écoute, jeune ami de ma première enfance,
Je te connais. Malgré ton aimable silence,   10
Je connais la beauté qui t'a contraint d'aimer,
Qui t'agite tout bas, que tu n'oses nommer.
Certe un beau jour n'est pas plus beau que son visage;
Mais, si tu ne veux point gémir dans l'esclavage,

XIV. — V. 1. Le début de cette élégie semble imité de Térence, *Eu-nuque*, I, I, 1 :

> Quid igitur faciam? non eam? ne nunc quidem,
> Cum arcessor ultro? an potius ita me comparem,
> Non perpeti meretricum contumelias?
> Exclusit, revocat. Redeam? non, si me obsecret.

Passage déjà imité par Horace, *Sat.*, II, III, 262 :

> . . . . Nec nunc, quum me vocat ultro,
> Accedam: An potius mediter finire dolores?
> Exclusit, revocat : Redeam? non, si obsecrèt...

C'est la même situation que dans Properce, III, XVI

> Nox media, et dominæ mihi venit epistola nostræ.

V. 4. L'édition 1839 avait introduit un contre-sens en ponctuant ce vers ainsi :

> Non, non : je n'irai point, la nuit tombe; j'accours.

V. 13. Ce vers rappelle celui de Racine, *Phèdre*, IV, II :

> Le jour n'est pas plus pur que le fond de mon cœur.

Et Chénier sans doute n'a pas été sans y penser.

Sache que trop d'amour excite leur dédain.   15

Laisse-la quelquefois te désirer en vain.

Il est bon, quelque orgueil dont s'enivrent ces belles,

De leur montrer pourtant qu'on peut se passer d'elles.

Viens, et loin d'être faible, allons, si tu m'en crois,

Respirer la fraîcheur de la nuit et des bois ;   20

Car, dans cette saison de chaleurs étouffée,

Tu sais, le jour n'est bon qu'à donner à Morphée.

Allons. Et pour Camille, elle n'a qu'à dormir. »

Passons devant ses murs. Je veux, pour la punir,

Je veux qu'à son réveil demain on lui rapporte   25

Qu'on m'a vu : je passais sans regarder sa porte.

Qu'elle s'écrie alors, les larmes dans les yeux,

Que tout homme est parjure, et qu'il n'est point de dieux !

Tiens, c'est ici. Voilà ses jardins solitaires

Tant de fois attentifs à nos tendres mystères ;   30

Et là, tiens, sur ma tête est son lit amoureux,

Lit chéri, tant de fois fatigué de nos jeux.

Ah ! le verre et le lin, délicate barrière,

Laissent voir à nos yeux la tremblante lumière

Qui, jusqu'à l'aube au teint moins que le sien vermeil,   35

Veille près de sa couche et garde son sommeil.

C'est là qu'elle m'attend. Oh ! si tu l'avais vue,

Quand, fermant ses beaux yeux, mollement étendue,

Laissant tomber sa tête, un calme pur et frais

Comme aux anges du ciel fait reluire ses traits !   40

V. 15. « *Leur dédain,* » le dédain des belles.

V. 21. Éd. 1826 et 1839 :

> Car, dans cette saison de chaleur étouffée.

V. 29-32. Ovide, *Remède d'amour,* 725 :

> . . . . Fugito loca conscia vestri
> Concubitus ; causas mille doloris habent.
> « Hic fuit, hic cubuit ; thalamo dormivimus isto ;
> Hic mihi lasciva gaudia nocte dedit. »

Ah ! je me venge aussi plus qu'elle ne mérite.
Un vain caprice, un rien... Ami, fuyons bien vite ;
Fuyons vite, courons. Mes projets seront sûrs
Quand je ne verrai plus sa porte ni ses murs.

XV

Mais ne m'a-t-elle pas juré d'être infidèle ?
Mais n'est-ce donc pas moi qu'elle a banni loin d'elle ?
Mais sa voix intrépide, et ses yeux, et son front,
Ne se vantaient-ils pas de m'avoir fait affront ?
C'est donc pour essuyer quelque nouvel outrage,   5
Pour l'accabler moi-même et d'insulte et de rage,
La prier, la maudire, invoquer le cercueil,
Que je retourne encor vers son funeste seuil,
Errant dans cette nuit turbulente, orageuse,
Moins que ce triste cœur noire et tumultueuse ?   10

Ce n'était pas ainsi que sans crainte et sans bruit,
Jadis à la faveur d'une plus belle nuit,
Invisible, attendu par des baisers de flamme...
O toi, jeune imprudent que séduit une femme,
Si ton cœur veut en croire un cœur trop agité,   15
Ne courbe point ta tête au joug de la beauté ;
Ris plutôt de ses feux et méprise ses charmes.

XV. — V. 14 et suiv. Tibulle, III, vi, 43 :

> Vos ego nunc moneo : felix, quicumque dolore
>   Alterius disces posse carere tuo.
> Nec vos aut capiant pendentia brachia collo,
>   Aut fallat blanda sordida lingua prece.
> Etsi perque suos fallax juravit ocellos,
>   Junonemque suam, perque suam Venerem :
> Nulla fides inerit ; . . . .

Cf. Properce, I, xv ; Thomson, *Seas.*, *Wint.*, 978.
V. 22. Moschus, *Id.*, I, 27, en parlant de l'Amour lui-même :

> . . . .Κακὸν τὸ φίλαμα, τὸ χείλεα φάρμακόν ἐντι.

Vois d'un œil sec et froid ses soupirs et ses larmes.
Règne en tyran cruel ; aime à la voir souffrir ;
Laisse-la toute seule et transir et mourir.   20
Tous ses soupirs sont faux, ses larmes infidèles,
Son souris venimeux, ses caresses mortelles.
Ah ! si tu connaissais de quel art inouï
La perfide enivra ce cœur qu'elle a trahi !
De quel art ses discours (faut-il qu'il m'en souvienne !)   25
Me faisaient voir sa vie attachée à la mienne !
Avait-elle bien pu vivre et ne m'aimer pas ?
Combien de fois, de joie expirante en mes bras,
Faible, exhalant à peine une voix amoureuse :
« Ah ! dieux ! s'écriait-elle, ah ! que je suis heureuse ! »   30
Combien de fois encor, d'une brûlante main
Pressant avec fureur ma tête sur son sein,
Ses cris me reprochaient des caresses paisibles !
Mes baisers, à l'entendre, étaient froids, insensibles ;
Le feu qui la brûlait ne pouvait m'enflammer,   35
Et mon sexe cruel ne savait point aimer !
Et moi, fier et confus de son inquiétude,
Je faisais le procès à mon ingratitude :
Je plaignais son amour, et j'accusais le mien ;
Je haïssais mon cœur si peu digne du sien.   40

Je frissonne. Ah ! je sens que je m'approche d'elle.
Oui, je la vois, grands dieux ! cette maison cruelle
Que sans trouble jamais n'abordèrent mes pas.
Mais ce trouble était doux, et je ne mourais pas ;
Mais elle n'avait point, sans pitié même feinte,   45
Rassasié mon cœur et de fiel et d'absinthe.

V. 38. « *Faire le procès à...,* » expression peu poétique et surtout peu élégiaque ; elle est mieux à sa place dans l'épître ou dans la
satire, et c'est là que Boileau l'a employée, dans le *Discours au roi* et
dans la *Satire* IV.

Ah! d'affronts aujourd'hui je la veux accabler.
De véritables pleurs de ses yeux vont couler.
Tout ce qu'ont de plus dur l'insulte, la colère,
Je veux... Mais essayons plutôt ce que peut faire   50
Ce silence indulgent qui semble caresser,
Qui pardonne et rassure, et plaint sans offenser.
Oui, laissons le dépit et l'injure farouche ;
Allons, je veux entrer le rire sur la bouche,
Le front calme et serein. Camille, je veux voir   55
S'il est vrai que la paix soit toute en mon pouvoir.
Prends courage, mon cœur : de douces espérances
Me disent qu'aujourd'hui finiront tes souffrances.

XVI

Eh bien ! je le voulais. J'aurais bien dû me croire !
Tant de fois à ses torts je cédai la victoire !
Je devais une fois du moins, pour la punir,
Tranquillement l'attendre et la laisser venir.
Non. Oubliant quels cris, quelle aigre impatience   5
Hier sut me contraindre à la fuite, au silence,
Ce matin (de mon cœur trop facile bonté !)
Je veux la ramener sans blesser sa fierté ;
J'y vole ; contre moi je lui cherche une excuse ;
Je viens lui pardonner, et c'est moi qu'elle accuse.   10
C'est moi qui suis injuste, ingrat, capricieux :
Je prends sur sa faiblesse un empire odieux.
Et sanglots et fureurs, injures menaçantes,
Et larmes, à couler toujours obéissantes ;

XVI. — V. 3. Éd. 1833 :

      Je devais, une fois au moins, pour la punir.

V. 10. Éd. 1833 :

      Je veux lui pardonner, et c'est moi qu'elle accuse.

Et pour la paix il faut que d'avoir eu raison,   15
Confus et repentant, je demande pardon.
O Camille ! Camille !. . . . .

. . . .

XVII

O nuit, nuit douloureuse ! ô toi, tardive aurore,
Viens-tu ? vas-tu venir ? es-tu bien loin encore ?
Ah ! tantôt sur un flanc, puis sur l'autre, au hasard
Je me tourne et m'agite, et ne peux nulle part
Trouver que l'insomnie amère, impatiente,   5
Qu'un malaise inquiet et qu'une fièvre ardente.
Tu dors, belle Camille ; et c'est toi, mon amour,
Qui retiens ma paupière ouverte jusqu'au jour !
Si tu l'avais voulu, dieux ! cette nuit cruelle
Aurait pu s'écouler plus rapide et plus belle.   10
Mon âme comme un songe autour de ton sommeil
Voltige. En me lisant, demain à ton réveil

V. 15 et 16. Éd. 1819, 1826 et 1859 :

> Et pour la paix il faut, loin d'avoir eu raison,
> Confus et repentant, demander mon pardon.

V. 17. Cet hémistiche fut ajouté dans l'éd. de 1833.

XVII. — C'est le début des *Nuées* d'Aristophane :

> ῏Ω Ζεῦ βασιλεῦ, τὸ χρῆμα τῶν νυκτῶν ὅσον
> ἀπέραντον· οὐδέποθ' ἡμέρα γενήσεται;

V. 5-6. Ovide, *Am.*, I, II, 1 :

> Esse quid hoc dicam, quod tam mihi dura videntur
> Strata, neque in lecto pallia nostra sedent,
> Et vacuus somno noctem, quam longa, peregi,
> Lassaque versati corporis ossa dolent ?

Un volume suffirait à peine à réunir les passages des poëtes qui ont soupiré les mêmes plaintes. Cf. Sappho (ap. Hephæst., p. 58) ; Properce, II, xvii ; Marot, *Élég.*, XII.

V. 11. Voy. *Poés. ant.*, *Élég.*, III, 30.

Tu verras, comme toi, si mon cœur est paisible.
J'ai soulevé, pour toi, sur ma couche pénible,
Ma tête appesantie. Assis et plein de toi,   15
Le nocturne flambeau qui luit auprès de moi
Me voit, en sons plaintifs et mêlés de caresses,
Verser sur le papier mon cœur et mes tendresses.
O Camille, tu dors! tes doux yeux sont fermés.
Ton haleine de rose aux soupirs embaumés   20
Entr'ouvre mollement tes deux lèvres vermeilles.
Mais, si je me trompais, dieux! ô dieux! si tu veilles,
Et, lorsque loin de toi j'endure le tourment
D'une insomnie amère, aux bras d'un autre amant,
Pour toi, de cette nuit qui s'échappe trop vite,   25
Une douce insomnie embellissait la fuite!

Dieu d'oubli, viens fermer mes yeux. O dieu de paix,
Sommeil, viens, fallût-il les fermer pour jamais!
Un autre dans ses bras! ô douloureux outrage!
Un autre! ô honte! ô mort! ô désespoir! ô rage!   30
Malheureux insensé, pourquoi, pourquoi les dieux
A juger la beauté formèrent-ils mes yeux?
Pourquoi cette âme faible et si molle aux blessures

V. 13. Éd. 1839 :

> Tu verras, comme moi, si mon cœur est paisible.

André dit : Tu verras si mon cœur est paisible comme toi (comme le
tien).
V. 23. Éd. 1826 :

> Et si, quand loin de toi j'endure le tourment.

Cette correction faisait disparaître une irrégularité de construction. Toutefois il est dans les habitudes de style d'André de ne pas répéter les
particules conjonctives; il y en a des exemples très-remarquables dans
les *OEuvres en prose*, ce dont le lecteur ne peut pas juger, attendu que
la plupart de ces passages ont été altérés par les éditeurs.
V. 33. Éd. 1826 et 1839 :

> Pourquoi ce cœur est-il si facile aux blessures.

De ces regards féconds en douces impostures ?
Une amante moins belle aime mieux, et du moins,   35
Humble et timide à plaire, elle est pleine de soins ;
Elle est tendre ; elle a peur de pleurer votre absence.
Fidèle, peu d'amants attaquent sa constance ;
Et son égale humeur, sa facile gaîté,
L'habitude, à son front tiennent lieu de beauté.   40
Mais celle qui partout fait conquête nouvelle,
Celle qu'on ne voit point sans dire : « Qu'elle est belle ! »
Insulte, en son triomphe, aux soupirs de l'amour.
Souveraine au milieu d'une tremblante cour,
Dans son léger caprice inégale et soudaine,   45

« *Molle* », sensible. Properce, III, xv, 29, dit . « Lacrymis Amphiona
mollem. » Ovide, *Hér.*, XV, 79 :

> Molle meum levibusque cor est violabile telis.

et Properce, II, xxii, dont André paraît surtout s'être souvenu :

> Quæris, Demophoon, cur sim tam mollis in omnes.

V. 35 et suiv. On a admiré avec raison la coupe savante de ces vers.
Voici des vers de Racine, *Andromaque*, IV, v, coupés absolument de
même :

> Achevez votre hymen, j'y consens ; mais, du moins,
> Ne forcez pas mes yeux d'en être les témoins.

Ovide, *Am.*, II, xvii :

> Atque utinam dominæ miti quoque præda fuissem,
> Formosæ quoniam præda futurus eram.
> Dat facies animos : facie violenta Corinna est.

Cette élégie, un modèle, s'éloigne de la satire d'Horace, I, ii, où il est
parlé de la matrone et de la courtisane. La crudité de la satire d'Horace
ne devait pas tenter le goût délicat d'André. Mais Régnier, dans son
épître II, a marché hardiment sur les traces du poëte latin. Voici quelques vers qui se rapportent à la même pensée ; André n'eût pu dire mieux
ni dans un plus grand style :

> Aimer en trop haut lieu une dame hautaine,
> C'est aimer en soucy le travail et la peine ;
> C'est nourrir son amour de respect et de soin.
> Je suis saoul de servir le chapeau dans le poing,
> Et fuy plus que la mort l'amour d'une grand dame.
> Toujours, comme un forçat, il faut être à la rame,
> Naviguer jour et nuit, et sans profit aucun,
> Porter tout seul le faix de ce plaisir commun.

Tendre et douce aujourd'hui, demain froide et hautaine,
Si quelqu'un se dérobe à ses enchantements,
Qu'est-ce enfin qu'un de moins dans un peuple d'amants?
On brigue ses regards, elle s'aime et s'admire,
Et ne connaît d'amour que celui qu'elle inspire.   50

XVIII

Allons, l'heure est venue, allons trouver Camille.
Elle me suit partout. Je dormais, seul, tranquille;
Un songe me l'amène, et mon sommeil s'enfuit.
Je la voyais en songe au milieu de la nuit ;
Elle allait me cherchant sur sa couche fidèle,   5
Et me tendait les bras et m'appelait près d'elle.
Les songes ne sont point capricieux et vains ;
Ils ne vont point tromper les esprits des humains.
De l'Olympe souvent un songe est la réponse ;
Dans tous ceux des amants la vérité s'annonce.   10
Quel air suave et frais ! le beau ciel ! le beau jour !
Les dieux me le gardaient ; il est fait pour l'amour.

Quel charme de trouver la beauté paresseuse,
De venir visiter sa couche matineuse,

V. 48. Éd. 1826 et 1839 :

> Qu'est-ce alors qu'un de moins dans un peuple d'amants ?

V. 49. Éd. 1826 et 1839 :

> On brigue ses regards, elle s'aime, s'admire.

XVIII. — V. 10. Virgile, *Égl.*, VIII, 108 :

> Credimus? an, qui amant, ipsi sibi somnia fingunt?

Au surplus, comme le dit Segrais, *Égl.*, III :

> Un amant sans dormir se forme bien des songes.

Racine, *Mithr.*, III, IV, a dit sans image :

> L'amour avidement croit tout ce qui le flatte.

De venir la surprendre au moment que ses yeux   15
S'efforcent de s'ouvrir à la clarté des cieux,
Douce dans son éclat, et fraîche et reposée,
Semblable aux autres fleurs, filles de la rosée !
Oh ! quand j'arriverai, si, livrée au repos,
Ses yeux n'ont point encor secoué les pavots,   20
Oh ! je me glisserai vers la plume indolente,
Doucement, pas à pas, et ma main caressante
Et mes fougueux transports feront à son sommeil
Succéder un subit, mais un charmant réveil ;
Elle reconnaîtra le mortel qui l'adore,   25
Et mes baisers longtemps empêcheront encore
Sur ses yeux, sur sa bouche, empressés de courir,
Sa bouche de se plaindre et ses yeux de s'ouvrir.

Mais j'entrevois enfin sa porte souhaitée.
Que de bruit ! que de chars ! quelle foule agitée !   50
Tous vont revoir leurs biens, leurs chimères, leur or,
Et moi, tout mon bonheur, Camille, mon trésor.
Hier, quand malgré moi je quittai son asile,
Elle m'a dit : « Pourquoi t'éloigner de Camille ?
Tu sais bien que je meurs si tu n'es près de moi. »   55
Ma Camille, je viens, j'accours, je suis chez toi.
Le gardien de tes murs, ce vieillard qui m'admire,

V. 15. Voy., dans l'*Art d'aimer*, la même pensée traitée autrement :
       Viens près d'elle au matin, quand le dieu du repos, etc.
Cf. Gent. Bernard, *Art d'aimer*, II :
       C'est au matin qu'un amant plus heureux, etc.
    V. 16. Properce n'a pas omis ce détail ravissant ; mais dans Properce,
I, III, 31, c'est la lune qui envahit la chambre de la belle dormeuse :
       Donec diversas percurrens luna fenestras,
          Luna moraturis sedula luminibus,
       Compositos levibus radiis patefecit ocellos.
    V. 21. « *La plume indolente*. » Avec quel art André relève un détail
un peu érotique par une épithète toute poétique ! Jamais, comme Bertin,
Am., I, IV, il n'aurait peint la Pudeur *entre deux draps*.

M'a vu passer le seuil et s'est mis à sourire.
Bon ! j'ai su (les amants sont guidés par les dieux)
Monter sans nul obstacle et j'ai fui tous les yeux.   40
Ah ! que vois-je ?... Pourquoi ma porte accoutumée,
Cette porte secrète, est-elle donc fermée ?
Camille, ouvrez, ouvrez, c'est moi. L'on ne vient pas.
Ciel ! elle n'est point seule ! On murmure tout bas.
Ah ! c'est la voix de Lise. Elles parlent ensemble.   45
On se hâte ; l'on court ; on vient enfin ; je tremble.
Qu'est-ce donc ? A m'ouvrir pourquoi tous ces délais ?
Pourquoi ces yeux mourants et ces cheveux défaits ?
Pourquoi cette terreur dont vous semblez frappée ?
D'où vient que me voyant Lise s'est échappée ?   50
J'ai cru, prêtant l'oreille, ouïr entre vous deux
Des murmures secrets, des pas tumultueux.
Pourquoi cette rougeur, cette pâleur subite ?
Perfide ! un autre amant ?... Ciel ! elle a pris la fuite.
Ah ! dieux ! je suis trahi. Mais je prétends savoir...   55
Lise, Lise, ouvrez-moi, parlez ! mais fol espoir !
La digne confidente auprès de sa maîtresse
Lui travaille à loisir quelque subtile adresse,
Quelque discours profond et de raisons pourvu,
Par qui ce que j'ai vu, je ne l'aurai point vu.   60

V. 58. « *Adresse,* » ruse ; Racine a dit :

> Le ciel punit ma feinte et confond votre adresse.

En ce sens il est plus fréquent au pluriel. M. Godefroy en a rassemblé un grand nombre d'exemples dans son *Lexique de Corneille*.

V. 48 et 66-67. André semble se souvenir de Méléagre, *Anth.*, V, 175 :

> Οἶδ', ὅτι μοι κενὸς ὅρκος, ἐπεί σέ γε τὴν φιλάσωτον
> μηνύει μυρόπνους ἀρτιβρεχὴς πλόκαμος.
> μηνύει ἄγρυπνον μὲν ἰδοὺ βεβαρημένον ὄμμα,
> καὶ σφιγκτὸς στεφάνων ἀμφὶ κόμαισι μίτος.

Il y a une situation analogue dans Catulle, VI.

V. 60. Voici le même sentiment dans l'âme de Roxane (*Bajazet*, IV, v) :

> Tu pleures ! et l'ingrat tout prêt à te trahir,
> Prépare le discours dont il veut t'éblouir,

Dieux ! comme elle approchait (sexe ingrat, faux, perfide !),
S'asseyant, effrontée à la fois et timide,
Voulant hâter l'effort de ses pas languissants,
Voulant m'ouvrir des bras fatigués, impuissants,
Abattue, et sa voix altérée, incertaine,   65
Ses yeux anéantis ne s'ouvrant plus qu'à peine,
Ses cheveux en désordre et rajustés en vain,
Et son haleine encore agitée, et son sein...
Des caresses de feu sur son sein imprimées,
Et de baisers récents ses lèvres enflammées,   70
J'ai tout vu : tout m'a dit une coupable nuit.
Sans même oser répondre, interdite, elle fuit,
Sans même oser tenter le hasard d'un mensonge.
Et moi, comme abusé des promesses d'un songe,
Je venais, j'accourais, sûr d'être souhaité,   75
Plein d'amour, et de joie, et de tranquillité !

XIX

LA LAMPE

O nuit ! j'avais juré d'aimer cette infidèle ;
Sa bouche me jurait une amour éternelle,

XIX. *La Lampe* est une des plus célèbres élégies d'André ; c'est un
sujet qui a toujours fourni aux poètes et aux peintres de charmants tableaux, soit qu'Héro de sa lampe guide les efforts du nocturne nageur,
soit que la curieuse Psyché aille, sa lampe à la main, surprendre Éros endormi. — Dans les éd. 1819, 1826, 1833, 1839, cette élégie portait en
titre : IMITÉ D'ASCLÉPIADE ; il y a bien, si l'on veut, quelque lointain
rapport entre le début de l'élégie et celui de l'épigramme d'Asclépiade,
Anth., V, 7 :

> Λύχνε, σὲ γὰρ παρεοῦσα τρὶς ὤμοσεν Ἡράκλεια
>   ἥξειν, κοὐκ ἥκει· λύχνε, σὺ δ', εἰ θεὸς εἶ,
> τὴν δολίην ἐπάμυνον· ὅταν φίλον ἔνδον ἔχουσα
>   παίζῃ, ἀποσβεσθεὶς μηκέτι φῶς πάρεχε.

Et c'est toi qu'attestait notre commun serment.
L'ingrate s'est livrée aux bras d'un autre amant,
Lui promet de l'aimer, le lui dit, le lui jure,   5
Et c'est encore toi qu'atteste la parjure !

Et toi, lampe nocturne, astre cher à l'amour,
Sur le marbre posée, ô toi, qui, jusqu'au jour,
De ta prison de verre éclairais nos tendresses,
C'est toi qui fus témoin de ses douces promesses.   10
Mais, hélas ! avec toi son amour incertain
Allait se consumant et s'éteignit enfin ;
Avec toi les serments de cette bouche aimée
S'envolèrent bientôt en légère fumée.
Près de son lit, c'est moi qui fis veiller tes feux   15
Pour garder mes amours, pour éclairer nos jeux ;
Et tu ne t'éteins pas à l'aspect de son crime !

Mais, comme M. Sainte-Beuve l'a déjà fait remarquer, c'est Méléagre,
Anth., V, 8, qui a complétement fourni à André le sujet de son élégie.
Souvenirs des serments, parjure de l'ingrate, tendre reproche de l'amant
à la lampe, tout se trouve en germe dans l'épigramme de Méléagre :

> Νὺξ ἱερὴ, καὶ λύχνε, συνίστορας οὔτινας ἄλλους
> ὅρκοις, ἀλλ' ὑμέας εἱλόμεθ' ἀμφότεροι.
> Χὠ μὲν ἐμὲ στέρξειν, κεῖνον δ' ἐγὼ οὔ ποτε λείψειν
> ὠμόσαμεν, κοινὴν δ' εἴχετε μαρτυρίην.
> Νῦν δ' ὁ μὲν ὅρκια φησὶν ἐν ὕδατι κεῖνα φέρεσθαι·
> λύχνε, σὺ δ' ἐν κόλποις αὐτὸν ὁρᾷς ἑτέρων.

Parmi les petits poëtes de l'*Anthologie* Méléagre est un des meilleurs ;
il a en foule des idées fraîches, des images gracieuses, précieuses un peu,
c'est son défaut ; il a souvent de la délicatesse en amour, et l'idée de la
lampe est heureuse ; il y revient encore dans d'autres épigrammes (*Anth.*,
V, 165, 166). — Properce, II, xv, a dit, se souvenant sans doute du
poëte grec :

> O me felicem ! o nox mihi candida ! et, o tu,
>   Lectule, deliciis facta beate meis !
> Quam multa adposita narramus verba lucerna,
>   Quantaque sublato lumine rixa fuit !

V. 9. Saint-Lambert, *Print.*, a la même périphrase :

> Où languit, enchaîné *dans sa prison de verre*,
> Le stérile habitant d'une rive étrangère.

Et tu sers aux plaisirs d'un rival qui m'opprime !
Tu peux, fausse comme elle et comme elle sans foi,
Être encor pour autrui ce que tu fus pour moi,　　　　　20
Montrant à d'autres yeux, que tu guides sur elle,
Combien elle est perfide et combien elle est belle !

— Poëte malheureux, de quoi m'accuses-tu ?
Pour te la conserver j'ai fait ce que j'ai pu.
Mes yeux dans ses forfaits même ont su la poursuivre,　　25
Tant que ses soins jaloux me permirent de vivre.
Hier, elle semblait en efforts languissants
Avoir peine à traîner ses pas et ses accents.
Le jour venait de fuir, je commençais à luire
Sa couche la reçut, et je l'ouïs te dire　　　　　　　30
Que de son corps souffrant les débiles langueurs
D'un sommeil long et chaste imploraient les douceurs.
Tu l'embrasses, tu pars, tu la vois endormie.
A peine tu sortais, que cette porte amie
S'ouvre : un front jeune et blond se présente, et je vois　　35
Un amant aperçu pour la première fois.
Elle alors d'une voix tremblante et favorable
Lui disait : « Non, partez ; non, je suis trop coupable. »
Elle parlait ainsi, mais lui tendait les bras.
Le jeune homme près d'elle arrivait pas à pas.　　　　40
Alors je vis s'unir ces deux bouches perfides.

. . . .

V. 32. Méléagre, *Anth.*, V, 184 :

　　Ταῦτ᾽ ἦν, ταῦτ᾽, ἐπίορκε ; μόνη σὺ πάλιν, μόνη ὑπνοῖς,
　　　ὦ τόλμης ; καὶ νῦν, νῦν ἔτι φησί, μόνη.

Cf. le vers 60 de l'élégie précédente.

V. 41 et suiv. Argentarius, *Anth.*, V, 128, a retracé le même voluptueux tableau ; l'idée de la lampe s'y ajoute à la fin

　　Στέρνα περὶ στέρνοις, μαστῷ δ᾽ ἐπὶ μαστὸν ἐρείσας,
　　　χείλεα δὲ γλυκεροῖς χείλεσι συμπιέσας
　　Ἀντιγόνης, καὶ χρῶτα βαλὼν πρὸς χρῶτα, τὰ λοιπὰ
　　　σιγῶ, μάρτυς ἐφ᾽ οἷς λύχνος ἐπεγράφετο.

Je vis de ses beaux flancs l'albâtre ardent et pur,
Lis, ébène, corail, roses, veines d'azur,
Telle enfin qu'autrefois tu me l'avais montrée,
De sa nudité seule embellie et parée,   45
Quand vos nuits s'envolaient, quand le mol oreiller
La vit sous tes baisers dormir et s'éveiller,
Et quand tes cris joyeux vantaient ma complaisance,
Et qu'elle, en souriant, maudissait ma présence.
En vain au dieu d'amour que je crus ton appui,   50
Je demandai la voix qu'il me donne aujourd'hui.
Je voulais reprocher tes pleurs à l'infidèle ;
Je l'aurais appelée ingrate, criminelle.
Du moins, pour réveiller dans leur profane sein
Le remords, la terreur, je m'agitai soudain,   55
Et je fis à grand bruit de la mèche brûlante
Jaillir en mille éclairs la flamme petillante.
Elle pâlit, trembla, tourna sur moi les yeux,
Et, d'une voix mourante, elle dit : « Ah ! grands dieux !
Faut-il, quand tes désirs font taire mes murmures,   60
Voir encor ce témoin qui compte mes parjures ! »
Elle s'élance ; et lui, la serrant dans ses bras,
La retenait, disant : « Non, non, ne l'éteins pas. »

Je cessai de brûler : suis mon exemple, cesse.
On aime un autre amant, aime une autre maîtresse :   65
Souffle sur ton amour, ami, si tu me crois,
Ainsi que pour m'éteindre elle a soufflé sur moi.

V. 45. Telle Ève dans *le Par. perd.* : « Undeck'd save with herself. »
V. 53. Racine, *Britannicus*, III, VI :
     Non, je la crois, Narcisse, ingrate, criminelle.
V. 55. La Fontaine, *Filles de Minée :*
    . . . . Un orage soudain
  Jette un secret remords dans leur profane sein.
V. 65. Même opposition de pensée dans Catulle, VIII .
    Nunc jam illa non vult : tu quoque, impotens, noli.

XX

Non, je ne l'aime plus ; un autre la possède.
On s'accoutume au mal que l'on voit sans remède.
De ses caprices vains je ne veux plus souffrir :
Mon élégie en pleurs ne sait plus l'attendrir ;
Allez, Muses, partez : votre art m'est inutile.   5
Que me font vos lauriers ? Vous laissez fuir Camille.
Près d'elle je voulais vous avoir pour soutien ;
Allez, Muses, partez, si vous n'y pouvez rien.

Voilà donc comme on aime ! On vous tient, vous caresse,
Sur les lèvres toujours on a quelque promesse !   10

XX. — V. 5-8. Tibulle, II, iv, 13 :

> Nec prosunt Elegi, nec carminis auctor, Apollo;
> Illa cava pretium flagitat usque manu.
> Ite procul, Musæ, si nil prodestis amanti ;
> Non ego vos, ut sint bella canenda, colo :
> Nec refero solisque vias, et qualis, ubi orbem
> Complevit, versis Luna recurrat equis.
> Ad dominam faciles aditus per carmina quæro :
> Ite procul, Musæ, si nihil ista valent.

C'est dans le même sentiment que La Fontaine s'écrie, *Élég.*, IV :

> Adieu plaisirs, honneurs, louange bien-aimée ;
> Que me sert le vain bruit d'un peu de renommée ?
> J'y renonce à présent : ces biens ne m'étaient doux
> Qu'autant qu'ils me pouvaient rendre digne de vous.

Cf. Bertin, *Am.*, II, xiii. — André Chénier s'est déjà inspiré de l'élégie de Tibulle, qu'il imite ici (voy. *Élégies*, I, xvi, et II, iii) ; il y reviendra encore plus loin, même livre, *Élégie* XXIV.

V. 9. Employant cette tournure, familière et poétique à la fois, par l'indéfini *on*, Corneille, *Pol.*, II, i, a dit :

> O trop aimable objet qui m'avez trop charmé,
> *Est-ce là comme on aime ?* et m'avez-vous aimé ?

Et Molière, *Tart.*, II, iv :

> *C'est donc ainsi qu'on aime ?* et c'était tromperie
> Quand vous. . . . .

Dans les vers d'André le dépit amoureux s'accuse encore davantage par la

Et puis... Ah ! laissez-moi, souvenirs ennemis,
Projets, attente, espoir, qu'elle m'avait permis.
« Nous irons au hameau. Loin, bien loin de la ville,
Ignorés et contents, un silence tranquille
Ne montrera qu'au ciel notre asile écarté.   15
Là son âme viendra m'aimer en liberté.
Fuyant d'un luxe vain l'entrave impérieuse,
Sans suite, sans témoins, seule et mystérieuse,
Jamais d'un œil mortel un regard indiscret
N'osera la connaître et savoir son secret.   20
Seul je vivrai pour elle, et mon âme empressée
Épiera ses désirs, ses besoins, sa pensée.
C'est moi qui ferai tout, moi qui de ses cheveux
Sur sa tête le soir assemblerai les nœuds.
Par moi de ses atours à loisir dépouillée,   25
Chaque jour par mes mains la plume amoncelée
La recevra charmante, et mon heureux amour
Détruira chaque nuit cet ouvrage du jour.
Sa table par mes mains sera prête et choisie ;
L'eau pure, de ma main lui sera l'ambrosie.   30

répétition du pronom, ainsi que dans ce passage de *Phèdre*, III, vi, ou
Achille blessé dit à Iphigénie :

> *On* me ferme la bouche ! *on* l'excuse ! *on* le plaint !
> C'est pour lui que l'*on* tremble ; et c'est moi que l'*on* craint !

V. 13 et suiv. Tibulle, I, v, 21 :

> At mihi felicem vitam, si salva fuisses
>   Fingebam demens, sed renuente Deo.
> Rura colam, frugumque aderit mea Delia custos...
> Illa regat cunctos, illi sint omnia curæ ;
>   Et juvet in tota me nihil esse domo.

Bertin, *Am.*, II, i, a ainsi imité ce passage de Tibulle :

> J'irai, j'irai loin du monde volage
> De mes aïeux cultiver l'héritage,...
> Mon Eucharis viendra donner des lois ; ...
> Je le disais. Quelle erreur insensée,
> Quel fol espoir enivrait ma pensée !
> Les vents, hélas ! en tourbillons fougueux
> Sur l'Océan ont emporté mes vœux.

Seul, c'est moi qui serai partout, à tout moment,
Son esclave fidèle et son fidèle amant. »
Tels étaient mes projets qu'insensés et volages
Le vent a dissipés parmi de vains nuages!

Ah! quand d'un long espoir on flatta ses désirs,　　　　35
On n'y renonce point sans peine et sans soupirs.
Que de fois je t'ai dit : « Garde d'être inconstante,
Le monde entier déteste une parjure amante.
Fais-moi plutôt gémir sous des glaives sanglants,
Avec le feu plutôt déchire-moi les flancs. »　　　　40
O honte! à deux genoux, j'exprimais ces alarmes;
J'allais couvrant tes pieds de baisers et de larmes.
Tu me priais alors de cesser de pleurer ;
En foule tes serments venaient me rassurer.

V. 33. Tibulle, I, v, 36 :

> Hæc mihi fingebam, quæ nunc Eurusque Notusque
> Jactat odoratos vota per Armenios.

Cette pensée est familière à Catulle; voy. LXIV, 58, 141 ; XXX, 9 ; du
reste, on la rencontre très-souvent dans les poëtes grecs et latins. Cf.
Homère, *Odyss.*, VIII, 408 ; Euripide, *Héc.*, 334 ; Théocrite, *Idyl.*, XXII,
167 ; Méléagre, *Anal.*, I, p. 21, LXXI; Virgile, *Énéide*, IX, 312 ; Ovide,
Hér., VII, 8 ; Claudien, *Rapt. Pros.*, III, 138 ; Stace, *Ach.*, II, 286.

V. 37-58. Imité de Tibulle, I, IX, 17 :

> Admonui quoties : auro ne pollue formam; . . .
> Ure meum potius flamma caput, et pete ferro
> 　Corpus, et intorto verbere terga seca. . . .
> . . . . Nunc me flevisse loquentem,
> 　Nunc pudet ad teneros procubuisse pedes.
> Tunc mihi jurabas, nullo te divitis auri
> 　Pondere, non gemmis vendere velle fidem;
> Non tibi si pretium Campania terra daretur,
> 　Non tibi, si Bacchi cura, Falernus ager.
> Illis eriperes verbis mihi, sidera cœlo
> 　Lucere, et puras fulminis esse vias.
> Quin etiam flebas : at ego, non fallere doctus,
> 　Tergebam humentes credulus usque genas. . . .
> Illa velim rapida Vulcanus carmina flamma
> 　Torreat, et liquida deleat amnis aqua.

V. 40. Cf. Properce, I, I, 27.

Mes craintes t'offensaient ; tu n'étais pas de celles   45
Qui font jeu de courir à des flammes nouvelles :
Mille sceptres offerts pour ébranler ta foi,
Eût-ce été rien au prix du bonheur d'être à moi ?
Avec de tels discours, ah ! tu m'aurais fait croire
Aux clartés du soleil dans la nuit la plus noire.   50
Tu pleurais même ; et moi, lent à me défier,
J'allais avec le lin dans tes yeux essuyer
Ces larmes lentement et malgré toi séchées ;
Et je baisais ce lin qui les avait touchées.
Bien plus, pauvre insensé ! j'en rougis : mille fois   55
Ta louange a monté ma lyre avec ma voix.
Je voudrais que Vulcain, et l'onde où tout s'oublie,
Eût consumé ces vers témoins de ma folie.
La même lyre encor pourrait bien me venger,
Perfide ! Mais non, non, il faut n'y plus songer.   60
Quoi ! toujours un soupir vers elle me ramène !
Allons, haïssons-la, puisqu'elle veut ma haine.
Oui, je la hais. Je jure… Eh ! serments superflus !
N'ai-je pas dit assez que je ne l'aimais plus ?

V. 43. « *Tu n'étais pas de celles qui…* » tournure familière dont
Racine, dans *Phèdre*, III, III, offre un remarquable exemple :

> . . . . Je sais mes perfidies,
> Œnone, et *ne suis point de ces femmes hardies*
> *Qui*, goûtant dans le crime une tranquille paix,
> Ont su se faire un front qui ne rougit jamais.

V. 57. Bertin, *Am.*, II, x :

> Oui, je voudrais dans la flamme rapide
> Anéantir ces vers adulateurs ;
> Oui, je voudrais que l'Océan avide
> Eût englouti mes écrits imposteurs.

V. 58. Éd. 1826 :

> Eût englouti ces vers témoins de ma folie.

XXI

Je suis né pour l'amour, j'ai connu ses travaux ;
Mais certes sans mesure il m'accable de maux.
A porter ce revers mon âme est impuissante.
Et quoi ! beauté divine, incomparable amante,
Je vous perds ! Quoi ! par vous nos liens sont rompus !   5
Vous le voulez ; adieu, vous ne me verrez plus :
Du besoin de tromper ma fuite vous délivre.
Je vais loin de vos yeux pleurer au lieu de vivre !
Mais vous fûtes toujours l'arbitre de mon sort ;
Déjà vous prévoyez, vous annoncez ma mort.   10
Oui, sans mourir, hélas ! on ne perd point vos charmes.
Ah ! que n'êtes-vous là pour voir couler mes larmes,
Pour connaitre mon cœur, vos fers, vos cruautés,
Tout l'amour qui m'embrase et que vous méritez !
Pourtant, que faut-il faire ? on dit (dois-je le croire ?)   15
Qu'aisément de vos traits on bannit la mémoire ;
Que jusqu'ici vos bras inconstants et légers
Ont reçu mille amants comme moi passagers ;
Que l'ennui de vous perdre, où mon âme succombe,
N'a d'aucun malheureux accéléré la tombe.   20
Comme eux j'ai pu vous plaire, et comme eux vous lasser ;
De vous, comme eux encor, je pourrai me passer.
Mais quoi ! je vous jurai d'éternelles tendresses !
Et quand vous m'avez fait, vous, les mêmes promesses,

XXI. — V. 1-3. Térence, *Hécyre*, III, ɪ, 1 :

Nemini plura ego acerba credo esse ex amore homini unquam oblata,
Quam mi. Heu me infelicem, hanccine ego vitam parsi perdere ?

V. 18. Properce, II, xxɪv, 41 :

Credo ego non paucos ista periisse figura :
Credo ego sed multos non habuisse fidem :

Était-ce rien qu'un piége ? Il n'a point réussi.   25
J'ai fait comme vous-même : ah! l'on vous trompe aussi,
Vous, dans l'art de tromper maîtresse sans émule.

Vous avez donc pensé, perfide trop crédule,
Qu'un amant, par vous-même instruit au changement,
N'oserait, comme vous, abuser d'un serment ?   30
En moi c'était vengeance ; à vous ce fut un crime.

A tort un agresseur dispute à sa victime
Des armes dont son bras s'est servi le premier ;
Le fer a droit d'ouvrir le flanc du meurtrier.

Trahir qui nous trahit est juste autant qu'utile,   35
Et l'inventeur cruel du taureau de Sicile,

V. 25. C'est à tort que dans le premier hémistiche, sans y être astreint
par la mesure, André a fait l'ellipse de la négation devant *rien*.

V. 26. Molière, *Tart.*, V, III :

> Juste retour, monsieur, des choses d'ici-bas :
> Vous ne vouliez point croire et l'on ne vous croit pas.

V. 35. Maxime qu'on rencontre à chaque pas dans les auteurs antiques. Cf. Eschyle, *Prom.*, 936 ; Sophocle, *Électre*, 1026 ; Euripide,
Oreste, 1165. — Racine, *Androm.*, III, I, a dit :

> C'est trop gémir tout seul. Je suis las qu'on me plaigne :
> Je prétends qu'à son tour l'inhumaine me craigne,
> Et que ses yeux cruels, à pleurer condamnés,
> Me rendent tous les noms que je leur ai donnés.

Et dans *Mithridate*, III, IV :

> Trompons qui nous trahit : et pour connaître un traître
> Il n'est point de moyens. . . . .

V. 36. Le passage qui précède et cette belle comparaison sont imités
d'Ovide, *Art d'aimer*, I, 645 :

> Fallite fallentes : et magna parte profanum
>   Sunt genus ; in laqueos, quos posuere, cadant.....
> Et Phalaris tauro violenti membra Perilli
>   Torruit ; infelix imbuit auctor opus.
> Justus uterque fuit : neque enim lex æquior ulla,
>   Quam necis artifices arte perire sua.
> Ergo ut perjura merito perjuria fallant,
>   Exemplo doleat femina læsa suo.

Voy. cette même comparaison dans Dante, *Div. Com.*, *Enfer*, XXVII.
— Perse, *Sat.*, III, 9, a comparé les tortures de la conscience à celles
du taureau de Phalaris. — Périllus, dit-on, avait construit un taureau

Lui-même à l'essayer justement condamné,
A fait mugir l'airain qu'il avait façonné.

Maintenant, poursuivez : il suffit qu'on vous voie,
Vos filets aisément feront une autre proie ;   40
Je m'en fie à votre art moins qu'à votre beauté.
Toutefois, songez-y, fuyez la vanité.
Vous me devez un peu cette beauté nouvelle ;
Vos attraits sont à moi, c'est moi qui vous fis belle.
Soit orgueil, indulgence ou captieux détour,   45
Soit que mon cœur, gagné par vos semblants d'amour,
D'un peu d'aveuglement n'ait point su se défendre
(Car mon cœur est si bon et ma muse est si tendre!),
Je vins à vos genoux, en soupirs caressants,
D'un vers adulateur vous prodiguer l'encens.   50
De vos regards éteints la tristesse chagrine
Fut bientôt dans mes vers une langueur divine.
Ce corps fluet, débile et presque inanimé,
En un corps tout nouveau dans mes vers transformé,

d'airain dans les flancs duquel on devait brûler des victimes ; il avait
adapté des flûtes aux naseaux de l'animal, par où, s'échappant et se changeant en thrènes mélodieux, les cris du patient devaient charmer les
oreilles de Phalaris, tyran d'Agrigente, à qui Périllus fit don de son taureau. Mais Phalaris, pour essayer le taureau, y fit brûler l'inventeur
lui-même. Voy. Tzetzes, H., I 646. Cf. Plutarque, *Parall* , XXXIX : Pindare, *Pyth.*, I, 185 ; Lucien, *Phal. prior*, XI, XII ; Diodore, XIII, xc.
Quand André écrivit ces vers, il est probable qu'il venait de lire Valère
Maxime, qui, au livre IX, dans son chapitre II, *Sur la cruauté*, a rapporté l'histoire du taureau et de Périllus, qu'il appelle : « Sævus ille
ænei tauri inventor. »
   V. 52 et suiv. Properce, III, xxiv, 1 :

> Falsa est ista tuæ, mulier, fiducia formæ,
>   Olim oculis nimium facta superba meis.
> Noster amor tales tribuit tibi, Cynthia, laudes.
>   Versibus insignem te pudet esse meis.
> Mixtam te varia laudavi sæpe figura,
>   Ut, quod non esses, esse putaret amor ;
> Et color est toties roseo collata Eoo,
>   Quum tibi quæsitus candor in ore foret.

S'élançait léger, souple ; ils vous portaient la vie ;   55
Des nymphes, dans mes vers, vous excitiez l'envie.
Que de fois sur vos traits, par ma muse polis,
Ils ont mêlé la rose au pur éclat des lis !
Tandis qu'au doux réveil de l'aurore fleurie
Vos traits n'offraient aux yeux qu'une pâleur flétrie,   60
Et le soir, embellis de tout l'art du matin,
N'avaient de rose, hélas ! qu'un peu trop de carmin.
Ces folles visions des flammes dévorées
Ont péri, grâce aux dieux, pour jamais ignorées.
Sur la foi de mes vers mes amis transportés   65
Cherchaient partout vos pas, vos attraits si vantés,
Vous voyaient, et soudain, dans leur surprise extrême,
Se demandaient tout bas si c'était bien vous-même,
Et, de mes yeux séduits plaignant la trahison,
M'indiquait l'hellébore, ami de la raison.   70

« Quoi ! c'est là cet objet d'un si pompeux hommage !
Dieux ! quels flots de vapeurs inondent son visage !
Ses yeux si doux sont morts : elle croit qu'elle vit ;
Esculape doit seul approcher de son lit. »
Et puis tout ce qu'en vous je leur montrais de grâce   75

> Quod mihi non patrii poterant avertere amici,
> Eluere aut vasto Thessala saga mari.

On connaît ce remarquable passage de Lucrèce, IV, 1146 :

> Nam hoc faciunt homines plerumque cupidine cæci :
> Et tribuunt ea, quæ non sunt his commoda vere, etc.

Cf. Ovide, *Art d'aimer*, II, 656 ; Horace, *Sat.*, I, III, 44 ; Platon, *de
Republ.*, V. — Molière, *Mis.*, II, v, imitant Lucrèce :

> ... L'on voit les amants vanter toujours leur choix ;
> Jamais leur passion n'y voit rien de blâmable,
> Et dans l'objet aimé tout leur devient aimable, etc.

V. 55. Éd. 1839 :

> S'élançait léger, souple ; il vous portait la vie.

V. 71. Ronsard, *Am. div.*, XVI, a exprimé la même pensée :

> Chacun me dit : Ronsard, ta maîtresse n'est telle
> Comme tu la décris. . . . .

N'était rien à leurs yeux que fard et que grimace.
Je devais avoir honte : ils ne concevaient pas
Quel charme si puissant m'attirait dans vos bras.
Dans vos bras ! qu'ai-je dit ? Oh non ! Vénus avare
Ne m'a point fait un don qui fut toujours si rare.   80
Si je l'ai cru longtemps, après votre serment
Je vous crois, et jamais une belle ne ment ;
Jamais de vos bontés la confidente amie
Ne vint m'ouvrir la nuit une porte endormie,
Et jusqu'au lit de pourpre, en cent détours obscurs,   85
Guider ma main errante à pas muets et sûrs.
Je l'ai cru, pardonnez ; mais ce sera, je pense,…
Oui, c'est qu'à mon sommeil plein de votre présence
Un songe officieux, enfant de mes désirs,
M'apporta votre image et de vagues plaisirs.   90
Cette faute à vos yeux doit s'excuser peut-être ;
Même on cite un ingrat qui vous la fit commettre.

Adieu, suivez le cours de vos nobles travaux.
Cherchez, aimez, trompez mille imprudents rivaux.
Je ne leur dirai point que vous êtes perfide,   95
Que le plaisir de nuire est le seul qui vous guide,
Que vous êtes plus tendre, alors qu'un noir dessein,
Pour troubler leur repos, veille dans votre sein ;
Mais ils sauront bientôt, honteux de leur faiblesse,
Quitter avec opprobre une indigne maîtresse.   100
Vous pleurerez, et moi, j'apprendrai vos douleurs
Sans même les entendre, ou rire de vos pleurs.

V. 101. On peut comparer la fin de cette élégie avec Horace, *Épodes,*
XV ; Tibulle, I, ix, 79 ; et Catulle, VIII.
V. 102. Éd. 1826 et 1839 :

> Sans même les entendre, et rirai de vos pleurs.

André veut dire qu'il sera complétement indifférent aux douleurs de Camille ; qu'il ne rira même pas de ses pleurs.

XXII

AUX DEUX FRÈRES TRUDAINE

Amis, couple chéri, cœurs formés pour le mien,
Je suis libre : Camille à mes yeux n'est plus rien ;
L'éclat de ses yeux noirs n'éblouit plus ma vue.
Mais cette liberté sera bientôt perdue ;
Je me connais. Toujours je suis libre et je sers ;   5
Être libre pour moi n'est que changer de fers.
Autant que l'univers a de beautés brillantes,
Autant il a d'objets de mes flammes errantes.
Mes amis, sais-je voir d'un œil indifférent
Ou l'or des blonds cheveux sur l'albâtre courant,   10

XXII. — V. 8. André se peint comme le Thésée de Racine, *Phèdre*,
II, v :

> Volage adorateur de mille objets divers.

Cf. Anacréon, XXXII, XXXIII; Posidippe, *Anth.*, V, 211. Ovide, *Am.*,
II, iv :

> Centum sunt causæ cur ego semper amem.
> Sive aliqua est oculos in se dejecta modestos;
> Uror : et insidiæ sunt pudor ille meæ, etc.

Régnier, *Sat*, VII :

> Et comme à bien aimer mille causes m'invitent,
> Aussi mille beautés mes amours ne limitent ;
> Et courant çà et là, je trouve tous les jours
> En des sujets nouveaux de nouvelles amours.

Et La Fontaine, *Élég.*, V :

> Que faire? mon destin est tel, qu'il faut que j'aime.
> On m'a pourvu d'un cœur peu content de lui-même,
> Inquiet et fécond en nouvelles amours :
> Il aime à s'engager, mais non pas pour toujours.

V. 10. Properce, II, xxii ·

> Interea nostri quærunt sibi vulnus ocelli,
>   Candida non tecto pectore si qua sedet,
> Sive vagi crines puris in frontibus errant,
>   Indica quos medio vertice gemma tenet.

Ou d'un flanc délicat l'élégante noblesse,
Ou d'un luxe poli la savante richesse?
Sais-je persuader à mes rêves flatteurs
Que les yeux les plus doux peuvent être menteurs?
Qu'une bouche où la rose, où le baiser respire,   15
Peut cacher un serpent à l'ombre d'un sourire?
Que sous les beaux contours d'un sein délicieux
Peut habiter un cœur faux, parjure, odieux?
Peu fait à soupçonner le mal qu'on dissimule,
Dupe de mes regards, à mes désirs crédule,   20
Elles trouvent mon cœur toujours prêt à s'ouvrir.
Toujours trahi, toujours je me laisse trahir;
Je leur crois des vertus dès que je les vois belles.
Sourd à tous vos conseils, ô mes amis fidèles,
Relevé d'une chute, une chute m'attend;   25
De Charybde à Scylla toujours vague et flottant,

V. 16. Pétrone a dit dans un fragment :

> Omnis mulier intra pectus celat virus pestilens;
> Dulce de labris loquuntur, corde vivunt noxia.

Et Claudien, *Éloge de Stilicon*, II, 137, en parlant de la Volupté :

> . . . . Amicta dolosis
> Illecebris, torvos auro circumlinit hydros.

Fénelon, *Télémaque*, I, imitant un passage de Virgile (*Églogues*, III, 93) : « Gardez-vous d'écouter les paroles douces et flatteuses de Calypso, qui se glissent comme un serpent sous les fleurs ; craignez le poison caché. »
V. 26. « *Vague*, » errant; c'est le latin *vagus*. C'est ainsi que Ronsard, *Son. pour Hélène*, VII, l'a employé, en parlant de Moïse :

> Qui, sage, commandas au *vague* peuple hébreu.

Les poëtes se plaisent toujours à comparer les orages de l'amour à ceux de l'Océan. Ainsi Pétrone, *Sat.*, CXII :

> Crede ratem ventis, animum ne crede puellis.

Horace, *Od.*, I, xxvii :

> . . . . Ah ! miser !
> Quanta laboras in Charybdi !

Cf. Méléagre, *Anth.*, V, 190. — Régnier, *Sat.*, VII .

> Marquis, voylà le vent dont ma nef est portée,

Et toujours loin du bord jouet de quelque orage,
Je ne sais que périr de naufrage en naufrage.

Ah ! je voudrais n'avoir jamais reçu le jour
Dans ces vaines cités que tourmente l'amour,   30
Où les jeunes beautés, par une longue étude,
Font un art des serments et de l'ingratitude.
Heureux loin de ces lieux éclatants et trompeurs,
Eh ! qu'il eût mieux valu naître un de ces pasteurs
Ignorés dans le sein de leurs Alpes fertiles,   35
Que nos yeux ont connus fortunés et tranquilles!
Oh ! que ne suis-je enfant de ce lac enchanté
Où trois pâtres héros ont à la liberté
Rendu tous leurs neveux et l'Helvétie entière!

> A la triste mercy de la vague indomptée ;...
> Reste ingrat et piteux de l'orage d'amour.

Malherbe, p. 59 :

> La femme est une mer aux naufrages fatale.

Plus loin, p. 154, Malherbe développe encore cette pensée :

> Amour a cela de Neptune, etc.

Qui ne connaît ces vers délicieux de La Fontaine, *Élégie* III :

> Me voici rembarqué sur la mer amoureuse,...
> Moi pour qui tant de fois elle fut malheureuse,
> Qui ne suis pas encor du naufrage essuyé,
> Quitte à peine d'un vœu nouvellement payé.

V. 27-28. « Moi, » dit Hippolyte dans *Phèdre*, II, II :

> Qui, des faibles mortels déplorant les naufrages,
> Pensait toujours du bord contempler les orages.

V. 29. Éd. 1826 et 1839 :

> Ah ! je voudrais jamais n'avoir reçu le jour.

V. 34. Tel est le vœu de l'infortuné Gallus (Virgile, *Égl.*, X, 35) :

> Atque utinam ex vobis unus, vestrique fuissem
> Aut custos gregis, aut maturæ vinitor uvæ !

Vers que Cyrus, poëte grec du cinquième siècle, avait déjà imités, *Anth.*
IX, 136 :

> Αἴθε πατήρ μ' ἐδίδαξε δασύτριχα μῆλα νομεύειν ·
> ὥς κεν ὑπὸ πτελέῃσι καθήμενος, ἢ ὑπὸ πέτρης
> συρίσδων καλάμοισιν ἐμὰς τέρπεσκον ἀνίας.

Faible, dormant encor sur le sein de ma mère,   40
Oh! que n'ai-je entendu ces bondissantes eaux,
Ces fleuves, ces torrents, qui, de leurs froids berceaux,
Viennent du bel Hasli nourrir les doux ombrages!
Hasli! frais Élysée! honneur des pâturages!
Lieu qu'avec tant d'amour la nature a formé,   45
Où l'Aar roule un or pur en son onde semé.
Là je verrais, assis dans ma grotte profonde,
La génisse traînant sa mamelle féconde,
Prodiguant à ses fils ce trésor indulgent,
A pas lents agiter sa cloche au son d'argent,   50
Promener près des eaux sa tête nonchalante,
Ou de son large flanc presser l'herbe odorante.
Le soir, lorsque plus loin s'étend l'ombre des monts,
Ma conque, rappelant mes troupeaux vagabonds,
Leur chanterait cet air si doux à ces campagnes,   55
Cet air que d'Appenzell répètent les montagnes.
Si septembre, cédant au long mois qui le suit,
Marquait de froids zéphyrs l'approche de la nuit,
Dans ses flancs colorés une luisante argile
Garderait sous mon toit un feu lent et tranquille,   60

V. 47. Horace, *Épodes*, II, 61 :

> Has inter epulas, ut juvat pastas oves
> Videre properantes domum !
> Videre fessos vomerem inversum boves
> Collo trahentes languido !

Mais André se souvient en même temps de Virgile, *Égl.*, I, 75 :

> Non ego vos posthac, viridi projectus in antro,
> Dumosa pendere procul de rupe videbo.

V. 49. « *Indulgent*, » avec le sens latin, trésor qu'elle leur partage volontiers.

V. 52. Éd. 1833 :

> Ou de son flanc presser l'herbe odoriférante.

V. 53. Virgile, *Égl.*, I, 83 :

> Majoresque cadunt altis de montibus umbræ.

V. 60. C'est le vœu de Tibulle, I, ɪ, 5 :

> Me mea paupertas vitæ traducat inerti,
> Dum meus exiguo luceat igne focus.

Ou, brûlant sur la cendre à la fuite du jour,
Un mélèze odorant attendrait mon retour.
Une rustique épouse et soigneuse et zélée,
Blanche (car sous l'ombrage, au sein de la vallée,
Les fureurs du soleil n'osent les outrager),   65
M'offrirait le doux miel, les fruits de mon verger,
Le lait, enfant des sels de ma prairie humide,
Tantôt breuvage pur et tantôt mets solide,
En un globe fondant, sous ses mains épaissi,
En disque savoureux à la longue durci ;   70
Et cependant sa voix simple et douce et légère
Me chanterait les airs que lui chantait sa mère.

Hélas ! aux lieux amers où je suis enchaîné,
Ce repos à mes jours ne fut point destiné.
J'irai : je veux jamais ne revoir ce rivage.   75

V. 61. « *La fuite du jour.* » La remarque de Sénèque sur Virgile
trouve ici sa place : « Numquam Virgilius diem dicit *ire*, sed *fugere.* »
    V. 62. et suiv. Horace, *Épod.*, II, 39 :

> Quod si pudica mulier in partem juvet
>   Domum atque dulces liberos,
> Sabina qualis aut perusta solibus
>   Pernicis uxor Appuli,
> Sacrum vetustis exstruat lignis focum,
>   Lassi sub adventum viri,
> Claudensque textis cratibus lætum pecus,
>   Distenta siccet ubera ;
> Et horna dulci vina promens dolio,
>   Dapes inemptas apparet.

Saint-Lambert, *Été :*

> Qu'il revient avec joie à son humble chaumière
> Dès que l'astre du jour a fini sa carrière !
> Qu'il trouve de saveur aux mets simples et sains
> Qu'une épouse attentive apprêta de ses mains !

    V. 72. Les chansons des femmes de la vallée d'Hasli se sont conser-
vées traditionnellement. — Virgile, *Géorg.*, I, 293 :

> Interea, longum cantu solata laborem,
> Arguto conjux percurrit pectine telas. . .

    V. 75 et suiv. Mouvement très-poétique, comme dans Virgile, *Égl.*,
X, 50 et sqq. :

> Ibo, et, Chalcidico quæ sunt mihi condita versu

Je veux, accompagné de ma muse sauvage,
Revoir le Rhin tomber en des gouffres profonds,
Et le Rhône grondant sous d'immenses glaçons,
Et d'Arve aux flots impurs la nymphe injurieuse.
Je vole, je parcours la cime harmonieuse   80
Où souvent de leurs cieux les anges descendus,
En des nuages d'or mollement suspendus,
Emplissent l'air des sons de leur voix éthérée.
O lac, fils des torrents! ô Thun, onde sacrée!
Salut, monts chevelus, verts et sombres remparts   85
Qui contenez ses flots pressés de toutes parts!
Salut, de la nature admirables caprices,
Où les bois, les cités pendent en précipices!
Je veux, je veux courir sur vos sommets touffus;
Je veux, jouet errant de vos sentiers confus,   90
Foulant de vos rochers la mousse insidieuse,
Suivre de mes chevreaux la trace hasardeuse;
Et toi, grotte escarpée et voisine des cieux
Qui d'un ami des saints fus l'asile pieux,
Voûte obscure où s'étend et chemine en silence   95

> Carmina, pastoris Siculi modulabor avena...
> Interea mixtis lustrabo Mænala nymphis, etc.

Éd. 1826 et 1839 :

> J'irai : je veux encor visiter ce rivage.

André était sans doute en Angleterre quand il composa cette élégie ; il veut aller revoir le Rhin, le Rhône, l'Arve, mais c'est le rivage anglais qu'il ne veut jamais revoir.

V. 80. La cime d'Engelberg, canton d'Underwald.

V. 85. Virgile, *Égl.*, V, 63 : « Intonsi montes. »

V. 88. La Fontaine, *Fables*, XII, IV :

> Un rocher, quelque mont pendant en précipices.

V. 93. Le fameux *trou* de *Saint-Béat* ou de *Saint-Bat*, au bord du lac de Thun, célèbre par ses stalactites. C'est une tradition bien établie dans le canton, qu'elle a été habitée par Saint-Béat, gentilhomme anglais, qui y finit ses jours après y avoir vécu longtemps dans l'abstinence. (*Note de l'Éd.*, 1826.)

L'eau qui de roc en roc bientôt fuit et s'élance,
Ah! sous tes murs, sans doute, un cœur trop agité
Retrouvera la joie et la tranquillité!

XXIII

[Domingue,] île charmante, Amphitrite, ta mère,
N'environne point d'île à ses yeux aussi chère.
Paphos, Gnide, ont perdu ce renom si vanté.
C'est chez toi que l'amour, la grâce, la beauté,
La jeunesse, ont fixé leurs demeures fidèles.   5
Berceau délicieux des plus belles mortelles,
Tes cieux ont plus d'éclat, ton sol plus de chaleurs ;
Ton soleil est plus pur, plus suaves tes fleurs.
D'.r.. reçut le jour sur tes heureux rivages.
Que toujours tes vaisseaux ignorent les naufrages,   10
Que l'ouragan jamais ne soulève tes mers,
Que la terre en tremblant, l'orage, les éclairs,
N'épouvantent jamais la troupe au doux sourire
Des vierges aux yeux noirs, reines de ton empire!

XXIII. — Cette petite pièce a sûrement été attribuée à tort à Fanny
par M. de Latouche : Fanny était née à Lyon. La personne qu'André
chante ici, c'est madame D'.r.. (d'Arsy), née à Saint-Domingue. M. de
Gouy d'Arsy, son mari, était représentant de Saint-Domingue à la Consti-
tuante. Nous devons toutefois avertir le lecteur que nous n'avons point
vu le manuscrit.

V. 1. Toutes les éditions :

. . . . . Ile charmante, Amphitrite, ta mère.

V 6. Ce sont les créoles qu'André appelle ici *les plus belles mortelles.*
V. 9. Toutes les éditions :

Fanny reçut le jour sur tes heureux rivages.

XXIV

Hier en te quittant, enivré de tes charmes,
Belle D'.r.., vers moi, tenant en main des armes,
Une troupe d'enfants courut de toutes parts :
Ils portaient des flambeaux, des chaînes et des dards.
Leurs dards m'ont pénétré jusques au fond de l'âme,   5
Leurs flambeaux sur mon sein ont secoué la flamme,
Leurs chaînes m'ont saisi. D'une cruelle voix :
« Aimeras-tu D'.r..? criaient-ils à la fois,
L'aimeras-tu toujours? » Troupe auguste et suprême,
Ah! vous le savez trop, dieux enfants, si je l'aime.   10
Mais qu'avez-vous besoin de chaînes et de traits?
Je n'ai point voulu fuir. Pourquoi tous ces apprêts?
Sa beauté pouvait tout : mon âme sans défense
N'a point contre ses yeux cherché de résistance.
Oui, je brûle; ô D'.r..! laisse-moi du repos.   15

XXIV. — Cette pièce n'est point adressée à Daphné. Partout où M. de
Latouche a mis *Daphné*, nous avons rétabli D'.r... (d'Arsy) d'après le
manuscrit, dont on peut voir un *fac-simile* au premier volume des Œuvres
de M.-J. Chénier, édition 1824 et 1826.

V. 1 et suiv. Imité de Properce, II, xxix :

> E\trema, mea lux, quum potus nocte vagarer,
>   Nec me servorum duceret uila manus,
> Obvia, nescio quot pueri, mihi turba minuta
>   Venerat; hos vetuit me numerare timor;
> Quorum alii faculas, alii retinere sagittas,
>   Pars etiam visa est vincla parare mihi.
> Sed nudi fuerant. Quorum lascivior unus,
>   Arripite hunc, inquit, nam bene nostis eum :
> Hic erat; hunc mulier nobis irata locavit.
>   Dixit et in collo jam mihi nodus erat.

V. 15-20. Tibulle, II, iv, 5 :

> Et seu quid merui, seu quid peccavimus, urit;
>   Uror, io, remove, sæva puella, faces.
> O ego ne possim tales sentire dolores,
>   Quam mallem in gelidis montibus esse lapis,
> Stare vel insanis cautes obnoxia ventis,
>   Naufraga quam vasti tunderet unda maris !

Je brûle ; oh ! de mon cœur éloigne ces flambeaux.
Ah ! plutôt que souffrir ces douleurs insensées,
Combien j'aimerais mieux sur des Alpes glacées
Être une pierre aride, ou dans le sein des mers
Un roc battu des vents, battu des flots amers !   20
O terre ! ô mer ! je brûle. Un poison moins rapide
Sut venger le centaure et consumer Alcide.
Tel que le faon blessé fuit, court, mais dans son flanc
Traîne le plomb mortel qui fait couler son sang ;
Ainsi là, dans mon cœur, errant à l'aventure,   25
Je porte cette belle, auteur de ma blessure.
Marne, Seine, Apollon n'est plus dans vos forêts ;
Je ne le trouve plus dans vos antres secrets.
Ah ! si je vais encor rêver sous vos ombrages,
Ce n'est plus que d'amour. Du sein de vos feuillages,   50
D'.r.., fantôme aimé, m'environne, me suit

V. 21. Horace, *Épod.*, XVII, 30 :

> . . . . . . O mare ! o terra ! ardeo
> Quantum neque atro delibutus Hercules
> Nessi cruore, nec Sicana fervida
> Furens in Ætna flamma. . . .

Ronsard, *Od.*, III, x, a paraphrasé cette ode d'Horace.

V. 23 et suiv. Cette belle comparaison, encore reproduite dans une
élégie à *Fanny*, est due à Virgile. — Au surplus, toute la fin de cette
élégie est imitée du passage de l'*Énéide*, IV, 89, dans lequel Didon,
brûlant d'amour, parcourt toute la ville, en proie à la fureur :

> . . . . . . Qualis conjecta cerva sagitta,
> Quam procul incautam nemora inter Cressia fixit
> Pastor agens telis, liquitque volatile ferrum
> Nescius ; illa fuga silvas saltusque peragrat
> Dictæos : hæret lateri lethalis arundo.
> Nunc media Æneam secum per mœnia ducit...
> . . . Illum absens absentem auditque videtque.

Cf. Lucain, VI, 223. — Avant André, Racine, *Phèdre*, II, ii, s'était déjà
divinement inspiré de Virgile :

> Depuis près de six mois honteux, désespéré,
> *Portant partout le trait dont je suis déchiré,*
> Contre vous, contre moi, vainement je m'éprouve :
> Présente, je vous fuis ; absente, je vous trouve ;

De bocage en bocage, et m'attire et me fuit.
Si dans mes tristes murs je me cherche un asile,
Hélas! contre l'amour en est-il un tranquille?
Si de livres, d'écrits, de sphères, de beaux-arts,   35
Contre elle, contre lui je me fais des remparts,
A l'aspect de l'amour une terreur subite
Met bientôt les beaux-arts et les Muses en fuite.
Taciturne, mon front appuyé sur ma main,
D'elle seule occupé, mes jours coulent en vain.   40
Si j'écris, son nom seul est tombé de ma plume;
Si je prends au hasard quelque docte volume,
Encor ce nom chéri, ce nom délicieux,
Partout, de ligne en ligne, étincelle à mes yeux.
Je lui parle toujours, toujours je l'envisage;   45
D'.r.., toujours D'.r.., toujours sa belle image
Erre dans mon cerveau, m'assiége, me poursuit,
M'inquiète le jour, me tourmente la nuit.
Adieu donc, vains succès, studieuses chimères,
Et beaux-arts tant aimés, Muses jadis si chères!   50
Malgré moi mes pensers ont un objet plus doux,
Ils sont tous à D'.r.., je n'en ai plus pour vous.
Que ne puis-je à mon tour, ah! que ne puis-je croire
Que loin d'elle toujours j'occupe sa mémoire!

> Dans le fond des forêts votre image me suit;
> La lumière du jour, les ombres de la nuit,
> Tout retrace à mes yeux le charme que j'évite.

Régnier, *Chloris et Philis, Dial.*, s'est aussi comparé à la biche:

> Qui fuit dans les forêts, et toujours avec elle
> Porte, sans nul espoir, sa blessure mortelle.

Ronsard, *Franciade*, III, dans la peinture de la fureur de Clymène, s'était avant Régnier souvenu de Virgile, quoique plus encore, peut-être, d'Eschyle et de la fille d'Inachus piquée par le taon. Cf. Pétrarque, *Son.*: « E qual cervo ferito di saetta, » etc.; Fénelon, *Télémaque*, IV.

V. 52. Voy. presque le même vers dans le *Fragment* qui suit l'idylle de *Lydé*.

LIVRE TROISIÈME

FANNY

———

I

SUR LA MORT D'UN ENFANT

L'innocente victime, au terrestre séjour,
N'a vu que le printemps qui lui donna le jour.
Rien n'est resté de lui qu'un nom, un vain nuage,
Un souvenir, un songe, une invisible image.
Adieu, fragile enfant échappé de nos bras ;   5
Adieu, dans la maison d'où l'on ne revient pas.

I. — V. 2. Pensée familière aux poëtes. Ronsard, *Am.*, II, *Élég.* :

> Du monde elle est partie au mois de son printemps.

V. 6. « *Dans la maison,* » expression toute grecque ; Homère, *Il.*,
XXIII, 19 :

> Χαῖρέ μοι, ὦ Πάτροκλε, καὶ εἰν Ἀΐδαο δόμοισιν.

Malherbe, p. 39, emploie la même expression pour désigner le ciel :

> Penses-tu que, plus vieille, en *la maison céleste*
> Elle eût eu plus d'accueil ?

« *D'où l'on ne revient pas.* » Catulle, III .

> Qui nunc it per iter tenebricosum
> Illuc, unde negant redire quemquam.

Catulle imitait Philétas de Cos, *Anal.*, II, p. 524, III :

> . . . . Ἀτραπὸν εἰς Ἀΐδεω
> ἤνυσα, τὴν οὔπω τις ἐναντίον ἦλθεν ὁδίτης.

Cf. Euripide, *Herc. fur.*, 296, 429 ; Théocrite, *Id.*, XII, 19, et *Id.*, XVII,

Nous ne te verrons plus, quand de moissons couverte
La campagne d'été rend la ville déserte ;
Dans l'enclos paternel nous ne te verrons plus,
De tes pieds, de tes mains, de tes flancs demi-nus,   10
Presser l'herbe et les fleurs dont les nymphes de Seine
Couronnent tous les ans les coteaux de Lucienne.
L'axe de l'humble char à tes jeux destiné,
Par de fidèles mains avec toi promené,
Ne sillonnera plus les prés et le rivage.   15
Tes regards, ton murmure, obscur et doux langage,
N'inquiéteront plus nos soins officieux ;
Nous ne recevrons plus avec des cris joyeux
Les efforts impuissants de ta bouche vermeille
A bégayer les sons offerts à ton oreille.   20
Adieu, dans la demeure où nous nous suivrons tous,
Où ta mère déjà tourne ses yeux jaloux.

II

A FANNY

Non, de tous les amants les regards, les soupirs
    Ne sont point des piéges perfides.

120 ; Anacréon, LVI ; Antipater, *Anth.*, VII, 467. Racine a dit dans *Phèdre*, II, 1 :

> Mais qu'il n'a pu sortir de ce triste séjour,
> Et repasser les bords *qu'on passe sans retour*.

La même pensée se rencontre chez les poëtes juifs : *Job*, VII, 11, 9 ; *Sagesse*, II, 1, 5.

V. 7. C'est le même sentiment que, dans Euripide (*Hipp.*, 1126), exprime le chœur lorsqu'il adresse de touchants adieux au malheureux Hippolyte exilé de Trézène.

V. 20. C'est par un tableau semblable que Stace, *Silv.*, II, 1, 104, nous dépeint l'enfance du fils de Mélior et la joie de son père :

> Tu tamen et mutas tum murmure voces
> Vagitumque rudem, fletumque infantis amabas.

II. — V. 1. Cette négation, jetée brusquement en avant de la phrase

Non, à tromper des cœurs délicats et timides
    Tous ne mettent point leurs plaisirs.
    Toujours la feinte mensongère   5
Ne farde point de pleurs, vains enfants des désirs,
    Une insidieuse prière.

Non, avec votre image, artifice et détour,
    Fanny, n'habitent point une âme ;
Des yeux pleins de vos traits sont à vous. Nulle femme   10
    Ne leur paraît digne d'amour.
    Ah ! la pâle fleur de Clytie
Ne voit au ciel qu'un astre ; et l'absence du jour
    Flétrit sa tête appesantie.

Des lèvres d'une belle un seul mot échappé   15
    Blesse d'une trace profonde
Le cœur d'un malheureux qui ne voit qu'elle au monde.
    Son cœur pleure en secret frappé,
    Quand sa bouche feint de sourire.

donne au style une poétique rapidité ; c'est là cette allure franche et
hardie qu'on admire souvent dans Malherbe. Nous avons déjà vu, livre II,
une élégie commençant ainsi :

> Non, je ne l'aime plus : un autre la possède.

Racine a commencé plusieurs tragédies par *oui* :

> *Oui*, je viens dans son temple adorer l'Éternel.
> *Oui*, puisque je retrouve un ami si fidèle.
> *Oui*, c'est Agamemnon, c'est ton roi qui t'éveille,

V. 6. Corneille a dit dans *Rodogune*, II, IV :

> *De ses pleurs* tant vantés je découvre *le fard.*

V. 12. Clytie (Ovide, *Mét.*, IV, 264) se mourant d'amour pour Apollon :

> Nec se movit humo : tantum spectabat euntis
> Ora dei ; vultusque suos flectebat ad illum.

Parny, dans le poëme des *Fleurs :*

> Voyez ici la jalouse Clytie
> Durant la nuit se pencher tristement,
> Puis relever sa tête appesantie
> Pour regarder son infidèle amant.

Il fuit ; et jusqu'au jour, de son trouble occupé,   20
    Absente, il ose au moins lui dire :

Fanny, belle adorée aux yeux doux et sereins,
    Heureux qui n'ayant d'autre envie
Que de vous voir, vous plaire et vous donner sa vie,
    Oublié de tous les humains,   25
    Près d'aller rejoindre ses pères,
Vous dira, vous pressant de ses mourantes mains :
    Crois-tu qu'il soit des cœurs sincères ?

III

A FANNY

Mai de moins de roses, l'automne
De moins de pampres se couronne,
Moins d'épis flottent en moissons.
Que sur mes lèvres, sur ma lyre,
Fanny, tes regards, ton sourire,   5
Ne font éclore de chansons.

Les secrets pensers de mon âme
Sortent en paroles de flamme,
A ton nom doucement émus :
Ainsi la nacre industrieuse   10
Jette sa perle précieuse,
Honneur des sultanes d'Ormuz.

III. — V. 1 et suiv. Ronsard, *Am.*, II, *Chanson·*

Le printemps n'a point tant de fleurs,
L'automne tant de raisins meurs,...
Que je porte au cœur, ma maitresse,
Pour vous de peine et de tristesse.

Ainsi sur son mûrier fertile
Le ver de Cathay mêle et file
Sa trame étincelante d'or.   15
Viens, mes Muses pour ta parure
De leur soie immortelle et pure
Versent un plus riche trésor.

Les perles de la poésie
Forment sous leurs doigts d'ambrosie   20
D'un collier le brillant contour.
Viens, Fanny : que ma main suspende
Sur ton sein cette noble offrande...

. . . .

V. 14. *Cathay*, ancien nom de la Chine; c'est celui qu'emploie
Thomson.

V. 20. « *Doigts d'ambrosie*, » doigts divins ; c'est l'*ambrosius* des
Latins. Les *Muses aux doigts d'ambrosie* rappellent l'expression d'Aristophane, *Ois.*, 1320 : « ᾿Αμϐρόσιαι χάριτες ; » et celle d'Homère, *Il.*, I,
529 : « ᾿Αμϐρόσιαι χαῖται. »

V. 23. M. Sainte-Beuve, *Portr. litt.*, a donné deux vers qui, tous
deux, pourraient terminer cette pièce :

> Tes bras sont le collier d'amour.
> Ton sein est le trône d'amour.

M. Boissonade, dans ses *Notes manuscrites*, propose celui-ci :

> Qu'envierait la mère d'Amour.

Mais voici un passage de Malherbe, p. 25, annoté par André :

> Et quel indique séjour
> Une perle fera naître,
> D'assez de lustre pour être
> *La marque d'un si beau jour.*

[Image moderne (dit André), riche et belle et poétique. Cela donne à nos
beaux poëmes une physionomie française ; ils n'ont plus l'air de traductions des anciens. Cette image remplace le « Cressa ne careat pulchra
dies nota. » — L'image des quatre derniers vers (ajoute-t-il plus tard)
n'est point moderne, comme je l'avais cru. La voilà dans Martial, X,
XXXVIII :

> O nox omnis, et hora, quæ *notata est*
> Caris littoris Indici lapillis.

Ce qui ne diminue pas du tout le mérite de Malherbe.] — Cette note

IV

J'ai vu sur d'autres yeux, qu'amour faisait sourire,
  Ses doux regards s'attendrir et pleurer,
Et du miel le plus doux que sa bouche respire
  Un autre s'enivrer.

Et quand sur mon visage un trouble involontaire   5
Exprimait le dépit de mon cœur agité,
Un coup d'œil caressant, furtivement jeté,
Tempérait dans mon sein cette souffrance amère.

  Ah ! dans le fond de ses forêts,
  Le ramier, déchiré de traits,   10
  Gémit au moins sans se contraindre ;
  Et le fugitif Actéon,
  Percé par les traits d'Orion,
  Peut l'accuser et peut se plaindre.

peut mettre sur la trace de la pensée d'André ; et il nous semble qu'on
pourrait terminer cette strophe ainsi :

> Les *perles* de la poésie
> Forment sous leurs doigts d'ambrosie
> D'un collier le brillant contour.
> Viens, Fanny, que ma main suspende
> Sur ton sein cette noble offrande,
> *Tendre marque d'un si beau jour.*

IV. — V. 12 et 14. *Actéon,* ayant surpris Diane au bain, fut changé
en cerf et déchiré par ses chiens ; voy. Nonnus, *Dionys..* V, 287 ;
Ovide, *Mét.,* III, 131. — *Orion* fut tué par Diane ; il est célèbre par sa
beauté et par l'amour que l'Aurore conçut pour lui. Voy. *Odyssée,* V,
121 ; *Schol. Théoc.,* VII, 54 ; Apollonius, I, iv ; Manilius, *Astr* , I,
383 ; Diodore, IV, lxxxv. Il ne faut pas prendre au propre ce qu'André
dit ici au figuré, ni vouloir y trouver un fait de mythologie qui serait
inexact ; et c'est pour cela que nous avons multiplié les références. Il
veut dire : Et le fugitif cerf (un Actéon), percé par les traits d'un

V

A FANNY

Fanny, l'heureux mortel qui près de toi respire
Sait, à te voir parler et rougir et sourire,
De quels hôtes divins le ciel est habité.
La grâce, la candeur, la naïve innocence
      Ont, depuis ton enfance,   5
De tout ce qui peut plaire enrichi ta beauté.

chasseur (d'un Orion), etc. Mais il faudrait un déterminatif (pronom,
article défini ou indéfini), comme dans La Fontaine, *Fab.*, VI, xviii :

> Le *Phaéton* d'une voiture à foin.

Et *Fab.*, VII, xiii :

> Plus *d'une Hélène* au beau plumage,

C'est une faute que nous avons déjà relevée dans les *Poésies antiques*,
Élég., V, 12.

   V. — V. 1. C'est le début de l'ode célèbre de Sappho (Longin, *de
Subl.*, VIII) :

> Φαίνεταί μοι κῆνος ἴσος θεοῖσιν
> ἔμμεν ὠνὴρ, ὅστις ἐναντίος τοι
> ἰσδάνει, καὶ πλασίον ἀδὺ φωνᾶ-
>   σαί σ' ὑπακούει,
> καὶ γελάϊς ἱμερόεν, τό μοι' μὰν
> καρδίαν ἐν στήθεσιν ἐπτόασεν.

La traduction de Catulle, LI, est trop célèbre pour ne pas être citée ici :

> Ille par esse deo videtur,
> Ille, si fas est, superare divos,
> Qui sedens adversus identidem te
>   Spectat et audit
> Dulce ridentem, misero quod omnes
> Eripit sensus mihi. . . . .

Rufin a ce vers dans une épigramme (*Anth.*, V, 94) :

> Ἡμίθεος δ' ὁ φιλῶν · ἀθάνατος δ' ὁ γαμῶν.

Cf. Ronsard, *Am.*, II, *Chanson ;* Malherbe, p. 149.

Sur tes traits, où ton âme imprime sa noblesse,
Elles ont su mêler aux roses de jeunesse
Ces roses de pudeur, charmes plus séduisants,
Et remplir tes regards, tes lèvres, ton langage,   10
    De ce miel dont le sage
Cherche lui-même en vain à défendre ses sens.

Oh! que n'ai-je moi seul tout l'éclat et la gloire
Que donnent les talents, la beauté, la victoire,
Pour fixer sur moi seul ta pensée et tes yeux;   15
Que, loin de moi, ton cœur fût plein de ma présence,
    Comme, dans ton absence,
Ton aspect bien-aimé m'est présent en tous lieux!

Je pense : Elle était là; tous disaient : « Qu'elle est belle! »
Tels furent ses regards, sa démarche fut telle,   20
Et tels ses vêtements, sa voix et ses discours.
Sur ce gazon assise, et dominant la plaine,
    Des méandres de Seine,
Rêveuse, elle suivait les obliques détours.

Ainsi dans les forêts j'erre avec ton image;   25
Ainsi le jeune faon, dans son désert sauvage,
D'un plomb volant percé, précipite ses pas.
Il emporte en fuyant sa mortelle blessure;
    Couché près d'une eau pure,
Palpitant, hors d'haleine, il attend le trépas.   30

V. 15 et 16. Afin d'éviter l'ellipse de *pour* devant *que,* éd. 1826 :

      Pour, fixant sur moi seul ta pensée et tes yeux,
      Que, loin de moi, ton cœur soit loin de ma présence.

V. 26. Cf. *Élég.*, II, xxiv, 23.

VI

AUX PREMIERS FRUITS DE MON VERGER

Précurseurs de l'automne, ô fruits nés d'une terre
Où l'art industrieux, sous ses maisons de verre,
Des soleils du Midi sait feindre les chaleurs,
Allez trouver Fanny, cette mère craintive ;
A sa fille aux doux yeux, fleur débile et tardive,   5
    Rendez la force et les couleurs.

Non qu'un péril funeste assiége son enfance ;
Mais du cœur maternel la tendre défiance
N'attend pas le danger qu'elle sait trop prévoir ;
Et Fanny, qu'une fois les destins ont frappée,   10
Soupçonneuse et longtemps de sa perte occupée,
    Redoute de loin leur pouvoir.

L'été va dissiper de si promptes alarmes.
Nous devons en naissant tous un tribut de larmes.
Les siennes ont déjà trop satisfait aux dieux.   15
Sa beauté, ses vertus, ses grâces naturelles,
N'ont point des dieux sans doute, ainsi que des mortelles,
    Armé le courroux envieux.

V. 10. Voy. l'élégie I du même livre.

V. 11. Lucrèce (II, 560), dans un passage qu'André a imité plus loin
(*Dernières poésies*), nous peint la génisse privée de son petit, et revenant fréquemment à l'étable, *de sa perte occupée*, « desiderio perfixa
juvenci. »

V. 17. Racan, *Sonnet sur la maladie de sa maîtresse*, a exprimé
une pensée analogue :

    La fièvre de Philis tous les jours renouvelle,
    Et l'on voit clairement que cette cruauté
    Ne peut venir d'ailleurs que du ciel, irrité
    Que la terre possède une chose si belle.

Belle bientôt comme elle, au retour d'Érigone
L'enfant va ranimer, nourrisson de Pomone   20
Ce front que de Borée un souffle avait terni.
Oh ! de la conserver, cieux, faites votre étude ;
Que jamais la douleur, même l'inquiétude,
    N'approchent du sein de Fanny.

Que n'est-ce encor ce temps et d'amour et de gloire,   25
Qui de Pollux, d'Alceste, a gardé la mémoire,
Quand un pieux échange apaisait les enfers !
Quand les trois sœurs pouvaient n'être point inflexibles,
Et qu'au prix de ses jours, de leurs ciseaux terribles
    On rachetait des jours plus chers !   30

Oui, je voudrais alors qu'en effet toute prête,
La Parque, aimable enfant, vînt menacer ta tête,
Pour me mettre en ta place et te sauver le jour ;
Voir ma trame rompue à la tienne enchaînée,

V. 26. Sur *Pollux*, voyez l'*Épître à Le Brun et au marquis de Brazais*, v. 93. *Alceste*, femme d'Admète, se dévoua pour sauver les jours
de son mari. Voy. la belle tragédie d'Euripide, bien digne d'animer le
tendre génie de Racine.

V. 34. Cette pensée a été mille fois exprimée par les poëtes. Sénèque,
Brevit. vitæ, VIII, dit que les hommes sont ainsi toujours prêts à donner
leur vie, parce que le temps n'est pas une chose dont on connaît et dont
on pèse la valeur exacte. Mais il est juste de dire que cette pensée
marque chez les poëtes un instant d'expansion, d'amour, d'enthousiasme,
qui n'a rien de fictif, et qui honore dans le poëte ou l'amant ou l'ami.
Les passages où cette pensée se rencontre sont nombreux ; nous nous
contenterons d'en indiquer quelques-uns. Cf. Ovide, *Mét.*, VII, 168, et
Mét., X, 202 (Apollon à Hyacinthe) ; Tibulle, I, vi, 63 ; Pétrone, *Mulier-
culæ epitaphium ;* Stace, *Silves*, III, iii, 192 (Étruscus devant les cendres de son père fait aussi allusion à Alceste) ; Stace, *Silv.*, V, i, 176 ;
Martial, I, 37 ; Segrais, *Égl.*, VII ; Racine, *Bérén.*, II, ii (Titus à Bérénice) et *Idylle sur la paix ;* La Fontaine, *Épitaphe d'Homonée ;* Parny,
Poés. érot., II, iv. Molière n'a pas manqué de mettre cette pensée dans
la bouche de Tartufe, et de lui faire dire à Elmire :

      On ne peut trop chérir votre chère santé,
      Et pour la rétablir j'aurais donné la mienne.

Et Fanny s'avouer par moi seul fortunée,   38
    Et s'applaudir de mon amour.

Ma tombe quelque jour troublerait sa pensée.
Quelque jour, à sa fille entre ses bras pressée,
L'œil humide peut-être, en passant près de moi :
« Celui-ci, dirait-elle, à qui je fus bien chère, .   40
Fut content de mourir, en songeant que ta mère
    N'aurait point à pleurer sur toi. »

VII

A FANNY MALADE

    Quelquefois un souffle rapide
Obscurcit un moment sous sa vapeur humide
L'or, qui reprend soudain sa brillante couleur :
Ainsi du Sirius, ô jeune bien-aimée,
    Un moment l'haleine enflammée   5
De ta beauté vermeille a fatigué la fleur.

    De quel tendre et léger nuage
Un peu de pâleur douce, épars sur ton visage,
Enveloppa tes traits calmes et languissants !
Quel regard, quel sourire, à peine sur ta couche   10
    Entr'ouvraient tes yeux et ta bouche !
Et que de miel coulait de tes faibles accents !

    Oh ! qu'une belle est plus à craindre
Alors qu'elle gémit, alors qu'on peut la plaindre,

VII. — V. 4. *Sirius* se lève et se couche avec le soleil pendant les
mois de juillet et d'août ; André l'emploie pour le soleil, comme Virgile,
Énéide, III, 141 :

     . . . . . Tum steriles exurere Sirius agros.

Qu'on s'alarme pour elle ! Ah ! s'il était des cœurs,   15
Fanny, que ton éclat eût trouvés insensibles,
   Ils ne resteraient point paisibles
Près de ton front voilé de ces douces langueurs.

   Oui, quoique meilleure et plus belle,
Toi-même cependant tu n'es qu'une mortelle ;   20
Je le vois. Mais, du ciel, toi, l'orgueil et l'amour,
Tes beaux ans sont sacrés. Ton âme et ton visage
   Sont des dieux la divine image ;
Et le ciel s'applaudit de t'avoir mise au jour.

   Le ciel t'a vue en tes prairies   25
Oublier tes loisirs, tes lentes rêveries ;
Et tes dons et tes soins chercher les malheureux ;
Tes délicates mains à leurs lèvres amères
   Présenter des sucs salutaires,
Ou presser d'un lin pur leurs membres douloureux.   30

   Souffrances que je leur envie !
Qu'ils eurent de bonheur de trembler pour leur vie,
Puisqu'ils virent sur eux tes regrets caressants,
Et leur toit rayonner de ta douce présence,
   Et la bonté, la complaisance,   35
Attendrir tes discours, plus chers que tes présents !

   Près de leur lit, dans leur chaumière,
Ils crurent voir descendre un ange de lumière,
Qui des ombres de mort dégageait leur flambeau ;

V. 24. Cette pensée est trop familière aux poëtes pour que nous en
donnions des exemples. Nous ne citerons que Marot, *Chants divers : Sur
la maladie de s'amie* :

> Hélas (Seigneur) ! il semble, tant est belle,
> Que plaisir prins à la composer telle :
> Ne soufre pas advenir cest outrage,
> Que maladie efface ton ouvrage.

Leurs cœurs étaient émus, comme, aux yeux de la Grèce, 40
    La victime qu'une déesse
Vint ravir à l'Aulide, à Calchas, au tombeau.

    Ah ! si des douleurs étrangères
D'une larme si noble humectent tes paupières
Et te font des destins accuser la rigueur,   45
Ceux qui souffrent pour toi, tu les plaindras peut-être ;
    Et des douleurs que tu fais naître
Ont-elles moins le droit d'intéresser ton cœur ?

    Troie, antique honneur de l'Asie,
Vit le prince expirant des guerriers de Mysie   50
D'un vainqueur généreux éprouver les bienfaits.
D'Achille désarmé la main amie et sûre
    Toucha sa mortelle blessure,
Et soulagea les maux qu'elle-même avait faits,

    A tous les instants rappelée,   55
Ta vue apaise ainsi l'âme qu'elle a troublée.
Fanny, pour moi ta vue est la clarté des cieux ;

V. 42. Iphigénie, au moment où Calchas, grand prêtre et devin de
l'armée grecque, allait la frapper, fut soustraite à la mort par Diane,
qui mit une biche à sa place et la transporta en Tauride ; voy. Euripide,
Iphig. en Aul., 1540, et *Iphig. en Taur.*, 783.

V. 50. Télèphe, fils d'Hercule, roi de Mysie, fut, à l'arrivée des Grecs,
blessé par Achille, qui seul, selon la réponse de l'oracle, put guérir la
blessure que sa lance avait faite. Cette histoire héroïque et fabuleuse se
trouvait racontée, selon le témoignage de Proclus, dans les *Chants cypriens*. Cf. Hyginus, *Fab.*, CI ; *Schol.*, Arist., *Nuées*, 919. C'était le sujet
d'une tragédie perdue d'Euripide. Properce, II, I, 63 :

      Mysus et Hæmonia juvenis qua cuspide vulnus
        Senserat, hac ipsa cuspide sensit opem.

Ovide, *Remède d'amour*, 47 :

      Vulnus in Herculeo quæ quondam fecerat hoste
        Vulneris auxilium Pelias hasta tulit.

Cf. Ovide, *Tristes*, I, I, 99 ; Plutarque, *de Inim. utilit.*, VI.

Vivre est te regarder, et t'aimer, te le dire;
    Et quand tu daignes me sourire,
Le lit de Vénus même est sans prix à mes yeux.   60

VIII

VERSAILLES

O Versaille, ô bois, ô portiques,
    Marbres vivants, berceaux antiques,
Par les dieux et les rois Élysée embelli,
    A ton aspect, dans ma pensée,
Comme sur l'herbe aride une fraîche rosée,   5
    Coule un peu de calme et d'oubli.

Paris me semble un autre empire,
    Dès que chez toi je vois sourire
Mes pénates secrets couronnés de rameaux,

V. 58. Éd. 1826 et 1839 :

    Vivre est te regarder, t'aimer et te le dire.

VIII. — Cette pièce se recommande tout particulièrement à l'attention du lecteur ; c'est certainement une des plus touchantes élégies d'André Chénier et un des plus parfaits morceaux qu'il ait écrits. — La situation de l'âme du poëte à cette époque est facile à saisir. Pendant toute l'année 1792, André s'est lancé dans une polémique violente ; mais, froissé dans son amour pour les vertus et les lois, et, après la mort du roi, désespérant presque du salut de la patrie, que tiennent en leurs mains les Robespierre, les Collot d'Herbois, les Saint-Just ; trahi dans ses amitiés, forcé presque au mépris pour ceux qu'il a aimés et célébrés, il quitte Paris et se réfugie à Versailles, se vouant tout entier « à l'étude des lettres et des langues antiques. » Mais là, après tant d'agitations morales, *son âme, d'ennui consumée, s'endort dans les langueurs*. Seul, un amour pur le ravit à ses douloureuses méditations ; Fanny jette un rayon dans cette âme tourmentée, mais toujours animée par trois grandes idées : l'art, l'amour, la patrie. Voilà, en effet, les trois notes qui résonnent successivement dans cette pièce, qui en sont le thème mélodieux comme elles le sont de la vie d'André tout entière.

D'où souvent les monts et les plaines   10
Vont dirigeant mes pas aux campagnes prochaines,
     Sous de triples cintres d'ormeaux.

Les chars, les royales merveilles,
Des gardes les nocturnes veilles,
Tout a fui ; des grandeurs tu n'es plus le séjour.   15
     Mais le sommeil, la solitude,
Dieux jadis inconnus, et les arts, et l'étude,
     Composent aujourd'hui ta cour.

Ah ! malheureux ! à ma jeunesse
Une oisive et morne paresse   20
Ne laisse plus goûter les studieux loisirs.
     Mon âme, d'ennui consumée,
S'endort dans les langueurs ; louange et renommée
     N'inquiètent plus mes désirs.

L'abandon, l'obscurité, l'ombre,   25
Une paix taciturne et sombre,
Voilà tous mes souhaits. Cache mes tristes jours,
     Et nourris, s'il faut que je vive,
De mon pâle flambeau la clarté fugitive,
     Aux douces chimères d'amours.   30

L'âme n'est point encor flétrie,
La vie encor n'est point tarie,

V. 16. Éd. 1839 :
          Mais le soleil, la solitude.
André avait déjà souhaité d'avoir pour tout emploi :
          Dormir et ne rien faire, inutile poëte !
     V. 28 et 29. Éd. 1826 :
                    Versaille ; et s'il faut que je vive,
                    Nourris de mon flambeau la clarté fugitive.
Éd. 1839, même variante pour le v. 29, mais pour le v. 28 :
          Versailles ; s'il faut que je vive.

Quand un regard nous trouble et le cœur et la voix.
    Qui cherche les pas d'une belle,
Qui peut ou s'égayer ou gémir auprès d'elle,   35
    De ses jours peut porter le poids.

    J'aime ; je vis. Heureux rivage !
    Tu conserves sa noble image,
Son nom, qu'à tes forêts j'ose apprendre le soir,
    Quand, l'âme doucement émue,   40
J'y reviens méditer l'instant où je l'ai vue,
    Et l'instant où je dois la voir.

    Pour elle seule encore abonde
    Cette source, jadis féconde,
Qui coulait de ma bouche en sons harmonieux.   45
    Sur mes lèvres, tes bosquets sombres
Forment pour elle encor ces poétiques nombres,
    Langage d'amour et des dieux.

    Ah ! témoin des succès du crime,
    Si l'homme juste et magnanime   50
Pouvait ouvrir son cœur à la félicité,
    Versailles, tes routes fleuries,
Ton silence, fertile en belles rêveries,
    N'auraient que joie et volupté.

    Mais souvent tes vallons tranquilles,   55
    Tes sommets verts, tes frais asiles,
Tout à coup à mes yeux s'enveloppent de deuil.
    J'y vois errer l'ombre livide
D'un peuple d'innocents, qu'un tribunal perfide
    Précipite dans le cercueil.   60

V. 39. Virgile, *Égl.*, I :

        . . . . Tu, Tityre, lentus in umbra
    Formosam resonare doces Amaryllida silvas.

ÉPITRES

A LE BRUN

Qu'un autre soit jaloux d'illustrer sa mémoire ;
Moi, j'ai besoin d'aimer. Qu'ai-je besoin de gloire,

I. — Cette pièce, que les éditions précédentes ont toutes rangée dans les élégies, est une épître, où André répond aux vers que lui avait adressés Le Brun avant son départ pour le régiment. On a toujours dit que l'épître de Le Brun était une réponse à celle que Chénier adresse *à Le Brun et au marquis de Brazais*. C'est une erreur. L'épître de Le Brun a été écrite avant le départ d'André pour Strasbourg ; car, insérée dans l'*Almanach des Muses*, 1792, elle est accompagnée d'une note ainsi conçue : « Ce jeune officier, qui avait les plus grandes dispositions pour la poésie, allait rejoindre son régiment. » Et dans l'épître, on lit ces deux vers :

> Les armes sont tes jeux : vole à nos étendards ;
> Les Muses te suivront sons les tentes de Mars.

En comparant l'épître de Le Brun avec cette pièce, on verra que celle-ci est véritablement la première réponse d'André, Le Brun lui avait dit : « Apollon te vouait à l'immortalité. » Il lui avait parlé de l'*espoir d'un nom fameux*, et il avait terminé ainsi :

> La gloire, et l'amitié plus douce que la gloire,
> Fixeront nos destins au temple de Mémoire.

Or la gloire, voilà le thème de cette première épître ; l'amitié sera celui de la seconde, adressée *à Le Brun et au marquis de Brazais*.

V. 1. Voici dans Horace, *Od.*, I, vii, une forme semblable de début :

> Laudabunt alii claram Rhodon, aut Mitylenem, etc.

V. 2. Tibulle, I, i, 57 :

> Non ego laudari curo, mea Delia : tecum
> Dummodo sim, quæso, segnis inersque vocer.

S'il faut, pour obtenir ses regards complaisants,
A l'ennui de l'étude immoler mes beaux ans ;
S'il faut, toujours errant, sans lien, sans maîtresse,   5
Étouffer dans mon cœur la voix de la jeunesse,
Et, sur un lit oisif, consumé de langueur,
D'une nuit solitaire accuser la longueur ?
Aux sommets où Phœbus a choisi sa retraite,
Enfant, je n'allai point me réveiller poëte :   10
Mon cœur, loin du Permesse, a connu dans un jour
Les feux de Calliope et les feux de l'amour.
L'amour seul dans mon âme a créé le génie ;
L'amour est seul arbitre et seul dieu de ma vie.
En faveur de l'amour quelquefois Apollon   15
Jusqu'à moi volera de son double vallon :

V. 3. Plus tard, sous la pure inspiration de Fanny, il dira au contraire :

> Oh ! que n'ai-je moi seul tout l'éclat et la gloire
> Que donnent les talents, la beauté, la victoire,
> Pour fixer sur moi seul ta pensée et tes yeux !

V. 10. Perse, *Prol.* :

> Nec fonte labra prolui Caballino,
> Nec in bicipiti somniasse Parnasso
> Memini, ut repente sic poeta prodirem.

Hésiode, selon la légende, se réveilla poëte sur l'Hélicon ; voy. Hésiode, *Théog.*, 22 ; cf. *Hesiodi Vita*, Lilius Gyraldus, *de Poet. hist.*, *Dial.* II. — Régnier, *Sat.*, II :

> Je ne sçay quel démon m'a fait devenir poète :
> Je n'ay, comme ce Grec, des dieux grand interprète,
> Dormy sur l'Hélicon. . . . .

N'est-il pas évident qu'ici André répond à ce vers de Le Brun :

> Les abeilles du Pinde ont nourri ton enfance.

V. 13. Properce II, 1, 3 :

> Non hæc Calliope, non hæc mihi cantat Apollo :
> Ingenium nobis ipsa puella facit.

V. 16. « *Double vallon.* » Boileau, *Sat.*, I :

> Et, sans aller rêver dans le *double vallon.*

Le Parnasse, on le sait, a deux sommets. Malherbe, p. 105, l'appelle « la montagne au *double* sommet. » Sur l'un se trouvaient les temples d'Ar-

Mais que tous deux alors ils donnent à ma bouche
Cette voix qui séduit, qui pénètre, qui touche ;
Cette voix qui dispose à ne refuser rien,
Cette voix, des amants le plus tendre lien !   20
Puisse un coup d'œil flatteur, provoquant mon hommage,
A ma langue incertaine inspirer du courage !
Sans dédain, sans courroux, puissé-je être écouté !
Puisse un vers caressant séduire la beauté !
Et si je puis encore, amoureux de sa chaîne,   25
Célébrer mon bonheur ou soupirer ma peine ;
Si je puis, par mes sons touchants et gracieux,
Aller grossir un jour ce peuple harmonieux
De cygnes dont Vénus embellit ses rivages
Et se plaît d'égayer les eaux de ses bocages,   30
Sans regret, sans envie, aux vastes champs de l'air
Mes yeux verront planer l'oiseau de Jupiter.

Sans doute, heureux celui qu'une palme certaine
Attend victorieux dans l'une et l'autre arène ;
Qui, tour à tour convive et de Gnide et des cieux,   55

témise et d'Apollon, sur l'autre le temple de Bacchus (*Schol.* Eurip.,
Bacch., 307, *Phœn.*, 235).

    V. 24. Properce, I, vii, 7 :

> Nec tantum ingenio, quantum servire dolori
>   Cogor, et ætatis tempora dura queri.
> Hic mihi conteritur vitæ modus ; hæc mea fama est ;
>   Hinc cupio nomen carminis ire mei.
> Me laudent doctæ solum placuisse puellæ,
>   Pontice, et injustas sæpe tulisse minas.

    V. 29 et 30. Éd. 1826 et 1839 :

> De cygnes dont Vénus égaye ses rivages,
> Et se plaît à parer les eaux de ses bocages.

Les cygnes dont parle André sont les poëtes élégiaques.
    V. 32. « *L'oiseau de Jupiter.* » Pindare, *Ol.*, II, 159, et *passim* : « Διὸς
ὄρνις θεῖος. » Théocrite, *Idyl.*, XVII, 72 : « Διὸς αἴσιος αἰετὸς ὄρνις. »
Virgile, *Énéide*, XII, 247 : « *Fulvus Jovis ales.* » La Fontaine, *Fab.*, 11,
viii : « L'oiseau de Jupiter. » Milton, *Par. perdu*, XI : « *The bird of
Jove;* » etc

Des bras d'une maîtresse enlevé chez les dieux,
Ivre de volupté, s'enivre encor de gloire,
Et qui, cher à Vénus et cher à la victoire,
Ceint des lauriers du Pinde et des fleurs de Paphos,
Soupire l'élégie et chante les héros.   40
Mais qui sut à ce point, sous un astre propice,
Vaincre du ciel jaloux l'inflexible avarice?
Qui put voir en naissant, par un accord nouveau,
Tous les dieux à la fois sourire à son berceau?
Un seul a pu franchir cette double carrière :   45
C'est lui qui va bientôt, loin des yeux du vulgaire,
Inscrire sa mémoire aux fastes d'Hélicon,
Digne de la nature et digne de Buffon.
Fortunée Agrigente, et toi, reine orgueilleuse,
Rome, à tous les combats toujours victorieuse,   50
Du poids de vos grands noms nous ne gémirons plus.
Par l'ombre d'Empédocle étions-nous donc vaincus?
Lucrèce aurait pu seul, aux flambeaux d'Épicure,

V. 45. Depuis 1760, Le Brun travaillait à son poëme de *la Nature*, resté inachevé.

V. 46. Éd. 1826 et 1839 :

> C'est celui qui bientôt, loin des yeux du vulgaire,
> Va graver sa mémoire aux fastes d'Hélicon.

V. 52. Empédocle, philosophe pythagoricien, d'Agrigente. Il périt probablement en examinant le cratère de l'Etna au moment d'une éruption ; on retrouva ses sandales sur le bord (Strabon, VI, II, 8), et l'on prétendit qu'il s'y était jeté volontairement pour une vaine gloire, ne voulant pas disparaître en simple mortel. Voy. Lucien, *Dial. mort.*, XX ; Horace, *Art poët.*, 464.

V. 53. André, dans tout ce passage, retourne à Le Brun ses prédictions élogieuses ; Le Brun lui avait dit :

> . . . Soit que, de Lucrèce effaçant le grand nom,
> Assise au char ailé de l'immortel Newton,
> Ta Minerve se plonge au sein de la nature.

L'expression « *aux flambeaux d'Épicure* » rappelle le début du troisième livre de Lucrèce :

> E tenebris tantis tam clarum extollere lumen
> Qui primum potuisti. . . . .

Dans ses temples secrets surprendre la nature ?
La nature aujourd'hui de ses propres crayons   55
Vient d'armer une main qu'éclairent ses rayons.

C'est toi qu'elle a choisi ; toi, par qui l'Hippocrène
Mêle encore son onde à l'onde de la Seine ;
Toi, par qui la Tamise et le Tibre en courroux
Lui porteront encor des hommages jaloux ;   60
Toi qui la vis couler plus lente et plus facile
Quand ta bouche animait la flûte de Sicile ;
Toi, quand l'amour trahi te fit verser des pleurs,
Qui l'entendis gémir et pleurer tes douleurs.
Malherbe tressaillit au delà du Ténare   65
A te voir agiter les rênes de Pindare ;
Aux accents de Tyrtée enflammant nos guerriers,
Ta voix fit dans nos camps renaître les lauriers.
Les tyrans ont pâli quand ta main courroucée
Écrasa leur Thémis sous les foudres d'Alcée.   70

V. 61-64. Ces quatre vers se trouvent déjà *Élég.*, I, xviii, 19-22. —
Voyez Le Brun, *Od.*, III, ix.

V. 65. Le *Ténare*, promontoire de la Laconie, une des entrées des
enfers par laquelle, dit-on, Hercule emmena Cerbère (Strabon, VIII, v) ;
cf. Hécatée de Milet (Pausanias, III, xxvi).

V. 66. Même remarque qu'au vers 53. Le Brun lui avait dit :

> Soit qu'enivré des feux de l'audace lyrique,
> Tu disputes la foudre à l'aigle pindarique.

V. 67. Dans la deuxième guerre de Messénie, les Lacédémoniens, sur
le conseil de l'oracle, demandèrent un chef aux Athéniens, qui leur en-
voyèrent Tyrtée, dont les chants enflammèrent le courage des guerriers
et donnèrent la victoire à Sparte. Voy. Diodore de Sicile, VIII, xxvii ; XV,
lxvi. Ses poésies, devenues nationales, se chantaient dans les repas.
(Athénée, XIV, p. 630, F.)

V. 70. Voy. Le Brun, *Od.*, V, xv (Alcée contre les juges de Lesbos). —
« *Les foudres d'Alcée.* » Horace, *Od.*, IV, ix, a dit :

> . . . . Alcæi minaces
> Stesichorique graves camœnæ.

Alcée, on le sait, mêlé aux luttes politiques de Mytilène, est célèbre par
la fougue et la violence de son génie.

D'autres tyrans encor, les méchants et les sots,
Ont fui devant Horace armé de tes bons mots.
Et maintenant, assis dans le centre du monde,
Le front environné d'une clarté profonde,
Tu perces les remparts que t'opposent les cieux ;   75
Et l'univers entier tourne devant tes yeux.
Les fleuves et les mers, les vents et le tonnerre,
Tout ce qui peuple l'air, et Téthys, et la terre,
A ta voix accouru, s'offrant de toutes parts,
Rend compte de soi-même et s'ouvre à tes regards.   80
De l'erreur vainement les antiques prestiges
Voudraient de la nature étouffer les vestiges ;
Ta main les suit partout, et sur le diamant
Ils vivront, de ta gloire éternel monument.

Mais toi-même, Le Brun, que l'amour d'Uranie   85
Guide à tous les sentiers d'où la mort est bannie ;
Qui, roi sur l'Hélicon, de tous ses conquérants
Réunis dans ta main les sceptres différents ;
Toi-même, quel succès, dis-moi quelle victoire
Chatouille mieux ton cœur du plaisir de la gloire ?   90
Est-ce lorsque Buffon et sa savante cour
Admirent tes regards qui fixent l'œil du jour ;
Qu'aux rayons dont l'éclat ceint ta tête brillante
Ils suivent dans les airs ta route étincelante,
Animent de leurs cris ton vol audacieux,   95
Et d'un œil étonné te perdent dans les cieux ?
Ou lorsque, de l'amour interprète fidèle,
Ta naïve Érato fait sourire une belle ;

V. 72. Voy. Le Brun, *Épît.*, I, 1.
V. 76. Tout ce passage respire l'enthousiasme de la première jeunesse. André avait alors vingt ans. Le Brun l'avait comblé d'éloges, mais Chénier s'acquitte amplement.
V. 91. Allusion évidente à une lecture que Le Brun fit chez Buffon, de quelques fragments du *Poëme de la Nature.*

Que son âme se peint dans ses regards touchants,
Et vole sur sa bouche au-devant de tes chants ;   100
Qu'elle interrompt ta voix, et d'une voix timide
S'informe de Fanni, d'Églé, d'Adélaïde,
Et, vantant les honneurs qui suivent tes chansons,
Leur envie un amant qui fait vivre leurs noms ?

II

A LE BRUN ET AU MARQUIS DE BRAZAIS

Le Brun, qui nous attends aux rives de la Seine,
Quand un destin jaloux loin de toi nous enchaîne ;
Toi, Brazais, comme moi sur ces bords appelé,
Sans qui de l'univers je vivrais exilé ;
Depuis que de Pandore un regard téméraire   5
Versa sur les humains un trésor de misère,
Pensez-vous que du ciel l'indulgente pitié
Leur ait fait un présent plus beau que l'amitié ?

Ah ! si quelque mortel est né pour la connaître
C'est nous, âmes de feu, dont l'Amour est le maître.   10

V. 102. Noms des femmes qu'a célébrées Le Brun.

II. — André Chénier, alors militaire, était en garnison à Strasbourg.
Voy. la première note de l'épître précédente.

V. 5. Tout le monde connaît la fable de Pandore envoyée à Epiméthée
par Jupiter, qui voulait se venger de Prométhée. Pandore portait une
boîte où étaient renfermés tous les maux ; elle l'ouvrit, et les maux se
répandirent aussitôt sur toute la terre. (Hésiode, *Op. et dies*, 83.)

V. 6. « *Un trésor de misère.* » *Trésor* est pris dans le sens du grec
θησαυρός et du latin *thesaurus*, qui, au propre, veulent dire simplement
amas, provisions. Plaute, dans le *Pœnulus*, 623, a dit :

Istic est *thesaurus stultis* in lingua situs.

Le cruel trop souvent empoisonne ses coups;
Elle garde à nos cœurs ses baumes les plus doux.
Malheur au jeune enfant seul, sans ami, sans guide,
Qui près de la beauté rougit et s'intimide,
Et d'un pouvoir nouveau lentement dominé,   15
Par l'appât du plaisir doucement entraîné,
Crédule, et sur la foi d'un sourire volage,
A cette mer trompeuse et se livre et s'engage!
Combien de fois, tremblant et les larmes aux yeux,
Ses cris accuseront l'inconstance des dieux!   20
Combien il frémira d'entendre sur sa tête
Gronder les aquilons et la noire tempête,
Et d'écueils en écueils portera ses douleurs,
Sans trouver une main pour essuyer ses pleurs!
Mais heureux dont le zèle, au milieu du naufrage,   25

V. 11. Tous les poëtes font entendre les mêmes plaintes. Marot,
Élég., III :

> Sçais-tu pas bien qu'Amour ha de coustume
> D'entremêler ses plaisirs d'amertume?

Malherbe, p. 141, a dit :

> Que d'épines, Amour, accompagnent tes roses!

V. 13 et suiv. Imité d'Horace, *Od.*, I, v :

> . . . . Heu! quoties fidem
> Mutatosque deos flebit, et aspera
>   Nigris æquora ventis
>   Emirabitur insolens!
> Qui nunc te fruitur credulus aurea ;
> Qui semper vacuam, semper amabilem
>   Sperat, nescius auræ
>   Fallacis! Miseri quibus
> Intentata nites!. . . . .

V. 23. Éd. 1826 :

> Et d'écueil en écueil portera ses douleurs.

V. 25. Il y a dans ce vers une ellipse, et aux vers suivants une confusion de rapports dans les pronoms. Cette phrase doit être comprise
ainsi : Mais heureux (*celui, l'ami sauveur*)dont le zèle, au milieu du
naufrage, viendra le recueillir, le pousser au rivage; endormir dans
ses flancs (*ceux du naufragé*) le poison ennemi, réchauffer dans son
sein (*le sein de l'ami sauveur*) le sein de son ami (*celui du naufragé*),

Viendra le recueillir, le pousser au rivage,
Endormir dans ses flancs le poison ennemi,
Réchauffer dans son sein le sein de son ami,
Et de son fol amour étouffer la semence,
Ou du moins dans son cœur ranimer l'espérance !   50
Qu'il est beau de savoir, digne d'un tel lien,
Au repos d'un ami sacrifier le sien !
Plaindre de s'immoler l'occasion ravie,
Être heureux de sa joie et vivre de sa vie !

Si le ciel a daigné d'un regard amoureux   55
Accueillir ma prière et sourire à mes vœux,
Je ne demande point que mes sillons avides
Boivent l'or du Pactole et ses trésors liquides,

et de son fol amour (*celui du naufragé*) étouffer la semence. La pensée
d'André est facile à saisir : après avoir plaint la détresse de l'enfant sur
la mer trompeuse de l'amour, il exalte le bonheur de l'ami qui sera
assez heureux pour arracher l'enfant aux flots et le sauver du naufrage.
— Voy., dans *le Banquet*, le passage où Platon exalte aussi le dévouement de ceux qui comme Alceste, Achille, etc., se dévouent jusqu'à la
mort pour l'objet de leur affection.

V. 29. « *Étouffer la semence.* » Même métaphore dans La Fontaine,
Ode pour la paix :

> *Étouffe* tous ces travaux
> Et leurs *semences* mortelles.

Et dans Racine, *Alexandre*, VI, III ;

> *Étouffe* dans mon sang ces *semences* de guerre.

Malherbe, p. 256, a dit, en parlant des ennemis de la France :

> Marche, va les détruire, *éteins-en la semence.*

V. 35. Tibulle, III, III :

> At si, pro dulci reditu, quæcumque voventur,
>   Audiat aversa non meus aure deus :
> Nec me regna juvant, nec Lydius aurifer amnis,
>   Nec quas terrarum sustinet orbis opes.

André, comme Horace, *Od.*, I, XXXI, et *passim*, méprise les richesses, et
il s'écrie volontiers, comme Anacréon, XV, et comme Archiloque, *Anal.*,
I, p. 42 :

> Οὔ μοι τὰ Γύγεω τοῦ πολυχρύσου μέλει.

Le Pactole, fleuve de Lydie, est célèbre Midas, Gygès, Crésus sont connus par leurs richesses, qu'ils tiraient de là.

Ni que le diamant, sur la pourpre enchaîné,
Pare mon cœur esclave au Louvre prosterné,   45
Ni même, vœu plus doux ! que la main d'Uranie
Embellisse mon front des palmes du génie ;
Mais que beaucoup d'amis, accueillis dans mes bras,
Se partagent ma vie et pleurent mon trépas ;
Que ses doctes héros, dont la main de la Gloire   4.
A consacré les noms au temple de Mémoire,
Plutôt que leurs talents, inspirent à mon cœur
Les aimables vertus qui firent leur bonheur ;
Et que de l'amitié ces antiques modèles
Reconnaissent mes pas sur leurs traces fidèles.   50
Si le feu qui respire en leurs divins écrits
D'une vive étincelle échauffa nos esprits ;
Si leur gloire en nos cœurs souffle une noble envie,
Oh ! suivons donc aussi l'exemple de leur vie :
Gardons d'en négliger la plus belle moitié ;   55
Soyons heureux comme eux au sein de l'amitié.
Horace, loin des flots qui tourmentent Cythère,
Y retrouvait d'un port l'asile salutaire ;
Lui-même au doux Tibulle, à ses tristes amours,
Prêta de l'amitié les utiles secours   60
L'amitié rendit vains tous les traits de Lesbie ;
Elle essuya les yeux que fit pleurer Cynthie.

V. 45-64. Tout ce passage, en y joignant les vers 95 et 96, nous paraît avoir été inspiré directement par ce passage du *Discours prélimi-
naire* qui est en tête de la tragédie d'*Alzire* · « Virgile, Varius, Pollion,
Horace, Tibulle étaient amis ; les monuments de leur amitié subsistent
et apprendront à jamais aux hommes que les esprits supérieurs doivent
être unis. Si nous n'atteignons pas à leur génie, ne pouvons-nous avoir
leurs vertus ? Ces hommes sur qui l'univers avait les yeux, qui avaient
à se disputer l'admiration de l'Asie, de l'Afrique et de l'Europe, s'aimaient pourtant et vivaient en frères. »
   V. 60. Voy. Horace, *Od.*, I, xxxiii, *à Albius Tibulle.*
   V. 61. *Lesbie,* amante de Catulle.
   V. 62. *Cynthie,* amante de Properce.

Virgile n'a-t-il pas, d'un vers doux et flatteur,
De Gallus expirant consolé le malheur ?
Voilà l'exemple saint que mon cœur leur demande.   65
Ovide, ah! qu'à mes yeux ton infortune est grande,
Non pour n'avoir pu faire aux tyrans irrités
Agréer de tes vers les lâches faussetés !
Je plains ton abandon, ta douleur solitaire.
Pas un cœur qui, du tien zélé dépositaire,   70
Vienne adoucir ta plaie, apaiser ton effroi,
Et consoler tes pleurs, et pleurer avec toi !
Ce n'est pas nous, amis, qu'un tel foudre menace.
Que des dieux et des rois l'éclatante disgrâce
Nous frappe : leur tonnerre aura trompé leurs mains ;   75
Nous resterons unis en dépit des destins.
Qu'ils excitent sur nous la fortune cruelle ;
Qu'elle arme tous ses traits : nous sommes trois contre elle.
Nos cœurs peuvent l'attendre, et, dans tous ses combats,
L'un sur l'autre appuyés, ne chancelleront pas.   80

Oui, mes amis, voilà le bonheur, la sagesse.
Que nous importe alors si le dieu du Permesse

V. 64. Voy. Virgile, *Égl.*, X.

V. 66. Ovide exilé, on ne sait pour quel motif, à Tomes, près des bouches du Danube, ne cessa d'adresser à l'empereur les plus basses flatteries ; c'est dans cet exil qu'il composa *les Tristes*, où il peint son infortune, sa solitude dans un pays où ne l'avaient suivi ni famille ni ami.

V. 78. Voy. la même pensée, *Élégies*, I, xiv. — André se souvenait certainement des vers qu'Homère, *Iliade*, X, 224, met dans la bouche de Diomède :

> Σύν τε δύ' ἐρχομένω, καί τε πρὸ ὃ τοῦ ἐνόησεν,
> ὅππως κέρδος ἔη. . . . .

vers que dans l'antiquité on citait communément et pour ainsi dire proverbialement (Eust., *Comm. ad Il.*, p. 800). Cf. Platon, *le Banquet ;* Cicéron, *ad Div.*, IX, vii ; *ad Att.*, IX, vi. Mais voyez surtout le beau passage où Aristote, *de Moribus*, VIII, 1, dit, en citant le Σύν τε δύ' ἐρχομένω, que dans l'adversité comme dans toutes les misères de la vie

Dédaigne de nous voir, entre ses favoris,
Charmer de l'Hélicon les bocages fleuris?
Aux sentiers où leur vie offre un plus doux exemple,   85
Où la félicité les reçut dans son temple,
Nous les aurons suivis, et, jusques au tombeau,
De leur double laurier su ravir le plus beau.
Mais nous pouvons, comme eux, les cueillir l'un et l'autre.
Ils reçurent du ciel un cœur tel que le nôtre :   90
Ce cœur fut leur génie, il fut leur Apollon,
Et leur docte fontaine, et leur sacré vallon.
Castor charme les dieux et son frère l'inspire;
Loin de Patrocle, Achille aurait brisé sa lyre;
C'est près de Pollion, dans les bras de Varus,   95
Que Virgile envia le destin de Nisus.
Que dis-je? ils t'ont transmis ce feu qui les domine.
N'ai-je pas vu ta Muse au tombeau de Racine,
Le Brun, faire gémir la lyre de douleurs
Que jadis Simonide anima de ses pleurs?   100
Et toi, dont le génie, amant de la retraite,
Et des leçons d'Ascra studieux interprète,

---

l'amitié est l'unique refuge des hommes. Car unis, dit-il, ils sont νοῆσαι καὶ πρᾶξαι δυνατώτεροι.

V. 93. L'amitié de Castor et de Pollux est célèbre. Après la mort de Castor, tué par Lyncée, Pollux (immortel parce qu'il était fils de Jupiter) obtint de partager son immortalité avec son frère ; voy. Apollodore, III, XI ; Homère, *Odyss.*, XI, 298.

V. 96. *Pollion* et *Varus*, amis de Virgile, que le poëte a célébrés dans ses églogues. Voy. l'épisode de Nisus, *Énéide*, IX.

V. 98. Fils de l'auteur du poëme de *la Religion* et petit-fils du grand Racine. Il mourut à Cadix, lors du désastre qui détruisit Lisbonne et qui ébranla toute la côte de Portugal et d'Espagne. (*Note d'André Chénier.*)

V. 100. Simonide, en effet, excellait, comme le dit André, à faire gémir la lyre de douleurs ; voy. *Anth.* Grotii, I, tit. LXVII, *ép.* x et xi ; dans la seconde de ces épigrammes, on lui donne l'épithète de ἡδυμελιφθόγγος.

V. 102. « *D'Ascra* » répond à l'adjectif latin *Ascræus.* Virgile, *Géorg.*, II, 176 :

Ascræumque cano Romana per oppida carmen.

Accompagnant l'année en ses douze palais,
Étale sa richesse et ses vastes bienfaits ;
Brazais, que de tes chants mon âme est pénétrée,   105
Quand ils vont couronner cette vierge adorée,
Dont par la main du temps l'empire est respecté,
Et de qui la vieillesse augmente la beauté !
L'homme insensible et froid en vain s'attache à peindre
Ces sentiments du cœur que l'esprit ne peut feindre ;   110
De ses tableaux fardés les frivoles appas
N'iront jamais au cœur dont ils ne viennent pas.
Eh ! comment me tracer une image fidèle
Des traits dont votre main ignore le modèle ?
Mais celui qui, dans soi descendant en secret,   115
Le contemple vivant, ce modèle parfait,
C'est lui qui nous enflamme au feu qui le dévore ;
Lui qui fait adorer la vertu qu'il adore ;
Lui qui trace, en un vers des Muses agréé,
Un sentiment profond que son cœur a créé.   120
Aimer, sentir, c'est là cette ivresse vantée
Qu'aux célestes foyers déroba Prométhée.
Calliope jamais daigna-t-elle enflammer
Un cœur inaccessible à la douceur d'aimer ?
Non : l'amour, l'amitié, la sublime harmonie,   125
Tous ces dons précieux n'ont qu'un même génie ;
Même souffle anima le poëte charmant,
L'ami religieux et le parfait amant ;
Ce sont toutes vertus d'une âme grande et fière.
Bavius et Zoïle, et Gacon et Linière,   130

Ascra, ville de Béotie, près de Thespies, patrie d'Hésiode, comme le
dit Strabon, IX, ii, 25, citant le propre témoignage d'Hésiode, Op. et
dies, 639.
    V. 106. Érigone, qui se pendit de désespoir après la mort de son
père. (Hyg., 130.)
    V. 130. Bavius, mauvais poëte latin ; voy. Virgile, Égl., III, 90. —
Zoïle, le détracteur d'Homère (ὁμηρομάστιξ) ; voy. Fragm. Hist. Græc.,

Aux concerts d'Apollon ne furent point admis,
Vécurent sans maîtresse, et n'eurent point d'amis.

Et ceux qui, par leurs mœurs dignes de plus d'estime,
Ne sont point nés pourtant sous cet astre sublime,
Voyez-les dans des vers divins, délicieux,   135
Vous habiller l'amour d'un clinquant précieux;
Badinage insipide où leur ennui se joue,
Et qu'autant que l'amour le bon sens désavoue.
Voyez si d'une belle un jeune amant épris
A tressailli jamais en lisant leurs écrits;   140
Si leurs lyres jamais, froides comme leurs âmes,
De la sainte amitié respirèrent les flammes.
O peuples de héros, exemples des mortels!
C'est chez vous que l'encens fuma sur ses autels;
C'est aux temps glorieux des triomphes d'Athène,   145
Aux temps sanctifiés par la vertu romaine,
Quand l'âme de Lélie animait Scipion,
Quand Nicoclès mourait au sein de Phocion;
C'est aux murs où Lycurgue a consacré sa vie,
Où les vertus étaient les lois de la patrie.   150
O demi-dieux amis! Atticus, Cicéron,

Didot, II, p. 85. — *Gacon*, poëte satirique français du dix-septième
siècle, le détracteur scandaleux de Boileau et de J.-B. Rousseau. — *Linière*, poëte satirique du dix-septième siècle, l'ennemi déclaré de Chapelain (Boileau, *Sat.*, IX); Boileau, *Épît.*, VII, l'appelle *de Senlis le
poëte idiot.*
     V. 147. Plutarque, *An seni sit ger. resp.*, XXVII, dit qu'en toute
occasion Scipion prenait conseil de Lélius, ce qui faisait dire que Lélius
était le poëte et Scipion l'acteur.
     V. 148. Lorsque Phocion, condamné à mort par les ingrats Athéniens,
fut au moment de boire la ciguë, Nicoclès lui demanda comme dernière
faveur de boire avant lui : Phocion lui tendit la coupe. (Plutarque,
Phoc., XXXVI).
     V. 151. Corneille, *Cinna*, I, III, emploie la même expression quand il
parle
          De ces fameux proscrits, ces *demi-dieux* mortels.

Caton, Brutus, Pompée, et Sulpice et Varron !
Ces héros, dans le sein de leur ville perdue,
S'assemblaient pour pleurer la liberté vaincue.
Unis par la vertu, la gloire, le malheur,   155
Les arts et l'amitié consolaient leur douleur.
Sans l'amitié, quel antre ou quel sable infertile
N'eût été pour le sage un désirable asile,
Quand du Tibre avili le spectre ensanglanté
Armait la main du vice et la férocité ;   160
Quand d'un vrai citoyen l'éclat et le courage
Réveillaient du tyran la soupçonneuse rage ;
Quand l'exil, la prison, le vol, l'assassinat,
Étaient pour l'apaiser l'offrande du Sénat ?
Thraséa, Soranus, Sénécion, Rustique,   165
Vous tous, dignes enfants de la patrie antique,
Je vous vois tous amis, entourés de bourreaux,
Braver du scélérat les indignes faisceaux,
Du lâche délateur l'impudente richesse,
Et du vil affranchi l'orgueilleuse bassesse.   170
Je vous vois, au milieu des crimes, des noirceurs,
Garder une patrie et des lois et des mœurs ;
Traverser d'un pied sûr, sans tache, sans souillure,
Les flots contagieux de cette mer impure ;
Vous créer, au flambeau de vos mâles aïeux,   175

Saint-Lambert, *Été*, appelle le sénat romain
>   Conseil de *demi-dieux* qu'adore l'univers.

Et Gilbert, *Sat. du dix-neuvième siècle*, s'est écrié :
>   Quels *demi-dieux* enfin nos jours ont-ils vus naître ?

V. 175. André a transporté cette belle pensée dans l'*Hermès*, en la
généralisant :

>   La patrie, au milieu des embûches, des traîtres,
>   Remonte en sa mémoire, a recours aux ancêtres,
>   Cherche ce qu'ils feraient en un danger pareil,
>   Et des siècles vieillis assemble le conseil.

Et le *flambeau des mâles aïeux* n'est-ce pas cette clarté que, dans une
note de l'*Hermès*, il compare à la queue étincelante des comètes ?

Sur ce monde profane un monde vertueux.

Oh! viens rendre à leurs noms nos âmes attentives,
Amitié! de leur gloire ennoblis nos archives.
Viens, viens : que nos climats, par ton souffle épurés,
Enfantent des rivaux à ces hommes sacrés.   180
Rends-nous hommes comme eux. Fais sur la France heureuse
Descendre des Vertus la troupe radieuse,
De ces filles du ciel qui naissent dans ton sein,
Et toutes sur tes pas se tiennent par la main.
Ranime les beaux-arts, éveille leur génie,   185
Chasse de leur empire et la haine et l'envie :
Loin de toi dans l'opprobre ils meurent avilis;
Pour conserver leur trône ils doivent être unis.
Alors de l'univers ils forcent les hommages :
Tout, jusqu'à Plutus même, encense leurs images;   190
Tout devient juste alors; et le peuple et les grands,
Quand l'homme est respectable, honorent les talents.
Ainsi l'on vit les Grecs prôner d'un même zèle
La gloire d'Alexandre et la gloire d'Apelle;
La main de Phidias créa des immortels,   195
Et Smyrne à son Homère éleva des autels.
Nous, amis, cependant, de qui la noble audace
Veut atteindre aux lauriers de l'antique Parnasse,
Au rang de ces grands noms nous pouvons être admis.
Soyons cités comme eux entre les vrais amis;   200
Qu'au delà du trépas notre âme mutuelle
Vive et respire encor sur la lyre immortelle;
Que nos noms soient sacrés; que nos chants glorieux

V. 202. N'est-ce pas la pensée de Théocrite, *Idyl.*, XII, 18 :

> . . . . Γενεαῖς δὲ διηκοσίῃσιν ἔπειτα
> ἀγγείλειεν ἐμοί τις ἀνέξοδον εἰς Ἀχέροντα·
> « Ἡ σὴ νῦν φιλότης καὶ τοῦ χαρίεντος ἀΐτεω
> « πᾶσι διὰ στόματος, μετὰ δ' ἠϊθέοισι μάλιστα. »

Soient pour tous les amis un code précieux ;
Qu'ils trouvent dans nos vers leur âme et leurs pensées ; 205
Qu'ils raniment encor nos muses éclipsées,
Et qu'en nous imitant ils s'attendent un jour
D'être chez leurs neveux imités à leur tour.

III

A LE BRUN

Laisse gronder le Rhin et ses flots destructeurs,
Muse ; va de Le Brun gourmander les lenteurs.
Vole aux bords fortunés où les champs d'Élysée
De la ville des lis ont couronné l'entrée ;
Aux lieux où sur l'airain Louis ressuscité   5
Contemple de Henri le séjour respecté,
Et des jardins royaux l'enceinte spacieuse.
Abandonne la rive où la Seine amoureuse,
Lente et comme à regret quittant ces bords chéris,
Du vieux palais des rois baigne les murs flétris,   10
Et des fils de Condé les superbes portiques.

III. — Cette épître semble imitée d'Ovide, *Tristes*, III, vii :

> Vade salutatum subito, perarata, Perillam
> Littera, sermonis fida ministra mei.
> Aut illam invenies dulci cum matre sedentem,
> Aut inter libros Pieridasque suas.
> Quidquid aget, cum te scierit venisse, relinquet :
> Nec mora, quid venias, quidve requiret, agam.

L'épître d'André a aussi le plus grand rapport avec celle de Stace à Victorius Marcellus (*Sylves*, IV, iv). Stace, comme André, trace à sa Muse le chemin qu'elle doit suivre pour aller trouver son ami.

V. 2. André s'adresse à sa Muse, comme Horace dans l'*Épître à Celsus* (I, viii) :

> Celso gaudere et bene rem gerere Albinovano,
> Musa rogata, refer, comiti scribæque Neronis.

V. 10. Le Brun était alors logé au Louvre ; mais l'été sans doute il allait habiter Passy : c'était là son Hélicon, comme le dit André.

V. 11. Le Brun était né à l'hôtel de Conti.

Suis ces fameux remparts et ces berceaux antiques
Où, tant qu'un beau soleil éclaire de beaux jours,
Mille chars élégants promènent les amours.
Un Paris tout nouveau sur les plaines voisines   15
S'étend, et porte au loin, jusqu'au pied des collines,
Un long et riche amas de temples, de palais,
D'ombrages où l'été ne pénètre jamais :
C'est là son Hélicon. Là, ta course fidèle
Le trouvera peut-être aux genoux d'une belle.   20
S'il est ainsi, respecte un moment précieux ;
Sinon, tu peux entrer ; tu verras dans ses yeux,
Dès qu'il aura connu que c'est moi qui t'envoie,
Sourire l'indulgence et peut-être la joie.
Souhaite-lui d'abord la paix, la liberté,   25
Les plaisirs, l'abondance et surtout la santé.
Puis apprends si, toujours ami de la nature,
Il s'en tient comme nous aux bosquets d'Épicure ;
S'il a de ses amis gardé le souvenir ;
Quelle muse à présent occupe son loisir ;   30
Si Tibulle et Vénus le couronnent de rose,
Ou si dans les déserts que le Permesse arrose,
Du vulgaire troupeau prompt à se séparer,
Aux sources de Pindare ardent à s'enivrer,
Sa lyre fait entendre aux nymphes de la Seine   35
Les sons audacieux de la lyre thébaine ;
Que toujours à m'écrire il est lent à mon gré ;

V. 34. Passage imité d'Horace, *Épît.*, I, III :

> Quid Titius, romana brevi venturus in ora,
> Pindarici fontis qui non expalluit haustus,
> Fastidire lacus, et rivos ausus apertos ?
> Ut valet ? ut meminit nostri ? fidibusne latinis
> Thebanos aptare modos studet, auspice Musa ?

V. 37. Éd. 1826 et 1839 :

> Et dis-lui qu'à m'écrire il est lent à mon gré.

Dis-lui est sous-entendu ; c'est, du reste, une incorrection.

Que, de mon cher Brazais pour un temps séparé,
Les ruisseaux et les bois, et Vénus, et l'étude,
Adoucissent un peu ma triste solitude.   40
Oui! les cieux avec joie ont embelli ces champs.
Mais, Le Brun, dans l'effroi que respirent les camps,
Où les foudres guerriers étonnent mon oreille,
Où loin avant Phœbus Bellone me réveille,
Puis-je adorer encore et Vertumne et Palès ?   5
Il faut un cœur paisible à ces dieux de la paix.

IV

A LE BRUN

Ami, chez nos Français ma muse voudrait plaire ;
Mais j'ai fui la satire à leurs regards si chère.
Le superbe lecteur, toujours content de lui,
Et toujours plus content s'il peut rire d'autrui,
Veut qu'un nom imprévu, dont l'aspect le déride,   5
Égaye au bout du vers une rime perfide ;
Il s'endort si quelqu'un ne pleure quand il rit.
Mais qu'Horace et sa troupe irascible d'esprit
Daignent me pardonner, si jamais ils pardonnent :
J'estime peu cet art, ces leçons qu'ils nous donnent,   10

V. 46. Au milieu des orages de l'âme, Ovide, *Tristes*, I, I, 41, s'é-
crie :

> Carmina secessum scribentis et otia quærunt.

IV. — V. 8. « *Horace et sa troupe.* » Horace et ceux qui l'ont imité ;
c'est ainsi que La Fontaine, *Fab.*, II, XIII, dit :

> Mais ce livre qu'*Homère et les siens* ont chanté.

V. 10. Ce qu'André a en vue, c'est la satire sans danger, celle qui
s'attaque aux ridicules ; c'est surtout ce perpétuel combat d'amour-
propre que se livrent entre eux les auteurs. Mais lorsque la satire s'é-
lève, que sa voix tonne pour les vertus, et que devant la mort même

D'immoler bien un sot qui jure en son chagrin,
Au rire âcre et perçant d'un caprice malin.
Le malheureux déjà me semble assez à plaindre
D'avoir, même avant lui, vu sa gloire s'éteindre,
Et son livre au tombeau lui montrer le chemin,   15
Sans aller, sous la terre au trop fertile sein,
Semant sa renommée et ses tristes merveilles,
Faire à tous les roseaux chanter quelles oreilles
Sur sa tête ont dressé leurs sommets et leurs poids.
Autres sont mes plaisirs. Soit, comme je le crois,   20
Que d'une débonnaire et généreuse argile
On ait pétri mon âme innocente et facile ;

---

elle ose flétrir le vice et le crime, alors elle est digne d'être l'arme
d'une grande âme et d'un grand génie. André flétrira les Suisses de Collot d'Herbois et les bourreaux barbouilleurs de lois ; lui-même nous l'a
dit :

> Ma foudre n'a jamais tonné pour mes injures.
> La patrie allume ma voix.

Pindare, *Pyth.*, II, 96, dédaigne la satire, la craint même et redoute le
sort d'Archiloque ; Anacréon, *Od.*, XLII, cet amant des festins, des vers,
de la beauté, s'est écrié :

> Φιλολοιδόροιο γλώττης
> φεύγω βέλεμνα κοῦφα.

V. 16. « *Sans aller,* » sans qu'on aille.

V. 19. M. Sainte-Beuve a spirituellement remarqué, qu'en critiquant la
satire, André se montre excellent satirique. — Ce dernier trait est à
l'adresse de Boileau, *Sat.*, IX, qui ne peut se contenir au seul nom de
Chapelain :

> Ma bile alors s'échauffe, et je brûle d'écrire :
> Et s'il ne m'est permis de le dire au papier,
> J'irai creuser la terre, et comme ce barbier,
> Faire dire aux roseaux, par un nouvel organe :
> Midas, le roi Midas, a des oreilles d'âne !

On sait qu'Apollon, pour punir Midas qui avait préféré le chant de Pan
au sien, changea ses oreilles en oreilles d'âne ; le barbier du roi découvrit le secret, et, ne pouvant le garder, alla creuser un trou et confier
son secret à la terre ; mais les roseaux qui poussaient dans cet endroit
même laissèrent échapper le secret du barbier.

V. 22. On a critiqué l'emploi du pronom indéfini *on* comme désignant
la divinité ; ici *on* ne désigne pas seulement la divinité, mais les effets

Soit, comme ici, d'un œil caustique et médisant,
En secouant le front, dira quelque plaisant,
Que le ciel, moins propice, enviât à ma plume   25
D'un sel ingénieux la piquante amertume,
J'en profite à ma gloire, et je viens devant toi
Mépriser les raisins qui sont trop hauts pour moi.
Aux reproches sanglants d'un vers noble et sévère
Ce pays toutefois offre une ample matière :   30
Soldats tyrans du peuple obscur et gémissant,
Et juges endormis aux cris de l'innocent ;
Ministres oppresseurs, dont la main détestable
Plonge au fond des cachots la vertu redoutable.
Mais, loin qu'ils aient senti la fureur de nos vers,   35
Nos vers rampent en foule aux pieds de ces pervers,
Qui savent bien payer d'un mépris légitime
Le lâche qui pour eux feint d'avoir quelque estime.
Certe, un courage ardent qui s'armerait contre eux
Serait utile au moins s'il était dangereux ;   40
Non d'aller, aiguisant une vaine satire,
Chercher sur quel poëte on a droit de médire ;
Si tel livre deux fois ne s'est pas imprimé,
Si tel est mal écrit, tel autre mal rimé.

multiples de l'influence divine, de la naissance, de l'éducation, de l'influence paternelle, etc. C'est ainsi que l'a employé La Fontaine, *Élégie* III :

> *On* m'a pourvu d'un cœur peu content de lui-même.

V. 28. Allusion a la fable bien connue de La Fontaine, III, xi, *le Renard et les Raisins*.
V. 41. Éd. 1826 et 1839 :

> Sans aller, aiguisant une vaine satire.

Contre-sens. On faisait dire à André qu'il suffit de s'armer contre les oppresseurs pour se rendre utile, tandis qu'il dit très-clairement, quoiqu'il y ait dans sa phrase un changement de construction, qu'il peut être utile de s'armer... mais qu'*il ne l'est pas* d'aller, aiguisant une vaine satire, etc.

Ainsi donc, sans coûter de larmes à personne,   45
A mes goûts innocents, ami, je m'abandonne.
Mes regards vont errants sur mille et mille objets.
Sans renoncer aux vieux, plein de nouveaux projets,
Je les tiens; dans mon camp partout je les rassemble,
Les enrôle, les suis, les pousse tous ensemble.   50
S'égarant à son gré, mon ciseau vagabond
Achève à ce poëme ou les pieds ou le front,
Creuse à l'autre les flancs, puis l'abandonne et vole
Travailler à cet autre ou la jambe ou l'épaule.
Tous, boiteux, suspendus, traînent; mais je les vois   55
Tous bientôt sur leurs pieds se tenir à la fois.
Ensemble lentement tous couvés sous mes ailes,
Tous ensemble quittant leurs coques maternelles,
Sauront d'un beau plumage ensemble se couvrir,
Ensemble sous le bois voltiger et courir.   60
Peut-être il vaudrait mieux, plus constant et plus sage,
Commencer, travailler, finir un seul ouvrage.
Mais quoi! cette constance est un pénible ennui.
« Eh bien! nous lirez-vous quelque chose aujourd'hui?
Me dit un curieux qui s'est toujours fait gloire   65
D'honorer les neuf Sœurs, et toujours, après boire,
Étendu dans sa chaise et se chauffant les pieds,
Aime à dormir au bruit des vers psalmodiés.
— Qui, moi? Non, je n'ai rien. D'ailleurs je ne lis guère.
— Certe, un tel nous lut hier une épître!... et son frère   70
Termina par une ode où j'ai trouvé des traits!...

V. 47. Quelques éditions ont substitué *errant* à *errants;* c'est à tort :
André à chaque instant fait accorder les participes présents.

V. 55. « *Traînent,* » pour *se traînent.*

V. 57. C'est pour la troisième fois qu'André change d'image. Celle du
statuaire est belle; il eût pu facilement lui donner plus de développe-
ments. C'eût été comme un pendant de celle du fondeur.

V. 66. Éd. 1839 :

    D'adorer les nœuf Sœurs, et toujours, après boire.

— Ces messieurs plus féconds, dis-je, sont toujours prêts.
Mais moi, que le caprice et le hasard inspire,
Je n'ai jamais sur moi rien qu'on puisse vous lire.
— Bon! bon! Et cet Hermès, dont vous ne parlez pas,   75
Que devient-il? — Il marche, il arrive à grands pas.
— Oh! je m'en fie à vous. — Hélas! trop, je vous jure.
— Combien de chants de faits? — Pas un, je vous assure.
— Comment? — Vous avez vu sous la main d'un fondeur
Ensemble se former, diverses en grandeur,   80
Trente cloches d'airain, rivales du tonnerre?
Il achève leur moule enseveli sous terre,
Puis, par un long canal en rameaux divisé,
Y fait couler les flots de l'airain embrasé ;
Si bien qu'au même instant, cloches, petite et grande,   85
Sont prêtes, et chacune attend et ne demande
Qu'à sonner quelque mort, et du haut d'une tour
Réveiller la paroisse à la pointe du jour.
Moi, je suis ce fondeur : de mes écrits en foule
Je prépare longtemps et la forme et le moule,   90
Puis sur tous à la fois je fais couler l'airain.
Rien n'est fait aujourd'hui, tout sera fait demain. »

Ami, Phœbus ainsi me verse ses largesses.
Souvent des vieux auteurs j'envahis les richesses.

V. 79-92. Egger, *Hist. de l'hellénisme,* II, p. 354 : « Une lettre
inédite à de Pange l'aîné (Londres, fin de mai 1791) nous offre en prose
l'expression de la même idée. »
V. 94. Nous ne pouvons omettre de citer ici, en regard des vers d'André, les beaux vers de La Fontaine, *Épître à Mgr de Soissons :*

Quelques imitateurs, sot bétail, je l'avoue,
Suivent en vrais moutons le pasteur de Mantoue.
J'en use d'autre sorte ; et me laissant guider,
Souvent à marcher seul j'ose me hasarder.
On me verra toujours pratiquer cet usage.
Mon imitation n'est point un esclavage :
Je ne prends que l'idée, et les tours et les lois
Que nos maîtres suivoient eux-mêmes autrefois.

Plus souvent leurs écrits, aiguillons généreux,   95
M'embrasent de leur flamme, et je crée avec eux.
Un juge sourcilleux, épiant mes ouvrages,
Tout à coup à grands cris dénonce vingt passages
Traduits de tel auteur qu'il nomme; et, les trouvant,
Il s'admire et se plaît de se voir si savant.   100
Que ne vient-il vers moi? je lui ferai connaître
Mille de mes larcins qu'il ignore peut-être.
Mon doigt sur mon manteau lui dévoile à l'instant
La couture invisible et qui va serpentant
Pour joindre à mon étoffe une pourpre étrangère.   105
Je lui montrerai l'art ignoré du vulgaire
De séparer aux yeux, en suivant leur lien,
Tous ces métaux unis dont j'ai formé le mien.
Tout ce que des Anglais la muse inculte et brave,
Tout ce que des Toscans la voix fière et suave,   110

> Si d'ailleurs quelque endroit plein chez eux d'excellence
> Peut entrer dans mes vers sans nulle violence,
> Je l'y transporte, et veux qu'il n'ait rien d'affecté,
> Tâchant de rendre mien cet air d'antiquité.
> Je vois avec douleur ces routes méprisées :
> Arts et guides, tout est dans les champs Élysées...
> Térence est dans mes mains; je m'instruis dans Horace;
> Homère et son rival sont mes dieux du Parnasse.

On le voit, le même génie anime La Fontaine et Chénier. Dans cette
épître, tout ce dernier passage est d'une beauté incomparable ; André s'y
place au premier rang des écrivains. Nous n'avons que rarement laissé
percer notre admiration, voulant toujours laisser libre celle du lecteur ;
mais ici nous ne pouvons négliger le témoignage de M. Boissonade, qui,
dans ses notes manuscrites, s'écrie : « Que toute cette page est belle! »

V. 105. C'est l'expression d'Horace, *Art poét.*, 15 :

> Purpureus, late qui splendeat, unus et alter
> Assuitur pannus. . . . .

V. 109. « *Brave*, » hardie, avec le sens de l'italien *brava;* c'est ainsi
que Malherbe, p. 104, l'a employé :

> Les Muses hautaines et braves
> Tiennent le flatter odieux,
> Et comme parentes des dieux
> Ne parlent jamais en esclaves.

V. 110. De même La Fontaine dans l'*Épître à Mgr de Soissons :*

> J'en lis qui sont du Nord et qui sont du Midi.

Tout ce que les Romains, ces rois de l'univers,
M'offraient d'or et de soie, est passé dans mes vers.
Je m'abreuve surtout des flots que le Permesse
Plus féconds et plus purs fit couler dans la Grèce ;
Là, Prométhée ardent, je dérobe les feux   115
Dont j'anime l'argile et dont je fais des dieux.
Tantôt chez un auteur j'adopte une pensée,
Mais qui revêt, chez moi souvent entrelacée,
Mes images, mes tours, jeune et frais ornement ;
Tantôt je ne retiens que les mots seulement ;   120
J'en détourne le sens, et l'art sait les contraindre
Vers des objets nouveaux qu'ils s'étonnent de peindre.
La prose plus souvent vient subir d'autres lois,
Et se transforme, et fuit mes poétiques doigts ;
De rimes couronnée, et légère et dansante,   125
En nombres mesurés elle s'agite et chante.
Des antiques vergers ces rameaux empruntés
Croissent sur mon terrain mollement transplantés ;
Aux troncs de mon verger ma main avec adresse
Les attache, et bientôt même écorce les presse.   130
De ce mélange heureux l'insensible douceur
Donne à mes fruits nouveaux une antique saveur.
Dévot adorateur de ces maîtres antiques,
Je veux m'envelopper de leurs saintes reliques.
Dans leur triomphe admis, je veux le partager,   135
Ou bien de ma défense eux-mêmes les charger.
Le critique imprudent, qui se croit bien habile,
Donnera sur ma joue un soufflet à Virgile ;

V. 122. Il ne serait pas étonnant qu'il y eût là une réminiscence du
vers célèbre de Virgile, *Géorg.*, II, 82 .

> Miraturque novas frondes et non sua poma.

V. 138. André Chénier a exprimé la même pensée dans une petite pièce
de vers inédite, qui se termine par le reproche flatteur fait à Voltaire de
s'être souffleté lui-même sur la joue d'Aristophane. Voy. *Appendice* II.

Et ceci (tu peux voir si j'observe ma loi),
Montaigne, il t'en souvient, l'avait dit avant moi.　　　140

V

AU MARQUIS DE BRAZAIS

Qui? moi? moi de Phœbus te dicter les leçons?
Moi, dans l'ombre ignoré, moi que ses nourrissons
Pour émule aujourd'hui désavoûraient peut-être?
Dans ce bel art des vers je n'ai point eu de maître :
Il n'en est point, ami. Les poëtes vantés,　　　5
Sans cesse avec transport lus, relus, médités;
Les dieux, l'homme, le ciel, la nature sacrée

V. 140. Montaigne, *Essais*, II, x : « Ez raisons, comparaisons, argu-
ments, si i'en transplante quelqu'un en mon solage, et confonds aux
miens ; à escient i'en cache l'auteur, pour tenir en bride la temerité de
ces sentences hastifves qui se iectent sur toute sorte d'escripts, notamment ieunes escripts, d'hommes encore vivants, et en vulgaire, qui
receoit tout le monde à en parler, et qui semble convaincre la conception et le dessein vulgaire de mesme : ie veulx qu'ils donnent une
nazarde à Plutarque sur mon nez, et qu'ils s'eschauldent à iniurier Se-
neque en moi. » D'ailleurs, comme le disait Térence aux Romains dans
le prologue de *l'Eunuque :*

> Nullum est jam dictum, quod non dictum sit prius.

Les anciens n'ont-ils pas emprunté à la nature elle-même ce que nous
leur empruntons? La Fontaine, *Ép. au prince de Conti :*

> Je ne vous dis ici que ce qu'a dit Voiture ;
> L'ami de Mécénas, Horace, dans ses sons,
> L'avoit dit devant lui ; devant eux la nature
> L'avoit fait dire en cent façons.

Au surplus, le vrai est toujours le vrai ; dire une chose vraie après d'autres n'est pas imiter. La Bruyère, *de l'Esprit*, le remarque très-justement :
« Horace ou Despréaux l'a dit avant vous, je le crois sur votre parole,
mais je l'ai dit comme mien. Ne puis-je pas penser après eux une chose
vraie, et que d'autres encore penseront après moi ? »

V. — V. 5-9. Sans citer ici Horace, que nous retrouverons dans le

Sans cesse étudiée, admirée, adorée,
Voilà nos maîtres saints, nos guides éclatants.
A peine avais-je vu luire seize printemps, 10
Aimant déjà la paix d'un studieux asile,
Ne connaissant personne, inconnu, seul, tranquille,
Ma voix humble à l'écart essayait des concerts ;
Ma jeune lyre osait balbutier des vers.
Déjà même Sappho des champs de Mitylène 15
Avait daigné me suivre aux rives de la Seine.
Déjà dans les hameaux, silencieux, rêveur,
Une source inquiète, un ombrage, une fleur,
Des filets d'Arachné l'ingénieuse trame,
De doux ravissements venaient saisir mon âme. 20
Des voyageurs lointains auditeur empressé,
Sur nos tableaux savants où le monde est tracé,
Je courais avec eux du couchant à l'aurore.
Fertile en songes vains que je chéris encore,
J'allais partout, partout bientôt accoutumé, 25
Aimant tous les humains, de tout le monde aimé.
Les pilotes bretons me portaient à Surate,
Les marchands de Damas me guidaient vers l'Euphrate.
Que dis-je? dès ce temps mon cœur, mon jeune cœur
Commençait dans l'amour à sentir un vainqueur ; 30

poëme de *l'Invention*, nous rappellerons le passage de Claudien, *IV⁰ Cons.
d'Honorius*, 395, où Théodose dit à son fils :

    Interea Musis, animus dum mollior, insta,
    Et, quæ mox imitare, legas ; nec desinat unquam
    Tecum graia loqui, tecum romana vetustas.

La Fontaine, traduisant deux vers d'un poëte latin :

    Je puiserai pour vous chez les vieux écrivains...
    Soyez-leur attentif, même aux choses légères.

Boileau, *Art. poét.*, II, en parlant de Théocrite et de Virgile :

    Que leurs tendres écrits, par les Grâces dictés,
    Ne quittent point vos mains, jour et nuit feuilletés.

  V. 15. Voy. *Poésies antiques*, *Épigr.*, VI, p. 116.
  V. 26. Comparer avec le v. 39 de l'*Élégie* xxiv du livre I.

Il se troublait dès lors au souris d'une belle.
Qu'à sa pente première il est resté fidèle!
C'est là, c'est en aimant, que pour louer ton choix
Les Muses elles-même adouciront ta voix.
Du sein de notre amie, oh! combien notre lyre   35
Abonde à publier sa beauté, son empire,
Ses grâces, son amour de tant d'amour payé!
Mais quoi! pour être heureux faut-il être envié?
Quand même auprès de toi les yeux de ta maîtresse
N'attireraient jamais les ondes du Permesse,   40
Qu'importe? penses-tu qu'il ait perdu ses jours
Celui qui, se livrant à ses chères amours,
Recueilli dans sa joie, eut pour toute science
De jouir en secret, fut heureux en silence?

VI

A DE PANGE AINÉ

De Pange, ami chéri, jeune homme heureux et sage,
Parle, de ce matin dis-moi quel est l'ouvrage?

V. 44. Dans toutes les éditions précédentes, d'après l'édition de 1819,
l'épître continue :

> Qu'il est doux, au retour de la froide saison! etc.

Il est impossible de trouver un lien entre l'épître et ce fragment. C'est
probablement une des moins heureuses coutures de M. de Latouche. Nous
avons placé le fragment dans *l'Art d'aimer* ; c'est un tableau complet et
plein de grâce, qui, parmi les papiers du poëte, attendait sa place définitive. L'épître telle que nous la donnons est parfaitement achevée, et dans
la pensée, et dans le mouvement, et dans la contexture de la dernière
phrase.

VI. — Cette épître est composée sur le plan de l'épître d'Horace (I, IV)
adressée à Tibulle :

> Albi, nostrorum sermonum candide judex,
> Quid nunc te dicam facere in regione Pedana? etc.

Du vertueux bonheur montres-tu les chemins
A ce frère naissant dont j'ai vu que tes mains
Aiment à cultiver la charmante espérance?   5
Ou bien vas-tu cherchant dans l'ombre et le silence,
Seul, quel encens le Gange aux flots religieux
Vit les premiers humains brûler aux pieds des dieux?
Ou comment dans sa route, avec force tracée,
Descartes n'a point su contenir sa pensée?   10
Consumant ma jeunesse en un loisir plus vain,
Seul, animé du feu que nous nommons divin,
Qui pour moi chaque jour ne luit qu'avec l'aurore,
Je rêve assis au bord de cette onde sonore
Qu'au penchant d'Hélicon, pour arroser ses bois,   15
Le quadrupède ailé fit jaillir autrefois.
A nos festins d'hier un souvenir fidèle
Reporte mes souhaits, me flatte, me rappelle
Tes pensers, tes discours, et quelquefois les miens,
L'amicale douceur de tes chers entretiens,   20

V. 5. « *L'espérance de quelqu'un,* » c'est-à-dire l'espérance que nous
donne quelqu'un. Molière a dit de même dans *l'École des femmes,*
IV, I :

> Je l'aurai fait passer chez moi dès son enfance,
> Et j'*en* aurai chéri *la plus tendre espérance.*

V. 10. Allusion au système des tourbillons.

V. 14. Properce, III, III, 1 :

> Visus eram molli recubans Heliconis in umbra
> Bellerophontei qua fluit humor equi.

V. 16. « *Le quadrupède ailé.* » Pégase, né de Neptune et de Méduse,
l'une des Gorgones (*Schol.* Pind., *Ol.,* XIII, 118 ; Apollodore, II, III et IV).
Il est surtout connu dans l'histoire fabuleuse de la Grèce par l'aventure
héroïque de Bellérophon (Pind. *supr. citat.*) Dans les légendes des poëtes,
il est célèbre par la fontaine Hippocrène, qu'il fit jaillir d'un coup de
sabot (Nonnus, *Dionys.,* XLIV, 6; Ovide, *Fast.,* V, 7) ; cette fontaine
se trouvait sur l'Hélicon. La Béotie, du reste, était riche en fontaines
des Muses ; voy. Pline, *Hist. nat.,* IV, VII. C'est du nom de Pégase que
les Muses sont appelées *Pégasides;* voy. Properce, III, I, 19. Pindare,
Ol., XIII, 122 : « ἵππος πτερόεις. » Régnier, *Sat.* IX, l'appelle « le cheval volant. » Milton, *Par. perdu,* VII, 17 . « The flying steed. »

Ton honnête candeur, ta modeste science,
De ton cœur presque enfant la mûre expérience.
Poursuis : dans ce bel âge où, faibles nourrissons,
Nous répétons à peine un maître et ses leçons,
Il est beau, dans les soins d'un solitaire asile   25
(Même dans tes amours, doux, aimable, tranquille),
De savoir loin des yeux, sans faste, sans fierté,
Sage pour soi, content, chercher la vérité.
Va, poursuis ta carrière, et sois toujours le même ;
Sois heureux, et surtout aime un ami qui t'aime.   30
Ris de son cœur débile aux désirs condamné,
De l'étude aux amours sans cesse promené,
Qui, toujours approuvant ce dont il fuit l'usage,
Aimera la sagesse, et ne sera point sage.

VII

A DE PANGE AINÉ

Heureux qui, se livrant aux sages disciplines,
Nourri du lait sacré des antiques doctrines,
Ainsi que de talents a jadis hérité
D'un bien modique et sûr qui fait la liberté !
Il a, dans sa paisible et sainte solitude,   5
Du loisir, du sommeil, et les bois et l'étude,

V. 24. « *Nous répétons un maître.* » La Fontaine, *Fabl.*, IX, xviii, a
dit par une tournure semblable, fréquente du reste en poésie :

Je vous *raconterai Térée* et son envie.

VII. — Ce morceau est-il bien une épître adressée à de Pange? Il nous
paraît être un fragment détaché par M. de Latouche d'une composition
plus importante mais restée à l'état d'ébauche.

V. 2. Ce vers rappelle le *lac disciplinæ* de Quintilien.

V. 4. C'est l'*aurea mediocritas* d'Horace.

Le banquet des amis, et quelquefois, les soirs,
Le baiser jeune et frais d'une blanche aux yeux noirs.
Il ne faut point qu'il dompte un ascendant suprême,
Opprime son génie et s'éteigne lui-même,   10
Pour user, sans honneur, et sa plume et son temps
A des travaux obscurs tristement importants.
Il n'a point pour pousser sa barque vagabonde,
A se précipiter dans les flots du grand monde ;
Il n'a point à souffrir vingt discours odieux   15
De raisonneurs méchants encor plus qu'ennuyeux,
Tels qu'en de longs détours de disputes frivoles
Hurlent de vingt partis les prétentions folles,
Prêtres et gens de cour, ambitieux tyrans,
Nobles et magistrats, superbes ignorants,   20
Tous vieux usurpateurs et voraces corsaires,
Et dignes héritiers de l'esprit de nos pères.
Il n'entend point tonner le chef-d'œuvre ampoulé
D'un sourcilleux rimeur au fauteuil installé.
Il ne doit point toujours déguiser ce qu'il pense,   25
Imposer à son âme un éternel silence,
Trahir la vérité pour avoir du repos,
Et feindre d'être un sot pour vivre avec les sots.

V. 9. L'*ascendant* est la destinée particulière qui entraîne l'individu.

V. 13. Malherbe, p. 112 :

> Mais quoi ! *ma barque vagabonde*
> Est dans les sirtes bien avant,
> Et le plaisir la decevant,
> Toujours l'emporte au gré de l'onde.

V. 14. Horace a dit, *Épît.*, I, I, 16 .

> Nunc agilis fio, et mersor civilibus undis.

V. 24. « *Sourcilleux*, » qui fait l'important, présomptueux, *superci liosus*.

POEMES

I

L'INVENTION

O fils du Mincius, je te salue, ô toi
Par qui le dieu des arts fut roi du peuple-roi !
Et vous, à qui jadis, pour créer l'harmonie,
L'Attique et l'onde Égée, et la belle Ionie,
Donnèrent un ciel pur, les plaisirs, la beauté,   5
Des mœurs simples, des lois, la paix, la liberté,
Un langage sonore aux douceurs souveraines,
Le plus beau qui soit né sur des lèvres humaines !

V. 1. « *Fils du Mincius,* » Virgile. — L'exorde rappelle celui qui ouvre le troisième chant du poëme de Lucrèce.

V. 4. « *L'onde Égée ;* » c'est l'expression de Tibulle, I, iii :

> Ibitis Ægeas sine me, Messala, per *undas.*

Onde pour *mer* est fréquent. Horace, *Od.*, III, iv . « Sicula unda. »

V. 7. Horace, *Ep. ad Pis.*, 323 :

> Graiis ingenium, Graiis dedit ore rotundo
> Musa loqui, præter laudem nullius avaris.

Et M.-J. Chénier :

> Muses aux Grecs donnèrent le génie,
> Le doux parler, l'éloquente harmonie.

Nul âge ne verra pâlir vos saints lauriers,
Car vos pas inventeurs ouvrirent les sentiers,   10
Et du temple des arts que la gloire environne
Vos mains ont élevé la première colonne.
A nous tous aujourd'hui, vos faibles nourrissons,
Votre exemple a dicté d'importantes leçons.
Il nous dit que nos mains, pour vous être fidèles,   15
Y doivent élever des colonnes nouvelles.
L'esclave imitateur naît et s'évanouit ;
La nuit vient, le corps reste, et son ombre s'enfuit.

Ce n'est qu'aux inventeurs que la vie est promise.
Nous voyons les enfants de la fière Tamise   20
De toute servitude ennemis indomptés ;
Mieux qu'eux, par votre exemple, à vous vaincre excités,

> V. 9. Pope, *Essai sur la critique*, I :

>> Still green with bays each ancient altar stands,
>> Above the reach of sacrilegious hands.

> V. 10. Comparez ces vers avec ceux de Pope, *Essai sur la crit.*, I :

>> Hear how learn'd Greece her useful rules indites, etc.

> V. 18. *André* se souvenait sans doute des vers de J.-B. Rousseau, *Ode
> à la Fortune* :

>> Mais au moindre revers funeste,
>> Le masque tombe, l'homme reste,
>> Et le héros s'évanouit.

Peut-être imitait-il directement Lucrèce, III, 58 : « Eripitur persona,
manet res. » Cf. Pétrone, *Satyr.*, LXXX. — Pas plus que La Fontaine
(*Fab.*, XII, xix), André n'aimait *le peuple imitateur ;* et, comme La Fontaine (*Clym.*), il aurait dit volontiers :

>> Il me faut du nouveau, n'en fût-il plus au monde.

> V. 21. Pope, *Essai sur la critique*, III :

>> But we, brave Britons, foreign laws despis'd,
>> And kept unconquer'd, and unciviliz'd.

Voltaire, dans la *Henriade*, I :

>> Et fit aimer son joug à l'Anglais *indompté*
>> Qui ne peut n'y servir ni vivre en liberté.

Osons ; de votre gloire éclatante et durable
Essayons d'épuiser la source inépuisable.
Mais inventer n'est pas, en un brusque abandon,   25
Blesser la vérité, le bon sens, la raison ;
Ce n'est pas entasser, sans dessein et sans forme,
Des membres ennemis en un colosse énorme ;
Ce n'est pas, élevant des poissons dans les airs,

Montesquieu, *Pensées diverses*, a dit aussi : « Les Anglais sont des
génies singuliers, ils n'imiteront pas même les anciens qu'ils admirent. »
— Plusieurs des éditions précédentes mettent une virgule à la fin du
vers 21, et un point à la fin du vers 22 ; la phrase ainsi ponctuée n'offre
aucun sens.

V. 24. Cf. *Élég.*, II, xi, 12. — [Cette opposition d'un verbe et de
l'adjectif privatif est toujours d'un effet poétique [1]. Le vers de Racine
est fameux, et il a été souvent imité. Louis Racine cite l'imitation de
Longepierre dans sa *Médée* et la critique :

> Et l'on *n'efface* point *d'ineffaçables* traits.

Delille, dans *l'Imagination*, III :

> Mais qui de tes beautés, ô mer intarissable,
> Peut jamais *épuiser* la source *inépuisable ?*

Et dans *les Jardins*, IV :

> Mais loin ces monuments dont la ruine feinte
> *Imite* mal du temps *l'inimitable* empreinte.

N'a-t-il pas dit ailleurs, par la même figure, que les Pyramides

> Ont *fatigué* du temps la faux *infatigable ?*

Rousseau, *Od. sacr.*, I, a dit :

> Qui pourra, grand Dieu, *pénétrer*
> Ce sanctuaire *impénétrable ?*

Boissonade.]

V. 25-34. Horace, *Ep. ad Pis.*, 1 :

> Humano capiti cervicem pictor equinam
> Jungere si velit, et varias inducere plumas,
> Undique collatis membris, ut turpiter atrum
> Desinet in piscem mulier formosa superne,
> Spectatum admissi risum teneatis, amici ?
> Credite, Pisones, isti tabulæ fore librum
> Persimilem, cujus, velut ægri somnia, vanæ

[1] Rapprocher de ces différents exemples le vers de la *Phèdre* de Racine :
> Et repasser les bords qu'on passe sans retour.
Et celui de Delille, dans les *Jardins :*
> Suivre sans cesse un but qui recule sans cesse.

A l'aile des vautours ouvrir le sein des mers ;   30
Ce n'est pas sur le front d'une nymphe brillante
Hérisser d'un lion la crinière sanglante :
Délires insensés ! fantômes monstrueux !
Et d'un cerveau malsain rêves tumultueux !
Ces transports déréglés, vagabonde manie,   35
Sont l'accès de la fièvre et non pas du génie.
D'Ormus et d'Ariman ce sont les noirs combats,
Où, partout confondus, la vie et le trépas,
Les ténèbres, le jour, la forme et la matière,
Luttent sans être unis ; mais l'esprit de lumière   40
Fait naître en ce chaos la concorde et le jour :
D'éléments divisés il reconnaît l'amour,
Les rappelle, et partout, en d'heureux intervalles,
Sépare et met en paix les semences rivales.
Ainsi donc, dans les arts, l'inventeur est celui   45
Qui peint ce que chacun put sentir comme lui ;
Qui, fouillant des objets les plus sombres retraites,
Étale et fait briller leurs richesses secrètes ;
Qui, par des nœuds certains, imprévus et nouveaux,

> Fingentur species, ut nec pes, nec caput uni
> Reddatur formæ. — Pictoribus atque poetis
> Quidlibet AUDENDI semper fuit æqua potestas.
> — Scimus, et hanc veniam petimusque damusque vicissim:
> Sed non ut placidis coeant immitia, non ut
> Serpentes avibus geminentur, tigribus agni.

V. 37. Dans la religion des Perses, on reconnaissait deux principes, *Ormus*, la lumière, et *Ariman*, les ténèbres ; voy. Plutarque, *Isis et Osiris*, XLVI. *Ormus* correspondait au Ζεύς des Grecs, et *Ariman* à Ἅδης ; voy. Diog. Laert., *Proœm.* — Cf. Plutarque, *De anim. procreat. in Tim.*, XXVII, où il rapproche ce système de ceux d'Empédocle, d'Héraclite, de Parménide, d'Anaxagore.

V. 47. [L'humble Phèdre, IV, II, a dit :

> . . . . Decipit
> Frons prima multos : rara mens intelligit
> Quod interiore condidit cura angulo...

N'est-ce là qu'une rencontre ? n'est-ce pas une heureuse traduction du prosaïque *interior angulus*, et *fouillant* pour *intelligit ?* SAINTE-

Unissant des objets qui paraissaient rivaux,   50
Montre et fait adopter à la nature mère
Ce qu'elle n'a point fait, mais ce qu'elle a pu faire ;
C'est le fécond pinceau qui, sûr dans ses regards,
Retrouve un seul visage en vingt belles épars,
Les fait renaître ensemble, et, par un art suprême,   55
Des traits de vingt beautés forme la beauté même.

La nature dicta vingt genres opposés,
D'un fil léger entre eux chez les Grecs divisés.
Nul genre, s'échappant de ses bornes prescrites,
N'aurait osé d'un autre envahir les limites,   60
Et Pindare à sa lyre, en un couplet bouffon,
N'aurait point de Marot associé le ton.
De ces fleuves nombreux dont l'antique Permesse
Arrosa si longtemps les cités de la Grèce,
De nos jours même, hélas! nos aveugles vaisseaux   65
Ont encore oublié mille vastes rameaux.
Quand Louis et Colbert, sous les murs de Versailles,

Beuve]. — André, plus énergique que Phèdre, semble ici se rapprocher
de Manilius, *Astron.*, I, 95 :

> Omnia conando docilis solertia vicit :
> Nec prius imposuit rebus finemque manumque,
> Quam cœlum ascendit ratio, cepitque profundis
> Naturam rerum claustris, viditque quod usquam est.

V. 56. Socrate (Xénoph., *Memorab.*, III, x), s'adressant à Parrhasius,
lui expose cette théorie, qui était aussi celle de Zeuxis : « Ἐκ πολλῶν
συνάγοντες τὰ ἐξ ἑκάστου κάλλιστα οὕτως ὅλα τὰ σώματα καλὰ ποιεῖτε
φαίνεσθαι. » Voy. la lettre de Raphaël au comte Castiglione.

V. 59. Édit. 1839 :

> Nul genre, s'échappant de ces bornes prescrites.

V. 62. Gilbert, dans *le Dix-huitième siècle*, a développé la même
pensée :

> Quel désordre nouveau se montre à mes regards !...
> Des genres opposés bizarrement unis...
> Tantôt c'est un rimeur dont la muse étourdie,
> Dans un conte, ennobli du nom de comédie,
> Passe, en dépit du goût, du touchant au bouffon,
> Et marie une farce avec un long sermon...

Réparaient des beaux-arts les longues funérailles,
De Sophocle et d'Eschyle ardents admirateurs,
De leur auguste exemple élèves inventeurs,   70
Des hommes immortels firent sur notre scène
Revivre aux yeux français les théâtres d'Athène.
Comme eux, instruit par eux, Voltaire offre à nos pleurs
Des grands infortunés les illustres douleurs ;
D'autres esprits divins, fouillant d'autres ruines,   75
Sous l'amas des débris, des ronces, des épines,
Ont su, pleins des écrits des Grecs et des Romains,
Retrouver, parcourir leurs antiques chemins.
Mais, ô la belle palme et quel trésor de gloire
Pour celui qui, cherchant la plus noble victoire,   80
D'un si grand labyrinthe affrontant les hasards,
Saura guider sa Muse aux immenses regards,
De mille longs détours à la fois occupée,
Dans les sentiers confus d'une vaste épopée ;
Lui dire d'être libre, et qu'elle n'aille pas   85
De Virgile et d'Homère épier tous les pas,
Par leur secours à peine à leurs pieds élevée ;
Mais qu'auprès de leurs chars, dans un char enlevée,
Sur leurs sentiers marqués de vestiges si beaux,
Sa roue ose imprimer des vestiges nouveaux !   90
Quoi ! faut-il, ne s'armant que de timides voiles,
N'avoir que ces grands noms pour Nord et pour étoiles,
Les côtoyer sans cesse, et n'oser un instant,
Seul et loin de tout bord, intrépide et flottant,
Aller sonder les flancs du plus lointain Nérée,   95

V. 74. Édit. 1839 :

> *De* grands infortunés les illustres douleurs.

André ignorait la règle moderne qui prescrit *de* devant un adjectif.

V. 84. « *Les sentiers d'une épopée,* » expression qui rappelle ce vers
d'Aristophane, *Ois.*, 1374 :

> Πέτομαι δ' ὁδὸν ἄλλοτ' ἐπ' ἄλλαν μελέων.

Et du premier sillon fendre une onde ignorée?
Les coutumes d'alors, les sciences, les mœurs
Respirent dans les vers des antiques auteurs :
Leur siècle est en dépôt dans leurs nobles volumes.
Tout a changé pour nous, mœurs, sciences, coutumes. 100
Pourquoi donc nous faut-il, par un pénible soin,
Sans rien voir près de nous, voyant toujours bien loin,
Vivant dans le passé, laissant ceux qui commencent,
Sans penser, écrivant d'après d'autres qui pensent,
Retraçant un tableau que nos yeux n'ont point vu, 105
Dire et dire cent fois ce que nous avons lu?
De la Grèce héroïque et naissante et sauvage
Dans Homère à nos yeux vit la parfaite image.
Démocrite, Platon, Épicure, Thalès,
Ont de loin à Virgile indiqué les secrets 110
D'une nature encore à leurs yeux trop voilée.
Torricelli, Newton, Kepler et Galilée,
Plus doctes, plus heureux dans leurs puissants efforts,
A tout nouveau Virgile ont ouvert des trésors.
Tous les arts sont unis : les sciences humaines 115
N'ont pu de leur empire étendre les domaines,
Sans agrandir aussi la carrière des vers.
Quel long travail pour eux a conquis l'univers :
Aux regards de Buffon, sans voile, sans obstacles,
La terre ouvrant son sein, ses ressorts, ses miracles, 120
Ses germes, ses coteaux, dépouille de Téthys ;
Les nuages épais, sur elle appesantis,
De ses noires vapeurs nourrissant leur tonnerre;

V. 100. Horace, *Ep. ad Pis.*, 156 :

> Ætatis cujusque notandi sunt tibi mores,
> Mobilibusque decor naturis dandus, et annis.

V. 112. *Torricelli*, inventeur du baromètre ; *Newton*, qui découvrit les grandes lois de la gravitation universelle ; *Kepler*, qui trouva la loi des révolutions planétaires ; *Galilée*, qui professa le premier le mouvement de la terre.

Et l'hiver ennemi, pour envahir la terre,
Roi des antres du Nord, et, de glaces armés,   125
Ses pas usurpateurs sur nos monts imprimés ;
Et l'œil perçant du verre, en la vaste étendue,
Allant chercher ces feux qui fuyaient notre vue,
Aux changements prédits, immuables, fixés,
Que d'une plume d'or Bailly nous a tracés ;   150
Aux lois de Cassini les comètes fidèles ;
L'aimant, de nos vaisseaux seul dirigeant les ailes,
Une Cybèle neuve et cent mondes divers
Aux yeux de nos Jasons sortis du sein des mers !
Quel amas de tableaux, de sublimes images,   155
Naît de ces grands objets réservés à nos âges !
Sous ces bois étrangers qui couronnent ces monts,
Aux vallons de Cusco, dans ces antres profonds,
Si chers à la fortune et plus chers au génie,
Germent des mines d'or, de gloire et d'harmonie.   140
Pensez-vous, si Virgile ou l'Aveugle divin
Renaissaient aujourd'hui, que leur savante main
Négligeât de saisir ces fécondes richesses,
De notre Pinde auguste éclatantes largesses ?
Nous en verrions briller leurs sublimes écrits ;   145

V. 124. C'est *pour envahir la terre* que *l'hiver ennemi* est *roi*,
c'est-à-dire dispose des vents enfermés dans les *antres du Nord*. —
Milton, X, 695 :

> . . . . Now from the north
> Of Norumbega, and the Samoed shore,
> Bursting their brazen dungeon, *arm'd with ice*,...
> Boreas, and Cæcias, ...

V. 127. Le télescope.
V. 150. Dans son *Histoire de l'astronomie*.
V. 140. Ce passage témoigne des projets épiques d'André. Fayolle a dit
avoir vu parmi les manuscrits le *plan d'un poëme sur la conquête du
Pérou ;* c'est probablement le poëme de l'*Amérique*, qui devait avoir
trois chants et comprendre toute l'histoire des découvertes et des conquêtes dans le nouveau monde, mais dont André ne poussa pas très-loin
l'exécution.

Et ces mêmes objets, que vos doctes mépris
Accueillent aujourd'hui d'un front dur et sévère,
Alors à vos regards auraient seuls droit de plaire.
Alors, dans l'avenir, votre inflexible humeur
Aurait soin de défendre à tout jeune rimeur   150
D'oser sortir jamais de ce cercle d'images
Que vos yeux auraient vu tracé dans leurs ouvrages.
Mais qui jamais a su, dans des vers séduisants,
Sous des dehors plus vrais peindre l'esprit aux sens ?
Mais quelle voix jamais d'une plus pure flamme   155
Et chatouilla l'oreille et pénétra dans l'âme ?
Mais leurs mœurs et leurs lois, et mille autres hasards,
Rendaient leur siècle heureux plus propice aux beaux-arts.
Eh bien ! l'âme est partout ; la pensée a des ailes.
Volons, volons chez eux retrouver leurs modèles ;   160
Voyageons dans leur âge, où, libre, sans détour,
Chaque homme ose être un homme et penser au grand jour.
Au tribunal de Mars, sur la pourpre romaine,

V. 148. Horace, reprochant aussi aux Romains de ne permettre l'audace
poétique qu'aux anciens, *Ep. ad Pis.*, 53 :

  . . . . Quid autem ?
  Cæcilio Plautoque dabit Romanus, ademptum
  Virgilio, Varioque?. . . . .

V. 163 et suiv. Tout le passage qui suit est imité de Pétrone, *Satyr.*, V :

  Sed sive armigeræ rident Tritonidis arces,
  Seu Lacedæmonio tellus habitata colono,
  Sirenumque domus, det primos versibus annos,
  Mæoniumque bibat felici pectore fontem ;
  Mox et Socratico plenus grege mittat habenas
  Liber, et ingentis quatiat Demosthenis arma.
  Hinc Romana manus circumfluat, et modo Graio
  Exonerata sono, mutet suffusa saporem.
  Interdum subducta foro det pagina cursum,
  Et cortina sonet celeri distincta meatu.
  Dent epulas et bella truci memorata canore :
  Grandiaque indomiti Ciceronis verba minentur.
  His animum succinge bonis, sic flumine largo
  Plenus, Pierio defundes pectore verba.

Relire dans Longin, *du Subl.*, les chapitres x et xii, qui traitent de l imi
tation et de la manière d'imiter.

Là, du grand Cicéron la vertueuse haine
Écrase Céthégus, Catilina, Verrès ;   165
Là tonne Démosthène ; ici de Périclès
La voix, l'ardente voix, de tous les cœurs maîtresse,
Frappe, foudroie, agite, épouvante la Grèce.
Allons voir la grandeur et l'éclat de leurs jeux.
Ciel ! la mer appelée en un bassin pompeux !   170
Deux flottes parcourant cette enceinte profonde,
Combattant sous les yeux des conquérants du monde !
O terre de Pélops ! avec le monde entier
Allons voir d'Épidaure un agile coursier,
Couronné dans les champs de Némée et d'Élide ;   175
Allons voir au théâtre, aux accents d'Euripide,
D'une sainte folie un peuple furieux
Chanter : *Amour, tyran des hommes et des dieux !*

V. 168. C'est le portrait qu'Aristophane, *Ach.*, 530, nous trace de Périclès :

> Ἐντεῦθεν ὀργῇ Περικλέης οὐλύμπιος
> ἤστραπτ', ἐβρόντα, ξυνεκύκα τὴν Ἑλλάδα.

Cf. Diodore, XII, xl ; Plutarque, *Périclès*, VIII. — Le scholiaste cite un vers d'Eupolis remarqué par presque tous les écrivains qui ont parlé de Périclès ; voy. Cicéron, *Orat.*, XV, *de Suad.; Brut.*, IX ; Quintilien, XII, 10. — Cicéron, *Orat. ad M. Brut.*, XXIX, rappelle aussi les paroles d'Aristophane ; Aristide, *Orat.*, 45, rapporte l'expression célèbre du poëte comique Cratinus sur Périclès : « Ὦ μεγίστη γλῶττα τῶν Ἑλληνίδων. »

V. 170. Allusion aux naumachies romaines, jeux en honneur sous les Césars et dont parle Suétone. On y représentait fréquemment cette bataille d'Actium, si célèbre que les enfants la simulaient dans leurs jeux ; voy. Horace, *Epît.*, I, xviii, 61.

V. 174. André est exact jusque dans les moindres détails : les coursiers d'Épidaure étaient célèbres ; voy. Strabon, VIII, viii.

V. 178. Lucien, *Quomod. hist. conscr. sit*, I, raconte que, sous le règne de Lysimaque (301 av. J. C.), à Abdère, pendant les chaleurs de la canicule, un acteur, nommé Archélaüs, joua l'*Andromède* d'Euripide avec une telle passion que le peuple, surexcité par la poésie d'Euripide, par le jeu de l'acteur et par les feux du soleil, sortit du théâtre en proie à une frénésie qui dura tout le temps des chaleurs, criant et chantant ce vers d'une tirade de Persée :

> Σὺ δ' ὦ θεῶν τύραννε κἀνθρώπων Ἔρως.

Puis, ivres des transports qui nous viennent surprendre,
Parmi nous, dans nos vers, revenons les répandre ;   180
Changeons en notre miel leurs plus antiques fleurs ;
Pour peindre notre idée empruntons leurs couleurs ;
Allumons nos flambeaux à leurs feux poétiques ;
Sur des pensers nouveaux faisons des vers antiques.

Direz-vous qu'un objet né sur leur Hélicon   185
A seul de nous charmer pu recevoir le don ;
Que leurs fables, leurs dieux, ces mensonges futiles,
Des Muses noble ouvrage, aux Muses sont utiles ;
Que nos travaux savants, nos calculs studieux,
Qui subjuguent l'esprit et répugnent aux yeux,   190

Athénée, XIII, 1, p. 561, B, nous a conservé six autres vers. Cette pensée
du reste n'appartient pas en propre à Euripide, qui l'a reproduite dans
Phèdre, selon le témoignage de Clément d'Alexandrie, *Strom.*, VI,
p. 449, E (Stobée, LXII, 25, attribue ce fragment à Sophocle) ; Clément
d'Alexandrie le rapproche des deux vers d'Anacréon, *Od.* LVIII :

> Ὅδε καὶ θεῶν δυνάστης,
> ὅδε καὶ βροτοὺς δαμάζει.

Sophocle l'exprime dans *Antigone*, 781, ainsi que dans les *Colchides*
(Stobée, LXIII, 6). Et on la retrouve presque sous la même forme dans
Hésiode, *Théog.*, 121. Pétrone, *Satyr.*, CXX, a dit de la fortune :

> Rerum humanarum, divinarumque potestas.

Corneille, *Rodogune*, III, ii, appelle l'Amour (ce Πανδαμάτωρ, comme
disaient les Grecs) : « Le grand maître et des rois et des dieux. » Le
Brun, *Veillées du Parnasse :* « Le vainqueur des héros et des dieux. »
La Fontaine avait dit, dans *Psyché,* I :

> On le craint dans les cieux, on le craint sur la terre.

V. 184. Ce vers résume admirablement toute la pensée d'André. Aux
temps héroïques de la Grèce, Homère, *Odyss.*, I, 351, disait déjà :

> Τὴν γὰρ ἀοιδὴν μᾶλλον ἐπικλείουσ' ἄνθρωποι,
> ἥτις ἀκουόντεσσι νεωτάτη ἀμφιπέληται.

M. Sainte-Beuve, *Étude sur Virgile*, cite le vers d'André en en développant la pensée, et le rapproche de ces vers de Virgile, *Géorg.*, III, 8 :

> . . . . . Tentanda via est, qua me quoque possim
> Tollere humo, victorque virum volitare per ora.

Cf. Pindare, *Ol.*, IX, 72 ; Manilius, *Astr.*, III.

Que l'on croit malgré soi, sont pénibles, austères,
Et moins grands, moins pompeux que leurs belles chimères?
Voilà ce que traités, préfaces, longs discours,
Prose, rime, partout nous disent tous les jours.
Mais enfin, dites-moi, si d'une œuvre immortelle   195
La nature est en nous la source et le modèle,
Pouvez-vous le penser que tout cet univers,
Et cet ordre éternel, ces mouvements divers,
L'immense vérité, la nature elle-même,
Soit moins grande en effet que ce brillant système   200
Qu'ils nommaient la nature, et dont d'heureux efforts
Disposaient avec art les fragiles ressorts?
Mais quoi! ces vérités sont au loin reculées,
Dans un langage obscur saintement recélées :
Le peuple les ignore. O Muses, ô Phœbus !   205
C'est là, c'est là sans doute un aiguillon de plus.
L'auguste poésie, éclatante interprète,
Se couvrira de gloire en forçant leur retraite.
Cette reine des cœurs, à la touchante voix,
A le droit, en tous lieux, de nous dicter son choix,   210
Sûre de voir partout, introduite par elle,
Applaudir à grands cris une beauté nouvelle,
Et les objets nouveaux que sa voix a tentés
Partout, de bouche en bouche, après elle chantés.
Elle porte, à travers leurs nuages plus sombres,   215
Des rayons lumineux qui dissipent leurs ombres,
Et rit quand, dans son vide, un auteur oppressé
Se plaint qu'on a tout dit et que tout est pensé.
Seule, et la lyre en main, et de fleurs couronnée,

V. 209. Voy. *le Jeu de Paume*, 20.
V. 214. « *De bouche en bouche,* » *per ora*, dit Virgile dans les vers
cités p. 345.
V. 217. « *Dans son vide,* » dans le vide de ses pensées.
V. 218. Par exemple Chœrilus, que cite M. Sainte-Beuve, *Étude sur
Virgile.* Voy. La Bruyère, *des Œuvres de l'esprit*, au début.

De doux ravissements partout accompagnée, 220
Aux lieux les plus déserts, ses pas, ses jeunes pas,
Trouvent mille trésors qu'on ne soupçonnait pas.
Sur l'aride buisson que son regard se pose,
Le buisson à ses yeux rit et jette une rose.
Elle sait ne point voir, dans son juste dédain, 225
Les fleurs qui trop souvent, courant de main en main,
Ont perdu tout l'éclat de leurs fraîcheurs vermeilles ;
Elle sait même encore, ô charmantes merveilles !
Sous ses doigts délicats réparer et cueillir
Celles qu'une autre main n'avait su que flétrir. 230
Elle seule connaît ces extases choisies,
D'un esprit tout de feu mobiles fantaisies,
Ces rêves d'un moment, belles illusions,
D'un monde imaginaire aimables visions,
Qui ne frappent jamais, trop subtile lumière, 235
Des terrestres esprits l'œil épais et vulgaire.
Seule, de mots heureux, faciles, transparents,
Elle sait revêtir ces fantômes errants :
Ainsi des hauts sapins de la Finlande humide,
De l'ambre, enfant du ciel, distille l'or fluide, 240
Et sa chute souvent rencontre dans les airs
Quelque insecte volant qu'il porte au fond des mers ;
De la Baltique enfin les vagues orageuses
Roulent et vont jeter ces larmes précieuses
Où la fière Vistule, en de nobles coteaux, 245

V. 221. Éd. 1839 :

Aux lieux les plus secrets, ses pas, ses jeunes pas.

V. 239. André donne ici de la formation de l'ambre une explication admise par quelques savants, mais repoussée par d'autres ; l'éditeur de 1826 cite une épigramme de Martial, VI, xv, où il est question du même phénomène.

V. 244. Les antiques légendes prétendaient que l'ambre s'était formé des larmes versées par les sœurs de Phaéton (Ovide, *Mét.*, II, 584), ou par les sœurs de Méléagre, selon Sophocle.

Et le froid Niémen expirent dans ses eaux.
Là, les arts vont cueillir cette merveille utile,
Tombe odorante où vit l'insecte volatile :
Dans cet or diaphane il est lui-même encor,
On dirait qu'il respire et va prendre l'essor.   250

Qui que tu sois enfin, ô toi, jeune poëte,
Travaille, ose achever cette illustre conquête.
De preuves, de raisons, qu'est-il encor besoin ?
Travaille : un grand exemple est un puissant témoin.
Montre ce qu'on peut faire, en le faisant toi-même.   255
Si pour toi la retraite est un bonheur suprême ;
Si chaque jour les vers de ces maîtres fameux
Font bouillonner ton sang et dressent tes cheveux ;
Si tu sens chaque jour, animé de leur âme,
Ce besoin de créer, ces transports, cette flamme,   260
Travaille. A nos censeurs c'est à toi de montrer ⸶·
Tous ces trésors nouveaux qu'ils veulent ignorer.
Il faudra bien les voir, il faudra bien se taire
Quand ils verront enfin cette gloire étrangère
De rayons inconnus ceindre ton front brillant.   265
Aux antres de Paros le bloc étincelant
N'est aux vulgaires yeux qu'une pierre insensible ;
Mais le docte ciseau, dans son sein invisible,
Voit, suit, trouve la vie, et l'âme, et tous ses traits.

V. 266. Voy. le *Jeu de Paume*, 11. La pensée qu'il va développer
a été exprimée par Ovide, *Art d'aimer*, III, 223 :

> Cum fieret, lapis asper erat, nunc, nobile signum,
> Nuda Venus madidas exprimit imbre comas.

V. 269. La Fontaine, *Psyché*, I, nous montre une arcade remplie

> De marbres à qui l'art a donné de la vie.

Pope, *Essai sur la critique*, III, dans le tableau de la renaissance des
arts sous Léon X :

> Then sculpture and her sister arts revive;
> Stones leap'd to from, and rocks began *to live.*

Tout l'Olympe respire en ses détours secrets : 270
Là vivent de Vénus les beautés souveraines ;
Là des muscles nerveux, là de sanglantes veines
Serpentent ; là des flancs invaincus aux travaux,
Pour soulager Atlas des célestes fardeaux.
Aux volontés du fer leur enveloppe énorme 275
Cède, s'amollit, tombe ; et de ce bloc informe
Jaillissent, éclatants, des dieux pour nos autels :
C'est Apollon lui-même, honneur des immortels ;
C'est Alcide vainqueur des monstres de Némée ;
C'est du vieillard troyen la mort envenimée ; 280
C'est des Hébreux errants le chef, le défenseur :
Dieu tout entier habite en ce marbre penseur.
Ciel ! n'entendez-vous pas de sa bouche profonde
Éclater cette voix créatrice du monde ?

Oh ! qu'ainsi parmi nous des esprits inventeurs 285
De Virgile et d'Homère atteignent les hauteurs,
Sachent dans la mémoire avoir comme eux un temple,

V. 273. Les flancs *invaincus aux travaux* sont ceux d'Hercule. Dans son *Lexique de Corneille*, M. Frédéric Godefroy remarque très-justement que le mot *invaincu* n'est pas, comme on l'avait dit à tort, de l'invention de Corneille. Parmi les exemples qu'il cite, il en est plusieurs où *invaincu* est employé avec la préposition *à*.

V. 278. L'Apollon du Belvédère.

V. 279. L'Hercule Farnèse.

V. 280. Le groupe de Laocoon. — « *La mort envenimée,* » causée par le poison.

V. 281. Le Moïse de Michel-Ange.

V. 282. « *Tout entier.* » Expression poétique qui donne à la pensée un degré très-élevé de force et d'énergie ; c'est le *totus* des Latins. Les exemples en sont nombreux ; quelques-uns sont célèbres. Voy. Horace, *Od.*, I, xix ; Virgile, *Én.*, IV, 363 ; Stace, *Achill.*, II, 183 ; Claudien, *Rapt. Proserp.*, I, 6, etc. ; Corneille, *Horace*, V, iii ; *Cinna*, I, iii (et *Comm.* de Voltaire) ; Racine, *Phèdre*, I, iii ; *Iphig.*, I, ii ; *Alex.*, V, iii, etc. — Gentil-Bernard, *Art d'aimer*, II :

> Quand tout s'anime à ses douces haleines,
> Vénus *entière habite* dans nos veines.

Et sans suivre leurs pas imiter leur exemple,
Faire, en s'éloignant d'eux avec un soin jaloux,
Ce qu'eux-même ils feraient s'ils vivaient parmi nous !   290
Que la nature seule, en ses vastes miracles,
Soit leur fable et leurs dieux, et ses lois leurs oracles ;
Que leurs vers, de Téthys respectant le sommeil,
N'aillent plus dans ses flots rallumer le soleil ;
De la cour d'Apollon que l'erreur soit bannie,   295
Et qu'enfin Calliope, élève d'Uranie,
Montant sa lyre d'or sur un plus noble ton,
En langage des dieux fasse parler Newton !

Oh ! si je puis, un jour... ! Mais quel est ce murmure ?
Quelle nouvelle attaque et plus forte et plus dure ?   300
O langue des Français ! est-il vrai que ton sort
Est de ramper toujours, et que toi seule as tort ?
Ou si d'un faible esprit l'indolente paresse
Veut rejeter sur toi sa honte et sa faiblesse ?
Il n'est sot traducteur, de sa richesse enflé,   305
Sot auteur d'un poëme, ou d'un discours sifflé,
Ou d'un recueil ambré de chansons à la glace,
Qui ne vous avertisse, en sa fière préface,
Que si son style épais vous fatigue d'abord,
Si sa prose vous pèse et bientôt vous endort,   310

V. 290. Voy. Longin, *de Subl.*, XII. Longin parle au point de vue de
l'expression, et Chénier au point de vue de la conception.

V. 294. Bailly, *Hist. de l'Astronomie :* « On ajoute qu'Épicure croyait
que le soleil s'allumait le matin et s'éteignait le soir dans les eaux de
l'Océan. »

V. 298. Bailly, *Hist. de l'Astr. :* « La poésie, que nous appelons le langage des Dieux, était jadis la langue consacrée aux merveilles de la nature. »

V. 307. Toutes les éditions :

   Ou d'un recueil ombré de chansons à la glace.

Ombré n'a aucun sens et doit provenir d'une mauvaise lecture de M. de
Latouche.

Si son vers est gêné, sans feu, sans harmonie,
Il n'en est point coupable : il n'est pas sans génie ;
Il a tous les talents qui font les grands succès ;
Mais enfin, malgré lui, ce langage français,
Si faible en ses couleurs, si froid et si timide,   315
L'a contraint d'être lourd, gauche, plat, insipide.
Mais serait-ce Le Brun, Racine, Despréaux
Qui l'accusent ainsi d'abuser leurs travaux?
Est-ce à Rousseau, Buffon, qu'il résiste infidèle ?
Est-ce pour Montesquieu, qu'impuissant et rebelle,   320
Il fuit ? Ne sait-il pas, se reposant sur eux,
Doux, rapide, abondant, magnifique, nerveux,
Creusant dans les détours de ces âmes profondes,
S'y teindre, s'y tremper de leurs couleurs fécondes?
Un rimeur voit partout un nuage, et jamais   325
D'un coup d'œil ferme et grand n'a saisi les objets ;
La langue se refuse à ses demi-pensées,
De sang-froid, pas à pas, avec peine amassées ;
Il se dépite alors, et, restant en chemin,
Il se plaint qu'elle échappe et glisse de sa main.   330
Celui qu'un vrai démon presse, enflamme, domine,
Ignore un tel supplice : il pense, il imagine,
Un langage imprévu, dans son âme produit,
Naît avec sa pensée, et l'embrasse et la suit.
Les images, les mots que le génie inspire,   335
Où l'univers entier vit, se meut et respire,
Source vaste et sublime et qu'on ne peut tarir,

V. 325. Cf. Horace, *Ep. ad Pis.*, 40, 311. — Boileau, *Art poét.*, I :

Il est certains esprits dont les sombres pensées
Sont d'un nuage épais toujours embarrassées ;
Le jour de la raison ne les saurait percer.
Avant donc que d'écrire apprenez à penser.
Selon que notre idée est plus ou moins obscure,
L'expression la suit ou moins nette ou plus pure.
Ce que l'on conçoit bien s'énonce clairement,
Et les mots pour le dire arrivent aisément.

En foule en son cerveau se hâtent de courir.

D'eux-même ils vont chercher un nœud qui les rassemble ;
Tout s'allie et se forme, et tout va naître ensemble.   540

Sous l'insecte vengeur envoyé par Junon,
Telle Io tourmentée, en l'ardente saison,
Traverse en vain les bois et la longue campagne,
Et le fleuve bruyant qui presse la montagne ;
Tel le bouillant poëte, en ses transports brûlants,   545
Le front échevelé, les yeux étincelants,
S'agite, se débat, cherche en d'épais bocages
S'il pourra de sa tête apaiser les orages
Et secouer le dieu qui fatigue son sein.
De sa bouche à grands flots ce dieu dont il est plein   550
Bientôt en vers nombreux s'exhale et se déchaîne ;
Leur sublime torrent roule, saisit, entraîne.

V. 541. « *Io,* » fille d'Inachus, aimée de Jupiter et métamorphosée en
vache. Junon jalouse lui attacha aux flancs un insecte vengeur, sous les
morsures duquel Io fuyait en proie à une douleur terrible, franchissant
les fleuves, les monts et les mers. Coluthus, *Rapt. d'Hél.*, 41, a une
comparaison semblable pour peindre la Discorde.

V. 549. C'est la sibylle de Virgile (*Én.*, VI, 77) en proie à la fureur
prophétique :

> |At Phœbi nondum patiens, immanis in antro
> Bacchatur vates, magnum si pectore possit
> *Excussisse* deum : tanto magis ille fatigat
> Os rabidum, fera corda domans, fingitque premendo.

J.-B. Rousseau, dans l'*Ode au comte du Luc :*

> Il s'étonne et combat l'ardeur qui le possède,
> Et voudrait *secouer* du démon qui l'obsède
>   Le joug impérieux.

Pope, *le Temple de la Renommée :*

> And seem'd (Pindar) to labour with th' inspiring God.

V. 550. « *Ce dieu dont il est plein.* » Lucain, IX, 564, nous dépeint
ainsi Caton :

> Ille *deo plenus,* tacita quem mente gerebat,
> Effudit dignas adytis e pectore voces.

Et Racine, *Iph.*, V, vi, nous montre Calchas :

> Terrible, *plein du dieu* qui l'agitait sans doute.

Les tours impétueux, inattendus, nouveaux,
L'expression de flamme aux magiques tableaux
Qu'a trempés la nature en ses couleurs fertiles,   355
Les nombres tour à tour turbulents ou faciles,
Tout porte au fond du cœur le tumulte et la paix ;
Dans la mémoire au loin tout s'imprime à jamais.
C'est ainsi que Minerve, en un instant formée,
Du front de Jupiter s'élance tout armée,   360
Secouant et le glaive, et le casque guerrier,
Et l'horrible Gorgone à l'aspect meurtrier.

Des Toscans, je le sais, la langue est séduisante :
Cire molle, à tout feindre habile et complaisante,
Qui prend d'heureux contours sous les plus faibles mains.   365
Quand le Nord, s'épuisant de barbares essaims,
Vint par une conquête en malheurs plus féconde,
Venger sur les Romains l'esclavage du monde,
De leurs affreux accents la farouche âpreté
Du latin en tous lieux souilla la pureté.   370
On vit de ce mélange étranger et sauvage
Naître des langues sœurs, que le temps et l'usage,

V. 360. Virgile, *Én.*, II, 175 :

> *Emicuit*, parmamque ferens hastamque *trementcm*.

V. 362. André désigne ici le bouclier de Minerve, sur le centre duquel était gravée la tête de Méduse (*Iliade*, V, 740), une des Gorgones (Hésiode, *Théog.*, 270).

V. 364. » *A tout feindre,* » à tout façonner ; c'est le *fingere* des Latins. Voy. cette comparaison de la mollesse de la cire dans Stace, *Ach.*, I, 332. Malherbe, p. 59 :

> L'âme de cette ingrate est une âme de cire,
> Matière à toute *forme* . . . .

Il faut relire, en regard de tout ce passage, le mémoire de Rivarol, *sur l'universalité de la langue française*, et surtout ce qu'il dit de la langue italienne.

V. 372, 373, 374. Éd. 1826 et 1839 :

> Naître des langues sœurs, dont le temps et l'usage,
> Consacrant par degrés l'idiome naissant,
> Illustrèrent la source et polirent l'accent.

Par des sentiers divers guidant diversement,
D'une lime insensible ont poli lentement,
Sans pouvoir en entier, malgré tous leurs prodiges,   375
De la rouille barbare effacer les vestiges.
De là du castillan la pompe et la fierté,
Teint encor des couleurs du langage indompté
Qu'au Tage transplantaient les fureurs musulmanes.
La grâce et la douceur sur les lèvres toscanes   380
Fixèrent leur empire, et la Seine à la fois
De grâce et de fierté sut composer sa voix.
Mais ce langage, armé d'obstacles indociles,
Lutte et ne veut plier que sous des mains habiles.
Est-ce un mal? Eh! plutôt rendons grâces aux dieux.   385
Un faux éclat longtemps ne peut tromper nos yeux,
Et notre langue même, à tout esprit vulgaire
De nos vers dédaigneux fermant le sanctuaire,
L'avertit dès l'abord que s'il y veut monter
Il faut savoir tout craindre et savoir tout tenter,   390
Et, recueillant affronts ou gloire sans mélange,
S'élever jusqu'au faîte ou ramper dans la fange.

V. 374. C'est la même expression que dans la note manuscrite portée
par André sur son exemplaire de l'*Aratus* de Fell : « Enimvero libellus
iste non eadem *lima* elaboratus atque *perpolitus*. »

V. 392. Boileau, *Sat.* IX :

> Et ne savez-vous pas que sur ce mont sacré,
> Qui ne vole au sommet tombe au plus bas degré;
> Et qu'à moins d'être au rang d'Horace ou de Voiture,
> On rampe dans la fange avec l'abbé de Pure?

Horace, *Epist. ad Pis.*, avait dit :

> Sic animis natum inventumque poema juvandis,
> Si paulum a summo discessit, vergit ad imum.

HERMÈS

Remarques préliminaires. — « André Chénier, par l'ensemble de ses poésies connues, a dit M. Sainte-Beuve, nous apparaît, avant 89, comme le poëte surtout de l'art pur et des plaisirs, comme l'homme de la Grèce antique et de l'élégie. Il semblerait qu'avant ce moment d'explosion publique et de danger où il se jeta si généreusement à la lutte, il vécut un peu en dehors des idées, des prédications favorites de son temps, et que, tout en les partageant peut-être pour les résultats et les habitudes, il ne s'en occupa point avec ardeur et préméditation. Ce serait pourtant se tromper beaucoup que de le juger un artiste si désintéressé ; et l'*Hermès* nous le montre aussi pleinement et aussi chaudement de son siècle, à sa manière, que pouvait l'être Raynal ou Diderot.

« La doctrine du dix-huitième siècle était, au fond, le matérialisme, ou le panthéisme, ou encore le naturisme, comme on voudra l'appeler ; elle a eu ses philosophes, et même ses poëtes en prose, Boulanger, Buffon ; elle devait provoquer son Lucrèce. Cela est si vrai, et c'était tellement le mouvement et la pente d'alors de solliciter un tel poëte, que, vers 1780 et dans les années qui suivent, nous trouvons trois talents occupés du même sujet et visant chacun à la gloire difficile d'un poëme sur la nature des choses. Le Brun tentait l'œuvre d'après Buffon ; Fontanes, dans sa première jeunesse, s'y essayait sérieusement, comme l'attestent deux fragments, dont l'un surtout (tome Ier de ses œuvres, page 38) est d'une réelle beauté. André Chénier s'y poussa plus avant qu'aucun, et, par la vigueur des idées comme par celle du pinceau, il était bien digne de produire un vrai poëme didactique dans le grand sens.

« Mais la Révolution vint ; dix années, fin de l'époque, s'écrou-

lèrent brusquement avec ce qu'elles promettaient, et abîmèrent les
projets ou les hommes; les trois *Hermès* manquèrent; la poésie du
dix-huitième siècle n'eut pas son Buffon. Delille ne fit que rimer
gentiment les *Trois Règnes.* »

Du poème entrepris par André Chénier, il reste des fragments
et surtout des notes, dont la plupart ont été publiées en 1839 par
M. Sainte-Beuve, quelques autres, plus récemment, par M. Egger,
et dont un certain nombre sont encore inédites. Ce grand projet
ne cessa de préoccuper le poète depuis 1782, et si les fragments
peuvent en paraître relativement peu considérables, il faut songer
à tout ce qu'il lui avait coûté et devait lui coûter encore de méditations et de lectures. Poésie, philosophie, traités scientifiques anciens et modernes, il se promettait de tout consulter, de tout approfondir, et comme le fait très-justement remarquer M. Egger,
l'*Hermès*, pour répondre à l'ambition de son auteur, aurait dû
être trois ou quatre fois plus long que le poème de Lucrèce.

Il est à présumer que, dans ses études, André avait dû rencontrer le nom d'Ératosthène; mais il n'en reste aucun souvenir dans
ses notes. C'est de l'auteur grec pourtant qu'il avait sans doute
imité le titre de son poème. « Historien, géographe, astronome et
versificateur habile, dit M. Egger, Ératosthène, un des plus savants
hommes qui honorent l'école d'Alexandrie, avait écrit sous le titre
d'*Hermès* un long poème dont il ne reste guère que des extraits
et des fragments informes, mais dont le sujet se laisse deviner sans
trop de peine d'après les débris qu'on en peut recueillir çà et là
chez les anciens (1). Le titre seul en est déjà significatif, car Hermès ou Mercure, que les Grecs identifiaient volontiers avec le dieu
Thot des Égyptiens, était par excellence le génie des inventions, de
l'industrie et des arts. Sa légende peut symboliser la marche de
l'humanité conquérant, l'une après l'autre, toutes les richesses de
la civilisation, améliorant chaque jour les procédés industriels qui
assurent notre vie et qui l'embellissent (2). Le récit des aventures
de ce dieu offrait comme un cadre naturel à l'exposition du progrès
de la science et de l'industrie humaine. »

(1) [Bernhardy, *Eratosthenica* (Berolini, 1822), p. 110-167, en a réuni
et commenté 58, en y comprenant les fragments de l'*Érigone*. EGGER.]

(2) [Voy., sur ce sujet, la thèse latine soutenue par M. Guignaut, en
1836, devant la Faculté des lettres de Paris ; A. Maury, *Religions de la
Grèce antique*, t. I, p. 104 et suiv ; et L. Ménard, *Hermès Trismégiste*,
traduction nouvelle, précédée d'une *Étude sur les livres hermétiques*
(Paris, 1866, in-8). EGGER.]

Le plan d'André Chénier était, comme on le voit, beaucoup plus vaste que celui d'Ératosthène.

« Toutes les notes et tous les papiers d'André Chénier, relatifs à son *Hermès*, a dit M. Sainte-Beuve, sont marqués en marge d'un delta; un chiffre, ou l'une des trois premières lettres de l'alphabet grec, indique celui des trois chants auquel se rapporte la note ou le fragment. Le poëme devait avoir trois chants, à ce qu'il semble : le premier, sur l'origine de la terre, la formation des animaux, de l'homme; le second, sur l'homme en particulier, le mécanisme de ses sens et de son intelligence, ses erreurs depuis l'état sauvage jusqu'à la naissance des sociétés, l'origine des religions; le troisième, sur la société politique, la constitution de la morale et l'invention des sciences. Le tout devait se clore par un exposé du système du monde selon la science la plus avancée. »

D'après ces indications et d'après celles de M. Egger, qui a eu aussi le bonheur de pouvoir consulter les manuscrits, nous avons pensé qu'on pouvait tenter une reconstitution du plan suivi par André Chénier, ou du moins qu'il se proposait de suivre. Car il convient d'ajouter que le poëte lui-même n'était pas fixé sur la place de certains fragments. Telle pensée qui primitivement devait être développée dans le premier chant dut, dans la suite, être reportée dans le second ou dans le troisième, et *vice versa*. Il ne faut pas l'oublier, l'*Hermès* n'est composé que d'ébauches et d'indications. C'est au troisième chant que se rapportent les fragments les plus considérables.

CHANT I

Dans le premier chant, André Chénier voulait exposer le système de la terre, sa formation, son organisation, les bouleversements qui l'avaient successivement agitée et modifiée, les âges différents du monde, la répartition des climats, la succession des saisons, la naissance et la distribution des animaux sur la surface du globe.

Voici les fragments et notes qui paraissent s'y rapporter :

I. — « Il faut magnifiquement représenter la terre sous l'emblème métaphorique d'un grand animal qui vit, se meut, et est sujet

I. — C'est sous ce même emblème métaphorique que Lucrèce, au livre II, représente la terre.

à des changements, des révolutions, des fièvres, des dérangements dans la circulation de son sang. »

II. — « La terre est éternellement en mouvement. Chaque chose naît, meurt et se dissout. Cette particule de terre a été du fumier, elle devient un trône, et, qui plus est, un roi. « Le monde est une branloire perpétuelle, » dit Montaigne (à cette occasion, les conquérants, les bouleversements successifs des invasions, des conquêtes, d'ici, de là...). Les hommes ne font attention à ce roulis perpétuel que quand ils en sont les victimes : il est pourtant toujours. L'homme ne juge les choses que dans le rapport qu'elles ont avec lui. Affecté de telle manière, il appelle un accident un bien ; affecté de telle autre manière, il l'appellera un mal. La chose est pourtant la même, et rien n'a changé que lui..

Et si le bien existe, il doit seul exister. »

III. — Après cette description qui aurait formé une entrée en matière richement développée, André aurait passé à la formation et à l'organisation de la terre. Disciple de Buffon, il l'aurait repré-

II. — Lucrèce, II, 870 :

> Quippe videlicet vivos existere vermeis
> Stercore de tetro, putrorem cum sibi nacta 'st
> Intempestivis ex imbribus humida tellus :
> Praeterea cunctas itidem res vertere sese.
> Vertunt se fluvii, frondes, et pabula laeta
> In pecudes : vertunt pecudes in corpora nostra
> Naturam, et nostro de corpore saepe ferarum
> Augescunt vires, et corpora pennipotentum.

Mais la pensée d'André rappelle Shakspeare, *Haml.*, V, 1. — Le mot qu'André cite de Montaigne est au livre III, chap. 11 ; mais, pour la pensée, voy. Montaigne, II, xii.

Quant à l'existence absolue du bien [André Chénier rentrerait ici dans le système de l'optimisme de Pope, s'il faisait intervenir Dieu ; mais, comme il s'en abstient absolument, il faut convenir que cette morale va plutôt à l'éthique de Spinosa, de même que sa physiologie corpusculaire va à la philosophie zoologique de Lamark. Sainte-Beuve.]

III. — Comparez la note d'André avec le développement littéraire d'idées semblables dans Lucrèce, I, 270 et II, 878. — Pour que le lecteur puisse se rendre un compte exact de cette théorie des molécules vivantes, nous croyons utile d'extraire quelques passages de Buffon, *Seconde vue de la nature* : « ... Une seule force est la cause de tous les phéno-

sentée comme composée de *parties brutes* et de *parties organisées*.
Ce sont ces parties ou molécules vivantes qu'il appelle des *atomes
de vie*.

« Ces atomes de vie, ces semences premières, sont toujours en
égale quantité sur la terre et toujours en mouvement. Ils passent

mènes de la *matière brute ;* et cette force, réunie avec celle de la chaleur, produit les *molécules vivantes*, desquelles dépendent tous les effets
des substances organisées... Les *molécules vivantes* répandues dans tous
les corps organisés sont relatives, et pour l'action et pour le nombre, aux
molécules de la lumière qui frappent toute matière et la pénètrent de
leur chaleur. Partout où les rayons du soleil peuvent échauffer la terre,
sa surface se vivifie, se couvre de verdure et se peuple d'animaux : la
glace même, dès qu'elle se résout en eau, semble se féconder; cet élément est plus fertile que celui de la terre, il reçoit avec la chaleur le
mouvement et la vie... Chaque espèce ayant été créée, les premiers individus ont servi de modèles à tous leurs descendants. Le corps de chaque
animal ou de chaque végétal est un moule auquel s'assimilent indifféremment les *molécules organiques* de tous les animaux ou végétaux dé-
truits par la mort ou consumés par le temps ; les *parties brutes* qui
étaient entrées dans leur composition retournent à la masse commune de
la *matière brute ;* les *parties organiques*, toujours subsistantes, sont
reprises par les corps organisés ; d'abord repompées par les végétaux,
ensuite absorbées par les animaux qui se nourrissent de végétaux, elles
servent au développement, à l'entretien, à l'accroissement des uns et des
autres ; elles constituent leur vie ; et circulant continuellement de corps
en corps, elles animent tous les êtres organisés. Le fond des *substances
vivantes* est donc toujours le même ; elles ne varient que par la forme,
c'est-à-dire par la différence des représentations : dans les siècles d'a-
bondance, dans les temps de la plus grande population, le nombre des
hommes, des animaux domestiques et des plantes utiles, semble occuper
et couvrir en entier la surface de la terre; celui des animaux féroces,
des insectes nuisibles, des plantes parasites, des herbes inutiles, reparaît
et domine à son tour dans les temps de disette et de dépopulation... Il
existe donc sur la terre, et dans l'air et dans l'eau, une quantité déterminée de *matière organique* que rien ne peut détruire : il existe en même
temps un nombre déterminé de moules, capables de se l'assimiler, qui
se détruisent et se renouvellent à chaque instant ; et ce nombre de moules
ou d'individus, quoique variable dans chaque espèce, est au total toujours
proportionné à cette quantité de *matière vivante*. Si elle était surabon-
dante, si elle n'était pas dans tous les temps également employée et
entièrement absorbée par les moules existants, il s'en formerait d'autres,
et l'on verrait paraître des *espèces nouvelles*, parce que cette *matière
vivante* ne peut demeurer oisive, parce qu'elle est toujours agissante et
qu'il suffit qu'elle s'unisse avec des *parties brutes* pour former des
corps organisés. »

de corps en corps, s'alambiquent, s'élaborent, se travaillent, fer-
mentent, se subtilisent dans leur rapport avec le vase où ils sont
actuellement contenus. Ils entrent dans un végétal : ils en sont la
séve, la force, les sucs nourriciers. Ce végétal est mangé par quelque animal ; alors ils se transforment en sang et en cette substance
qui produira un autre animal et qui fait vivre les espèces... Ou,
dans un chêne, ce qu'il y a de plus subtil se rassemble dans le
gland. »

IV. — Il revient, en plus d'un endroit, sur ce système naturel
des atomes, ou, comme il les appelle, des *organes secrets vivants*
dont l'infinité constitue

L'océan éternel où bouillonne la vie.

V. — « Quand la terre forma les espèces animales, plusieurs pé-
rirent par plusieurs causes à développer. Alors d'autres corps organisés (car les *organes vivants secrets* meuvent les végétaux, minéraux (1) et tout) héritèrent de la quantité d'atomes de vie qui
étaient entrés dans la composition de celles qui s'étaient détruites,
et se formèrent de leurs débris. »

IV. — Lucrèce aussi, au livre II, 549, compare la multitude d'atomes
qui composent le monde à un océan :

> Unde, ubi, qua vi et quo pacto congressa coibunt
> Materiæ tanto in pelago turbaque aliena?

Mais il est important de ne pas confondre les *atomes de vie* d'André
Chénier avec les atomes de Lucrèce. Pour André ces *atomes de vie* ne
sont pas tout, tandis que pour Lucrèce les atomes, qu'il ne divise pas en
parties brutes et en *parties organisées*, constituent absolument toute la
matière, tout l'univers.

V. — C'est ce que développe Lucrèce, V, 834 et suiv., en établissant
que ces créations n'étaient que des degrés pour arriver à d'autres créations plus parfaites, ces premiers êtres n'étant organisés que pour une
vie individuelle, et étant impropres à la reproduction de l'espèce.

(1) André ne veut pas dire que les minéraux sont doués de la vie,
mais seulement que la *matière vive* pénètre les minéraux. Buffon dit
dans l'*Introduction à l'histoire des minéraux :* « J'entends par *matière
vive,* non-seulement tous les êtres qui vivent ou végètent, mais encore
toutes les *molécules organiques vivantes* dispersées et répandues dans
les détriments ou résidus des corps organisés : je comprends encore
dans la *matière vive* celle de la lumière, du feu, de la chaleur, en un
mot toute matière qui nous paraît être active par elle-même. »

VI. — Après avoir parlé de la formation et de l'organisation de la terre, André voulait décrire les divers bouleversements qui l'avaient agitée. Il voulait retracer le tableau de ces terribles cataclysmes et des âges nouveaux qui les avaient suivis.

« Peindre les différents déluges qui détruisirent tout... La mer Caspienne, lac Aral et mer Noire réunis... l'éruption par l'Hellespont... Les hommes se sauvèrent au sommet des montagnes :

> Et vetus inventa est in montibus anchora summis.
> (Ovide, Mét., liv. XV, 265.)

La ville d'*Ancyre* fut fondée sur une montagne où l'on trouva une *ancre*. »

VII. — Aux lendemains de ces révolutions physiques, il voulait peindre les autels de pierre, alors posés au bord de la mer, et qui se trouvent aujourd'hui au-dessus de son niveau, les membres des grands animaux primitifs errant au gré des ondes, et leurs os déposés en amas immenses sur les côtes des continents. Il ne voyait dans les pagodes souterraines, d'après le voyageur Sonnerat, que les habitacles des Septentrionaux qui arrivaient dans le Midi et fuyaient, sous terre, les fureurs du soleil.

On le voit, ce premier chant eût renfermé de grandes scènes de désolation; mais il est surtout à regretter qu'André n'ait pas poussé plus avant l'exécution du final.

VIII. — « Il faut finir le chant Ier par une magnifique description de toutes les espèces animales et végétales naissant; et, au printemps, la terre *prægnans;* et, dans les chaleurs de l'été,

VI. — Les différents déluges auxquels André fait allusion sont, d'abord le déluge universel de la Bible (*Genèse*, VII, n), ensuite les déluges connus des anciens, tels que ceux d'Ogygès, de Deucalion, de Dardanus. Voy. Nonnus, *Dionys.*, III, 204 ; Ovide, *Mét.*, I ; Clément d'Alex., *Strom.*, I, p. 235.

VIII. — Virgile, *Géorg.*, II, 324 :

> Vere tument terræ et genitalia semina poscunt.
> Tum pater omnipotens fecundis imbribus æther
> Conjugis in gremium lætæ descendit, et omnes
> Magnus alit, magno commixtus corpore, fetus, etc.

Cf. Virgile, *Géorg.*, III, 242. Cette description des fureurs de l'amour a été tentée par bien des poëtes. Euripide, dans un fragment dont la place est incertaine, que les uns rapportent à *OEdipe*, les autres à *Hippolyte*, et que nous a conservé Athénée, XIII, viii, p. 599, F, a exprimé la

toutes les espèces animales et végétales se livrant aux feux de l'a-
mour et transmettant à leur postérité les semences de vie confiées
à leurs entrailles. »

Ce magnifique et fécond printemps, alors, dit-il,

Que la terre est nubile et brûle d'être mère,

devait être imité de celui de Virgile, au livre II des *Géorgiques :
Tum Pater omnipotens*, etc., etc., quand Jupiter

De sa puissante épouse emplit les vastes flancs.

IX. — C'est là sans doute qu'il se proposait de peindre « toutes
les espèces à qui la nature ou les plaisirs (*per Veneris res*) ont
ouvert les portes de la vie. »

X. — « Traduire quelque part, se dit-il, le *magnum crescendi
immissis certamen habenis.* »

même pensée que Virgile, dans deux vers qui se rapportent à ceux qu'a
imités André ·

> Ἔρᾳ δ᾽ ὁ σεμνὸς οὐρανὸς πληρούμενος
> ὄμβρου πεσεῖν εἰς γαῖαν Ἀφροδίτης ὕπο.

Athénée, à la suite d'Euripide, cite *les Danaïdes* d'Eschyle. Voy. le magnifique début du poème de Lucrèce ; le *Pervigilium Veneris*, 59 ; Stace,
Silv., I, II, 183 ; Manilius, III, 647. — Oppien a tracé deux fois le
tableau de toutes les espèces se livrant au feu de l'amour : *de Venat.*, I,
383, et *de Piscat.*, I, 473. Le Tasse, *Aminte*, I, I, semble l'avoir imité
quand il peint *la dolce primavera*. Voy. encore Thomson et Saint-
Lambert. Le Brun avait tenté ce tableau, dans un fragment de son poëme
de *la Nature*, au chant IV.

IX. — Lucrèce, II, 172 :

> Ipsaque deducit dux vitæ dia Voluptas
> Ut *res per Veneris* blanditim sæcla propagent,
> Ne genus occidat humanum. . . . .

X. — Lucrèce, V, 784 :

> Arboribusque datum 'st variis exinde per auras
> Crescendi magnum immissis certamen habenis.

On peut remarquer que, dans les passages d'auteurs anciens qu'André
note sur ses manuscrits, il cite toujours de mémoire.

CHANT II

Le deuxième chant devait traiter de l'homme en particulier, du mécanisme de ses sens et de son intelligence; des premières misères, des égarements et des anarchies de l'humanité commençante.

PROLOGUE

Ridés, le front blanchi, dans notre tête antique
S'éteindra cette flamme ardente et poétique,
Qui, féconde et rapide en un jeune cerveau,
Y peint de l'univers un mobile tableau ;
Et par quoi tout à coup le poëte indomptable   5
Sort, quitte ses amis et les jeux et la table,
S'enferme, et sous le dieu qui le vient oppresser,
Seul, chez lui, s'interroge et s'écoute penser.

. . . .

I. — C'est dans le commencement de ce chant que se serait placée probablement son étude de l'homme, l'analyse des sens et des passions, la connaissance approfondie de notre être, tout le parti enfin qu'en pourront tirer bientôt les habiles et les sages. Dans l'explication du mécanisme de l'esprit humain gît l'esprit des lois.

II. — André, pour l'analyse des sens, rivalisant avec le livre IV de Lucrèce, eût été le disciple exact de Locke, de Condillac et de Bonnet : ses notes, à cet égard, ne laissent aucun doute.

III. — Il eût insisté sur les langues, sur les mots :
« Rapides protées (dit-il), ils revêtent la teinture de tous nos sentiments. Ils dissèquent et étalent toutes les moindres de nos pensées, comme un prisme fait les couleurs. »

IV. — Mais les beautés d'idées ici se multiplient; le moraliste profond se déclare et se termine en poëte :

CHANT II. — PROLOGUE. Publié par M. Egger.

IV. — La comparaison du vase corrompu est de Lucrèce, VI, 16 :
Intellexit, ibi vitium vas efficere ipsum,
Omniaque illius vitio corrumpier intus, etc.

« Les mêmes passions générales forment la constitution générale
des hommes. Mais les passions, modifiées par la constitution particulière des individus, et prenant le cours que leur indique une éducation vicieuse ou autre, produisent le crime ou la vertu, la lumière
ou la nuit. Ce sont mêmes plantes qui nourrissent l'abeille ou la
vipère; dans l'une elles font du miel, dans l'autre du poison. Un
vase corrompu aigrit la plus douce liqueur. »

V. — « L'étude du cœur de l'homme est notre plus digne étude ·

Assis au centre obscur de cette forêt sombre
Qui fuit et se partage en des routes sans nombre,
Chacune autour de nous s'ouvre : et de toute part
Nous y pouvons au loin plonger un long regard »

Belle image que celle du philosophe ainsi dans l'ombre, au carrefour du labyrinthe, comprenant tout, immobile! Mais le poëte n'est
pas immobile longtemps.

VI. — « En poursuivant dans toutes les actions humaines les
causes que j'y ai assignées, souvent je perds le fil, mais je le retrouve :

Ainsi dans les sentiers d'une forêt naissante,
A grands cris élancée, une meute pressante,
Aux vestiges connus dans les zéphyrs errants,

V. — Cette belle image rappelle Manilius, *Astr.*, IV, 301 :
> Sic altis natura manet consepta tenebris,
> Et verum in cæco est, multaque ambagine rerum.

Dans André, le philosophe est assis au centre ; dans Manilius, c'est la
Vérité elle-même. Cette forêt sombre, n'est-ce pas la forêt même de la
vie au centre de laquelle Perse, *Sat.*, 34, place l'homme irrésolu? —
Cf. Boileau, *Sat.*, IV.

VI — C'est, plus développée, la comparaison de Lucrèce, I, 405 .
> Namque canes ut montivagæ persæpe feraï
> Naribus inveniunt intectas fronde quietes,
> Cum semel institerunt vestigia certa viaï :
> Sic alid ex alio per te tute ipse videre
> Talibus in rebus poteris, cæcasque latebras
> Insinuare omneis, et verum protrahere inde.

V. 3 « *Aux vestiges connus.* » C'est l'expression de Virgile, *Énéide*,
VII, 480 :
> . . . . . Et noto nares contingit odore.

D'un agile chevreuil suit les pas odorants.
L'animal, pour tromper leur course suspendue,   5
Bondit, s'écarte, fuit, et la trace est perdue.
Furieux, de ses pas cachés dans ces déserts,
Leur narine inquiète interroge les airs,
Par qui bientôt frappés de sa trace nouvelle,
Ils volent à grands cris sur sa route fidèle. »   10

VII. — La pensée suivante, pour le ton, fait songer à Pascal; la
brusquerie du début nous représente assez bien André en personne,
causant :

« L'homme juge toujours les choses par les rapports qu'elles ont
avec lui. C'est bête. Le jeune homme se perd dans un tas de projets comme s'il devait vivre mille ans. Le vieillard qui a usé la vie
est inquiet et triste. Son importune envie ne voudrait pas que la
jeunesse l'usât à son tour. Il crie : Tout est vanité ! — Oui, tout est
vain sans doute, et cette manie, cette inquiétude, cette fausse philosophie, venue malgré toi lorsque tu ne peux plus remuer, est plus
vaine encore que tout le reste. »

VIII. — Le poëte se proposait de clore le morceau des sens par
le développement de cette idée :

« Si quelques individus, quelques générations, quelques peuples,
donnent dans un vice ou dans une erreur, cela n'empêche que
l'âme et le jugement du genre humain tout entier ne soient portés à
la vertu et à la vérité, comme le bois d'un arc, quoique courbé et
plié un moment, n'en a pas moins un désir invincible d'être droit,
et ne s'en redresse pas moins dès qu'il le peut. Pourtant, quand

V. 8. Ovide, *Halieut.*, 77 :

> Quæ nunc elatis rimantur naribus auras
> Et nunc demisso quærunt vestigia rostro, etc.

VIII. — L'image qui termine la pensée d'André est de Perse, *Sat.*,
V, 159 :

> Nam luctata canis nodum abrupit; attamen illi,
> Quum fugit, a collo trahitur pars longa catenæ.

Racine n'y songeait-il pas, quand il a fait dire à Oreste (*Andr.*, I, 1) :

> . . . . Et tu m'as vu depuis
> *Traîner* de mers en mers *ma chaîne* et mes ennuis?

une longue habitude l'a tenu courbé, il ne se redresse plus; cela fournit un autre emblème :

. . . . Et traîne
Encore après ses pas la moitié de sa chaîne. »

IX. — C'est peut-être ici qu'André se proposait d'introduire
« Le sage magicien qui (dit-il) sera un des héros de l'*Hermès*, et qui doit passer par plusieurs métamorphoses propres à montrer allégoriquement l'histoire de l'espèce humaine. »

C'est d'après les fables relatives à Pythagore, à Empédocle, à Ennius que cet épisode devait être composé. André eût tiré un grand parti de cette fiction au point de vue dramatique de sa composition. Il eût ainsi évité heureusement la monotonie de trop longues descriptions. C'est sans doute « le sage magicien » qui devait raconter, du ton lugubre d'un Pline l'Ancien, les premières misères, les égarements et les anarchies de l'humanité commençante. C'est à son récit que pourraient donc se rapporter les notes qui suivent.

X. — C'est dans la peinture des égarements de l'esprit humain dans ses commencements que devait se trouver l'explication qu'André tente de l'origine des religions. Il n'en distingue pas même le nom de celui de la superstition pure, et ce qui se rapporte à cette partie du poëme, dans ses papiers, est volontiers marqué en marge du mot flétrissant δεισιδαιμονία.

XI. — « Tout accident naturel dont la cause était inconnue, un ouragan, une inondation, une éruption de volcan, étaient regardés comme une vengeance céleste... »

IX. — Ce fragment en prose a été publié par M. Egger.

X. — [Par ses plans de poésie physique, en retournant à Empédocle, André était de plus le contemporain et comme le disciple de Lamarck et de Cabanis, il ne l'est pas moins de Boulanger et de tout son siècle, par l'explication qu'il tente de l'origine des religions. — Ici l'on a peu à regretter qu'André n'ait pas mené plus loin ses projets : il n'aurait en rien échappé, malgré toute sa nouveauté de style, au lieu commun d'alentour, et il aurait reproduit, sans trop de variantes, le fond de d'Holbach ou de l'*Essai sur les préjugés*. Sainte-Beuve.]

XI. — Lucrèce, V, 1217. Passage célèbre où Bayle prétend que Lucrèce a désigné la Providence. Tacite, *Annales*, I, xxviii, a dit : « Sunt mobiles ad superstitionem perculsæ semel mentes. »

XII. — « L'homme égaré de la voie, effrayé de quelques phéno-
mènes terribles, se jeta dans toutes les superstitions, le feu, les
démons... Ainsi le voyageur, dans les terreurs de la nuit, regarde
et voit dans les nuages des centaures, des lions, des dragons, et mille
autres formes fantastiques. Les superstitions prirent la teinture de
l'esprit des peuples, c'est-à-dire des climats. Rapide multitude
d'exemples. Mais l'imitation et l'autorité changent le caractère. De
là souvent un peuple qui aime à rire ne voit que diable et qu'enfer. »

XIII. — C'est ainsi, par des raisons tirées du climat, qu'il eût
peut-être expliqué la base impie de la religion des Éthiopiens et le
vœu présumé de son fondateur :

« Il croit (aveugle erreur !) que de l'ingratitude
Un peuple tout entier peut se faire une étude,
L'établir pour son culte, et de dieux bienfaisants
Blasphémer de concert les augustes présents. »

XIV. — Après les époques d'égarements seraient venues les époques d'anarchie. Il se réservait de grands et sombres tableaux à
retracer par la bouche du « sage magicien. »

XII. — Lucrèce, V, 49. — En parlant de ces frayeurs des hommes, Lucrèce, VI, 34 :

> Nam veluti pueri trepidant, atque omnia cœcis
> In tenebris metuunt, sic nos in luce timemus
> Interdum, nihilo quæ sunt metuenda magis, quam
> Quæ pueri in tenebris pavitant finguntque futura.

Cf. Lucrèce, V, 1160.

XIII. — Le fait relatif à la religion des Éthiopiens, dont parle André,
est rapporté par Diodore, III, IX. Quelques peuplades éthiopiennes ne re-
connaissaient pas de dieu ; lorsque le soleil se levait, comme s'il était
leur plus cruel ennemi, ils se retiraient dans les marais en blasphé-
mant. C'est ce que Pomponius Méla raconte aussi des Atlantes, I, VIII.

XIV. — Comme le dit Lucrèce, I, 84 :

> . . . . Sæpius olim
> Relligio peperit scelerosa et impia facta.

Lucrèce cite comme exemple le sacrifice d'Iphigénie qu'on immole à la
demande de Calchas, pour obtenir un souffle de la brise ·

> Tantum relligio potuit suadere malorum !

« Apis, » dieu égyptien, ou mieux, l'emblème d'Osiris ; c'était le taureau sacré auquel on rendait des honneurs (Hérodote, III, XXVIII). —

« Lorsqu'il sera question des sacrifices humains, ne pas oublier ce que partout on a appelé les jugements de Dieu, les fers rouges, l'eau bouillante, les combats particuliers. Que d'hommes dans tous les pays ont été immolés par un éclat de tonnerre ou telle autre cause !...

Partout sur des autels j'entends mugir Apis
Bêler le dieu d'Ammon, aboyer Anubis. »

XV. — A ces époques de tâtonnements et de délire, avant la vraie civilisation trouvée, que de vies humaines en pure perte dépensées ! « Que de générations l'une sur l'autre entassées, dont l'amas

Sur les temps écoulés invisible et flottant
A tracé dans cette onde un sillon d'un instant ! »

XVI. — Après ses souvenirs des époques d'égarements et d'anarchies, le sage magicien eût sans doute jeté un regard sur la vraie civilisation et déroulé les merveilles utiles à ses auditeurs attentifs. Et pour clore son deuxième chant par un tableau poétique, André eût peint ces derniers pressés autour de lui et prêtant une oreille avide aux discours de ce sage qu'il eût comparé à Orphée expliquant les merveilles de l'univers aux Argonautes assemblés :

Ainsi, quand de l'Euxin la déesse étonnée
Vit du premier vaisseau son onde sillonnée,
Aux héros de la Grèce à Colchos appelés

« *Ammon*, » le Jupiter égyptien, qu'on représente avec une tête de bélier (Hérodote, II, xlii). — « *Anubis*, » le Mercure égyptien, représenté sous la forme d'un chien. Voy. Plutarque, *de Isi et Osiri*, XIV. Cf. Diodore, III, lxxiii, XVII, l. — Ovide, *Mét.*, V, 17 : « Corniger Ammon ; » et *Mét.*, IX, 689 : « Latrator Anubis. » — Virgile, *Énéide*, VIII, 698 :

Omnigenumque deum monstra, et latrator Anubis.

XVI. — Ce beau fragment s'explique de lui-même par l'introduction du sage magicien, personnage qui ne nous a été révélé que par la publication de M. Egger.

V. 1. Ce sont les nymphes de Pélion, qu'Apollonius (I, 549) nous montre étonnées du premier vaisseau qu'elles voient sillonner la mer.

Orphée expédiait les mystères sacrés
Dont sa mère immortelle avait daigné l'instruire   5
Près de la poupe assis, appuyé sur sa lyre,
Il chantait quelles lois à ce vaste univers
Impriment à la fois des mouvements divers;
Quelle puissance entraîne ou fixe les étoiles;
D'où le souffle des vents vient animer les voiles,   10
Dans l'ombre de la nuit, quels célestes flambeaux
Sur l'aveugle Amphitrite éclairent les vaisseaux.
Ardents à recueillir ces merveilles utiles,
Autour du demi-dieu, les princes immobiles
Aux accents de sa voix demeuraient suspendus,   15
Et l'écoutaient encor quand il ne chantait plus.

V. 4. « *Expédiait,* » expliquait, développait; c'est l'*expedire* des Latins. Virgile, *Énéide,* III, 458 :

> Illa tibi Italiæ populos, venturaque bella,
> Et, quocumque modo fugiasque ferasque laborem,
> *Expediat*. . . . .

C'est ainsi que Corneille, imitant Virgile (*Géorg.,* IV, 897), l'a employé
dans *Mélite,* IV, ɪ :

> J'entends à demi-mot; achève et m'*expédie*
> Promptement le motif de cette maladie.

V. 5. Calliope.

V. 6 et suiv. Apollonius, *Arg.,* I, 494 :

> . . . . ˮΑν δὲ καὶ ᾿Ορφεὺς
> λαιῇ ἀνασχόμενος κίθαριν πείραξεν ἀοιδῆς.
> ˮΗειδεν δ᾿ ὡς γαῖα καὶ οὐρανὸς ἠδὲ θάλασσα....
> ˮΗ καὶ ὁ μὲν φόρμιγγα σὺν ἀμβροσίη σχέθεν αὐδῇ
> τοὶ δ᾿ ἄμοτον λήξαντος ἔτι προὔφοντο κάρηνα
> πάντες ὁμῶς ὀρθοῖσιν ἐπ᾿ οὔασιν ἠρεμέοντες
> κηληθμῷ · τοίην σφιν ἐνέλλιπε θελκτὸν ἀοιδῆς.

Voy. l'*Aveugle,* 157. Cf Orphée, *Arg.,* 419 ; V. Flaccus, *Arg.,* IV, 82.

V. 12. « *L'aveugle Amphitrite,* » où l'on ne voit point, sombre,
obscure ; c'est le *cæcum mare* des Latins. Virgile, *Én.,* III, 200 :

> Excutimur cursu et *cæcis* erramus in *undis.*

V. 16. Milton se souvenait-il d'Apollonius, dans ce début du huitième
livre du *Paradis perdu :*

> The angel ended ; and in Adam's ear
> So charming left his voice, that he awhile
> Thought him still speaking, still stood fix'd to hear.

CHANT III

Le troisième chant devait présenter le tableau des sociétés, la théorie de leurs constitutions diverses, les lois de la morale individuelle et sociale, la civilisation sous l'influence des Orphées, des Numa, des Moïse, etc., une esquisse de l'invention des sciences et des arts depuis l'agriculture jusqu'à l'astronomie.

PROLOGUE

. . . .
Dans nos vastes cités, par le sort partagés,
Sous deux injustes lois les hommes sont rangés.
Les uns, princes et grands, d'une avide opulence
Étalent sans pudeur la barbare insolence;
Les autres, sans pudeur, vils clients de ces grands,   5
Vont ramper sous les murs qui cachent leurs tyrans,
Admirer ces palais aux colonnes hautaines
Dont eux-même ont payé les splendeurs inhumaines,
Qu'eux-même ont arrachés aux entrailles des monts,
Et tout trempés encor des sueurs de leurs fronts.   10

Moi, je me plus toujours, client de la nature,
A voir son opulence et bienfaisante et pure,

C'est une métaphore qu'André semble avoir aimée; il l'a reproduite plusieurs fois. Il a dit dans l'élégie II du livre I :

. . . . . . Ton œil sur sa trace accouru
Le suit encor longtemps quand il a disparu;

et dans l'élégie XI du livre II .

Son nom, sa voix absente errent dans mon oreille.

Chant III. — Prologue. — V. 1. Éd. 1826 ·

Dans nos vastes États, par le sort partagés.

V. 7. Horace, *Épodes,* II ·

. . . . Et superba civium
Potentiorum limina.

Cherchant loin de nos murs les temples, les palais
Où la Divinité me révèle ses traits,
Ces monts, vainqueurs sacrés des fureurs du tonnerre,   15
Ces chênes, ces sapins, premiers-nés de la terre.
Les pleurs des malheureux n'ont point teint ces lambris.
D'un feu religieux le saint poëte épris
Cherche leur pur éther et plane sur leur cime.
Mer bruyante, la voix du poëte sublime   20
Lutte contre les vents ; et tes flots agités
Sont moins forts, moins puissants que ses vers indomptés.
A l'aspect du volcan, aux astres élancée,
Luit, vole avec l'Etna, la bouillante pensée.

Heureux qui sait aimer ce trouble auguste et grand !   25
Seul il rêve en silence à la voix du torrent
Qui le long des rochers se précipite et tonne ;
Son esprit en torrent et s'élance et bouillonne.
Là je vais dans mon sein méditant à loisir
Des chants à faire entendre aux siècles à venir ;   30
Là, dans la nuit des cœurs qu'osa sonder Homère,
Cet aveugle divin et me guide et m'éclaire.
Souvent mon vol, armé des ailes de Buffon,
Franchit avec Lucrèce, au flambeau de Newton,
La ceinture d'azur sur le globe étendue.   35

V. 18. « *Épris,* » enflammé. Racan, *Stances à des Fontaines* :

> Un feu si véhément
> Avait *espris* son âme.

V. 23. « *Aux astres élancée,* » expression toute virgilienne. La voici dans la Ve *Églogue,* 62 :

> Ipsi lætitia voces ad sidera jactant.

V. 24. C'est la même image que dans les premières strophes de l'*Ode au Vengeur,* de Le Brun.

V. 35. Lucrèce la franchissait au flambeau d'Épicure (III, 1). On peut comparer avec les vers d'André le fragment du livre III du poëme de Le Brun :

> Qu'il est beau de franchir, loin des vulgaires yeux,
> Ces abîmes d'azur où nagent tant de cieux ! etc.

Je vois l'être et la vie et leur source inconnue,
Dans les fleuves d'éther tous les mondes roulants ;
Je poursuis la comète aux crins étincelants,
Les astres et leurs poids, leurs formes, leurs distances ;
Je voyage avec eux dans leurs cercles immenses.   40

Comme eux, astre, soudain je m'entoure de feux ;
Dans l'éternel concert je me place avec eux :
En moi leurs doubles lois agissent et respirent ;
Je sens tendre vers eux mon globe qu'ils attirent ;
Sur moi qui les attire ils pèsent à leur tour.   45

Les éléments divers, leur haine, leur amour,
Les causes, l'infini s'ouvre à mon œil avide.

Bientôt redescendu sur notre fange humide,
J'y rapporte des vers de nature enflammés,
Aux purs rayons des dieux dans ma course allumés.   50

Écoutez donc ces chants d'Hermès dépositaires,
Où l'homme antique, errant dans ses routes premières,
Fait revivre à vos yeux l'empreinte de ses pas.
Mais dans peu, m'élançant aux armes, aux combats,

Mais si Le Brun et Chénier sont dans le même courant scientifique et
philosophique, qui est celui de leur époque, Chénier, sous le rapport
poétique, laisse Le Brun bien loin derrière lui. La Fontaine apparaît
parfois comme un des génies inspirateurs d'André, ainsi qu'André, il
avait abordé et dégagé des fables antiques ces grands mystères de la nature. Il est bon de mettre en regard de tout ce passage ces beaux vers
de La Fontaine, *Fab.*, VII, xviii :

> J'aperçois le soleil ; quelle en est la figure ?
> Ici-bas ce grand corps n'a que trois pieds de tour ;
> Mais si je le voyais là-haut, dans son séjour,
> Que serait-ce à mes yeux que l'œil de la nature ?
> Sa distance me fait juger de sa grandeur ;
> Sur l'angle et les côtés ma main le détermine.
> L'ignorant le croit plat ; j'épaissis sa rondeur :
> Je le rends immobile ; et la terre chemine.

V. **54-60.** Imité de Virgile, *Géorg.*, III, 46 :

> Mox tamen ardentes accingar dicere pugnas
> Cæsaris, et nomen fama tot ferre per annos
> Tithoni prima quot abest ab origine Cæsar.

Je dirai l'Amérique à l'Europe montrée ;   55
J'irai dans cette riche et sauvage contrée
Soumettre au Mançanar le vaste Marañon.
Plus loin dans l'avenir je porterai mon nom,
Celui de cette Europe en grands exploits féconde,
Que nos jours ne sont loin des premiers jours du monde. 60

I. — André se proposait d'abord de montrer la différence qui existe entre l'homme dans l'état sauvage et dans l'état de société. Il prend volontiers ses comparaisons dans les lois qui régissent le monde céleste.

« Chaque individu dans l'état sauvage est un tout indépendant ; dans l'état de société, il est partie du tout, il vit de la vie commune. Ainsi, dans le chaos des poëtes, chaque germe, chaque élément est seul et n'obéit qu'à son poids ; mais, quand tout cela est arrangé, chacun est un tout à part, et en même temps une partie du grand tout. Chaque monde roule sur lui-même et roule aussi autour du centre. Tous ont leurs lois à part, et toutes ces lois diverses tendent à une loi commune et forment l'univers...

Mais ces soleils assis dans leur centre brûlant,
Et chacun roi d'un monde autour de lui roulant,
Ne gardent point eux-même une immobile place :
Chacun avec son monde emporté dans l'espace,
Ils cheminent eux-même : un invincible poids   5
Les courbe sous le joug d'infatigables lois,
Dont le pouvoir sacré, nécessaire, inflexible,
Leur fait poursuivre à tous un centre irrésistible. »

II. — Ici se seraient développées les idées indiquées dans son plan par une note qui trahit l'influence de J.-J. Rousseau :
« Exposé du *Contrat social* et des principes des gouvernements. »

III. — Il se proposait ensuite de tracer une esquisse du progrès moral de l'esprit humain. On verra, dans cette histoire de la civili-

V. 57. Le *Mançanar,* c'est le ruisseau qui passe à Madrid ; le *Marañon,* c'est le *fleuve des Amazones.*

II. — Publié par M. Egger.

sation, combien il accorde d'influence à l'initiative des sages et des
philosophes qui ont éclairé leurs semblables :

. . . .

Chassez de vos autels, juges vains et frivoles,
Ces héros conquérants, meurtrières idoles,
Tous ces grands noms, enfants des crimes, des malheurs,
De massacres fumants, teints de sang et de pleurs.
Venez tomber aux pieds de plus nobles images :   5
Voyez ces hommes saints, ces sublimes courages,
Héros dont les vertus, les travaux bienfaisants,
Ont éclairé la terre et mérité l'encens ;
Qui, dépouillés d'eux-même et vivant pour leurs frères,
Les ont soumis au frein des règles salutaires,   10
Au joug de leur bonheur ; les ont faits citoyens;
En leur donnant des lois leur ont donné des biens,
Des forces, des parents, la liberté, la vie;
Enfin qui d'un pays ont fait une patrie.
Et que de fois pourtant leurs frères envieux   15
Ont d'affronts insensés, de mépris odieux,
Accueilli les bienfaits de ces illustres guides,
Comme dans leurs maisons ces animaux stupides
Dont la dent méfiante ose outrager la main
Qui se tendait vers eux pour apaiser leur faim !   20
Mais n'importe ; un grand homme au milieu des supplices
Goûte de la vertu les augustes délices.

III. — V. 2. « *Meurtrières idoles.* » Racine, *Phèdre*, V, vii, a employé
« meurtrière » dans la même acception poétique :

> Je hais jusques aux soins dont m'honorent les dieux,
> Et je m'en vais pleurer leurs faveurs *meurtrières.*

V. 8. Cf. Lucrèce, V, 19.

V. 21. *OEuvres en prose*, p. 171 : « C'est surtout quand les sacrifices
qu'il faut faire à la vérité, à la liberté, à la patrie, sont dangereux et difficiles, qu'ils sont accompagnés aussi d'ineffables délices. C'est au milieu
des délations, des outrages, des proscriptions ; c'est dans les cachots, c'est
sur les échafauds que la vertu, la probité, la constance, savourent la volupté d'une conscience orgueilleuse et pure. »

Il le sait, les humains sont injustes, ingrats.
Que leurs yeux un moment ne le connaissent pas ;
Qu'un jour, entre eux et lui, s'élève avec murmure   25
D'insectes ennemis une nuée obscure ;
N'importe, il les instruit, il les aime pour eux.
Même ingrats, il est doux d'avoir fait des heureux.
Il sait que leur vertu, leur bonté, leur prudence,
Doit être son ouvrage et non sa récompense,   30
Et que leur repentir, pleurant sur son tombeau,
De ses soins, de sa vie, est un prix assez beau.
Au loin dans l'avenir sa grande âme contemple
Les sages opprimés que soutient son exemple ;
Des méchants dans soi-même il brave la noirceur :   35
C'est là qu'il sait les fuir ; son asile est son cœur.
De ce faîte serein, son Olympe sublime,
Il voit, juge, connaît. Un démon magnanime
Agite ses pensers, vit dans son cœur brûlant,
Travaille son sommeil actif et vigilant,   40
Arrache au long repos sa nuit laborieuse,
Allume avant le jour sa lampe studieuse,
Lui montre un peuple entier, par ses nobles bienfaits,
Indompté dans la guerre, opulent dans la paix ;
Son beau nom remplissant leur cœur et leur histoire,   45
Les siècles prosternés aux pieds de sa mémoire.

Par ses sueurs bientôt l'édifice s'accroît.
En vain l'esprit du peuple est rampant, est étroit ;
En vain le seul présent les frappe et les entraîne ;
En vain leur raison faible et leur vue incertaine   50

V. 38. C'est le δαίμων de Socrate. Tout ce passage est une apologie du
philosophe. Peut-être y a-t-il au fond un sentiment tout personnel.
André, qui travailla beaucoup à l'*Hermès* pendant sa retraite à Versailles,
en 1793, ne serait-il pas un des sages opprimés que soutient l'exemple
de Socrate?

Ne peut de ses regards suivre les profondeurs,
De sa raison céleste atteindre les hauteurs;
Il appelle les dieux à son conseil suprême.
Ses décrets, confiés à la voix des dieux même,
Entraînent sans convaincre, et le monde ébloui   55
Pense adorer les dieux en n'adorant que lui.
Il fait honneur aux dieux de son divin ouvrage.
C'est alors qu'il a vu tantôt à son passage
Un buisson enflammé recéler l'Éternel;
C'est alors qu'il rapporte, en un jour solennel,   60
De la montagne ardente et du sein du tonnerre,
La voix de Dieu lui-même écrite sur la pierre;
Ou c'est alors qu'au fond de ses augustes bois,
Une nymphe l'appelle et lui trace des lois,
Et qu'un oiseau divin, messager de miracles,   65
A son oreille vient lui dicter des oracles.
Tout agit pour lui seul, et la tempête et l'air,
Et le cri des forêts, et la foudre et l'éclair,
Tout : il prend à témoin le monde et la nature!
Mensonge grand et saint, glorieuse imposture,   70
Quand au peuple trompé ce piége généreux
Lui rend sacré le joug qui doit le rendre heureux!

V. 51 et 52 :

> Ne peuvent de son vol atteindre les hauteurs,
> Ni suivre ses regards jusqu'en leurs profondeurs.

V. 55. « *Sans convaincre.* » Au milieu des chants louangeurs du poëte,
le philosophe fait ses réserves. André ne se laisse pas éblouir, comme le
monde, à la voix des dieux mêmes.

V. 59. Première apparition de Dieu à Moïse (*Exode*, III, 1).

V. 62. Seconde apparition de Dieu à Moïse sur le Sinaï, où il lui dicte
les lois que Moïse a renfermées dans le Deutéronome. *Exode*, XIX, III ,
XXXIII, I; XXIV, II.

V. 64. Numa et la nymphe Égérie. Voy. Plutarque, qui de Numa (IV)
rapproche Zaleucus, Minos, Zoroastre, Lycurgue.

V. 65. L'*oiseau divin*, c'est la colombe de Mahomet.

V. 70. [Horace, *Odes*, III, XI, donne à Hypermnestre sauvant son époux
l'épithète de *splendide mendax.* Cicéron. *pro Milone.* XXVII : « Miloni

IV. — Mais s'il glorifie les impostures d'un Moïse, d'un Numa, d'un Mahomet, il n'en méconnaît pas les dangers; car il sait combien l'humanité est facile à tromper et sujette à s'égarer.

« Des opinions puissantes, un vaste échafaudage politique ou religieux, ont souvent été produits par une idée sans fondement, une rêverie, un vain fantôme,

Comme on feint qu'au printemps d'amoureux aiguillons
La cavale agitée erre dans les vallons,
Et, n'ayant d'autre époux que l'air qu'elle respire,
Devient épouse et mère au souffle du zéphyre. »

V. — « La plupart des fables furent sans doute des emblèmes et des apologues des sages (expliquer cela comme Lucrèce au livre III).

palam clamare atque mentiri gloriose liceret. » Mais c'est de l'exclamation magnifique du Tasse dans l'épisode d'Olinde et de Sophronie, II, xxii, qu'ici le poëte s'est surtout souvenu :

Magnanima menzogna! etc.

BOISSONADE.]

Cf. Euripide, *Bacch.*, 334.

IV. — Virgile, *Géorg.*, III, 269 :

Illas ducit amor trans Gargara, transque sonantem
Ascanium ; superant montes, et flumina tranant :
Continuoque, avidis ubi subdita flamma medullis,
Vere magis (quia vere calor redit ossibus) illa,
Ore omnes versæ ad Zephyrum, stant rupibus altis.
Exceptantque leves auras ; et sæpe sine ullis
Conjugiis vento gravidæ (mirabile dictu !)
Saxa per et scopulos et depressas convalles
Diffugiunt. . . . .

Cette antique croyance fut appuyée par Aristote, *Hist. an.*, VI, 18, et Varron, *de Re rust.*, II, I, 19. — Dans Homère, *Iliade*, XVI, 150, nous voyons les coursiers d'Achille, Xanthe et Balie : « Τοὺς ἔτεκε Ζεφύρῳ ἀνέμῳ Ἅρπυια Ποδάργη. » Et *Iliade*, XX, 223, les cavales d'Érichthonius : « Τάων καὶ βορέης ἠράσσατο βοσκομενάων. » Ælien, *Hist. an.*, IV, VI, citant justement ce vers d'Homère, combat l'opinion d'Aristote, et dit que cette croyance vient de ce que les cheveaux se délectent du vent, l'aspirent, s'en gonflent les naseaux, ἐξανεμῶνται.

Oppien (*de Venat.*, III, 355) a rejeté cette croyance parmi les fables. Le Tasse, *Ger. lib.*, VII, lxxvi, s'est souvenu des vers de Virgile, quand il a voulu célébrer le cheval de Raymond, et La Fontaine, qui aimait les symboles, dit du coursier d'Adonis :

Une jument d'Ida l'engendra d'un des vents.

V. — Lucrèce dit que les fables de Tantale, de Titye, de Sisyphe, ne

C'est ainsi que l'on fit tels et tels dogmes, tels et tels dieux... mystères... initiations. Le peuple prit au propre ce qui était dit au figuré.
C'est ici qu'il faut traduire une belle comparaison du poëte Lucile,
conservée par Lactance (*Inst. div.*, liv. I, ch. xxii) :

> Ut pueri infantes credunt signa omnia ahena
> Vivere et esse homines, sic istic omnia ficta
> Vera putant...

Sur quoi le bon Lactance, qui ne pensait pas se faire son procès
à lui-même, ajoute, avec beaucoup de sens, que les enfants sont
plus excusables que les hommes faits : *Illi enim simulacra ho
mines putant esse, hi deos.*»

VI. — « Mais quoi ! tant de grands hommes ont cru tout cela...
Avez-vous plus d'esprit, de sens, de savoir?... Non, mais voici une
source d'erreur bien ordinaire : beaucoup d'hommes, invincible-
ment attachés aux préjugés de leur enfance, mettent leur gloire,
leur piété, à prouver aux autres un système avant de se le prouver
à eux-mêmes. Ils disent : Ce système, je ne veux point l'examiner
pour moi. Il est vrai, il est incontestable, et, de manière ou d'autre, il faut que je le démontre. Alors, plus ils ont d'esprit, de pénétration, de savoir, plus ils sont habiles à se faire illusion, à inventer, à unir, à colorer les sophismes, à tordre et défigurer tous
les faits pour en étayer leur échafaudage... Et, pour ne citer qu'un
exemple et un grand exemple, il est bien clair que, dans tout ce

sont que les emblèmes des passions et des faiblesses qui agitent l'âme
humaine. Voy. encore Lucrèce, IV, 597. — Corneille, dans *Polyeucte*,
IV, vi, avait exprimé cette pensée .

> Peut-être qu'après tout ces croyances publiques
> Ne sont qu'inventions de sages politiques,
> Pour contenir un peuple ou bien pour l'émouvoir,
> Et dessus sa faiblesse affermir leur pouvoir.

Voici le passage complet de Lactance que rappelle André · « Nam Lucilius eorum stultitiam, qui simulachra deos putant esse, deridet his verbis

> Terricolas Lamias Fauni, quas Pompilique
> Instituere Numæ; tremit has; hic omnia ponit.
> Ut pueri infantes credunt signa omnia ahena
> Vivere et esse homines, sic istic omnia ficta
> Vera putant; credunt signis cor inesse ahenis.
> Pergula pictorum. Veri nihil : omnia ficta.

Poeta quidem stultos homines infantibus comparavit : at ego multo im-
prudentiores esse dico. Illi enim simulachra homines putant esse, hi
deos. Illos ætas facit putare quod non est ; hos stultitia. »

qui regarde la métaphysique et la religion, Pascal n'a jamais suivi une autre méthode. »

VII. — Tout ce morceau devait naturellement se clore par le triomphe de la raison et de la philosophie sur la crédulité et la superstition. C'est ici que devait se placer cet éloge d'Épicure traduit de Lucrèce :

La vie humaine errante et vile et méprisée
Sous la religion gémissait écrasée ;

. . . .

De son horrible aspect menaçait les humains.
Un Grec fut le premier dont l'audace affermie   5
Leva des yeux mortels sur l'idole ennemie.
Rien ne put l'étonner, et ces dieux tout-puissants,
Cet Olympe, ces feux et ces bruits menaçants
Irritaient son courage à rompre la barrière
Où, sous d'épais remparts, obscure et prisonnière,   10
La nature en silence étouffait sa clarté.
Ivre d'un feu vainqueur, son génie indompté
Loin des murs enflammés qui renferment le monde,

VII. — Publié par M. Egger. Lucrèce, I, 63 :

> Humana ante oculos fœde cum vita jaceret
> In terris oppressa gravi sub relligione,
> Quæ caput a cœli regionibus ostendebat,
> Horribili super aspectu mortalibus instans :
> Primum Graius homo mortaleis tollere contra
> Est oculos ausus, primusque obsistere contra :
> Quem nec fama deum, nec fulmina, nec minitanti
> Murmure compressit cœlum, sed eo magis acrem
> Virtutem irritat animi, confringere ut arcta
> Naturæ primus portarum claustra cupiret.
> Ergo vivida vis animi pervicit, et extra
> Processit longe flammantia mœnia mundi
> Atque omne immensum peragravit mente animoque :
> Unde refert nobis victor, quid possit oriri,
> Quid nequeat ; finita potestas denique quoique
> Quanam sit ratione, atque alte terminus hærens :
> Quare relligio pedibus subjecta vicissim
> Obteritur, nos exæquat victoria cœlo.

V. 13. Selon M. Patin, ce vers se lit déjà dans *la Pucelle* de Chapelain, c'est sans doute, remarque avec raison M. Egger, l'effet d'une rencontre fortuite plutôt que d'une imitation.

Perça tous les sentiers de cette nuit profonde,
Et de l'immensité parcourut les déserts.   15
Il nous dit quelles lois gouvernent l'univers,
Ce qui vit, ce qui meurt, et ce qui ne peut être.
La religion tombe et nous sommes sans maître ;
Sous nos pieds, à son tour, elle expire, et les cieux
Ne feront plus courber nos fronts victorieux.   20

VIII. — Après avoir exposé le pacte social, après avoir décrit la
marche ascensionnelle de l'humanité des ténèbres à la lumière,
André se proposait de tracer une esquisse de l'invention des arts
et des sciences. Le fragment considérable qui suit est relatif à
l'art de l'écriture et à la science du langage :

. . . .

Avant que des États la base fût constante,
Avant que de pouvoir, à pas mieux assurés,
Des sciences, des arts monter quelques degrés,
Du temps et du besoin l'inévitable empire
Dut avoir aux humains enseigné l'art d'écrire.   5
D'autres arts l'ont poli ; mais aux arts, le premier,
Lui seul des vrais succès put ouvrir le sentier.
Sur la feuille d'Égypte ou sur la peau ductile,
Même un jour sur le dos d'un albâtre docile,
Au fond des eaux formé des dépouilles du lin,   . 10

VIII. — V. 1. Cf. Lucrèce, V, 1459. On peut rapprocher de Lucrèce
et d'André le début des *Astronomiques* de Manilius et les vers de Boileau, *Art poét.*, IV, sur la naissance et l'influence première de la poésie,
lequel débute avec le ton d'André :

> Avant que la raison, s'expliquant par la voix,
> Eût instruit les humains, eût enseigné les lois, etc.

Voy. aussi l'ode de J.-B Rousseau, II, x, *Sur la Mort du prince de
Conti.*
Éd. 1826.

> Avant que des cités la base fût constante.

V. 3. Sur le papyrus, voy. Pline, *Hist. nat.*, XIII, xi et xii.

Une main éloquente, avec cet art divin,
Tient, fait voir l'invisible et rapide pensée,
L'abstraite intelligence et palpable et tracée ;
Peint des sons à nos yeux, et transmet à la fois
Une voix aux couleurs, des couleurs à la voix.   15

Quand des premiers traités la fraternelle chaîne
Commença d'approcher, d'unir la race humaine,
La terre, et de hauts monts, des fleuves, des forêts,
Des contrats attestés garants sûrs et muets,
Furent le livre auguste et les lettres sacrées   20
Qui faisaient lire aux yeux les promesses jurées.
Dans la suite peut-être ils voulurent sur soi
L'un de l'autre emporter la parole et la foi :
Ils surent donc, broyant de liquides matières,
L'un sur l'autre imprimer leurs images grossières,   25
Ou celle du témoin, homme, plante ou rocher,
Qui vit jurer leur bouche et leurs mains se toucher.
De là, dans l'Orient ces colonnes savantes,
Rois, prêtres, animaux, peints en scènes vivantes,
De la religion ténébreux monuments,   30
Pour les sages futurs laborieux tourments,
Archives de l'État, où les mains politiques
Traçaient en longs tableaux les annales publiques.
De là, dans un amas d'emblèmes captieux,
Pour le peuple ignorant monstres religieux,   35
Des membres ennemis vont composer ensemble
Un seul tout, étonné du nœud qui le rassemble :
Un corps de femme au front d'un aigle enfant des airs

V. 22. « *Sur soi,* » sur leur corps. Il fait allusion au tatouage.
V. 28. Il désigne les monuments hiéroglyphiques de l'Égypte, couverts
de l'écriture sacrée, connue des prêtres et ignorée de la foule.
V. 37. Voltaire a ce vers dans le chant I de *la Henriade :*

Trois pouvoirs étonnés du nœud qui les rassemble.

Joint l'écaille et les flancs d'un habitant des mers.
Cet art simple et grossier nous a suffi peut-être   40
Tant que tous nos discours n'ont su voir ni connaître
Que les objets présents dans la nature épars,
Et que tout notre esprit était dans nos regards.
Mais on vit, quand vers l'homme on apprit à descendre,
Quand il fallut fixer, nommer, écrire, entendre,   45
Du cœur, des passions les plus secrets détours,
Les espaces du temps ou plus longs ou plus courts,
Quel cercle étroit bornait cette antique écriture.
Plus on y mit de soins, plus incertaine, obscure,
Du sens confus et vague elle épaissit la nuit.   50
Quelque peuple à la fin, par le travail instruit,
Compte combien de mots l'héréditaire usage
A transmis jusqu'à lui pour former un langage.
Pour chacun de ces mots un signe est inventé,
Et la main qui l'entend des lèvres répété   55
Se souvient d'en tracer cette image fidèle ;
Et sitôt qu'une idée inconnue et nouvelle
Grossit d'un mot nouveau ces mots déjà nombreux,
Un nouveau signe accourt s'enrôler avec eux.

C'est alors, sur des pas si faciles à suivre,   60
Que l'esprit des humains est assuré de vivre ;
C'est alors que le fer à la pierre, aux métaux,
Livre en dépôt sacré, pour les âges nouveaux,
Nos âmes et nos mœurs fidèlement gardées ;
Et l'œil sait reconnaître une forme aux idées.   65
Dès lors des grands aïeux les travaux, les vertus
Ne sont point pour leurs fils des exemples perdus.

V. 39. Tel est le portrait que, dans des vers traduits par La Fontaine,
Virgile trace de Scylla, *Énéide*, III, 426 :

> Prima hominis facies, et pulchro pectore virgo
> Pube tenus; postrema immani corpore pistrix :
> Delphinum caudas utero commissa luporum.

Le passé du présent est l'arbitre et le père,
Le conduit par la main, l'encourage, l'éclaire.
Les aïeux, les enfants, les arrière-neveux,   70
Tous sont du même temps, ils ont les mêmes vœux.
La patrie au milieu des embûches, des traîtres,
Remonte en sa mémoire, a recours aux ancêtres,
Cherche ce qu'ils feraient en un danger pareil,
Et des siècles vieillis assemble le conseil.   75

IX. — Après les arts seraient venues les sciences dont André
aurait tracé une esquisse d'après les découvertes les plus récentes ;
ses descriptions astronomiques auraient été probablement empruntées à l'ouvrage de Bailly. Devant ces témoignages des progrès de
l'esprit humain, le poëte, embrassant d'une vue générale le point
de départ et le point actuel des connaissances humaines, voyait
certainement plus loin et croyait qu'on pouvait encore espérer plus
du génie des inventeurs. La note suivante, publiée par M. Egger,
nous apporte une preuve de la sagacité d'André :

« Soyons lents à décider qu'une chose est impossible. Je me suis
souvent occupé d'une rêverie... Si, lorsque les humains, mêlés
avec les animaux et entièrement leurs égaux, rampaient et ne s'é-
levaient pas au-dessus de l'instinct le plus brute ; si, dis-je, alors
un ange, un esprit immortel était venu faire connaître à l'un d'eux
que la terre où il était n'était pas une table, mais un globe qui
faisait telle ou telle révolution, et enfin lui apprendre toutes les vérités physiques dont la nature a depuis accordé la découverte aux
travaux des plus beaux génies...

Puis, s'il eût ajouté : — Tu vois tous ces secrets
Que toi-même étais né pour ne saisir jamais,
Un jour tout ce qu'ici ma voix vient de te dire,
D'eux-mêmes, sans qu'un dieu soit venu les instruire,

IX. — V. 4. [C'est la pensée qu'expriment deux vers de Xénophane,
Fragm. philos. græc., éd. Didot, p. 103, frag. 16 :

Οὔτοι ἀπ' ἀρχῆς πάντα θεοὶ θνητοῖς ὑπέδειξαν,
ἀλλὰ χρόνῳ ζητοῦντες ἐφευρίσκόν τι ἄμεινον.
                                        EGGER.]

Cf. Lucrèce, V, 1450, et Virgile, *Géorg.*, I, 133. Pour Lucrèce l'expérience

Tes pareils le sauront. Tes pareils les humains   5
Trouveront jusque-là d'infaillibles chemins.
Ces astres, que tu vois épars dans l'étendue,
Ces immenses soleils, si petits à ta vue,
Ils sauront leur grandeur, leurs immuables lois,
Mesurer leur distance et leur cours et leur poids ;   10
Ils traceront leur forme, ils en feront l'histoire :
— Jamais, je vous le jure, il ne l'eût voulu croire. »

X. — C'était une bien grande idée à André que de consacrer
ainsi ce troisième chant à la description de l'ordre dans la société
d'abord, puis à l'exposé de l'ordre dans le système du monde, qui
devenait l'idéal réfléchissant et suprême. Il établit volontiers ses
comparaisons d'un ordre à l'autre :
    « On peut comparer (se dit-il) les âges instruits et savants, qui
éclairent ceux qui viennent après, à la queue étincelante des comètes. »

XI. — Il se promettait encore de « comparer les premiers hommes
civilisés, qui vont civiliser leurs frères sauvages, aux éléphants·pri-
vés qu'on envoie apprivoiser les farouches ; et par quels moyens ces
derniers. »

XII. — Le poëte, pour compléter ses tableaux, aurait parlé pro-
phétiquement de la découverte du nouveau monde :
    « O destins, hâtez-vous d'amener ce grand jour qui... qui...,
mais non, destins, éloignez ce jour funeste, et, s'il se peut, qu'il
n'arrive jamais ! »
    Et il aurait flétri les horreurs qui suivirent la conquête. Il n'au-

est la grande institutrice du genre humain. Virgile, à l'expérience, ajoute
la méditation :

    Ut varias usus meditando extunderet artes.

XI. — [Hasard charmant ! L'auteur du *Génie du christianisme* a
rempli comme à plaisir la comparaison désirée, lorsqu'il nous a montré
les missionnaires du Paraguay remontant les fleuves en pirogues, avec
les nouveaux catéchumènes qui chantaient de saints cantiques : « Les
néophytes répétaient les airs, dit-il, comme des oiseaux privés chantent
pour attirer dans les rets de l'oiseleur les oiseaux sauvages. » SAINTE-
BEUVE.]

rait pas moins présagé Gama, et triomphé avec lui des périls amoncelés que lui opposa en vain

Des derniers Africains le cap noir de tempêtes!

Comme on le voit, sur toute cette dernière partie du troisième chant, les notes font défaut. Le poëme enfin devait se clore par un épilogue général, dont, suivant M. Egger, le plan en prose existerait, et dont nous possédons l'allocution finale.

ÉPILOGUE

O mon fils, mon *Hermès*, ma plus belle espérance,
O fruit des longs travaux de ma persévérance,
Toi, l'objet le plus cher des veilles de dix ans,
Qui m'as coûté des soins et si doux et si lents;
Confident de ma joie et remède à mes peines ;   5
Sur les lointaines mers, sur les terres lointaines,
Compagnon bien-aimé de mes pas incertains,
O mon fils, aujourd'hui quels seront tes destins?
Une mère longtemps se cache ses alarmes ;
Elle-même à son fils veut attacher ses armes :   10
Mais, quand il faut partir, ses bras, ses faibles bras,
Ne peuvent sans terreur l'envoyer aux combats.
Dans la France, pour toi, que faut-il que j'espère?
Jadis, enfant chéri, dans la maison d'un père
Qui te regardait naître et grandir sous ses yeux,   15
Tu pouvais sans péril, disciple curieux,

XII. — « *Des derniers Africains.* » [Latinisme. Virgile, *Énéide*, XII, 334 : « *Ultima* Thraca ; » Horace, *Odes*, II, xviii : « *Ultima* Africa ; » et *Odes*, I, xxxvi : « *Ultima* Hesperia. » Claudien, *contre Rufin*, II, 148 « Quidquid regat *ultima* Tethys. » J.-B. Rousseau, *Ode au prince de Vendôme*, imitant Horace : « Jusqu'à la *dernière* Hespérie. » Voltaire a dit même en prose : « Il étendit ses soins jusque sur cette partie du genre humain qu'on achète chez *les derniers Africains*. » Boissonade.

Épilogue. — V. 1 et suiv. Cf. Ronsard, *Am.*, II, *Élég. à son livre*.

Sur tout ce qui frappait ton enfance attentive
Donner un libre essor à ta langue naïve.
Plus de père aujourd'hui ! le mensonge est puissant,
Il règne : dans ses mains luit un fer menaçant.   20
De la vérité sainte il déteste l'approche ;
Il craint que son regard ne lui fasse un reproche ;
Que ses traits, sa candeur, sa voix, son souvenir,
Tout mensonge qu'il est, ne le fasse pâlir.
Mais la vérité seule est une, est éternelle ;   25
Le mensonge varie, et l'homme trop fidèle
Change avec lui : pour lui les humains sont constants,
Et roulent de mensonge en mensonge flottants...

Mais quand le temps aura précipité dans l'abîme ce qui est aujourd'hui sur le faîte, et que plusieurs siècles se seront écoulés l'un
sur l'autre dans l'oubli, avec tout l'attirail des préjugés qui appartiennent à chacun d'eux, pour faire place à des siècles nouveaux et
à des erreurs nouvelles...

Le français ne sera dans ce monde nouveau
Qu'une écriture antique et non plus un langage.   30
Oh ! si tu vis encore, alors peut-être un sage,
Près d'une lampe assis, dans l'étude plongé,
Te retrouvant poudreux, obscur, demi-rongé,
Voudra creuser le sens de tes lignes pensantes :
Il verra si du moins tes feuilles innocentes   35
Méritaient ces rumeurs, ces tempêtes, ces cris
Qui vont sur toi, sans doute, éclater dans Paris ;...

alors, peut-être... on verra si... et si, en écrivant, j'ai connu d'autre passion

Que l'amour des humains et de la vérité!

V. 38. [Ce vers final, qui est toute la devise, un peu fastueuse, de la
philosophie du dix-huitième siècle, exprime aussi l'entière inspiration de
l'*Hermès*. SAINTE-BEUVE.]

SUZANNE

POËME EN SIX CHANTS

CHANT I

Je dirai l'innocence en butte à l'imposture,
Et le pouvoir inique, et la vieillesse impure,
L'enfance auguste et sage, et Dieu, dans ses bienfaits,
Qui daigne la choisir pour venger les forfaits.
O fille du Très-Haut, organe du génie,   5
Voix sublime et touchante, immortelle harmonie,
Toi qui fais retentir les saints échos du ciel
D'hymnes que vont chanter, près du trône éternel,
Les jeunes séraphins aux ailes enflammées ;
Toi qui vins sur la terre aux vallons Idumées   10
Répéter la tendresse et les transports si doux
De la belle d'Égypte et du royal époux ;

V. 10. « *Aux vallons Idumées,* » aux vallons de l'Idumée, province de
Palestine. André emploie *Idumée* en adjectif, comme les Latins. Virgile,
Géorg., III, 12, a dit : « Palmas *Idumœas ;* » et Régnier, *Épît.*, I, traduisant exactement Virgile : « Les palmes *Idumées,* » expression qu'a
consacrée de nouveau Boileau, dans la *Satire IX*.
V. 12. Le *Cantique des cantiques*, magnifique épithalame en l'honneur
de Salomon et de la fille du roi d'Égypte.

Et qui, plus fière, aux bords où la Tamise gronde,
As, depuis, fait entendre et l'enfance du monde,
Et le chaos antique, et les anges pervers,   15
Et les vagues de feu roulant dans les enfers,
Et des premiers humains les chastes hyménées,
Et les douceurs d'Éden sitôt abandonnées,
Viens ; coule sur ma bouche et descends dans mon cœur.
Mets sur ma langue un peu de ce miel séducteur   20
Qu'en des vers tout trempés d'une amoureuse ivresse
Versait du sage roi la langue enchanteresse ;
Un peu de ces discours grands, profonds comme toi,
Paroles de délice ou paroles d'effroi
Aux lèvres de Milton incessamment écloses,   25
Grand aveugle dont l'âme a su voir tant de choses !

Le soleil avait fait plus de la moitié de son cours, et le jeune
Joachim se préparait à sortir de Babylone. Tous les enfants de Juda,
ses frères, l'attendaient, répandus sur les chemins, pour les combler de bénédictions. Il allait au golfe Persique apprendre le sort
d'un vaisseau chargé des trésors d'Ophir ; non qu'avide d'entasser
de nouvelles richesses... ; mais il soulageait la captivité de ses
frères..., et ses vertus leur faisaient espérer que le ciel les ferait
retourner dans leur patrie, au bord du Jourdain. La fille d'Helcias,
la belle Suzanne, son épouse (1), ne peut s'arracher de ses bras.

(Leurs adieux, leurs aimables discours. Il lui promet de revenir
sous peu de jours. Sans oublier de parler déjà de la fille du frère

V. 22. « Le sage roi, » Salomon ; c'est ainsi que Milton, IX, le nomme
quand il parle

. . . . . Not mystic, where *the sapient King*
Held alliance with his fair Egyptian spouse.

V. 26. Le rapprochement entre la vue des yeux et la vue de l'esprit
est fréquent chez les poëtes. Voy. André lui-même, dans *l'Aveugle*,
v. 107. On sait que Milton, aveugle, composait la nuit et appelait ses
filles pour leur dicter ses vers. André disait encore de Milton : « Homme
sublime, qui a des taches comme le soleil. »

(1) *Daniel*, xiii, 1 : « Et erat vir habitans in Babylone, et nomen ejus
Joakim : et accepit uxorem nomine Susannam, filiam Helciæ, pulchram
nimis, et timentem Deum. »

mort de Suzanne, qui la nommera sa sœur, enfant de dix ans (1) qui doit faire un rôle charmant dans cet ouvrage.) Joachim part. Tous ses esclaves, tous les Hébreux lui souhaitent un heureux voyage et prompt retour. Ils le voient partir avec peine. Deux seulement s'en réjouissent : ce sont deux vieillards pervers et méchants, juges du peuple et hypocrites de vertu. Leurs anges, qui sont du nombre des anges que le Fils de Dieu précipita dans les enfers, lorsque... (imiter Milton) (2), ont fait parvenir à Joachim de fausses alarmes, pour l'écarter et servir les desseins des impudiques vieillards. L'un est un tel, l'autre est un tel. La chaste et vertueuse beauté a allumé dans leurs cœurs une incestueuse flamme (3). Le bonheur d'un couple de gens de bien a produit sur eux l'effet qu'il produit toujours sur des méchants, l'envie et la rage de le troubler. Dès longtemps ils en cherchent les moyens. Jadis, à l'insu l'un de l'autre, ils enfantaient les mêmes projets. Depuis, les deux méchants se sont reconnus, et ils méditent ensemble leurs coupables desseins. Sous le voile de l'amitié, ils se sont insinués chez Joachim (4). Ils le louent, ils lui demandent ses conseils pour juger le peuple. Ainsi, chaque jour, ils repaissent leurs infâmes regards de la vue de sa belle épouse, dont l'âme, pure comme le ciel, leur savait gré de leur tendresse pour son époux. Elle les reçoit avec un sourire, et ne soupçonne pas que ses yeux puissent inspirer leur crime :

. . . . . . Et quand la nuit tranquille

Commençait de s'asseoir sur les tours de la ville,

Tous les deux, se glissant par des chemins divers,

(1) Ce rôle de la sœur de Suzanne est de l'invention d'André.

(2) Lorsque Satan, jaloux du pouvoir infini de Dieu, arme des légions d'anges rebelles, au premier chant du *Paradis perdu*.

(3) *Daniel*, XIII, 1 : « ... Et exarserunt in concupiscentiam ejus. Et everterunt sensum suum, et declinaverunt oculos suos, ut non viderent cœlum, neque recordarentur judiciorum justorum. » — Quant à la beauté de Suzanne, *Daniel*, XIII, 31 : « Susanna erat delicata nimis, et pulchra specie. »

(4) *Daniel*, XIII, 6 : « Isti frequentabant domum Joakim, et veniebant ad eos omnes qui habebant judicia. »

V. 3. Dans ce morceau so t développés ces paragraphes de *Daniel*, XIII, 10 : « Erant ergo ambo vulnerati amore ejus, nec indicaverunt sibi vicissim dolorem suum : erubescebant enim indicare sibi concupiscentiam suam, volentes concumbere cum ea : et observabant quotidie sollicitius videre eam. Dixitque alter ad alterum : Eamus domum, quia hora prandii

Retournent vers ce toit où leur âme est aux fers.
Au seuil de Joachim ils arrivent ensemble,   5
Se rencontrent. Chacun veut fuir, recule, tremble,
Craint les regards de l'autre, inquiet, incertain,
Confus de son silence. Et Manassès enfin :
« Mais, Séphar, je croyais qu'au sein de ta famille
Tu pressais dans tes bras et ta femme et ta fille.   10
J'attendais peu qu'ici, pour ne te rien céler...
— Toi-même, dit Séphar, qui peut t'y rappeler ?
Joachim est absent, tu le sais. Dans ton âme,
Peut-être pensais-tu que l'amour de sa femme
L'a déjà malgré lui... — Non, non, dit Manassès,   15
Pour un plus long séjour j'ai vu tous ses apprêts.
Je venais... Sur ce seuil c'est lui qui me rappelle.
Il se peut que déjà quelque esclave fidèle
Soit venu. » Mais Séphar sourit et l'interrompt,
Et d'un regard perçant, et secouant le front :   20
« Va, je sais quel projet t'amène et te tourmente ;

. . . .

Suzanne !... Manassès, tu l'aimes, je le vois.
Mais j'ai des yeux aussi ; je l'aime comme toi.
— Oui, tu dis vrai, Séphar ; oui, je l'aime. Et je doute
Que pour toi contre moi... — Tiens, Manassès, écoute :   25
Nous régnons sur le peuple unis jusqu'aujourd'hui ;
C'est par là, tu le sais, que nous régnons sur lui.
Tu me hais, je te hais. Si tu veux me détruire,
Tu le peux. Si je veux, je puis aussi te nuire.
Mais, ennemis secrets ou sincères amis,   30
Toujours même intérêt nous force d'être unis.
Les attraits d'une femme ont fasciné ta vue :

est. Et egressi recesserunt a se. Cumque revertissent, venerunt in unum,
et sciscitantes ab invicem causam, confessi sunt concupiscentiam suam ; et
tunc in communi statuerunt tempus, quando eam possent invenire solam.»
— La Bible ne nomme pas les juges.

A ses attraits aussi mon âme s'est émue.
Nous sommes vieux tous deux; mais quel œil peut la voir
Sans petiller d'amour, de jeunesse, d'espoir?   35
Ne soyons point jaloux. Faut-il qu'un de nous pleure?
Pour qu'elle soit à l'un, faut-il que l'autre meure?
Quand j'aurai de ma soif dans ses embrassements
Rassasié les feux et les emportements,
Envîrai-je qu'un autre, attiré par ma proie,   40
Aille aussi dans ses bras chercher la même joie?
Va, tu peux sur sa bouche éteindre tes ardeurs;
J'y peux de mon amour épuiser les fureurs,
Sans qu'elle ait rien perdu de sa beauté suprême.
Nous la retrouverons tout entière la même.   45
Aidons-nous : ce trésor peut suffire à tous deux;
Elle possède assez pour faire deux heureux. »

Il dit, et sur les plis de leurs sombres visages
Éclate un noir sourire. « Oui, Séphar, soyons sages,
Dit Manassès. Aimons, ne soyons point amis;   50
Et, pour tromper toujours, soyons toujours unis.
Laissons à l'inquiète et vaine adolescence
De ses amours jaloux l'enfantine imprudence.
Viens ; au sortir du temple où ces temps malheureux
Attirent plus souvent les timides Hébreux,   55
Nous irons concerter chez moi, dans le mystère,
Les moyens de séduire et de nous satisfaire. »

Cependant on va au temple. Un jeune prophète éloquent, âgé de
quatorze ans (Daniel), y explique la loi. Il s'est rendu déjà célèbre
par sa liberté avec les rois et... Tout le peuple accourt... Suzanne
avec toute sa maison et sa jeune sœur... Description de sa démarche et de sa contenance. Tout le peuple la respecte, l'admire en
la regardant marcher, et ils se disent l'un à l'autre : « Certes, il n'y
avait que Joachim qui méritât cette femme. Et sans cette femme,
il n'y avait point d'épouse pour Joachim; » et ils bénissent les cheveux blancs du bon Helcias, qui pleure de joie en regardant sa

fille. Le jeune prophète chante ainsi : « sur la captivité des Juifs...,
description ; et sur ce que l'iniquité des hypocrites a été cause... »
(imiter Milton et les livres juifs) (1). Suzanne rentre chez elle...;
elle se couche..., et, dans l'absence de son mari, on dresse un lit
pour sa jeune sœur, à côté d'elle... Son sommeil est troublé... Description... Elle se réveille...; elle s'écrie : « Dieu! quelles agitations inquiètes! pourtant je suis sans remords. Le crime, si le
crime existe, est étranger à mon cœur... » Son discours réveille sa
jeune sœur qui dormait à côté d'elle... Description de son doux et
aimable sommeil... Son discours touchant et enfantin... « Si elle est
malade... » (en tutoyant comme dans tout l'ouvrage). Suzanne répond... Elle ne peut se rendormir...; elle appelle son esclave chérie, qui se nomme... Elle lui fait part de ses insomnies ; elle veut
descendre dans ses jardins.

CHANT II

Description délicieuse des jardins (2), la nuit... Les anges bienfaisants (3) y voltigent : c'est l'air frais... Les mauvais anges, sous
de vilaines formes, serpents, autres... Là, Suzanne se promène avec
ses esclaves. Elles s'asseyent et chantent alternativement (imiter le
Cantique des cantiques) (4). Au matin, elle se recouche... Là, on
peut mettre l'ange de Suzanne et les autres bons anges chantant un
court cantique à l'aurore. Celui de Suzanne va trouver celui de la
jeune sœur ; et, l'appelant mon frère... Ils auront entendu les deux
mauvais anges des vieillards se féliciter de ce que Suzanne va souffrir ; ils s'avancent vers le trône de Dieu pour lire dans sa volonté ;
mais ils le voient toujours jeter des yeux de bonté sur elle... — Les
vieillards viennent le matin ; ils entrent sans être vus, en se glissant... Ils se promènent longtemps dans les jardins en rêvant à
leurs projets, incertains, inquiets (5). Mais, disent-ils, elle sourit

---

(1) Voy. les premiers chapitres d'*Isaïe*.
(2) André se fût sans nul doute souvenu des délicieuses descriptions
qu'au chant IV Milton a faites de l'Éden.
(3) André se proposait de corriger cela ; voy. ses notes plus loin.
(4) Voy. plus loin les notes d'André.
(5) La rime est toute prête :

. . . . rêvant à leurs projets,
. . . . incertains, inquiets.

quand nous arrivons... ; et puis, toutes les femmes sont séduites,
pourvu qu'on les flatte... Ils passent là tout le jour...

CHANT III

Le soir, comme dans l'Écriture (1), elle vient se baigner... Elle
renvoie une esclave... « Va, laisse-moi ici chanter à Dieu... » L'esclave obéit...

Et s'éloigne à loisir. Les infâmes vieillards
S'enivrent quelque temps d'impudiques regards.
Ils attendent qu'au ciel la belle vertueuse
Offre les doux transports de son âme pieuse ;
Qu'elle rêve à l'époux cher à son souvenir,   5
Que son esclave enfin n'ait plus à revenir :
Puis, comme deux serpents à l'haleine empestée,
Quittant les noirs détours d'une rive infectée,
Fondent sur un enfant qui dort au coin d'un bois,
Ainsi de leur retraite ils sortent à la fois,   10
Et sur elle avançant leur main vile et profane :
« Viens, sois à nous, ô belle ! ô charmante Suzanne !
Viens. Nul mortel ne sait qu'en ce bois écarté
Nous avons... » A ce bruit, l'innocente beauté
Rougit, tremble, pâlit, se retourne, s'étonne,   15
Se courbe, au fond de l'eau se plonge, s'environne,

(1) *Daniel*, xiii, 15 : « Factum est autem, cum observarent diem
aptum, ingressa est aliquando sicut heri et nudiustertius, cum duabus
solis puellis, voluitque lavari in pomario : æstus quippe erat : et non erat
ibi quisquam, præter duos senes absconditos, et contemplantes eam. Dixit
ergo puellis : Afferte mihi oleum, et smigmata, et ostia pomarii claudite,
ut laver. Et fecerunt sicut præceperat, clauseruntque ostia pomarii, et
egressæ sunt per posticum, ut afferrent quæ jusserat : nesciebantque senes
intus esse absconditos. »
V. 13. *Daniel*, xiii, 19 : « Cum autem egressæ essent puellæ, sur-
rexerunt duo senes, et accurrerunt ad eam, et dixerunt : Ecce ostia pomarii clausa sunt, et nemo nos videt, et nos in concupiscentia tui sumus :
quam ob rem assentire nobis, et commiscere nobiscum. »

Et mouvante, ses bras contre son sein pressés,
Et ses yeux, et ses cris vers le ciel élancés :
« Dieu ! grand Dieu ! sauve-moi ; grand Dieu ! Dieu secourable!!
Couvre-moi d'un rempart, d'un voile impénétrable ;   20
Tonne, ouvre-moi la terre, ouvre-moi les enfers,
Cache-moi dans ton sein. Sur eux, sur ces pervers
Jette l'aveuglement, la nuit, la nuit subite
Dont tu frappas jadis une ville maudite.
Dieu ! grand Dieu !... » Les vieillards, inquiets, frémissants, 25
Lui murmurent tout bas vingt discours menaçants.
Ils iront ; des jardins ils ouvriront la porte ;
Ils sauront appeler une nombreuse escorte ;
Ils diront qu'en ce lieu, conduits par des hasards,
Suzanne dans le crime a frappé leurs regards.   30
« Oui, crains notre vengeance ; obéis, tais-toi, cède. »
Mais sans les écouter : « Grand Dieu ! viens à mon aide,
Dieu juste, anges du ciel, criait-elle toujours,
Joachim ! Joachim ! oh ! viens à mon secours ! »

Son esclave fidèle vole...; mais un des vieillards avait déjà ouvert la porte (1), il était revenu, et tous deux... « Nous venions nous
informer de Joachim...; nous t'avons trouvée dans les bras d'un
jeune homme... La loi (2)... O malheureux Joachim ! » Ils partent...
La belle accusée baisse la tête et ne verse point de larmes... Son

V. 24 Avant la destruction de Sodome par la pluie de feu, les deux
anges qui avaient été reçus chez Loth frappèrent le peuple d'aveuglement (*Genèse*, xix, 11).

V. 26. *Daniel*, xiii, 21 : « Quod si nolueris, dicemus contra te testi-
monium, quod fuerit tecum juvenis, et ob hanc causam emiseris puellas
a te. »

(1) *Daniel*, xiii, 24 : « Et exclamavit voce magna Suzanna : excla-
maverunt autem et senes adversus eam. Et cucurrit unus ad ostia pomarii, et aperuit. Cum ergo audissent clamorem famuli domus in pomario,
irruerunt per posticum, ut viderent quidnam esset. Postquam autem senes
locuti sunt, erubuerunt servi vehementer : quia nunquam dictus fuerat
sermo hujuscemodi de Susanna... »

(2) *Lévitique*, xx, 10 : « Si mœchatus quis fuerit cum uxore alterius,
et adulterium perpetraverit cum conjuge proximi sui, morte morian-

esclave, anéantie, sans voix, s'approche pour la soutenir... « Eh quoi ! veux-tu encore me rendre ce service à moi, malheureuse accusée, surprise dans le crime (1) ?... » Ici les larmes, les sanglots... « Non, non ! fille d'Helcias, dit l'esclave, non, tu n'es point coupable » (2)... « Elles marchent... La jeune sœur, qui les voit arriver, l'une laissant tomber quelques larmes, l'autre noyée de pleurs, pleure aussi et s'informe... Suzanne se renferme... Son esclave lui lit, dans le volume sacré, Joseph vendu (3) et devenu grand, Moïse sauvé des eaux, et d'autres exemples qu'elle écoute en silence, les yeux au ciel...

CHANT IV

Mais les vieillards ont parlé au peuple... « Peuple, un grand malheur est arrivé !... La fille d'Helcias, l'épouse de Joachim, Suzanne, est adultère (4). Nous l'avons vue !... La loi !... » Le peuple, toujours crédule, dupe de leur fausse vertu, d'ailleurs toujours prompt à haïr ce qu'il est forcé d'admirer, s'assemble en tumulte devant la maison (5)... Les vieillards arrivent ; les esclaves menacent ; mais les vieillards disent qu'ils apportent des paroles de paix. Ils entrent et demandent à lui parler seuls. Sans répondre, elle fait signe à son esclave de la laisser. Ils commencent par la vile menace : « Ton supplice est prêt. Il dépend de toi... » Elle reste immobile, les yeux baissés, et sans rien dire... Le second reprend : « Tu seras la plus heureuse des femmes... » Elle ne dit rien et reste immobile... Il s'emporte... « Nous nous vengerons sur tout

tur et mœchus et adultera. » *Deutéronome*, XXII, 22 : « Si dormierit vir cum uxore alterius, uterque morietur, id est, adulter et adultera. »

(1) « Surprise dans le crime, » hémistiche qui n'attend plus que sa place.

(2) On peut dégager ce vers :

Non, fille d'Helcias, non, tu n'es point coupable...

(3) Joseph vendu par ses frères (*Genèse*, XXXVIII). Voy., dans les notes d'André. — Moïse sauvé des eaux (*Exode*, II).

(4) On peut dégager de la phrase un vers tout fait :

La fille d'Helcias, Suzanne, est adultère !

(5) On pourrait presque deviner le vers :

En tumulte s'assemble au seuil de la maison.

ce qui t'est cher(1). Joachim périra... » Elle tremble. « Oui, Joachim périra, » s'écrient-ils tous deux ensemble. Alors elle lève la tête. Ses yeux fixent le ciel ; elle se lève, et, muette, passe dans un autre appartement... Ils sortent... « Ma sœur, je vais mourir... Dis à Joachim... O Joachim !... » Helcias

Arrive tout couvert de cendre et de lambeaux,...

Il embrasse sa fille... Il vient d'apprendre... Mais il sait qu'elle ne saurait être coupable... « Je ne veux que me traîner jusqu'à la porte de tes persécuteurs ; je veux y mourir en les maudissant (2)...

« Que ma dernière voix leur soit amère encore ;
Qu'ils entendent ma mort ; que la prochaine aurore
Présente mon cadavre à leurs yeux effrayés,
Et qu'ils ne sortent point sans me fouler aux pieds... »

CHANT V

On vient la chercher... Elle marche au supplice... la tête penchée sur son sein ; pâle, mais tranquille comme l'innocence. Ses esclaves, sa sœur, son père... Les vieillards lui lancent des regards de vile méchanceté satisfaite... Mais Joachim a trouvé ses richesses ; il revient avec des chameaux chargés de trésors... Les présents qu'il destine à sa femme... Il arrive... Il voit une grande foule... Le premier qu'il interroge

. . . . voudrait pouvoir lui taire :
« Joachim ! une épouse, une épouse adultère !... »

Joachim s'éloigne : « Malheureuse, dit-il,

Sans doute, son époux ne l'aura pas aimée,

(1) Ici encore :
        Et nous nous vengerons sur tout ce qui t'est cher.
(2) Une simple inversion donne ce vers ·
        C'est en les maudissant que je veux y mourir.

ne lui aura pas été fidèle, comme Joachim à sa belle Suzanne ..
Peut-être un autre époux aurait eu en elle une autre Suzanne... » Il
approche... Il voit la belle innocente...; il tombe à terre, demi-
mort, en s'écriant : « Ah! malheureux!... » On l'emporte. Elle le
suit des yeux en disant :

« Toi, Joachim, aussi tu me juges coupable? »

. . . .

— « Non, dit la jeune sœur, non, peuple; on vous abuse...

Ce sont ces vieillards eux-mêmes qui ont voulu la séduire. » Ils
l'interrompent : « Peuple, nous vous l'avons déjà dit... Nous sommes
entrés dans la maison de Joachim(1)... — Pour nous informer de
lui, ajoute le second vieillard. — Nous avons trouvé son épouse
avec un jeune homme, reprend le premier... — Dans ses bras,
ajoute le second. — Il nous a échappé, malgré nos efforts, dit le premier. — Des vieillards, reprend le second, ne peuvent lutter contre
un jeune homme, ni vouloir séduire une femme... Suzanne est
adultère!... et la loi que le Seigneur a donnée à Moïse sur l'ardent
sommet du Sinaï... O Joachim! tu méritais une autre épouse!... »
A ces mots, l'innocente condamnée tourna la tête vers les vieillards
et les regarda. Ils voulurent la fixer (2), mais ils ne le purent. Ils
détournèrent la tête l'un vers l'autre, de peur que le regard divin
de cette chaste accusée n'arrachât leur âme de ses ténèbres, et ne
la forçât à paraître sur leur visage... Le peuple environnait la jeune
sœur... Les uns auraient voulu douter...; les autres admiraient le

_____

(1) *Daniel*, xiii, 36 : « Et dixerunt presbyteri : Cum deambulare-
mus in pomario soli, ingressa est hæc cum duabus puellis : et clausit
ostia pomarii, et dimisit a se puellas. Venitque ad eam adolescens, qui
erat absconditus, et concubuit cum ea. Porro nos cum essemus in angulo
pomarii , videntes iniquitatem, concurrimus ad eos, et vidimus eos pariter
commisceri. Et illum quidem non quivimus comprehendere, quia fortior
nobis erat, et apertis ostiis exsilivit. Hanc autem cum apprehendissemus,
interrogavimus, quisnam esset adolescens, et noluit indicare nobis : hujus
rei testes sumus. Credidit eis multitudo, quasi senibus et judicibus populi, et condemnaverunt eam ad mortem. »

(2) « *Ils voulurent la fixer.* » [Cette faute a été faite fréquemment et
par de bons écrivains. Ainsi, J.-J. Rousseau a dit, dans une lettre à
M. Hume : « Je m'aperçois *qu'il me fixe...* j'essayai de *le fixer* à mon
tour... Où, grand Dieu ! ce bonhomme emprunte-t-il les yeux dont *il fixe
ses amis?...* » Boissonade.]

bon naturel de cette enfant...; d'autres, de la basse populace, disent
que c'est signe qu'elle a un penchant à suivre l'exemple de
Suzanne...; les autres s'indignaient qu'un si beau visage cachât un
cœur vicieux...

CHANT VI

Mais les hommes se plaindraient du ciel, si le crime opprimait
toujours l'innocence. L'Éternel était content de l'épreuve. Il appela
l'ange tout de feu qui anime les prophètes (1).

« Va, lui dit-il, trouver le jeune Daniel,

Et révèle-lui la vérité. Qu'il parle et qu'il punisse. » Le jeune Daniel,
mêlé dans la foule du peuple, s'était levé sur ses pieds pour voir la
condamnée. « Non, s'était-il dit à lui-même, cette physionomie
n'est point celle d'une femme coupable... » Il s'était élancé hors de
la foule en criant (2) : « Peuple, je suis innocent du meurtre que
vous allez commettre. » Tout à coup l'esprit divin descendit sur lui,
éclaira ses yeux, le fit lire dans les âmes, à travers le voile de chair
et d'os qui les couvre. Il vit avec ravissement l'état de pureté de
l'âme de Suzanne. Il frémit en voyant celle des vieillards, noire
d'imposture et de vices, semblable au lac Asphaltite.

« Arrêtez, arrêtez ! insensés que vous êtes !...

s'écria-t-il. Vous êtes dupes de scélérats !... Suzanne est innocente !...
— Suzanne est innocente ! cria le peuple avec transport. Vive le
jeune prophète qui venge la vertu opprimée !... » Ils s'assemblent...
« Enfant, prophète de Dieu, dit le peuple, interroge-les toi-même... »
Il se lève... « Qu'on les sépare (3)... Eh bien ! toi,... race mé-
chante et maudite, dis-nous sous quel arbre...? — Sous un chêne...

(1) *Daniel*, XIII, 44 : « Exaudivit autem Dominus vocem ejus. Cumque
duceretur ad mortem, suscitavit Dominus *spiritum sanctum* pueri ju-
nioris, cujus nomen Daniel. »
(2) *Ibid.* : « Et exclamavit voce magna : Mundus ego sum a sanguine
hujus. »
(3) *Daniel*, XIII, 51 : « Et dixit ad eos Daniel : Separate illos ab
invicem procul, et dijudicabo eos. Cum ergo divisi essent alter ab altero,
vocavit unum de eis, et dixit ad eum : ... Nunc ergo si vidisti eam, dic sub
qua arbore videris eos colloquentes sibi. Qui ait : Sub schino. Dixit au-

— Sous un chêne ! Va ! fuis ! ton mensonge exécrable
Demeure suspendu sur ta tête coupable.

Voilà comme vous jugiez le peuple ! Qu'on fasse entrer l'autre. —
Eh bien ! scélérat ! dis-nous sous quel arbre... ? — Jeune enfant,
quel es-tu ? que veux-tu ? quel droit as-tu d'interroger les vieillards ?...
— Parle, parle, imposteur. Ce n'est point moi qui t'interroge ; c'est
tout le peuple ; c'est Dieu qui tient son glaive tout prêt...

Tremble, ton heure vient. Réponds, dis quel ombrage ?...

— Réponds, s'écrie le peuple... » Il se déconcerte un instant ; mais
il se relève, essaye au calme...

. . . . son front dur et pervers.
Il rassure sa voix, il commence, il s'arrête :
« Un sycomore épais... — Vengeance sur ta tête.
Vil imposteur ! . . . .

Voilà comme vous jugiez le peuple !... La beauté vous séduisait !... »
On les lapide (1) ; et le peuple en triomphe ramène à Joachim son
épouse, qui, donnant la main à sa jeune sœur, l'aborde avec un
sourire.

NOTES

I. — Cela aura six chants dont j'ai marqué les séparations. J'ai
regret de ne pouvoir le faire plus court. Il faudra l'orner de comparaisons, de détails asiatiques sur les vêtements, les aromates, les
richesses, etc., pour en faire un ouvrage piquant.

II. — Les morceaux du Cantique à imiter au deuxième chant sont
ceux où Elle court après Lui, et quand il répond, ce sera l'esclave.

tem Daniel : Recte mentitus es in caput tuum... Et, amoto eo, jussit
venire alium, et dixit ei : Semen Chanaan, et non Juda, species decepit
te, et concupiscentia subvertit cor tuum... Nunc ergo dic mihi sub qua
arbore comprehenderis eos loquentes sibi. Qui ait : Sub prino. Dixit autem ei Daniel : Recte mentitus es et tu in caput tuum. »
(1) On les lapide comme faux témoins (*Daniel*, xiii, 62, *Deutér.*,
xix, 21).

II. — On peut rétablir presque entièrement la pensée d'André. Lors-

Puis Suzanne priera les jeunes filles de Jérusalem de le chercher
avec elle, et l'esclave répondra : « Celui que tu cherches, ô la plus
belle des femmes... »

III. — On peut terminer le récit poétique et très-court de Joseph,
à la fin du troisième chant, par ces touchantes paroles dans la Genèse :

> Je suis votre Joseph, mon père est-il vivant?

IV. — Au deuxième chant, il faut la peindre à table. Elle ne mange
point. Elle n'écoute point ses femmes qui chantent sur le luth. Une
rêverie profonde répand une expression mélancolique sur son céleste visage. Elle songe à son époux qui est loin d'elle. Ce soir, la
main de Joachim ne pressera point la sienne. La voix de Joachim
ne lui dira point adieu. La bouche de Joachim ne lui donnera point
le chaste baiser du sommeil. Elle s'égare dans ces tristes pensées,
et sa belle main va sur ses yeux essuyer une larme... Elle se lève, etc.

V. — Le peuple, à la fin, peut comparer Daniel aux anges qui
visitaient Adam, et qui demandaient l'hospitalité à Abraham, etc.

VI. — Au lieu de ces anges gardiens qui me sont venus à l'esprit
dans la première idée de cet ouvrage, et qui composent un mer-
veilleux déjà usé et rebattu par les poètes allemands, il vaut mieux
en employer un autre. Il n'y a qu'à faire guider les infâmes vieillards par Bélial, le dieu de la débauche, que Milton peint dans cette

que Suzanne descend au jardin, elle est triste, préoccupée... : « In lectulo
meo per noctes quæsivi quem diligit anima mea; quæsivi illum et non
inveni.. » Dans ce jardin tant de fois témoin de la présence de son
époux, elle l'appelle, l'invite, semble l'entendre... : « Veniat dilectus
meus in hortum suum et comedat fructum pomorum suorum..... Vox di-
lecti mei pulsantis : Aperi mihi, soror mea, anima mea, columba mea,
immaculata mea ;... dilectus meus descendit in hortum suum..... » Mais
Joachim est absent ; l'esclave répond... : « Qualis est dilectus tuus ex
dilecto, o pulcherrima mulierum ? qualis est dilectus tuus ex dilecto quia
sic adjurasti nos... quo abiit dilectus tuus, o pulcherrima mulierum ?
quo declinavit dilectus tuus ? et quæremus eum tecum... »

III. — *Genèse*, XLV, 3 : Ego sum Joseph ; adhuc pater meus vivit?

V. — Voy. Milton, V ; *Genèse*, XVIII.

VI. — Le passage de Milton dont parle André est au livre premier :
> Belial came last, etc.

énumération des anciens dieux de l'Orient... Admirable morceau !
Parler des devins babyloniens et de leurs fêtes impudiques, —
voy. Hérodote et les poëtes juifs, - - et les bien décrire L'ange de la
pudeur sera celui de Suzanne... cela vaut mieux... Un autre sera
celui de la jeune sœur, etc... En personnifiant ainsi toutes les vertus humaines et leur donnant un visage expressif et allégorique...
cela sera d'ailleurs plus court et me laissera plus de place pour des
détails historiques et géographiques sur tous ces pays, Phénicie,
Judée, Damas, etc.

VII. — La grâce mignarde et affectée des filles de Babylone, la
mollesse et l'impudicité de leurs fêtes, feront un beau contraste
avec les mœurs et la physionomie de Suzanne.

VIII. — Lorsque Suzanne voudra descendre, la nuit, dans ses
jardins, deux de ses femmes lui mettront aux pieds une chaussure
qu'il faudra peindre. Ce sera comme des pantoufles.
Mais quand elle voudra se baigner, il faudra peindre la chaussure
que ses femmes lui ôteront, et qui ne sera point la même, et peindre aussi tous les vêtements, à mesure qu'elles l'en dépouilleront.

IX. — Pendant que les vieillards délibèrent entre eux avant d'aller
parler à Suzanne, le même ange qui écrivit les trois mots de Bal-
thazar vient tout à coup leur graver sur la muraille le tableau de
quelque scélérat calomniateur puni dans l'Écriture. Ils regardent,
ils restent muets ; leurs cheveux se dressent sur leurs têtes, puis ils
se regardent l'un l'autre, rougissent, chacun des deux tremblant
que l'autre ne se soit douté de ce qui se passait en lui, et sans se
rien communiquer ils continuent à ourdir leur trame d'adultère ou
de calomnie, et sortent pour aller parler à Suzanne. On peut couvrir
les murailles de Suzanne de tapisseries chargées de belles histoires
juives.

X. — Parler de ce fameux temple ou tour de Babel, et de cet ·
escalier qui tournait huit fois, — voy. Hérodote et Rollin, t. II, — et

X. — Toutes les magnificences de Babylone sont décrites dans Hérodote et dans les fragments de Ctésias. — Strabon, XIV, v, 9, nous a
conservé la célèbre épitaphe de Sardanapale. — Les précédentes éditions
avaient commis une grave erreur en parlant de la statue échevelée de
Sénir. André avait écrit *Sémi.*, abréviation de Sémiramis ; et voici le fait
rapporté par Valère Maxime, IX, iii, *de Ira et odio :* « Semiramis Assyrio-
rum regina, cum ei circa cultum capitis sui occupatæ nuntiatum esset,

des jardins de Sémiramis et de tout ce qu'il y avait à Babylone. La statue échevelée de Sémiramis. — Sardanapale et son épitaphe. Sur la tour de Babel ajouter : FAMA EST, les fables racontent...

XI. — Mettre dans la bouche d'un prophète que le lieu où ils sont captifs et maltraités était autrefois l'Éden...

XII. --- Quand le Seigneur créa le monde... quand il créa la lumière... (peindre les effets de la lumière naissante). La nuit, qui avait espéré posséder l'univers à jamais, s'enveloppa dans ses voiles, et fuit dans son antre, d'où elle n'est point sortie. Ce que nous appelons la nuit n'est que l'ombre.

Babylonem defecisse, altera parte crinium adhuc soluta, protinus ad eam expugnandam cucurrit : nec prius decorem capillorum in ordinem, quam tantam urbem in potestatem suam redegit. Quocirca statua ejus Babylone posita est illo habitu, quo ad ultionem exigendam celeritate præcipiti tetendit. »

ART D'AIMER

FRAGMENTS

I

. . . .

Flore met plus d'un jour à finir une rose.
Plus d'un jour fait l'ombrage où Palès se repose
Et plus d'un soleil dore, au penchant des coteaux,
Les grappes de Bacchus, ces rivales des eaux.
Qu'ainsi ton doux projet en silence mûrisse,   5
Que sous tes pas certains la route s'aplanisse,
Qu'un œil sûr te dirige, et de loin avec art
Dispose ces ressorts que l'on nomme hasard.
Mais souvent un jeune homme, aspirant à la gloire

I. — V. 1 et suiv. — Imité de Tibulle, I, ɪv, 15 :

> Sed te ne capiant, primo si forte negarit,
>   Tædia ; paullatim sub juga colla dabit.
> Longa dies homini docuit parere leones,
>   Longa dies molli saxa peredit aqua.
> Annus in apricis maturat collibus uvas :
>   Annus agit certa lucida signa vice.

V. 4. « *Ces rivales des eaux,* » qui rivalisent avec les eaux pour la transparence. Voici deux vers de M. Sainte-Beuve, dans les *Pensées d'août,* qui expliquent parfaitement la pensée d'André :

> Que (tant il y verra la ressemblance entière !)
> L'oiseau pique au raisin ou veuille boire à l'eau !

De venir, voir et vaincre et prôner sa victoire,   10
Vole et hâte l'assaut qu'il eût dû préparer.

. . . .

L'imprudent a voulu cueillir avant l'automne
L'espoir à peine éclos d'une riche Pomone;
Il a coupé ses blés quand les jeunes moissons
Ne passaient point encor les timides gazons.   15

II

Quand l'ardente saison fait aimer les ruisseaux,
A l'heure où vers le soir, cherchant le frais des eaux,
La belle nonchalante à l'ombre se promène,
Que sa bouche entr'ouverte et que sa pure haleine
Et son sein plus ému de tendresse et de vœux   5
Appellent les baisers et respirent leurs feux;
Que l'amant peut venir, et qu'il n'a plus à craindre
La raison qui mollit et commence à se plaindre;
Que sur tout son visage, ardente et jeune fleur,
Se répand un sourire insensible et rêveur;   10
Que son cou faible et lent ne soutient plus sa tête;

V. 10. [Cette réminiscence du mot de César est assez heureuse peut-
être, mais elle a été souvent employée. Scudéry, parlant de Corneille
dans sa lettre à l'Académie, dit avec jactance : « Qu'il vienne, qu'il voie,
et qu'il vainque, s'il peut. » Voltaire, dans *OEdipe* :

> Mais OEdipe. . . . .
> Vint, vit ce monstre affreux, l'entendit et fut roi.

La comédie en offre plus d'un exemple. Destouches, dans *la Fausse
Agnès* :

> Je suis venu, j'ai vu; je me suis convaincu.
>
> Boissonade.]

Racine a dit, dans *Bérénice*, I, iv :

> Titus, pour mon malheur, vint, vous vit et vous plut.

II. — Ce fragment, que l'édition 1839 avait mis dans les *Fragments
d'élégies*, nous a paru appartenir à l'*Art d'aimer.*
• V. 11. « *Lent*, » qui ploie; Virgile, *Én.*, XI, 829 :

> . . . . *Lentaque colla*
> Et captum letho posuit caput, arma relinquens.

Que ses yeux . . . .
Sous leur longue paupière à peine ouverte au jour,
Languissent mollement et sont noyés d'amour ;
Alors   15

  .   .   .   .

III

  .   .   .   .
Ainsi le jeune amant, seul, loin de ses délices,
S'assied sous un mélèze au bord des précipices,
Et là, revoit la lettre où, dans un doux ennui,
Sa belle amante pleure et ne vit que pour lui.
Il savoure à loisir ces lignes qu'il dévore ;   5
Il les lit, les relit et les relit encore,

V. 15. Quatre vers d'Alfred de Musset (*une Bonne Fortune*) achèvent, chose curieuse ! ce petit tableau et complètent, d'une façon toute moderne, la pensée interrompue d'André. Alors... jeune amant, avance-toi vers elle et va tout simplement

> *Te* mettre à deux genoux par terre devant elle,
> Regarder dans ses yeux l'azur du firmament,
> Et, pour toute faveur, la prier seulement
> De se laisser aimer d'une amour immortel'e.

III. — Ce fragment terminait, dans l'édition 1839, la troisième élégie du livre II, sans qu'il fût possible de trouver un lien raisonnable entre ce fragment et l'élégie. Séparé et mis dans l'*Art d'aimer*, il prend de suite une signification, une valeur poétique qui lui est propre. — Avec quelle habileté, quelle inspiration continue André *couronne de rimes* une ligne de prose, l'anime, et, *légère et dansante*, l'introduit dans les chœurs d'Apollon ! J.-J. Rousseau avait indiqué cette situation et tracé d'un trait ce tableau qu'André revêt de si riches couleurs : tout le monde se souvient de la lettre où Saint-Preux écrit à Julie (*Nouv. Hél.*, IV, xvii) : « Ici je passai le torrent glacé pour reprendre une de tes lettres qu'emportait un tourbillon. » — Quelle pouvait être la pensée d'André ? Peut-être celle-ci : Au milieu de tous ces tableaux d'amour que je veux retracer, ébloui, ému moi-même, je vois ma pensée m'échapper ; mais bientôt je la ressaisis : ainsi le jeune amant, etc.

V. 1. Catulle, XXXII, appelle Ipsithilla « meæ deliciæ. »

Baise la feuille aimée et la porte à son cœur.
Tout à coup de ses doigts l'aquilon ravisseur
Vient, l'emporte et s'enfuit. Dieux ! il se lève, il crie,
Il voit, par le vallon, par l'air, par la prairie,   10
Fuir avec ce papier, cher soutien de ses jours,
Son âme et tout lui-même et toutes ses amours.
Il tremble de douleur, de crainte, de colère.
Dans ses yeux égarés roule une larme amère.
Il se jette en aveugle, à le suivre empressé,   15
Court, saute, vole, et l'œil sur lui toujours fixé,
Franchit torrents, buissons, rochers, pendantes cimes,
Et l'atteint, hors d'haleine, à travers les abîmes.

IV

Viens près d'elle au matin, quand le dieu du repos
Verse au mol oreiller de plus légers pavots,
Voir, sur sa couche encor du soleil ennemie,
Errer nonchalamment une main endormie,
Ses yeux prêts à s'ouvrir, et sur son teint vermeil   5
Se reposer encor les ailes du sommeil.

V

Tout mortel se soulage à parler de ses maux.
Le suc que d'Amérique enfantent les roseaux

IV. — Ces vers avaient été classés dans les *Fragments d'élégies* par
les précédents éditeurs. Voy. *Élég.*, II, xviii, 13, un petit tableau semblable ; c'est, pour mieux dire, le même, traité différemment.
  V. — Ces vers se trouvent dans les autres éditions parmi les *Fragments
d'élégies*.
  V. 1. Cf. Properce, I, ix, 34. — Régnier, *Dial.* :

  Volontiers les ennuis s'allégent aux discours.

Corneille, *Poly.*, I, iii :

  A raconter ses maux souvent on les soulage.

Tempère au moins un peu les breuvages d'absinthe.
Ainsi le fiel d'amour s'adoucit par la plainte,
Soit que le jeune amant raconte son ennui   5
A quelque ami jadis agité comme lui,
Soit que, seul dans les bois, ses éloquentes peines
Ne s'adressent qu'aux vents, aux rochers, aux fontaines.

VI

Si d'un mot échappé l'outrageuse rudesse
A pu blesser l'amour et sa délicatesse,
Immobile il gémit, songe à tout expier.
Sans honte, sans réserve, il faut s'humilier :
Églé, tombe à genoux, bien loin de te défendre ;   5
Tu le verras soudain plus amoureux, plus tendre,
Courir et t'arrêter, et lui-même à genoux
Accuser en pleurant son injuste courroux.
Mais souvent malgré toi, sans fiel ni sans injure,
Ta bouche d'un trait vif aiguise sa piqûre ;   10
Le trait vole, tu veux le rappeler en vain :
Ton amant consterné dévore son chagrin.
Ou bien d'un dur refus l'inflexible constance
De ses feux tout un jour a trompé l'espérance ;
Il boude : un peu d'aigreur, un mot même douteux   15

V. 3. André ne semble-t-il pas transporter de la philosophie à l'amour, en en modifiant le sens, une comparaison de Lucrèce (I, 935), où le poëte latin, disant qu'il embellit la philosophie des fleurs de la poésie, ajoute

> Sed veluti pueris absinthia tetra medentes
> Cum dare conantur, prius oras pocula circum
> Contingunt mellis dulci flavoque liquore.

V. 8. Ce vers rappelle celui de Racine, *Phèdre*, I, 1 :

> Ariane aux rochers contant ses injustices.

VI. — V. 9. Éd. 1826 et 1839 :

> Mais souvent malgré toi, sans fiel et sans injure.

Peut tourner la querelle en débat sérieux.
Oh ! trop heureuse alors si, pour fuir cet orage,
Les Grâces t'ont donné leur divin badinage,
Cet air humble et soumis de n'oser s'approcher,
D'avoir peur de ses yeux et de t'aller cacher,   20
Et de mille autres jeux l'inévitable adresse,
De mille mots plaisants l'aimable gentillesse,
Enfin tous ces détours dont le charme ingénu
Force un rire amoureux vainement retenu.
Il t'embrasse, il te tient, plus que jamais il t'aime ;   25
C'est ton tour maintenant de le bouder lui-même.
Loin de s'en effrayer, il rit, et mes secrets
L'ont instruit des moyens de ramener la paix.

VII

Le courroux d'un amant n'est point inexorable.
Ah ! si tu la voyais, cette belle coupable,
Rougir et s'accuser, et se justifier,
Sans implorer sa grâce et sans s'humilier,
Pourtant de l'obtenir doucement inquiète,   5
Et, les cheveux épars, immobile, muette,
Les bras, la gorge nus, en un mol abandon,

V. 18. Segrais, *Athis*, III, s'adressant à l'Amour :

> Il faut être appelé dans tes secrets mystères,
> Pour pouvoir exprimer ces aimables colères,
> Ces invitants refus, ces démêlés charmants,
> Ces transports désirés, ces doux empressements,
> Et ces rudes combats dont les plus fortes armes
> Sont les soumissions, les soupirs et les larmes.

V. 24. Ce trait est imité de Pétrone, *Satyr.*, CXXVIII : « Rapuit deinde tacenti speculum, et postquam *omnes vultus* tentavit, *quos solet inter amantes risus frangere...* »

VII. — Ce fragment faisait partie des *Frag. d'élégies,* dans les autres éditions.

Tourner sur toi des yeux qui demandent pardon !
Crois qu'abjurant soudain le reproche farouche,
Tes baisers porteraient son pardon sur sa bouche.   10

VIII

Qu'il est doux, au retour de la froide saison,
Jusqu'au printemps nouveau regagnant la maison,
De la voir devant vous accourir au passage,
Ses cheveux en désordre épars sur son visage !
Son oreille de loin a reconnu vos pas :   5
Elle vole, et s'écrie, et tombe dans vos bras ;
Et sur vous appuyée et respirant à peine,
A son foyer secret loin des yeux vous entraîne.
Là, mille questions qui vous coupent la voix,
Doux reproches, baisers, se pressent à la fois.   10
La table entre vous deux à la hâte est servie :
L'œil humide de joie, au banquet elle oublie
Et les mets et la table, et se nourrit en paix
Du plaisir de vous voir, de contempler vos traits.
Sa bouche ne dit rien, mais ses yeux, mais son âme,   15
Vous parlent ; et bientôt des caresses de flamme
Vous mènent à ce lit qui se plaignait de vous.
C'est là qu'elle s'informe avec un soin jaloux
Si beaucoup de plaisirs, surtout si quelque belle
Habitait la contrée où vous étiez loin d'elle.   20

VIII. — Nous avons détaché ce fragment de l'*Épître* V, avec laquelle
il n'avait aucun rapport. — Segrais, *Égl.* III, a tracé un tableau semblable :

> O dieux ! que de plaisir, si, quand j'arriverai,
> Elle me voit plus tôt que je ne la verrai ;
> Et du haut du coteau qui découvre ma route,
> En s'écriant : C'est lui ! c'est lui-même, sans doute !
> Pour descendre en la rive elle ne fait qu'un pas,
> Vient jusqu'à moi peut-être ; et, me tendant les bras,
> M'accorde un doux baiser de sa bouche adorable !

IX

Quand Junon sur l'Ida plut au maître du monde,
Xanthus l'avait tenue au cristal de son onde,
Et sur sa peau vermeille une savante main
Fit distiller la rose et les flots de jasmin.
Cultivez vos attraits : la plus belle nature   5
Veut les soins délicats d'une aimable culture.
Mais si l'usage est doux, l'abus est odieux.

IX. — V. 1. Le début de ce fragment est inspiré de Pétrone, *Sat.*,
CXXVII :

> Idæo quales fudit de vertice flores
> Terra parens, cum se confesso junxit amori
> Jupiter, et toto concepit pectore flammas :
> Emicuere rosæ, violæque. . . . .

V. 2. Par suite d'une correction du premier éditeur, dont on ne peut
saisir le motif, toutes les éditions ont donné jusqu'à présent *Noüs* au lieu
de *Xanthus* qui est dans le manuscrit. L'épisode auquel André Chénier
fait allusion est raconté dans l'*Iliade*, XIV, mais Homère n'y dit pas que,
lorsque Junon fit ses apprêts de toilette pour se rendre auprès de Jupiter
sur l'Ida, elle se fût baignée dans l'eau puisée au Xanthus. Ce détail est
ajouté par le poëte, peut-être en souvenir de cette circonstance que Vénus,
selon l'*Etymologicum magnum* (v. Σκάμανδρος), s'était baignée dans ce
fleuve avant de dévoiler ses charmes sur l'Ida au berger de Phrygie. On
sait que, selon Homère, *Iliade*, XXI, 74, ce fleuve est celui

> Ὃν Ξάνθον καλέουσι θεοί, ἄνδρες δὲ Σκάμανδρον.

V. 7 et suiv. Dans le passage qui suit, André développe la même pensée
que Properce, I, ii :

> Quid juvat ornato procedere, vita, capillo,
>   Et tenues Coa veste movere sinus ?
> Aut quid Orontea crines perfundere myrrha,
>   Teque peregrinis vendere muneribus ;
> Naturæque decus mercato perdere cultu,
>   Nec sinere in propriis membra nitere bonis ?
> Crede mihi, non ulla tuæ est medicina figuræ :
>   Nudus amor formæ non amat artificem.

Cf. Ovide, *Art d'aimer*, III, 129. Comme le dit encore Pétrone dans un
fragment :

> . . . . . Neglectim mihi quæ se comit amica,
>   Hæc et inornata simplicitate valet.

Des parfums entassés l'amas fastidieux,
De la triste laideur trop impuissantes armes,
A d'indignes soupçons exposeraient vos charmes.   10
Que dans vos vêtements le goût seul consulté
N'étale qu'élégance et que simplicité.
L'or ni les diamants n'embellissent les belles ;
Le goût est leur richesse ; et, tout-puissant comme elles,
Il sait créer de rien leurs plus beaux ornements ;   15
Et tout est sous ses doigts l'or et les diamants.
J'aime un sein qui palpite et soulève une gaze.
L'heureuse volupté se plaît, dans son extase,
A fouler mollement ces habits radieux
Que déploie au Cathay le ver industrieux.   20
Le coton mol et souple, en une trame habile,
Sur les bords indiens, pour vous prépare et file
Ce tissu transparent, ce réseau de Vulcain,
Qui, perfide et propice à l'amant incertain,
Lui semble un voile d'air, un nuage liquide,   25
Où Vénus se dérobe et fuit son œil avide.

V. 23. « *Ce réseau de Vulcain;* » tissu fin comme une toile d'arai-
gnée ; voy. l'*Aveugle*, 198.
V. 25. Pétrone, *Sat.*, LV :

> Æquum est, induere nuptam *ventum textilem?*
> Palam prostare nudam in *nebula linea.*

Le « *nuage liquide* » n'est pas une traduction heureuse de *nebula linea.*
Virgile, *Enéide*, I, 412, a dit :

> Et multo *nebulæ* circum dea fudit *amictu.*

Malherbe, p. 90, en parlant de l'Aurore :

> Et d'*un voile tissu de vapeur et d'orage*
> Couvrant ses cheveux d'or. . . . .

« Ce vers est un des plus poétiques et des plus heureux qu'il y ait dans
notre langue et dans aucune langue, » remarque André. — La Fontaine,
Psyché, I .

> Le bruit, l'éclat de l'eau, sa blancheur transparente,
> D'*un voile de cristal* alors peu différente.

X

. . . .

Mais surtout sans les yeux quels plaisirs sont parfaits?
Laissez près d'une couche ainsi voluptueuse
Veiller, discret témoin, la cire lumineuse.
Elle a tout vu la nuit, elle a tout épié ;
Dès que le jour paraît, elle a tout oublié.   5

XI

Crains que l'ennui fatal dans son cœur introduit
Puisse compter les pas de l'heure qui s'enfuit.
Il est pour la tromper un aimable artifice :
Amuse-la des jeux qu'invente le caprice ;
Lasse sa patience à mille tours malins ;   5
Ris et de sa faiblesse et de ses cris mutins ;
Tu braves tant de fois sa menace éprouvée !
Elle vole, tu fuis ; la main déjà levée,
Elle te tient, te presse ; elle va te punir :
Mais vos bouches déjà ne cherchent qu'à s'unir.   10
Le ciel d'un feu plus beau luit après un orage.
L'amour fait à Paphos naître plus d'un nuage ;
Mais c'est le souffle pur qui rend l'éclat à l'or,

X. — Ce fragment terminait la prétendue *Chanson des yeux* dans
l'éd. 1839.

XI. — V. 4 et suiv. Tibulle, I, IV, 51 :

> Si volet arma, levi tentabis ludere dextra :
>   Sæpe dabis nudum, vincat ut ille, latus.
> Tunc tibi mitis erit : rapias tunc cara licebit
>   Oscula : pugnabit sed tamen apta dabit.
> Rapta dabit primo, mox offeret ipse roganti :
>   Post etiam collo se implicuisse volet.

Et la peine en amour est un plaisir encor.
Le hasard à ton gré n'est pas toujours docile ?   15
Une belle est un bien si léger, si mobile !
Souvent tes doux projets, médités à loisir,
D'avance destinaient la journée au plaisir ;
Non, elle ne veut pas. D'autres soins occupée,
Tu vois avec douleur ton attente échappée.   20
Surtout point de contrainte ; espère un plus beau jour :
Imprudent qui fatigue et tourmente l'amour !
Essaye avec les pleurs, les tendres doléances,
De faire à ses desseins de douces violences ;
Sinon, tu vas l'aigrir ; tu te perds. La beauté,   25
Je te l'ai fait entendre, aime sa volonté.
Son cœur impatient, que la contrainte blesse,
Se dépite : il est dur de n'être pas maîtresse.
Prends-y garde : une fois le ramier envolé
Dans sa cage confuse est en vain rappelé.   30
Cède, assieds-toi près d'elle ; et, soumis avec grâce,

V. 22. Properce, I, x, 21 :

> Tu cave, ne tristi cupias pugnare puellæ.
> Neve superba loqui, neve tacere diu ;
> Neu, si quid petiit, ingrata fronte negaris ;
> Neu tibi pro vano verba benigna cadant. . . . .
> At quo sis humilis magis et subjectus amori,
> Hoc magis effecto sæpe fruare bono.

Gentil-Bernard, *Art d'aimer*, I :

> Par son respect l'amant vrai se déclare ;
> C'est lui qui craint, qui se fuit, qui s'égare,
> Qui d'un regard fait son suprême bien,
> Désire tout, prétend peu, n'ose rien. . . .

Cf. J.-B. Rousseau, *Adonis*.

V. 29 et 30. La phrase serait mieux construite ainsi :

> Prends garde : le ramier, une fois envolé,
> Dans sa cage confuse est en vain rappelé.

« *Confuse.* » André anime la cage ; elle est confuse d'avoir laissé envoler
le ramier. — Horace, *Épît*, I, xviii, 71, a dit, dans un autre ordre
d'idées :

> Et semel emissum volat ⸸revocabile verbum.

D'un ton un peu plus froid, sans aigreur, ni menace,
Dis-lui que de tes vœux son plaisir est la loi.
Va, tu n'y perdras rien, repose-toi sur moi.
Complaisance a toujours la victoire propice.   35
Souvent de tes désirs l'utile sacrifice,
Comme un jeune rameau planté dans la saison,
Te rendra de doux fruits une longue moisson.

                              XII

Flore a pour les amants ses corbeilles fertiles ;
Et les fleurs, dans leurs jeux, ne sont pas inutiles.
Les fleurs vengent souvent un amant courroucé,
Qui feint sur un seul mot de paraître offensé.
Il poursuit son espiègle, il la tient, il la presse ;   5
Et, fixant de ses flancs l'indocile souplesse,
D'un faisceau de bouquets en cachette apporté
Châtie, en badinant, sa coupable beauté,
La fait taire et la gronde, et d'un maître sévère
Imite avec amour la plainte et la colère ;   10
Et, négligeant ses cris, sa lutte, ses transports,

XII. — V. 1. « *A ses corbeilles fertiles,* » latinisme dont on rencontre de fréquents exemples chez les poëtes français. Malherbe, p. 146,
a dit :

> Et même ces canaux *ont* leur course plus belle
> Depuis qu'elle est ici.

V. 2. N'est-ce pas là ce jeu des fleurs, prélude d'amoureux ébats, que
décrit La Fontaine, *Contes*, II, vii :

> La belle prend des fleurs qu'elle avait mises
> En un monceau, les jette au compagnon.....
> Même débat, même jeu recommence.
> Fleurs de voler. . . . .

Staee, *Achill.*, I, 571, dans le ravissant tableau des jeux d'Achille et de
Déidamie :

> Nunc levibus sertis, lapsis nunc sponte canistris,
> Nunc thyrso parcente ferit. . . . .

Arme le fouet léger de rapides efforts,
Frappe et frappe sans cesse, et s'irrite et menace,
Et force enfin sa bouche à lui demander grâce.
Telle Vénus souvent, aux genoux d'Adonis,   15
Vit des taches de rose empreintes sur ses lis ;
Tel l'Amour, enchanté d'un si doux badinage,
Loin des yeux de sa mère, en un charmant rivage,
Caressait sa Psyché dans leurs jeux enfantins,
Et de lacets dorés chargeait ses belles mains.   20

Fontenay ! lieu qu'Amour fit naître avec la rose,
J'irai (sur cet espoir mon âme se repose),
J'irai te voir, et Flore et le ciel qui te luit.
Là je contemple enfin (ma déesse m'y suit),
Sur un lit que je cueille en tes riants asiles,   25
Ses appas, sa pudeur, et ses fuites agiles,
Et dans la rose en feu l'albâtre confondu,
Comme un ruisseau de lait sur la pourpre étendu.

V. 19. Dans le Tasse, *Ger. lib.*, XIV, 68, Armide enchaîne Renaud avec des fleurs :

> Di ligustri, di gligli, e delle rose,
> Le quai fiorian per quelle piagge amene
> Con nov' arte congiunte indi compose
> Lente ma tenacissime catene.

V. 22. C'est le mouvement poétique de Virgile, *Égl.*, X, 50 :

> Ibo, et, Chalcidico, etc.

Delille, *Jardins*, II :

> J'irai, de l'Apennin je franchirai les cimes, etc.

Cf. Bertin, *Am.*, II, xi. Nous avons déjà remarqué cette forme poétique, *Élég.*, II, xxii, 75.
V. 27. Properce, II, iii :

> Ut Mœotica nix minio si certet Hibero,
> Utque rosæ puro lacte natant folia.

XIII

Offrons tout ce qu'on doit d'encens, d'honneurs suprêmes,
Aux dieux, à la beauté plus divine qu'eux-mêmes.
Puisse aux vallons d'Hæmus, où les rocs et les bois
Admirèrent d'Orphée et suivirent la voix,
L'Hèbre ne m'avoir pas en vain donné naissance!   5
Les Muses avec moi vont connaître Byzance;
Et si le ciel se prête à mes efforts heureux,
De la Grèce oubliée enfant plus généreux,
Sur ses rives jadis si noblement fécondes,
Du Permesse égaré je ramène les ondes.   10
Pour la première fois de sa honte étonné,
Le farouche turban, jaloux et consterné,
D'un sérail oppresseur, noir séjour des alarmes,
Entendra nos accents et l'amour et vos charmes.
C'est là, non loin des flots dont l'amère rigueur   15
Osa ravir Sestos au nocturne nageur,
Qu'en des jardins chéris des eaux et du zéphyre,
Pour vous rayonnant d'or, de jaspe, de porphyre,
Un temple par mes mains doit s'élever un jour.
Sous vos lois j'y rassemble une superbe cour   20

XIII. — V. 1 et suiv. Horace, *Odes*, I, xii :

> . . . . . Super Pindo, gelidove in Hæmo
> Unde vocalem temere insecutæ
>   Orphea sylvæ. . . . .
> Quid prius dicam solitis Parentis
> Laudibus? . . . .

V. 2. La Fontaine, dans *Adonis*, fait dire à Vénus :

> La beauté, dont les traits même aux dieux sont si doux,
> Est quelque chose encor de plus divin que nous.

V. 4. Voy. Malherbe, p. 170, et la note d'André.
V. 14. « *Vos charmes.* » Le poëte s'adresse aux Muses
V. 19. Ce vœu tout fictif d'élever un temple se trouve dans Virgile,

Où de tous les climats brillent toutes les belles :
Elles règnent sur tout, et vous régnez sur elles.
Là des filles d'Indus l'essaim noble et pompeux,
Les vierges de Tamise, au cœur tendre, aux yeux bleus,
De Tibre et d'Éridan les flatteuses sirènes,   25
Et du blond Eurotas les touchantes Hélènes,
Et celles de Colchos, jeune et riche trésor,
Plus beau que la toison étincelante d'or,
Et celles qui, du Rhin l'ornement et la gloire,
Vont dans ses froids torrents baigner leurs pieds d'ivoire,   30
Toutes enfin ; ce bord sera tout l'univers.

.   .   .   .

XIV

L'amour croît par l'exemple, et vit d'illusions.
Belles, étudiez ces tendres fictions
Que les poëtes saints, en leurs douces ivresses,
Inventent dans la joie aux bras de leurs maîtresses :
De tout aimable objet Jupiter enflammé ;   5

Géorg., III, 12 ; mais c'est aux Muses que le poëte latin le consacre :

> Primus Idumæas referam tibi, Mantua, palmas,
> Et viridi in campo templum de marmore ponam
> Propter aquam. . . . .

Cf. Stace, *Théb.*, II, 756 ; Ronsard, *Am* , II, *Élégie à Marie.*

V. 27. Sur *Colchos*, voy. p. 92.

V. 31. Éd. 1826 :

> Toutes enfin ; ce bords seront tout l'univers.

XIV. — V. 2. Ovide, *Art d'aimer*, II¹, 329, conseille aux amants d'apprendre par cœur les vers de Callimaque, de Philétas, d'Anacréon, de Sappho. Cf. Tibulle. I, IV, 61. Parny, *Poés. érot.*, I, XIII :

> . . . Dans Ovide il faut étudier
> Des premiers temps l'histoire fabuleuse,
> Et de Paphos la chronique amoureuse.

V. 3. « *Les poëtes saints.* » Ovide, *Am.*, III, IX, 17 : « Sacri vates.

V. 5. Gentil-Bernard, *Art d'aimer*, III :

> . . . . . .Sous cent formes lui-même,
> Jupiter dit comment il faut qu'on aime.

Et le dieu des combats par Vénus désarmé,
Quand, la tête en son sein mollement étendue,
Aux lèvres de Vénus son âme est suspendue,
Et, dans ses yeux divins oubliant les hasards,
Nourrit d'un long amour ses avides regards ;   10
Quels appas trop chéris mirent Pergame en cendre ;
Quelles trois déités un berger vit descendre,
Qui, pour briguer la pomme abandonnant les cieux,
De leurs charmes rivaux enivrèrent ses yeux ;
Et le sang d'Adonis, et la blanche hyacinthe   15
Dont la feuille respire une amoureuse plainte ;
Et la triste Syrinx aux mobiles roseaux,
Et Daphné de lauriers peuplant le bord des eaux ;
Herminie aux forêts révélant ses blessures ;
Les grottes, de Médor confidentes parjures ;   20

V. 6-10. Imité de Lucrèce, I, 33 :

> . . . . Quoniam belli fera mœnera Mavors
> Armipotens regit, in gremium qui sæpe tuum se
> Rejicit, æterno devictus volnere amoris ;
> Atque ita suspiciens, tereti cervice reposta,
> Pascit amore avidos, inhians in te, dea, visus.

Le Tasse, dans la peinture des amours de Renaud et d'Armide, *Ger. lib.*,
XVI, xviii et xix, s'est directement inspiré de Lucrèce.
    V. 8. Ovide, *Héroïd.*, I, 19 :

> Narrantis conjux *pendet ab ore* viri.

N'est-ce pas le ravissant tableau d'Acmé et de Septimius, dans Catulle, XLV.

> Et Acme leviter caput reflectens
> Et dulcis pueri ebrios ocellos
> Illo purpureo ore saviata.

    V. 10. Virgile, *Én.*, I, 749 :

> Infelix Dido, *longumque* bibebat *amorem*.

    V. 11. Hélène. — Gentil-Bernard, *Art d'aimer*, I, a dit :

> Le ravisseur qui mit Pergame en poudre.

    V. 12. Pâris sur l'Ida.
    V. 15. Voy. pages 4, 98, 144.
    V. 17. Voy. p. 113.
    V. 18. Voy. Ovide, *Mét.*, I, 452.
    V. 19-20. *Herminie* est une création du Tasse dans la *Jérusalem délivrée*, et *Médor*, de l'Arioste dans le *Roland furieux*.

Et les ruses d'Armide, et l'amoureux repos
Où, sur des lits de fleurs, languissent les héros ;
Et le myrte vivant aux bocages d'Alcine.
Les Grâces dont les soins ont élevé Racine
Aiment à répéter ses écrits enchanteurs, 25
Tendres comme leurs yeux, doux comme leurs faveurs.
Belles, ces chants divins sont nés pour votre bouche.
La lyre de Le Brun, qui vous plaît et vous touche,
Tantôt de l'élégie exhale les soupirs,
Tantôt au lit d'amour éveille les plaisirs. 30
Suivez de sa Psyché la gloire et les alarmes ;
Elle-même voulut qu'il célébrât ses charmes,
Qu'Amour vînt pour l'entendre ; et dans ces chants heureux
Il la trouva plus belle et redoubla ses feux.
Mon berceau n'a point vu luire un même génie : 35
Ma Lycoris pourtant ne sera point bannie.
Comme eux, aux traits d'Amour j'abandonnai mon cœur,
Et mon vers a peut-être aussi quelque douceur.

V. 21. Voy. le Tasse, *Ger. lib.*, XVI.

V. 23. Encore un souvenir du *Roland furieux*.

V. 31. *Psyché*, que Le Brun n'acheva pas, devait former le quatrième chant des *Veillées du Parnasse*.

V. 38. Properce, s'adressant au poëte Lyncée, II, xxxvi :

> Tale facis carmen docta testudine, quale
> Cinthius impositis temperat articulis.
> Non tamen hæc ulli venient ingrata legenti,
> Sive in amore rudis, sive peritus erit.

Théocrite a mis cette pensée dans la bouche d'un berger poëte, *Idyl.*, IX, 8 :

> Ἁδὺ δὲ χ'ἀ σύριγξ, χ'ὡ βωκόλος, ἁδὺ δὲ κῆγών.

Ovide, *Rem. d'am.*, 766, a dit dans les mêmes circonstances qu'André .

> Et mea nescio quid carmina dulce sonant.

V

L'AMÉRIQUE

FRAGMENTS

I

. . . .
Magellan, fils du Tage, et Drake et Bougainville
Et l'Anglais dont Neptune aux plus lointains climats
Reconnaissait la voile et respectait les pas.
Le Cancer sous les feux de son brûlant tropique
L'attire entre l'Asie et la vaste Amérique,   5
En des ports où jadis il entra le premier.
Là l'insulaire ardent, jadis hospitalier,
L'environne : il périt. Sa grande âme indignée,

L'Amérique, comme nous l'avons dit dans l'*Appendice II*, devait avoir
trois chants, dont André avait tracé un plan succinct. Ce travail était très-
peu avancé ; il n'en a été publié que les deux fragments que nous donnons ici.

I. Ce fragment, dont les onze premiers vers sont inédits, a été rectifié
sur le manuscrit, que nous devons à M. Émile Deschamps, et qui ne porte
aucun titre. C'est une énumération des plus célèbres navigateurs, qui
peut-être faisait partie du prologue général. Ce fragment fut composé à
la fin de 1793 ou au commencement de 1794, six ans après les dernières
nouvelles qu'on reçut de La Pérouse, en 1788 (voy. v. 16).

V. 2. Cook, qui périt dans une des îles Sandwich, sous les coups des
insulaires, qui l'avaient reçu amicalement lors de son premier voyage.

Sur les flots, son domaine, à jamais promenée,
D'ouragans ténébreux bat le sinistre bord   10
Où son nom, ses vertus, n'ont point fléchi la mort.
J'accuserai les vents et cette mer jalouse
Qui retient, qui peut-être a ravi La Peyrouse.
Il partit. L'amitié, les sciences, l'amour
Et la gloire française imploraient son retour.   15
Six ans sont écoulés sans que la renommée
De son trépas au moins soit encore informée.
Malheureux ! un rocher inconnu sous les eaux
A-t-il, brisant les flancs de tes hardis vaisseaux,
Dispersé ta dépouille au sein du gouffre immense ?   20
Ou, le nombre et la fraude opprimant ta vaillance,
Nu, captif, désarmé, du sauvage inhumain
As-tu vu s'apprêter l'exécrable festin?
Ou plutôt dans une île, assis sur le rivage,
Attends-tu ton ami voguant de plage en plage ;   25
Ton ami qui partout, jusqu'aux bornes des mers
Où d'éternelles nuits et d'éternels hivers
Font plier notre globe entre deux monts de glace,
Aux flots de l'Océan court demander ta trace?
Malheureux! tes amis, souvent dans leurs banquets,   30
Disent en soupirant : « Reviendra-t-il jamais? »
Ta femme à son espoir, à ses vœux enchaînée,
Doutant de son veuvage ou de son hyménée,
N'entend, ne voit que toi dans ses chastes douleurs,
Se reproche un sourire, et, tout entière aux pleurs,   35

V. 9. L'âme de Cook, *sur les flots, son domaine, à jamais promenée*,
rappelle l'ombre errante de Polydore, au début de l'*Hécube* d'Euripide.

V. 16. Toutes les éditions, par suite d'une lecture inattentive de M. de
Latouche :

> Dix ans sont écoulés sans que la renommée.

V. 25. D'Entrecasteaux, qui était parti en 1791 à la recherche de La
Pérouse.

Cherche en son lit désert, peuplé de ton image,
Un pénible sommeil que trouble ton naufrage.

II

   Un Inca, racontant la conquête du Mexique par les Espagnols,
que le peuple prenait pour des dieux, s'exprime ainsi :

Pour moi, je les crois fils de ces dieux malfaisants
Pour qui nos maux, nos pleurs, sont le plus doux encens.
Loin d'être dieux eux-même, ils sont tels que nous sommes,
Vieux, malades, mortels. Mais, s'ils étaient des hommes,
Quel germe dans leur cœur peut avoir enfanté   5
Un tel excès de rage et de férocité?
Chez eux peut-être aussi qu'une avare nature
N'a point voulu nourrir cette race parjure.
Le cacao sans doute et ses glands onctueux
Dédaignent d'habiter leurs bois infructueux.   10
Leur soleil ne sait point sur leurs arbres profanes
Mûrir le doux coco, les mielleuses bananes.
Leurs champs du beau maïs ignorent la moisson,
La mangue leur refuse une douce boisson.
D'herbages vénéneux leurs terres sont couvertes.   15
Noires d'affreux poisons, leurs rivières désertes
N'offrent à leurs filets nulle proie, et leurs traits
Ne trouvent point d'oiseaux dans leurs sombres forêts.

II. — Dans le développement de sa pensée, peut-être André se serait-il
souvenu d'un passage de Valérius Flaccus, *Arg.*, I, 598, où Borée s'écrie :

        Pangæa quod ab arce nefas, ait, Æole, vidi!
        Graia novam ferro molem commenta juventus
        Pergit, et ingenti gaudens domat æquora velo.

V. 3. Cette pensée est imitée de Malherbe, dans sa paraphrase du
psaume CXLV :

      Ce qu'ils peuvent n'est rien; ils sont ce que nous sommes,
          Véritablement hommes,
         Et meurent comme nous.

LA SUPERSTITION

I

ALEXANDRE VI

Ses enfants! les chrétiens ne sont plus sa famille!
Quoi! l'Église de Dieu n'est plus sa seule fille?
Leur naissance est un crime et pour eux et pour lui.
Et quels enfants encore il avoue aujourd'hui!
L'une à la fois, grand Dieu! sa fille et sa maîtresse   5
(O nom de la pudeur! ô saint nom de Lucrèce!),
Tous méchants comme lui, dignes de son amour.
Lui seul dans l'univers put leur donner le jour.
Ses fils, vraiment ses fils, lâche et coupable engeance,
A son école impie ont appris la vengeance,   10
L'imposture, la soif de l'or et des États,
L'art des poisons secrets et des assassinats.
Sa fille, à l'impudence en naissant élevée,
A ses époux mourants par son père enlevée,
A son frère, à son père indignement aimé,   15
Son sacrilége lit n'est pas même fermé.

I. — Ce fragment sur Alexandre VI fait partie d'un poëme sur la
Superstition, qui ne paraît pas avoir jamais été bien avancé.
V. 16. Virgile, *Én.*, VI, 623 :

Hic thalamum invasit natæ vetitosque hymenæos.

Prêtre fornicateur, d'un inceste adultère
Le monstrueux mélange était fait pour lui plaire.
Des baisers de la fille et des crimes des fils,
Ou le sceptre, ou la pourpre, ou la mitre est le prix.   20
Non, certes, l'Esprit-Saint, ennemi du parjure,
Ne saurait habiter cette poitrine impure.
Non ! les anges du ciel n'approchèrent jamais
Ces lèvres, ni ces yeux affamés de forfaits.
O Christ ! Agneau sans tache, ô Dieu sauveur de l'homme ! 25
Non ! tu ne souris point sur les autels de Rome,
Lorsque parmi ses fils, ce pontife assassin
Que sa fille impudique a tenu sur son sein,
Couvrant des trois bandeaux sa tête diffamée,
Ouvre, pour te louer, sa bouche envenimée ;   30
Quand ses mains, de poisons artisans odieux,
Touchent ton corps sacré, nourriture des cieux;
Quand.   .   .   .   .
Il tend sur les chrétiens sa droite incestueuse,
Et pour bénir le peuple ose de rang en rang   35
Lever des doigts souillés de crimes et de sang.

II

Hommes saints, hommes dieux, exemples des Romains,
Divin Caton, Brutus, les plus grands des humains,

V, 17. « *Un inceste adultère.* » *Inceste* est ici employé adjective-
ment, comme dans l'*Aveugle*, v. 42 (l'*inceste parricide*). Plus bas, au
v. 34, il dit au contraire : « *Sa droite incestueuse.* »

V. 26-30. C'est la même pensée qu'André a condensée en un beau vers
dans sa note sur la scène entre Théodose et saint Ambroise :

Hosannah n'est point fait pour des lèvres sanglantes !

II. — Ce fragment, où André développe une pensée déjà exprimée
dans l'*Élégie* xiv du livre I, est la traduction exacte de ce passage de
la Nouvelle Héloïse de J.-J. Rousseau, IIIᵉ partie, lettre xxi : « Selon
eux, c'est une lâcheté de se soustraire à la douleur et à la peine, et il n'y

Pensiez-vous que jamais, plein d'orgueil et de gloire,
Au milieu des respects d'un stupide auditoire,
Dans un poudreux gymnase au mensonge immolé,   5
Un rhéteur imbécile et d'ignorance enflé,
Sur la foi d'un sophiste élève de Carthage,
Dût prouver que vos cœurs n'eurent qu'un vain courage,
Et qu'une vertu vaine, et que ce prix si doux
De s'immoler pour elle était vain comme vous ;   10
Vous dévouer aux feux où le crime s'expie ;
Vous prodiguer les noms et de lâche et d'impie,
Pour n'avoir pas voulu montrer à l'univers
Aux pieds du crime heureux la vertu dans les fers ?

a que des poltrons qui se donnent la mort. O Rome, conquérante du
monde, quelle troupe de poltrons t'en donna l'empire ! Qu'Arrie, Éponine,
Lucrèce, soient dans le nombre, elles étaient femmes ; mais Brutus, mais
Cassius, et toi qui partageas avec les dieux les regrets de la terre étonnée, grand et divin Caton, toi dont l'image auguste et sacrée animait les
Romains d'un saint zèle et faisait frémir les tyrans, tes fiers admirateurs
ne pensaient pas qu'un jour, dans le coin poudreux d'un collége, de vils
rhéteurs prouveraient que tu ne fus qu'un lâche pour avoir refusé au
crime heureux l'hommage de la vertu dans les fers. »

V. 13-14. Horace, *Od.*, II, 1 :

Et cuncta terrarum subacta
Præter atrocem animum Catonis.

POÉSIES DIVERSES

ET FRAGMENTS

I

Près des bords où Venise est reine de la mer,
Le gondolier nocturne, au retour de Vesper,
D'un aviron léger bat la vague aplanie,
Chante Renaud, Tancrède, et la belle Herminié.
Il aime ses chansons, il chante sans désir,   5
Sans gloire, sans projets, sans craindre l'avenir ;

V. — Imité d'un sonnet de Zappi :

> Il gondolier, sebben la notte imbruna,
> Remo non posa, e fende il mar spumante,
> Lieto cantando a un bel raggio di luna,
> « Intanto Erminia infra l'ombrose piante; »
> Ne perche roco ei siasi o dolce ei cante
> Biasmo n'acquista, o spera lode alcuna;
> Canta così, perche de' carmi e amante,
> Non perche il sordo mar cangi fortuna.
> Tal mi son' io, che gia per lungo errore
> Solco un vasto Oceano, e veggio o parmi
> Non lungo il porto, e canto inni d'amore.
> Non canto no per glorioso farmi,
> Ma vo passando il mar, passando l'ore
> E in vece degli altrui canto i miei carmi.

Ces vers avaient été adressés par M. de Latouche à M. Robert au moment
de l'impression de l'éd. 1826. Dans les éditions de 1833 et de 1839, ils ont
été omis ; peut-être a-t-on cru qu'ils n'étaient pas d'André. Sans pouvoir

Il chante et, plein du dieu qui doucement l'anime,
Sait égayer du moins sa route sur l'abîme.
Comme lui, sans échos je me plais à chanter ;
Et les vers inconnus que j'aime à méditer   1.)
Adoucissent pour moi la route de la vie,
Où de tant d'aquilons ma voile est poursuivie.

II

SUR LA FRIVOLITÉ

Mère du vain caprice et du léger prestige,
La Fantaisie ailée autour d'elle voltige :
Nymphe au corps ondoyant, né de lumière et d'air,
Qui, mieux que l'onde agile ou le rapide éclair,
Ou la glace inquiète au soleil présentée,   5
S'allume en un instant, purpurine, argentée,
Ou s'enflamme de rose, ou petille d'azur.
Un vol la précipite, inégal et peu sûr.
La déesse jamais ne connut d'autre guide.
Les Rêves transparents, troupe vaine et fluide,   10
D'un vol étincelant caressent ses lambris.
Auprès d'elle à toute heure elle occupe les Ris.
L'un pétrit les baisers des bouches embaumées,

---

l'affirmer, nous pensons que ces vers sont bien de lui. Tous les mots,
toutes les expressions, sont du vocabulaire et de la langue d'André. Il a
dû écrire ces vers en Angleterre, où il avait sans doute à sa disposition
les livres de M. de la Luzerne. Or, à la Bibliothèque impériale, se trouve
un exemplaire de Zappi, qui a appartenu à M. de la Luzerne ; *Rime*
dell' avvocato Giovanni Battista Felice Zappi, Venise, 1752 (n° Y 4080,
✠ G. 1). Le sonnet qu'André a imité se trouve au tome Ier, p. 29.

VI. — V. 5. « *La glace inquiète,* » dont la réflextion est mobile, sans
repos ; c'est le latin *inquies* ou *inquietus.*

V. 10. « *Troupe vaine,* » sans réalité ; c'est le sens de *vanus.*

L'autre, le jeune éclat des lèvres enflammées ;
L'autre, inutile et seul, au bout d'un chalumeau   15
En globe aérien souffle une goutte d'eau.
La reine, en cette cour qu'anime la folie,
Va, vient, chante, se tait, regarde, écoute, oublie,
Et, dans mille cristaux qui portent son palais,
Rit de voir mille fois étinceler ses traits,   20

III

FABLE

LE RAT DE VILLE ET LE RAT DES CHAMPS

Un jour le rat des champs, ami du rat de ville,
Invita son ami dans son rustique asile.
Il était économe et soigneux de son bien ;
Mais l'hospitalité, leur antique lien,
Fit les frais de ce jour comme d'un jour de fête.   5
Tout fut prêt : lard, raisin, et fromage, et noisette.
Il cherchait par le luxe et la variété
A vaincre les dégoûts d'un hôte rebuté,
Qui, parcourant de l'œil sa table officieuse,
Jetait sur tout à peine une dent dédaigneuse.   10

VII. — Traduit d'Horace, *Sat.*, II, vi, 80. — On trouve cette fable
dans Ésope, dans Babrius, dans Aphthonius, dans La Fontaine, et encore
dans beaucoup d'autres recueils. Il ne faudrait pas croire qu'André, en
traitant à son tour ce sujet, ait voulu surpasser ses prédécesseurs. Non ;
c'est ici le moraliste qui se laisse séduire, comme Horace, à la belle pensée
que recouvre cet apologue.

V. 10. « *Une dent dédaigneuse.* » Horace : « *Dente superbo.* « La
Fontaine, dans la fable du Héron (VII, iv) :

> Le mets ne lui plut pas ; il s'attendait à mieux,
> Et montrait un goût *dédaigneux*,
> Comme le rat du bon Horace.

Et lui, d'orge et de blé faisant tout son repas,
Laissait au citadin les mets plus délicats.

« Ami, dit celui-ci, veux-tu dans la misère
Vivre au dos escarpé de ce mont solitaire,
Ou préférer le monde à tes tristes forêts ?   15
Viens ; crois-moi, suis mes pas ; la ville est ici près :
Festins, fêtes, plaisirs y sont en abondance.
L'heure s'écoule, ami ; tout fuit, la mort s'avance :
Les grands ni les petits n'échappent à ses lois ;
Jouis, et te souviens qu'on ne vit qu'une fois. »   20

Le villageois écoute, accepte la partie :
On se lève, et d'aller. Tous deux de compagnie,
Nocturnes voyageurs, dans des sentiers obscurs
Se glissent vers la ville et rampent sous les murs.
La nuit quittait les cieux quand notre couple avide   25
Arrive en un palais opulent et splendide,
Et voit fumer encor dans des plats de vermeil
Des restes d'un souper le brillant appareil.
L'un s'écrie, et, riant de sa frayeur naïve,
L'autre sur le duvet fait placer son convive,   30
S'empresse de servir, ordonner, disposer,
Va, vient, fait les honneurs, le priant d'excuser.

Le campagnard bénit sa nouvelle fortune ;
Sa vie en ses déserts était âpre, importune :
La tristesse, l'ennui, le travail et la faim.   35
Ici, l'on y peut vivre ; et de rire. Et soudain
Des valets à grand bruit interrompent la fête.
On court, on vole, on fuit ; nul coin, nulle retraite.
Les dogues réveillés les glacent par leur voix ;
Toute la maison tremble au bruit de leurs abois.   40
Alors le campagnard, honteux de son délire :

« Soyez heureux, dit-il ; adieu, je me retire,
Et je vais dans mon trou rejoindre en sûreté
Le sommeil, un peu d'orge et la tranquillité. »

IV

J'ai habité parmi les Anglais... Français, votre jeunesse n'apprend
rien de bon chez eux... faire courir des chevaux, des paris ruineux...
un jeu!... Ils ont une bonne constitution, il faut l'imiter,... pourvu
que nous n'imitons pas leur indifférence à la chose publique...
Quand tous les membres sont vendus, les citoyens se partagent en
factions ; l'un est pour celui-ci, pour celui-là, nul n'est pour la patrie... l'argent effronté, la corruption ouverte et avouée...

Nation toute à vendre à qui peut la payer ;
Laissons là les Anglais, ...
Laissons leur jeunesse. . . . mélancolique,
Au sortir du gymnase ignorante et rustique,
De contrée en contrée aller au monde entier   5
Offrir sa joie ignoble et son faste grossier,
Promener son ennui, ses travers, ses caprices,
A ses vices partout ajouter d'autres vices,

V. 44. [Ce mélange d'objets disparates convient au style de la comédie
et de la fable. Ainsi Aristophane, *Nuées*, 51, nous montre la femme de
Strepsiade exhalant une odeur

.... Μύρου, κρόκου, καταγλωττισμάτων,
δαπάνης, λαφυγμοῦ, Κωλιάδος, Γενετυλλίδος.

Et, *Nuées*, 1007 :

Σμίλακος ὄζων, καὶ ἀπραγμοσύνης, καὶ λεύκης φυλλοβολούσης.

Delille a dit :

Cultiver son jardin, son esprit et ses vers.

BOISSONADE.]

VIII. — Nous rétablissons cette pièce telle que M. de Latouche l'a
donnée dans la *Revue de Paris*, avec le fragment en prose qui la précède.
V. 1 et 2. Dans les éd. 1833 et 1839 l'ordre de ces vers est interverti.

Et présenter au ris du public indulgent
Son insolent orgueil fondé sur quelque argent.   10

.   .   .   .

Les poëtes anglais, trop fiers pour être esclaves,
Ont même du bon sens rejeté les entraves.
Dans leur ton uniforme en leur vaine splendeur,
Haletants pour atteindre une fausse grandeur,
Tristes comme leur ciel toujours ceint de nuages,   15
Enflés comme la mer qui blanchit leurs rivages,
Et sombres et pesants comme l'air nébuleux
Que leur île farouche épaissit autour d'eux ;
Du génie étranger détracteurs ridicules,
D'eux-mêmes et d'eux seuls admirateurs crédules,   20
Et pourtant quelquefois, dans leurs écrits nombreux,
Dignes d'être admirés par d'autres que par eux.

V

.   .   .   . La Liberté
Fut, comme Hercule, en naissant invincible.
Ses yeux, ouverts d'un jour, dictaient sa volonté,
Et son vagissement était mâle et terrible.
    De rampants messagers des dieux   5
Espéraient, l'attaquant dans ses forces premières,
Étouffer en un jour son avenir fameux.
Ses enfantines mains, robustes, meurtrières,
    Teignirent de sang venimeux
Son berceau formidable et ses langes guerrières.   10

V. 15. Voilà la même expression dans Virgile, *Én*, V, 13 :

Heu ! quianam tanti cinxerunt æthera nimbi.

V. — V. 5. Alcmène, femme d'Amphitryon, avait eu Hercule et Iphi-
clus de Jupiter ; Junon, jalouse de ce nouveau larcin du dieu, envoie

VI

Voyez rajeunir d'âge en âge
L'antique et naïve beauté
De ces Muses dont le langage
Est brillant, comme leur visage,
De force, de douceur, de grâce et de fierté.   5

De ce cortége de la Grèce
Suivez les banquets séducteurs;
Mais fuyez la pesante ivresse
De ce faux et bruyant Permesse
Que du Nord nébuleux boivent les durs chanteurs.   10

VII

Ah! j'atteste les cieux que j'ai voulu le croire,
J'ai voulu démentir et mes yeux et l'histoire.
Mais non! il n'est pas vrai que les cœurs excellents
Soient les seuls en effet où germent les talents.
Un mortel peut toucher une lyre sublime,

deux serpents pour dévorer les enfants qui dormaient dans un bouclier
leur berceau ; mais Hercule, de ses enfantines mains, étouffa les rampants
messagers des dieux (Théocrite, *Id.*, XXIV).

VII. — [Il serait dur, mais pas trop invraisemblable, de conjecturer
qu'en écrivant ces vers, Chénier a pu songer au jour où il se sentit déçu
et blessé dans son admiration première pour Le Brun. SAINTE-BEUVE.]
Ce morceau, ainsi que le suivant, a une allure didactique très-sensible.
Il doit appartenir à une composition beaucoup plus étendue dont le plan
existe peut-être dans les manuscrits d'André Chénier. Dans ce cas, nous
ne pourrons savoir quelle a pu être la pensée du poëte que lorsque ce
plan aura été publié. Toutefois la conjecture de M. Sainte-Beuve ne nous
paraît pas dénuée de probabilité. *Une lyre sublime* pourrait bien être
celle de Le Brun.

Et n'avoir qu'un cœur faible, étroit, pusillanime,
Inhabile aux vertus qu'il sait si bien chanter,
Ne les imiter point et les faire imiter.
Se louant dans autrui, tout poëte se nomme
Le premier des mortels, un héros, un grand homme.   10
On prodigue aux talents ce qu'on doit aux vertus ;
Mais ces titres pompeux ne m'abuseront plus.
Son génie est fécond, il pénètre, il enflamme ;
D'accord. Sa voix émeut, ses chants élèvent l'âme ;
Soit. C'est beaucoup, sans doute, et ce n'est point assez.   15
Sait-il voir ses talents par d'autres effacés ?
Est-il fort à se vaincre, à pardonner l'offense ?
Aux sages méconnus qu'opprime l'ignorance
Prête-t-il de sa voix le courageux appui ?
Vrai, constant, toujours juste, et même contre lui,   20
Homme droit, ami sûr, doux, modeste, sincère,
Ne verra-t-on jamais l'espoir d'un beau salaire,
Les caresses des grands, l'or ni l'adversité
Abaisser de son cœur l'indomptable fierté ?
Il est grand homme alors. Mais nous, peuple inutile,   25
Grands hommes pour savoir avec un art facile,
Des syllabes, des mots, arbitres souverains,
En un sonore amas de vers alexandrins,
Des rimes aux deux voix famille ingénieuse,
Promener deux à deux la file harmonieuse !   30

V. 15-24. Horace, *Sat.*, II, vii, 83 :

> Quisnam igitur liber? Sapiens, sibi qui imperiosus;
> Quem neque pauperies, neque mors, neque vincula terrent;
> Responsare cupidinibus, contemnere honores
> **Fortis**, et in se ipso totus, teres atque rotundus,
> **Externi** ne quid valeat per læve morari,
> **In quem** manca ruit semper Fortuna....

VIII

SUR UN POËTE SOI-DISANT

Mais désormais à peine il suffit à sa gloire : .
On se l'arrache. Il court de victoire en victaire.
Chacun de ses refrains fait des recueils fort beaux.
Il attache une tête aux bouts-rimés nouveaux.
Aux droits litigieux de plusieurs synonymes   5
Il sait même assigner leurs bornes légitimes.
Bientôt chez tous les sots on sait de toute part
Jusqu'où vont ses talents ; que lui seul avec art
Noue une obscure énigme au regard louche et fade,
Hache et disloque un mot en absurde charade,   10
Construit, tordant les mots vers un sens gauche et lourd,
Le Janus à deux fronts, l'hébété calembour.

IX

Belles, le ciel a fait pour les mâles cerveaux
L'infatigable étude et les doctes travaux.
Pour vous sont les talents aimables et faciles.
Oh! le sinistre emploi pour les grâces.   .   .   .
De poursuivre une sphère en ses cercles nombreux,   5
Ou du sec A plus B les sentiers ténébreux!

VIII. — V. 12. Boileau, *Sat. sur l'Équivoque :*

> Tout sens devient douteux, tout mot a deux visages.

Et, *Art poétique,* II, 4, en parlant de l'invasion de la pointe italienne en France :

> Chaque mot eut toujours deux visages divers.

IX. — V. 6. Voici un vers de La Fontaine, *Contes,* IV, xvi, où la lettre B est à la rime :

> Au joli jeu d'amour ne sachant A ni B

Quelle bouche immolée à leurs phrases si dures
Aura jamais la nuit de suaves murmures,
Et pourra s'amollir à soupirer : *Mon cœur !*
Mon âme ! et tous ces noms d'amoureuse langueur ?   10

X

La grâce, les talents, ni l'amour le plus tendre,
D'un douloureux affront ne peuvent nous défendre.
Encore si vos yeux daignaient, pour nous trahir,
Chercher dans vos amants celui qu'on peut choisir,
Qu'une belle ose aimer sans honte et sans scrupule,   5
Et qu'on ose soi-même avouer pour émule !
Mais, dieux ! combien de fois notre orgueil ulcéré
A rougi du rival qui nous fut préféré !
Oui, Thersite souvent peut faire une inconstante.
Souvent l'appât du crime est tout ce qui vous tente.   10

XI

. . . .

Or, venez maintenant, graves compilateurs,
Déployez pour mes vers vos balances critiques,
Flétrissez-les du sceau des *lettres italiques.*

. . . .

. . . .

Assurez que ma muse est froide ou téméraire,

X. — V. 9. *Thersite,* bouffon de l'armée grecque, l'homme le plus
laid qui vint sous Ilion. Voy. son portrait dans Homère, *Iliade,* II, 216.
V. 10. Racine, *Frères ennemis,* II, III :

Et le crime tout seul a pour vous des appas.

XI. — V. 3. Les critiques, dans les citations, font imprimer en *lettres
italiques* les passages qu'ils désignent spécialement à l'attention du lecteur.

Que mes vers sont mauvais, que ma rime est vulgaire : 5
Je l'ai bien fait exprès ; votre chagrin m'est doux,
Je serais bien fâché qu'ils fussent bons pour vous.
Mon Dieu ! lorsqu'imitant ce bon roi de Phrygie,
Vous jugez ou le drame, ou l'ode, ou l'élégie,
Faut-il que nul démon, ami du genre humain, 10
Jamais à votre front ne porte votre main !
Vous sauriez une fois combien les doctes veilles
Sur votre tête auguste allongent les oreilles.

XII

Grand rimeur aux dépens de ses ongles rongés...

XIII

Le bonheur des méchants est un crime des dieux.

V. 7. Molière, *Mis.*, I, 1 :

> Tous les hommes me sont à tel point odieux
> Que je serais fâché d'être sage à leurs yeux.

V. 8. Le roi de Phrygie, c'est Midas. Voy. *Épitres*, IV, 19.

XII. — Voy. Sainte-Beuve, *Portr. litt.* — Horace, *Sat.*, I, x, 70 :

> . . . . In versu faciendo
> Sæpe caput scaberet, vivos et roderet ungues.

Et Perse, I, 106 ·

> Nec pluteum cædit, nec demorsos sapit ungues.

XIII. — Extrait des *Commentaires* sur Malherbe, p. 226, où André cite et traduit ainsi ce vers, qu'il dit être d'un poëte comique :

> Θεοῦ δ' ὄνειδος, τοὺς κακοὺς εὐδαιμονεῖν.

Ce vers, sous cette forme, est attribué à un poëte tragique anonyme (voy. *Frag. Eurip. et perdit Trag. omnium*, éd. Didot, p. 163) ; mais André sans doute se souvenait de l'avoir vu dans les *Sentences* de Ménandre, quoique avec cette variante :

> Θεῶν ὄνειδος τοὺς κακοὺς εὐδαιμονεῖν.

HYMNES ET ODES

I

A LA FRANCE

France! ô belle contrée, ô terre généreuse
Que les dieux complaisants formaient pour être heureuse,
Tu ne sens point du Nord les glaçantes horreurs ;
Le Midi de ses feux t'épargne les fureurs ;
Tes arbres innocents n'ont point d'ombres mortelles ;   5
Ni des poisons épars dans tes herbes nouvelles
Ne trompent une main crédule ; ni tes bois

I. — Dans cette pièce on reconnaît aisément une imitation du deuxième
livre des *Géorgiques* (v. 135 et sqq.). Voy. dans Thomson, *Été*, l'Hymne
à l'Angleterre, plus développé, plus long, où il énumère tous les grands
génies de l'Angleterre.

V. 5 et suiv. Virgile, *Géorg.*, II, 150 :

> At rabidæ tigres absunt, et sæva leonum
> Semina ; nec miseros fallunt aconita legentes ;
> Nec rapit immensos orbes per humum, neque tanto
> Squameus in spiram tractu se colligit anguis.

En parlant de l'Érymanthe, il a dit, résumant en un vers toute cette
description :

> Là ni loup ravisseur, ni serpents, ni poisons.

V. 7. « *Crédule main.* » Racine a ce vers dans *Iphigénie :*

> Que ma crédule main conduise le couteau.

Des tigres frémissants ne redoutent la voix ;
Ni les vastes serpents ne traînent sur tes plantes
En longs cercles hideux leurs écailles sonnantes.   10
Les chênes, les sapins et les ormes épais
En utiles rameaux ombragent tes sommets ;
Et de Beaune et d'Aï les rives fortunées,
Et la riche Aquitaine, et les hauts Pyrénées,
Sous leurs bruyants pressoirs font couler en ruisseaux   15
Des vins délicieux mûris sur leurs coteaux.
La Provence odorante, et de Zéphyre aimée,
Respire sur les mers une haleine embaumée,
Au bord des flots couvrant, délicieux trésor,
L'orange et le citron de leur tunique d'or ;   20
Et plus loin, au penchant des collines pierreuses,
Forme la grasse olive aux liqueurs savoureuses,
Et ces réseaux légers, diaphanes habits,
Où la fraîche grenade enferme ses rubis.
Sur tes rochers touffus la chèvre se hérisse,   25
Tes prés enflent de lait la féconde génisse,
Et tu vois tes brebis, sur le jeune gazon,
Épaissir le tissu de leur blanche toison.
Dans les fertiles champs voisins de la Touraine,
Dans ceux où l'Océan boit l'urne de la Seine,   30
S'élèvent pour le frein des coursiers belliqueux.
Ajoutez cet amas de fleuves tortueux :

V. 18. « *Respire*, » exhale.
V. 20. Cf. *Poésies antiques, Idyl.*, IV, 17.
V. 22. Éd. 1826 :

> Formant la grasse olive aux liqueurs savonneuses.

Savonneuses est une mauvaise lecture du premier éditeur ; il faut cer-
tainement *savoureuses*.
V. 24. Cf. *Poésie antiques, Idyl.*, IV, 35 et 36.
V. 31. Virgile, *Géorg.*, II, 145 :

> Hinc *bellator equus* campo sese arduus infert.

L'indomptable Garonne aux vagues insensées,
Le Rhône impétueux, fils des Alpes glacées,
La Seine au flot royal, la Loire dans son sein   35
Incertaine, et la Saône, et mille autres enfin
Qui nourrissent partout, sur tes nobles rivages,
Fleurs, moissons et vergers, et bois et pâturages,
Rampent aux pieds des murs d'opulentes cités,
Sous les arches de pierre à grand bruit emportés.   40

Dirai-je ces travaux, source de l'abondance,
Ces ports, où des deux mers l'active bienfaisance
Amène les tributs du rivage lointain
Que visite Phœbus le soir ou le matin?
Dirai-je ces canaux, ces montagnes percées,   45
De bassins en bassins ces ondes amassées
Pour joindre au pied des monts l'une et l'autre Téthys?
Et ces vastes chemins en tous lieux départis,
Où l'étranger, à l'aise achevant son voyage,
Pense au nom des Trudaine et bénit leur ouvrage?   50

Ton peuple industrieux est né pour les combats.
Le glaive, le mousquet n'accablent point ses bras.

V. 33. « *Vagues insensées.* » Belle expression sans doute imitée de
Virgile, *Égl.*, IX, 43 :

. . . . . . Insani feriant sine littora fluctus.

V. 35. « *La Loire incertaine,* » dont le lit est incertain, toujours changeant. Ovide, *Mét.*, VIII, 166, a dit du Méandre : « Incertas exercet aquas. »
V. 44. Éd. 1826 et 1839 :

Que visite Phébus le soir et le matin.

André parle des tributs que la mer amène du couchant et de l'orient.
Le matin et le soir sont pris par rapport à la France. Le rivage que Phœbus
visite le matin est donc du côté opposé à celui qu'il visite le soir.
V. 47. Catulle, XXXI, 3, a une expression semblable. Il appelle l'A-
driatique et la Méditerranée : « Uterque Neptunus. »
V. 50. Trudaine, directeur des ponts et chaussées, sous Louis XV;
c'était l'aïeul des frères Trudaine, les amis de collége d'André.

Il s'élance aux assauts, et son fer intrépide
Chassa l'impie Anglais, usurpateur avide.
Le ciel les fit humains, hospitaliers et bons,   55
Amis des doux plaisirs, des festins, des chansons;
Mais, faibles opprimés, la tristesse inquiète
Glace ces chants joyeux sur leur bouche muette,
Pour les jeux, pour la danse appesantit leurs pas,
Renverse devant eux les tables des repas,   60
Flétrit de longs soucis, empreinte douloureuse,
Et leur front et leur âme. O France! trop heureuse,
Si tu voyais tes biens, si tu profitais mieux
Des dons que tu reçus de la bonté des cieux!

Vois le superbe Anglais, l'Anglais dont le courage   65
Ne s'est soumis qu'aux lois d'un sénat libre et sage,
Qui t'épie, et, dans l'Inde éclipsant ta splendeur,
Sur tes fautes sans nombre élève sa grandeur.
Il triomphe, il t'insulte. Oh! combien tes collines
Tressailliraient de voir réparer tes ruines,   70
Et pour la liberté donneraient sans regrets,
Et leur vin, et leur huile, et leurs belles forêts!
J'ai vu dans tes hameaux la plaintive misère,
La mendicité blême et la douleur amère.
Je t'ai vu dans tes biens, indigent laboureur,   75
D'un fisc avare et dur maudissant la rigueur,
Versant aux pieds des grands des larmes inutiles,
Tout trempé de sueurs pour toi-même infertiles,
Découragé de vivre, et plein d'un juste effroi
De mettre au jour des fils malheureux comme toi.   80

V. 56. André a dit de lui-même, *Élég.*, II, III, 27 :

Jeune amant des festins, des vers, de la beauté.

V. 66. On voit qu'André Chénier avait écrit ce morceau avant d'aller
en Angleterre ; il aura moins d'enthousiasme quand il y aura passé près
de trois ans. Voy. *Poésies diverses*, VIII.

Tu vois sous les soldats les villes gémissantes ;
Corvée, impôts rongeurs, tributs, taxes pesantes,
Le sel, fils de la terre, ou même l'eau des mers,
Sources d'oppression et de fléaux divers ;
Vingt brigands, revêtus du nom sacré de prince,   85
S'unir à déchirer une triste province,
Et courir à l'envi, de son sang altérés,
Se partager entre eux ses membres déchirés.
O sainte Égalité ! dissipe nos ténèbres,
Renverse les verrous, les bastilles funèbres.   90
Le riche indifférent, dans un char promené,
De ces gouffres secrets partout environné,
Rit avec les bourreaux, s'il n'est bourreau lui-même ;
Près de ces noirs réduits de la misère extrême,
D'une maîtresse impure achète les transports,   95
Chante sur des tombeaux, et boit parmi des morts.

Malesherbes, Turgot, ô vous en qui la France
Vit luire, hélas ! en vain sa dernière espérance,
Ministres dont le cœur a connu la pitié,
Ministres dont le nom ne s'est point oublié ;   100
Ah ! si de telles mains, justement souveraines,
Toujours de cet empire avaient tenu les rênes,
L'équité clairvoyante aurait régné sur nous ;
Le faible aurait osé respirer près de vous ;
L'oppresseur, évitant d'armer d'injustes plaintes,   105
Sinon quelque pudeur aurait eu quelques craintes ;
Le délateur impie, opprimé par la faim,
Serait mort dans l'opprobre, et tant d'hommes enfin,
A l'insu de nos lois, à l'insu du vulgaire,
Foudroyés sous les coups d'un pouvoir arbitraire,   110

V. 97. Malesherbes et Turgot se retirèrent du ministère en 1776 ; mais
Malesherbes y rentra, pour quelques mois seulement, en 1787.

De cris non entendus, de funèbres sanglots,
Ne feraient point gémir les voûtes des cachots.

Non, je ne veux plus vivre en ce séjour servile ;
J'irai, j'irai bien loin me chercher un asile,
Un asile à ma vie en son paisible cours,　　　　　　115
Une tombe à ma cendre à la fin de mes jours,
Où d'un grand au cœur dur l'opulence homicide
Du sang d'un peuple entier ne sera point avide,
Et ne me dira point, avec un rire affreux,
Qu'ils se plaignent sans cesse et qu'ils sont trop heureux ; 120
Où, loin des ravisseurs, la main cultivatrice
Recueillera les dons d'une terre propice ;
Où mon cœur, respirant sous un ciel étranger,
Ne verra plus des maux qu'il ne peut soulager ;
Où mes yeux, éloignés des publiques misères,　　　　125
Ne verront plus partout les larmes de mes frères,
Et la pâle indigence à la mourante voix,
Et les crimes puissants qui font trembler les lois.

Toi donc, Équité sainte, ô toi, vierge adorée,
De nos tristes climats pour longtemps ignorée,　　　130
Daigne du haut des cieux goûter le libre encens
D'une lyre au cœur chaste, aux transports innocents,
Qui ne saura jamais, par des vœux mercenaires,

V. 114. Notons encore ici le mouvement poétique imité de Virgile, et
que déjà nous avons fait remarquer dans les *Élégies*, II, xxii, 75, et dans
l'*Art d'aimer*, XII, 22.
　V. 128. Vers admirable, bien supérieur, dans la forme et dans la pensée, aux vers célèbres de Gilbert, *Apol.* :

> Obscur, on l'eût flétri d'une mort légitime ;
> Il est puissant, les lois ont ignoré son crime.

　V. 130. « *Ignorée,* » éloignée, comme *ignotus* en latin.
　V. 133 et 134. Éd. 1839 :

> Qui ne saura jamais, par des vœux arbitraires,
> Flatter à prix d'argent des faveurs mercenaires.

Relire la vingt et unième élégie du livre I.

Flatter à prix d'argent des faveurs arbitraires,
Mais qui rendra toujours, par amour et par choix,   135
Un noble et pur hommage aux appuis de tes lois.
De vœux pour les humains tous ses chants retentissent ;
La vérité l'enflamme, et ses cordes frémissent
Quand l'air qui l'environne auprès d'elle a porté
Le doux nom des vertus et de la liberté.   140

II

. . . . Terre, terre chérie
Que la liberté sainte appelle sa patrie ;
Père du grand sénat, ô sénat de Romans,
Qui de la liberté jetas les fondements ;
Romans, berceau des lois, vous, Grenoble et Valence,
Vienne, toutes enfin, monts sacrés d'où la France
Vit naître le soleil avec la liberté !
Un jour le voyageur par le Rhône emporté,
Arrêtant l'aviron dans la main de son guide,
En silence et debout sur sa barque rapide,   10
Fixant vers l'orient un œil religieux,
Contemplera longtemps ces sommets glorieux ;
Car son vieux père, ému de transports magnanimes,
Lui dira : « Vois, mon fils, vois ces augustes cimes. »

Au bord du Rhône, le 7 juillet 1790.

II. — V. 3. En 1788, ce fut à Vizille d'abord, et ensuite à Romans,
que se tinrent les états du Dauphiné, célèbres dans l'histoire de la Révolution française.

V. 4. C'est ce que Pindare dit d'Athènes, dans un fragment que Plutarque, *De sera num. vind.*, VI, applique aux premières victoires rem-
portées sur les Perses :

Ὅθι παῖδες Ἀθηναίων ἐβάλοντο φαεννὸν
κρηπῖδ' ἐλευθερίας. . . . .

III

A MARIE-JOSEPH DE CHÉNIER

Mon frère, que jamais la tristesse importune
    Ne trouble tes prospérités!
Va remplir à la fois la scène et la tribune :
    Que les grandeurs et la fortune
Te comblent de leurs biens, au talent mérités.   5

Que les muses, les arts toujours d'un nouveau lustre
    Embellissent tous tes travaux;
Et que, cédant à peine à ton vingtième lustre,
    De ton tombeau la pierre illustre
S'élève radieuse entre tous les tombeaux.   10

III. — « Pour prouver que l'harmonie n'avait jamais été rompue entre
les deux Chénier, dit M. Labitte, on s'est plusieurs fois appuyé de cette
ode. Dans les éditions la pièce n'a que deux strophes, et ces deux strophes
sont louangeuses. Les vœux exprimés par André étaient sincères, je n'en
doute pas; cependant il faut bien dire que, dans le manuscrit, la fin de
l'ode tournait à l'ironie, à une ironie plutôt mélancolique que blessante.
Les derniers vers ont été vus par plusieurs personnes de notre connaissance. »

Le manuscrit contient en effet deux ou trois strophes encore; mais
nous croyons pouvoir affirmer que M. Labitte a été induit en erreur
quant au sentiment qui y règne. Une personne, en qui nous avons tout
lieu d'avoir la plus entière confiance, prévenue par ces quelques lignes
de M. Labitte, a lu avec la plus grande attention les strophes inédites et
n'a pu y trouver la moindre intention d'ironie. M. de Latouche ne les a
sans doute supprimées que parce qu'il les trouvait inférieures aux deux
premières.

IV

A BYZANCE

Byzance, mon berceau, jamais tes janissaires
Du musulman paisible ont-ils forcé le seuil?
Vont-ils jusqu'en son lit, nocturnes émissaires,
    Porter l'épouvante et le deuil?

Son harem ne connaît, invisible retraite,   5
Le choix, ni les projets, ni le nom des vizirs.
Là, sûr du lendemain, il repose sa tête,
    Sans craindre, au sein de ses plaisirs,

Que cent nouvelles lois qu'une nuit a fait naître,
De juges assassins un tribunal pervers,   10
Lancent sur son réveil, avec le nom de traître,
    La mort, la ruine ou les fers.

Tes mœurs et ton Coran sur ton sultan farouche
Veillent, le glaive nu, s'il croyait tout pouvoir,
S'il osait tout braver, et dérober sa bouche   15
    Au frein de l'antique devoir.

IV. — Tout ce morceau pourrait bien avoir été inspiré à André Chénier par ces quelques lignes de Voltaire dans l'*Histoire de Charles XII*, au commencement du livre V : « La rapacité et la tyrannie du Grand Seigneur ne s'étendent presque jamais que sur les officiers de l'empire... Le reste des musulmans vit dans une sécurité profonde, sans craindre ni pour leurs vies, ni pour leurs fortunes, ni pour leur liberté. »

V. 4. Éd. 1839 :

      Portant l'épouvante et le deuil!

V. 8. Éd. 1839 :

      Sans crainte au milieu des plaisirs.

Les éditions 1826 et 1839 placent un point à la fin de ce vers, ce qui est un contre-sens.

Voilà donc une digue où la toute-puissance
Voit briser le torrent de ses vastes progrès!
Liberté qui nous fuis, tu ne fuis point Byzance;
    Tu planes sur ses minarets!   20

V

STROPHE I

    O mon esprit! au sein des cieux,
Loin de tes noirs chagrins, une ardente allégresse
    Te transporte au banquet des dieux,
    Lorsque ta haine vengeresse,
Rallumée à l'aspect et du meurtre et du sang,   5
Ouvre de ton carquois l'inépuisable flanc.
De là vole aux méchants ta flèche redoutée,
    D'un fiel vertueux humectée,
Qu'au défaut de la foudre, esclave du plus fort,
    Sur tous ces pontifes du crime,   10
Par qui la France, aveugle et stupide victime,
Palpite et se débat contre une longue mort,
    Lance ta fureur magnanime.

ANTISTROPHE I

    Tu crois, d'un éternel flambeau
Éclairant les forfaits d'une horde ennemie,   15

V. — V. 3. Horace, *Odes*, IV, viii, a dit de la mort par une image semblable :

          Dignum laude virum Musa vetat mori :
          Cœlo Musa beat. Sic Jovis interest
          Optatis epulis impiger Hercules.

V. 13. Quand le mot *magnanime* se rapporte à des choses, il signifie
qui est d'une grande âme. Corneille, *Tite et Bér.*, II, i, a dit :

    . . . . Cette *horreur magnanime*
    Qu'en recevant le jour je conçus pour le crime.

Défendre à la nuit du tombeau
D'ensevelir leur infamie;
Déjà tu penses voir, des bouts de l'univers,
Sur la foi de ma lyre, au nom de ces pervers,
Frémir l'horreur publique, et d'honneur et de gloire   20
Fleurir ma tombe et ta mémoire;
Comme autrefois tes Grecs accouraient à des jeux,
Quand l'amoureux fleuve d'Élide
Eut de traîtres punis vu triompher Alcide;
Ou quand l'arc pythien d'un reptile fougueux   25
Eut purgé les champs de Phocide.

ÉPODE I

Vain espoir! inutile soin!
Ramper est des humains l'ambition commune;
C'est leur plaisir, c'est leur besoin.
Voir fatigue leurs yeux, juger les importune;   30
Ils laissent juger la Fortune,
Qui fait juste celui qu'elle fait tout-puissant.
Ce n'est point la vertu, c'est la seule victoire
Qui donne et l'honneur et la gloire.
Teint du sang des vaincus, tout glaive est innocent.   35

STROPHE II

Que tant d'opprimés expirants
Aillent aux cieux réveiller le supplice;

V. 23. L'Alphée, fleuve d'Élide, après s'être jeté dans la mer, conti-
nuait, disait-on, son cours sans mêler ses ondes à celles de la mer, et
reparaissait dans le lit de l'Aréthuse, en Sicile. Voy. Strabon, VI, II, où il
discute longuement la question. Cf. Stace, *Silv.*, I, II, 203, et III, 68;
Ovide, *Am.*, III, VI; Claudien, *Élog. de Stil.*, I, 186. C'étaient les Olympiques qu'on célébrait sur les bords de l'Alphée.
V. 25. Les Pythiques furent instituées, dit-on, en mémoire de la
victoire que remporta Apollon sur le serpent Python; voy. Homère,
Hymne à Apollon; Schol. Pind., *Pyth.*

Que sur ces monstres dévorants
   Son bras d'airain s'appesantisse ;
Qu'ils tombent ; à l'instant vois-tu leurs noms flétris,   40
Par le peuple vénal leurs cadavres meurtris,
Et pour jamais transmise à la publique ivresse
   Ta louange avec leur bassesse ?
Mais si Mars est pour eux, leurs vertus, leurs bienfaits
   Sont bénis de la terre entière.   45
Tout s'obscurcit auprès de la splendeur guerrière ;
Elle éblouit les yeux, et sur les noirs forfaits
   Étend un voile de lumière.

ANTISTROPHE II

Dès lors l'étranger étonné
Se tait avec respect devant leur sceptre immense ;   50
   Leur peuple à leurs pieds enchaîné,

V. 44. Cette strop' e est d'une grande beauté ; elle développe la pensée exprimée dans ces vers de Lucain, VII, 487 :

> . . . . Rapit omnia casus;
> Atque incerta facit, quos vult, Fortuna nocentes.

Qui ne sait par cœur ce passage de Corneille, *Mort de Pompée*, III, II :

> Grâces à ma victoire, on me rend des hommages
> Où ma fuite eût reçu toutes sortes d'outrages :
> Au vainqueur, non à moi, vous faites tout l'honneur;
> Si César en jouit, ce n'est que par bonheur.
> Amitié dangereuse et redoutable zèle,
> Que règle la Fortune et qui tourne avec elle !

Dans la même pièce (I, III), lorsque Cléopâtre appelle Pompée un grand homme, Ptolémée répond :

> Au sortir de Pharsale est-ce ainsi qu'on le nomme?

Et, pour citer encore le grand Corneille, *Mort de Pompée*, I, I :

> Seigneur, quand par le fer les choses sont vidées,
> La justice et le droit sont de vaines idées.

Dans son *Dictionnaire philosophique*, art. *Théodose*, Voltaire s'écrie : « Malheur aux vaincus; bénis soient les victorieux ! voilà la devise du genre humain. »

V. 50. « *Sceptre immense,* » puissant, comme *immensus* en latin.

Vantant jusques à leur clémence,
Nous voue à la risée, à l'opprobre, aux tourments,
Nous, de la vertu libre indomptables amants.
Humains, lâche troupeau... Mais qu'importent au sage   55
    Votre blâme, votre suffrage,
Votre encens, vos poignards, et de flux en reflux
    Vos passions précipitées ?
Il nous faut tous mourir. A sa vie ajoutées,
Au prix du déshonneur, quelques heures de plus   co
    Lui sembleraient trop achetées.

ÉPODE II

Lui, grands dieux ! courtisan menteur,
De sa raison céleste abandonner le faîte,
    Pour descendre à votre hauteur !
En lui-même affermi, comme l'antique athlète,   65
    Sur le sol où son pied s'arrête,
Il reste inébranlable à tout effort mortel,
Et laisse avec dédain ce vulgaire imbécile,
    Toujours turbulent et servile,
Flotter de maître en maître et d'autel en autel.

V. 65. Voici cette belle comparaison de l'athlète dans Régnier, *Sat.* I :

> Il se faut reconnoistre, il se faut essayer,
> Se sonder, s'exercer, avant que s'employer ;
> Comme fait un lutteur entrant dedans l'arène,
> Qui, se tordant les bras, tout en soy se démène,
> S'allonge, s'accourcit, ses muscles étendant,
> Et, *ferme sur ses pieds*, s'exerce en attendant.

V. 67. « *Effort mortel,* » d'un mortel ; comme dans ce vers de Virgile,
Énéide XII, 797 :

> Mortalin' decuit violari vulnere divum ?

VI

Un vulgaire assassin va chercher les ténèbres :
    Il nie, il jure sur l'autel ;
Mais nous, grands, libres, fiers, à nos exploits funèbres,
    A nos turpitudes célèbres,
Nous voulons attacher un éclat immortel.   5

De l'oubli taciturne et de son onde noire
    Nous savons détourner le cours.
Nous appelons sur nous l'éternelle mémoire;
    Nos forfaits, notre unique histoire,
Parent de nos cités les brillants carrefours.   10

O gardes de Louis, sous les voûtes royales
    Par nos ménades déchirés,
Vos têtes sur un fer ont, pour nos bacchanales,
    Orné nos portes triomphales,
Et ces bronzes hideux, nos monuments sacrés.   15

Tout ce peuple hébété que nul remords ne touche,
    Cruel même dans son repos,

VI. — Ces vers ne se trouvent que dans l'édition 1839; c'est M. Sainte-Beuve qui les a fait connaître, d'après le manuscrit, en substituant habilement plusieurs mots français aux mots grecs du manuscrit. — Cette pièce a été écrite après la fête du 14 juillet 1793. Voici un passage des *Souvenirs d'un sexagénaire*, par Arnault (Paris, 1833, t. III, p. 361), qui éclaircit les allusions qu'elle renferme. « La fête du 14 juillet 1793 semblait avoir été ordonnée par des cannibales. L'arc, élevé au milieu d'une voie triomphale dont les colonnes occupaient le boulevard Italien, était orné de bas-reliefs peints, qui retraçaient les massacres du 6 octobre et du 10 août, et de trophées, modelés en pâte de carton, où se groupaient les dépouilles des gardes du corps, surmontés des têtes de ces malheureux auxquelles on avait laissé leurs cadenettes ou leurs queues, de peur qu'on ne les reconnût pas. J'en parle pour l'avoir vu. »

V. 12. Les *ménades* sont les femmes des halles.

V. 16 et 17. Toute cette pièce est écrite en mots français et grecs souvent abrégés. Pour donner une idée de ce curieux manuscrit, M. Sainte-

Vient sourire aux succès de sa rage farouche,
 Et, la soif encore à la bouche,
Ruminer tout le sang dont il a bu les flots.   20

Arts dignes de nos yeux ! pompe et magnificence
 Dignes de notre liberté,
Dignes des vils tyrans qui dévorent la France,
 Dignes de l'atroce démence
Du stupide David qu'autrefois j'ai chanté.   25

VII

« Sa langue est un fer chaud ; dans ses veines brûlées
 Serpentent des fleuves de fiel. »

Beuve citait ces deux vers tels qu'il se rappelait les avoir vus écrits sur une de ces petites feuilles volantes longues et étroites dont se servait volontiers André Chénier :

  Tout ce δημος hbt que nul rmrd ne touche
   Cruel même dans son ητυχ.

Ainsi qu'on peut le remarquer dans cet exemple, André négligeait le plus souvent de mettre l'accent sur les mots grecs.

V. 20. Cette hyperbole, qui naît ici du sujet lui-même, est d'une grande beauté ; c'est la même que Racine, *Ath.*, V, v, a employée, en parlant d'Athalie :

  Ce Dieu que tu bravais en nos mains t'a livrée ;
  Rends-lui compte du sang dont tu t'es enivrée !

Lucain, *Ph.*, I, 330, l'a développée avec une énergie sauvage :

  . . . Sullanum solito tibi lambere ferrum
  Durat, Magne, sitis : nullus semel ore receptus
  Pollutas patitur sanguis mansuescere fauces.

V. 25. Écroulement des amitiés humaines ! En 1791, André et David. célébrèrent, l'un avec sa lyre, l'autre avec ses pinceaux, le serment du Jeu de paume, saluant tous deux avec enthousiasme l'aurore de la Révolution ; en 1793, David s'est lancé dans la démagogie ardente et siège à la Montagne : il fait de Lepelletier le héros d'un de ses tableaux, et prête à la mort de Marat l'éclat de son talent, tandis qu'André, après s'être dévoué au salut du roi, célèbre le dévouement de Charlotte Corday.

VII. — C'est encore à M. Sainte-Beuve que l'on doit de connaître ces beaux vers.

J'ai douze ans, en secret, dans les doctes vallées,
    Cueilli le poétique miel :
Je veux un jour ouvrir ma ruche tout entière ;   5
    Dans tous mes vers on pourra voir
Si ma Muse naquit haineuse et meurtrière.
    Frustré d'un amoureux espoir,
Archiloque aux fureurs du belliqueux ïambe
    Immole un beau-père menteur ;   10
Moi, ce n'est point au col d'un perfide Lycambe
    Que j'apprête un lacet vengeur.
Ma foudre n'a jamais tonné pour mes injures.
    La patrie allume ma voix ;
La paix seule aguerrit mes pieuses morsures,   15
    Et mes fureurs servent les lois.
Contre les noirs Pythons et les hydres fangeuses,
    Le feu, le fer, arment mes mains ;
Extirper sans pitié ces bêtes venimeuses,
    C'est donner la vie aux humains.   20

V. 4. Pour la comparaison de l'abeille, voy. *Élégies*, I, xix, 19.
  V. 11. Horace, *Épod.*, VI, se compare au contraire à Archiloque :

      Qualis Lycambæ spretus infido gener
        Aut acer hostis Bupalo.

Archiloque, éperdument amoureux de Néobulé, fille de Lycambe, se la vit refuser ; indigné, il couvrit Lycambe d'injures dans des poésies fameuses, écrites en vers ïambiques, créant ainsi un rhythme nouveau, *le belliqueux ïambe*, pour ses fureurs surhumaines.
  V. 15. « *Aguerrit*, » pousse à la guerre. Sa pensée est qu'il ne mord qu'en vue de la paix de sa patrie.
  V. 17. Monstres fameux dans la mythologie. L'*hydre* surtout est employée souvent par les poëtes pour désigner les ennemis du bien public. Voy. le *Jeu de Paume*, au v. 356, passage où André fait *hydre* du masculin.
  V. 19. Le grand souvenir de Démosthène semble inspirer les fureurs patriotiques d'André, et les violentes accusations de l'orateur grec paraissent flotter dans sa mémoire. Ici, ce vers reporte involontairement au plaidoyer contre Aristogiton (vers la fin), lorsque Démosthène dit que, de même que les médecins *extirpent* (ἀπέκοψαν) un cancer, il faut détruire ce sycophante, cet homme *poison et reptile* (καὶ πικρὸν καὶ ἔχιν τὴν φύσιν ἄνθρωπον).

VIII

A CHARLOTTE CORDAY

Quoi! tandis que partout, ou sincères ou feintes,
Des lâches, des pervers, les larmes et les plaintes
Consacrent leur Marat parmi les immortels,
Et que, prêtre orgueilleux de cette idole vile,
Des fanges du Parnasse un impudent reptile   5
Vomit un hymne infâme au pied de ses autels;

La vérité se tait! Dans sa bouche glacée,
Des liens de la peur sa langue embarrassée
Dérobe un juste hommage aux exploits glorieux!
Vivre est-il donc si doux? De quel prix est la vie,   10
Quand, sous un joug honteux, la pensée asservie,
Tremblante, au fond du cœur, se cache à tous les yeux?

Non, non. Je ne veux point t'honorer en silence,
Toi qui crus par ta mort ressusciter la France
Et dévouas tes jours à punir des forfaits.   15
Le glaive arma ton bras, fille grande et sublime,

VIII. — On peut voir le *fac-simile* des trois premières strophes dans
l'*Histoire-Musée de la république française,* par Augustin Challamel,
tome II.

V. 5. Voy. la pièce précédente, vers 19.

V. 6. Allusion à l'hymne composé par le député Audouin ([1]). Voy. la
Biographie.

V. 13. C'est le même sentiment d'indignation, la même aspiration à
venger la vertu outragée, qui inspire Juvénal, *Satire* I, 51 :

> . . . . . At tu, victrix provincia, ploras.
> Hæc ego non credam Venusina digna lucerna?
> Hæc ego non agitem? . . . .

([1]) Il fut composé bien des vers à l'occasion de la mort de Marat, entre
autre *les Deux Martyrs de la liberté, ou Portraits de Marat et de Lepelletier,*
par Dorat-Cubières, avec cette épigraphe : *Dulce et decorum est pro patria mori!*

Pour faire honte aux dieux, pour réparer leur crime,
Quand d'un homme à ce monstre ils donnèrent les traits.

Le noir serpent, sorti de sa caverne impure,
A donc vu rompre enfin sous ta main ferme et sûre   2
Le venimeux tissu de ses jours abhorrés !
Aux entrailles du tigre, à ses dents homicides,
Tu vins redemander et les membres livides
Et le sang des humains qu'il avait dévorés !

Son œil mourant t'a vue, en ta superbe joie,   25
Féliciter ton bras et contempler ta proie.
Ton regard lui disait : « Va, tyran furieux,
Va, cours frayer la route aux tyrans tes complices.
Te baigner dans le sang fut tes seules délices,
Baigne-toi dans le tien et reconnais des dieux. »   30

V. 17. Voy. le fragment XIII des *Poésies diverses*.

V. 20. « *A vu ;* » hyperbole très-belle ; elle rend le tyran spectateur de sa propre mort ; Malherbe, *Od. à Henri*, p. 29, l'avait employée, dans des vers « de la plus grande beauté, » comme le remarque André :

> Cazaux, ce grand Titan, qui se moquait des cieux,
> *A vu* par le trépas son audace arrêtée.

V. 27-30. Cette imprécation qu'André met dans la bouche de Charlotte Corday et la pensée, toute antique, qui termine le vers 30, sont empruntées à un chœur d'Aristophane, dans les *Thesmophories*, v. 667 :

> Ἢν γὰρ ληφθῇ δράσας ἀνόσια,
> δώσει τε δίκην, καὶ πρὸς τούτῳ
> τοῖς ἄλλοις, ἅπασιν ἔσται
> παράδειγμ' ὕβρεως ἀδίκων τ' ἔργων,
>   ἀθέων τε τρόπων ·
> φήσει δ' εἶναί τε θεοὺς φανερῶς.

Et quelques vers plus bas, comme dans le vers 36 de l'hymne de Chénier, s'ajoute l'idée de la justice divine frappant l'impie égaré par le délire.

V. 29. Hyperbole fréquente chez les poëtes. Racine, *Athalie*, I, 1 :

> . . . . Une impie étrangère
> *Se baigne* impunément dans le sang de nos rois.

Dans l'*Hercule furieux* (v. 482) d'Euripide, Mégara s'écrie que ses enfants, avec la Parque pour épouse, n'auront que ses *larmes pour bain nuptial*.

La Grèce, ô fille illustre ! admirant ton courage,
Épuiserait Paros pour placer ton image
Auprès d'Harmodius, auprès de son ami ;
Et des chœurs sur ta tombe, en une sainte ivresse,
Chanteraient Némésis, la tardive déesse,   35
Qui frappe le méchant sur son trône endormi.

Mais la France à la hache abandonne ta tête.
C'est au monstre égorgé qu'on prépare une fête
Parmi ses compagnons, tous dignes de son sort.
Oh ! quel noble dédain fit sourire ta bouche,   40
Quand un brigand, vengeur de ce brigand farouche,
Crut te faire pâlir, aux menaces de mort !

C'est lui qui dut pâlir, et tes juges sinistres,
Et notre affreux sénat et ses affreux ministres,
Quand, à leur tribunal, sans crainte et sans appui,   45
Ta douceur, ton langage et simple et magnanime
Leur apprit qu'en effet, tout puissant qu'est le crime,
Qui renonce à la vie est plus puissant que lui.

Longtemps, sous les dehors d'une allégresse aimable,
Dans ses détours profonds ton âme impénétrable   50
Avait tenu cachés les destins du pervers.

V. 33. Harmodius et Aristogiton qui tuèrent Hipparque à la fête des
Grandes Panathénées; voy. Thucydide, VI. On connaît le célèbre scolie
conservé par Athénée. Les Athéniens avaient institué des fêtes en leur honneur et leur avaient élevé des statues.

V. 35. « *La tardive déesse.* » Horace, *Odes,* III, ii .

> Raro antecedentem scelestum
> Deseruit *pede* Pœna *claudo.*

Ce vers et le suivant semblent imités d'un fragment d'une tragédie perdue
d'Euripide, rapporté par Plutarque, *de Sera num. vindicta,* II :

> . . . . . . Σῖγα καὶ βραδεῖ ποδὶ
> στείχουσα, μάρψει τοὺς κακοὺς, ὅταν τύχῃ.

V. 49. Il y a certainement dans cette strophe un souvenir de Virgile.

Ainsi, dans le secret amassant la tempête,
Rit un beau ciel d'azur, qui cependant s'apprête
A foudroyer les monts, à soulever les mers.

Belle, jeune, brillante, aux bourreaux amenée,   55
Tu semblais t'avancer sur le char d'hyménée ;
Ton front resta paisible et ton regard serein.
Calme sur l'échafaud, tu méprisas la rage
D'un peuple abject, servile et fécond en outrage,
Et qui se croit encore et libre et souverain.   60

La vertu seule est libre. Honneur de notre histoire,
Notre immortel opprobre y vit avec ta gloire ;
Seule, tu fus un homme, et vengeas les humains !
Et nous, eunuques vils, troupeau lâche et sans âme,
Nous savons répéter quelques plaintes de femme ;   65
Mais le fer pèserait à nos débiles mains.

Un scélérat de moins rampe dans cette fange.
La Vertu t'applaudit ; de sa mâle louange
Entends, belle héroïne, entends l'auguste voix.
O Vertu, le poignard, seul espoir de la terre,   70
Est ton arme sacrée, alors que le tonnerre
Laisse régner le crime et te vend à ses lois.

Én., IV, 475, lorsque Didon cache sa résolution de mourir sous les dehors
de la sérénité :

> Decrevitque mori, tempus secum ipse modumque
> Exigit, et mœstam dictis aggressa sororem,
> Consilium vultu tegit, ac spem fronte serenat.

V. 57. Elle meurt, comme Polyxène et comme Iphigénie, présentant
a gorge d'un cœur ferme, εὐκαρδίως. Cette strophe est la paraphrase
de l'expression d'Euripide, si belle dans sa simplicité et dans sa concision.

V. 65. C'est l'injure sanglante que, dans Homère, *Il.*, VII, 96, Ménélas
jette à la face des Grecs, qui n'osent affronter Hector :

> Ὦ μοι, ἀπειλητῆρες, Ἀχαιΐδες, οὐκέτ' Ἀχαιοί.

DERNIÈRES POÉSIES

SAINT-LAZARE

I

Triste vieillard, depuis que pour tes cheveux blancs
Il n'est plus de soutien de tes jours chancelants,
Que ton fils orphelin n'est plus à son vieux père,
Renfermé sous ton toit et fuyant la lumière,
Un sombre ennui t'opprime et dévore ton sein.   5
Sur ton siége de hêtre, ouvrage de ma main,
Sourd à tes serviteurs, à tes amis eux-même,
Le front baissé, l'œil sec et le visage blême,
Tout le jour en silence à ton foyer assis,
Tu restes pour attendre ou la mort ou ton fils.   10
Et toi, toi, que fais-tu, seule et désespérée,
De ton faon dans les fers lionne séparée?

1. — Ce morceau, par la pensée qu'il exprime, se rapporte assez bien
aux pièces composées à Saint-Lazare. Cependant il ne s'agit ici ni du
père ni de la mère d'André Chénier, ni de lui-même, mais, comme le
prouve le vers 16, d'un prisonnier détenu à la Conciergerie.

V. 11. André se souvenait certainement du beau vers de Racine dans
Iphigénie, IV, IV :

       Je m'en retournerai seule et désespérée.

J'entends ton abandon lugubre et gémissant ;
Sous tes mains en fureur ton sein retentissant,
Ton deuil pâle, éploré, promené par la ville,   15
Tes cris, tes longs sanglots remplissent toute l'île.
Les citoyens de loin reconnaissent tes pleurs.
« La voici, disent-ils, la femme de douleurs ! »
L'étranger, te voyant mourante, échevelée,
Demande : « Qu'as-tu donc, ô femme désolée ! »   20
— Ce qu'elle a ? Tous les dieux contre elle sont unis :
La femme désolée, elle a perdu son fils !

II

A MADEMOISELLE DE COIGNY

Blanche et douce colombe, aimable prisonnière,
Quel injuste ennemi te cache à la lumière ?

V. 13 et suiv. Ce sont les poétiques accents de Lucrèce, II, 355 :

> At mater virideis saltus orbata peragrans,
> Linquit humi pedibus vestigia pressa bisulcis,
> Omnia convisens oculis loca, si queat usquam
> Conspicere amissum fœtum ; completque querelis
> Frondiferum nemus adsistens ; et crebra revisit
> Ad stabulum, desiderio perfixa juvenci.

V. 14. Ce *sein retentissant* est antique et bien beau. C'est ainsi que dans Homère, *Il.*, XVIII, 30, les femmes pleurent la mort de Patrocle :

> . . . . Χερσὶ δὲ πᾶσαι
> στήθεα πεπλήγοντο. . . . .

V. 15. Virgile, *Én.*, IV, 68 :

> Uritur infelix Dido, totaque vagatur
> Urbe furens. . . . .

V. 18. Mater dolorosa.

V. 19. « *L'étranger*, » c'est le ξένος des Grecs, qui signifie souvent ce que nous entendons par un *passant*.

II. — Oubliant la triste réalité de la prison, André s'efforce de plier ses accents aux douces lois de la poésie ; il revient à l'idylle de sa jeunesse, à la gracieuse allégorie des *Colombes*, et sa pensée s'encadre dans un refrain qui lui donne un air ancien.

Je t'ai vue aujourd'hui (que le ciel était beau !)
Te promener longtemps sur le bord du ruisseau,
Au hasard, en tous lieux, languissante, muette,   5
Tournant tes doux regards et tes pas et ta tête.
Caché dans le feuillage, et n'osant l'agiter,
D'un rameau sur un autre à peine osant sauter,
J'avais peur que le vent décelât mon asile.
Tout seul je gémissais, sur moi-même immobile,   10
De ne pouvoir aller, le ciel était si beau !
Promener avec toi sur le bord du ruisseau.

Car si j'avais osé, sortant de ma retraite,
Près de ta tête amie aller porter ma tête,
Avec toi murmurer et fouler sous mes pas   15
Le même pré foulé sous tes pieds délicats,
Mes ailes et ma voix auraient frémi de joie,
Et les noirs ennemis, les deux oiseaux de proie,
Ces gardiens envieux qui te suivent toujours,
Auraient connu soudain que tu fais mes amours.   20
Tous les deux à l'instant, timide prisonnière,
T'auraient, dans ta prison, ravie à la lumière,
Et tu ne viendrais plus, quand le ciel sera beau,
Te promener encor sur le bord du ruisseau.

Blanche et douce brebis à la voix innocente,   25
Si j'avais, pour toucher ta laine obéissante,

V. 5. Segrais, *Athis*, IV, a tracé un tableau semblable, qui n'est pas
sans grâce :

> La nymphe cependant prisonnière chez elle,
> Solitaire, gémit, comme la tourterelle,
> Quand, veuve inconsolable, aux plus sombres forêts,
> D'arbre en arbre elle va faisant ses longs regrets.

V. 25. Le poëte change d'image ; ici c'est l'image des Israélites (Racine,
Esth., I, v) ·

> Faibles agneaux livrés à des loups furieux.

Osé sortir du bois et bondir avec toi,
Te bêler mes amours et t'appeler à moi,
Les deux loups soupçonneux qui marchaient à ta suite
M'auraient vu. Par leurs cris ils t'auraient mise en fuite,   50
Et pour te dévorer eussent fondu sur toi
Plutôt que te laisser un moment avec moi.

III

LA JEUNE CAPTIVE

« L'épi naissant mûrit de la faux respecté ;
Sans crainte du pressoir, le pampre tout l'été

V. 28. Il avait dit dans *Mnaïs :*

> Que vos agneaux au moins viennent près de ma cendre
> Me bêler les accents de leur voix douce et tendre.

III. — Voy. dans l'*Étude sur les OEuvres d'André* et *Élég.*, I, ix, ce que nous avons dit sur *la Jeune Captive*. Nous ajouterons ici quelques mots sur le sentiment général qui règne dans cette pièce. Au milieu des victimes de la révolution, qui toutes marchent sans pâlir au supplice, pourquoi ce cri déchirant, cet effroi de la mort ? C'est que l'histoire n'enregistre que le courage des derniers instants, tandis que la poésie, plus humaine, n'oublie ni les regrets, ni les sanglots de la veille. D'ailleurs quel poëte imaginerait une enfant, une vierge qui n'aimât pas la vie ? Polyxène s'écrie (Euripide, *Héc.*, 416) .

> Ἄνυμφος, ἀνυμέναιος, ὧν μ' ἐχρῆν τυχεῖν.

Et, avant de marcher au supplice, elle adresse de derniers adieux à la lumière du jour ; elle pleure, et cependant elle saura mourir sans peur, sans trouble, avec décence même. Iphigénie (Euripide, *Iph.*, 1218), ne tombe-t-elle pas aux genoux paternels, regrettant de ne point avoir l'éloquence d'Orphée, et s'écriant :

> Μή μ' ἀπολέσῃς ἄωρον · ἡδὺ γὰρ τὸ φῶς
> βλέπειν . . . .

Pourquoi l'âme tendre de Racine (*Iph.*, V, iv) a-t-elle trop affaibli ces plaintes et ces regrets dans ces vers, pourtant si purs :

> *J'ose vous dire* ici qu'en l'état où je suis,
> *Peut-être* assez d'honneur environnait ma vie
> *Pour ne pas souhaiter* qu'elle me fût ravie,
> Ni qu'en me l'arrachant, un sévère destin
> **Si près de ma** naissance en eût marqué la fin?

Boit les doux présents de l'aurore ;
Et moi, comme lui belle, et jeune comme lui,
Quoi que l'heure présente ait de trouble et d'ennui,   5
    Je ne veux point mourir encore.

Qu'un stoïque aux yeux secs vole embrasser la mort,
Moi je pleure et j'espère ; au noir souffle du Nord

Dans une élégie moderne, ce sentiment de l'amour de la vie a été très-
bien saisi :

> Quand, debout sur le faîte,
> Elle vit le bûcher qui l'allait dévorer,
> Les bourreaux en suspens, la flamme déjà prête,
> Sentant son cœur faillir, elle baissa la tête
>   Et se prit à pleurer ([1]).

Dans Racine la résignation chrétienne tempère les regrets d'Iphigénie.
Ce n'est plus la fille d'Agamemnon, c'est plutôt la sœur de la fille de
Jephté. En effet, quand celle-ci connut le vœu de son père (*Juges*, XI,
37), elle lui dit : « Accorde-moi seulement cette prière : laisse-moi,
pendant deux mois, me retirer sur les montagnes et y pleurer ma virginité avec mes compagnes. » — « Va, » lui répondit Jephté. Et libre,
pendant deux mois, avec ses compagnes et ses suivantes, elle allait pleurant sa virginité sur les monts. On peut sans doute remarquer que ce
sentiment de résignation est inconnu à la jeune captive, dont l'âme au
contraire est pleine de l'amour de la nature. Mais il ne faudrait pas aller
trop loin dans cette voie d'analyse, car, de l'aveu même du poëte, cette
élégie n'est que la touchante expression de vœux et de plaintes qui s'é-
chappent d'une bouche *aimable et naïve*.

V. 6. Voy. *Élég.*, I, IX, 24. André se rapproche ici de Tibulle plus
près encore. Nous ne citerons dans ces notes aucun vers du poëte latin,
afin que le lecteur, recourant toujours à l'Élégie aux frères de Pange,
établisse ainsi, dans son esprit, cette continuité de rapports par lesquels
s'explique la création de *la Jeune Captive*.

V. 7. C'est le *siccis oculis*, d'Horace, *Od.*, I, III. Racine a dit dans
Bérénice, IV, V :

> L'autre *avec des yeux secs* et presque indifférents
> Voit mourir ses deux fils par son ordre expirants.

([1]) Est-ce une rencontre heureuse ou une intention du poëte, cette strophe
semble imitée de Lucrèce, I, 88, dans le récit de la mort d'Iphigénie :

> Cui simul infula virgineos circumdata comptus
> Ex utraque pari malarum parte profusa 'st,
> Et mœstum simul ante aras adstare parentem
> Sensit, et hunc propter ferrum celare ministros
> Aspectuque suo lacrimas effundere civeis :
> Muta metu terram genibus summissa petebat.

Je plie et relève ma tête.
S'il est des jours amers, il en est de si doux !   10
Hélas ! quel miel jamais n'a laissé de dégoûts ?
   Quelle mer n'a point de tempête ?

L'illusion féconde habite dans mon sein.
D'une prison sur moi les murs pèsent en vain,
   J'ai les ailes de l'espérance :   15
Échappée aux réseaux de l'oiseleur cruel,
Plus vive, plus heureuse, aux campagnes du ciel
   Philomène chante et s'élance.

Est-ce à moi de mourir ? Tranquille je m'endors,
Et tranquille je veille, et ma veille aux remords   20
   Ni mon sommeil ne sont en proie.
Ma bienvenue au jour me rit dans tous les yeux ;
Sur des fronts abattus, mon aspect dans ces lieux
   Ranime presque de la joie.

V. 11. Pindare, *Ném.*, VII, 77 :

$$\ldots\ldots\ldots\ldots \text{Κόρον δ' ἔχει}$$
$$\text{καὶ μέλι καὶ τὸ τέρπν' ἄνθε' ἀφροδίσια.}$$

Méléagre, *Anth.*, XII, 154, en parlant de l'Amour :

$$\text{Οἶδε τὸ πικρὸν Ἔρως συγκεράσαι μέλιτι.}$$

V. 12. Plutarque, *Consol. ad Apoll.* : « Καὶ ἐν θαλάττῃ εὐδίαι τε καὶ χειμῶνες. »

V. 13. « *Habite.* » Cette expression est fréquente chez André. La voici dans Eschyle, *Prométhée*, 250 :

$$\text{Τυφλὰς ἐν αὐτοῖς ἐλπίδας κατῴκισα.}$$

V. 15. Les Grecs disaient πτεροῦσθαι ἐλπίσιν. Sur cette expression, voy. Villoison, *ad Longum*, p. 91 ; Boissonade, *in Babr.*, p. 189.

V. 17. « *Campagnes du ciel.* » La Fontaine, *Fab.*, VIII, xvi, a dit :

   Comment percer des airs la campagne profonde.

V. 21. Voy. *Élég.*, I, IX, 25 :

   Ah ! le meurtre jamais n'a souillé mon courage ;
   Ma bouche du mensonge ignora le langage ; etc.

Mon beau voyage encore est si loin de sa fin !   25
Je pars, et des ormeaux qui bordent le chemin
    J'ai passé les premiers à peine.
Au banquet de la vie à peine commencé,
Un instant seulement mes lèvres ont pressé
    La coupe en mes mains encor pleine.   50

Je ne suis qu'au printemps, je veux voir la moisson ;
Et comme le soleil, de saison en saison,
    Je veux achever mon année.
Brillante sur ma tige et l'honneur du jardin,
Je n'ai vu luire encor que les feux du matin ;   35
    Je veux achever ma journée.

V. 27. N'est-ce pas, harmonieusement développée, la belle expression
de Stace, *Silv.*, II, I, 38 :

    . . . . Anni stantes in limine vitæ.

V. 28. En lisant ces vers touchants, qui n'a, entraîné par un souvenir
inévitable, murmuré les beaux vers de Gilbert :

    Au banquet de la vie infortuné convive,
      J'apparus un jour et je meurs.

V. 30. L'expression était vague, *Élég.*, I, IX, 43, 44 ; ici l'image la fixe.
V. 35. Il avait moins bien dit, *Élég.*, I, IX, 42 :

    A peine ouverte au jour, ma rose s'est fanée.

Mais il avait cette image plus mâle, qui convient à un homme :

    Je meurs, avant le soir j'ai fini ma journée.

Ronsard, *Am.*, I, LXI, a dit :

    Je me consume au plus verd de mon âge.

Et, rapprochement remarquable, toute la pensée qu'André développe
dans ces strophes de *la Jeune Captive* est contenue en germe dans une
stance de Racine, *Esther*, I, v :

    Hélas ! si jeune encore,
    Par quel crime ai-je pu mériter mon malheur ?
    Ma vie à peine a commencé d'éclore :
      Je tomberai comme une fleur (1)
      Qui n'a vu qu'une aurore.

(1) Dans les vers que le plus jeune des Trudaine avait écrits à Saint-Lazare
et dont nous avons parlé dans l'*Étude*, c'est cette image qui s'y développe, un
peu languissamment.

O mort ! tu peux attendre ; éloigne, éloigne-toi ;
Va consoler les cœurs que la honte, l'effroi,
　　　Le pâle désespoir dévore.
Pour moi Palès encore a des asiles verts,　　　　　　　　40
Les Amours des baisers, les Muses des concerts ;
　　　Je ne veux point mourir encore. »

Ainsi, triste et captif, ma lyre toutefois
S'éveillait, écoutant ces plaintes, cette voix,
　　　Ces vœux d'une jeune captive ;　　　　　　　　45
Et secouant le faix de mes jours languissants,
Aux douces lois des vers je pliais les accents
　　　De sa bouche aimable et naïve.

Ces chants, de ma prison témoins harmonieux,
Feront à quelque amant des loisirs studieux　　　　　　50
　　　Chercher quelle fut cette belle :
La grâce décorait son front et ses discours,
Et, comme elle, craindront de voir finir leurs jours
　　　Ceux qui les passeront près d'elle.

Mais quelle pénétration du génie pour combler l'intervalle ! — Ronsard,
Am., II, *Stances,* nous montre aussi sa maîtresse,

> Dans le ciel trop tôt retournée,
> Perdant beauté, grâce et couleur,
> Tout ainsi qu'une belle fleur
> Qui ne vit qu'une matinée.

V. 37. Tibulle, I, ɪɪɪ :

> Abstineas avidas, Mors, precor, atra manus !
> Abstineas, Mors atra, precor. . . . .

V. 46. Nous avons conservé le texte de la *Décade.* M. de Latouche a
donné ce vers ainsi :

> Et secouant le joug de mes jours languissants.

V. 51. Mademoiselle Aimée de Coigny. Voy. la *Biographie.*

IV

Comme un dernier rayon, comme un dernier zéphyre
    Animent la fin d'un beau jour,
Au pied de l'échafaud j'essaye encor ma lyre.
    Peut-être est-ce bientôt mon tour ;
Peut-être avant que l'heure en cercle promenée   5
    Ait posé sur l'émail brillant,
Dans les soixante pas où sa route est bornée,
    Son pied sonore et vigilant,
Le sommeil du tombeau pressera ma paupière !
    Avant que de ses deux moitiés   10
Ce vers que je commence ait atteint la dernière,
    Peut-être en ces murs effrayés
Le messager de mort, noir recruteur des ombres,
    Escorté d'infâmes soldats,
Remplira de mon nom ces longs corridors sombres.   15

   . . . .
. . . .
   . . . .
. . . .
     20
. . . .
. . . .
   . . . . .
Quand au mouton bêlant la sombre boucherie   25
    Ouvre ses cavernes de mort,

IV. — Voyez ce que nous avons dit relativement à cette pièce dans
l'*Étude* et dans les *Appendices* I et II.

V. 15. Après ce vers il y a une lacune de quelques vers.

Pâtre, chiens et moutons, toute la bergerie
    Ne s'informe plus de son sort.
Les enfants qui suivaient ses ébats dans la plaine,
    Les vierges aux belles couleurs   30
Qui le baisaient en foule, et sur sa blanche laine
    Entrelaçaient rubans et fleurs,
Sans plus penser à lui, le mangent s'il est tendre.
    Dans cet abîme enseveli,
J'ai le même destin. Je m'y devais attendre.   35
    Accoutumons-nous à l'oubli.
Oubliés comme moi dans cet affreux repaire,
    Mille autres moutons, comme moi
Pendus aux crocs sanglants du charnier populaire,
    Seront servis au peuple-roi.   40
Que pouvaient mes amis? Oui, de leur main chérie
    Un mot, à travers les barreaux,
Eût versé quelque baume en mon âme flétrie;
    De l'or peut-être à mes bourreaux...
Mais tout est précipice. Ils ont eu droit de vivre.   45
    Vivez, amis; vivez contents.

V. 27. Toutes les éditions :

    Pauvres chiens et moutons, toute la bergerie.

Cela n'offre aucun sens. La correction nous paraît indispensable.

V. 38. Voy. l'*Appendice* I. Le manuscrit porte au-dessus de ce vers
Cres. d'E., c'est-à-dire *Cresphonte* d'Euripide Mérope, dit Plutarque
(*Cons. ad Apoll.*, xv), remuait l'âme des spectateurs en prononçant ces
vers :

        Τεθνᾶσι παῖδες οὐκ ἐμοὶ μόνῃ βροτῶν,
        οὐδ' ἀνδρὸς ἐστερήμεθ' · ἀλλὰ μυρίαι
        τὸν αὐτὸν ἐξήντλησαν, ὡς ἐγὼ, βίον.

Vers dont s'était déjà inspiré Pétrone, *Satyr.*, CXXXIX :

        Non solum me Numen, et implacabile fatum
        Persequitur. . . . .

V. 43. Dans la première édition nous avions admis la leçon des précédents éditeurs : « A versé... » Depuis, le regretté M. Gérusez nous a
assuré qu'il y avait : « E t versé » dans le manuscrit. Nous rétablissons
donc la leçon véritable.

En dépit de Bavus, soyez lents à me suivre ;
  Peut-être en de plus heureux temps
J'ai moi-même, à l'aspect des pleurs de l'infortune,
  Détourné mes regards distraits ;   50
A mon tour aujourd'hui mon malheur importune.
  Vivez, amis ; vivez en paix.

Que promet l'avenir ? Quelle franchise auguste,
  De mâle constance et d'honneur
Quels exemples sacrés, doux à l'âme du juste,   55
  Pour lui quelle ombre de bonheur,
Quelle Thémis terrible aux têtes criminelles,
  Quels pleurs d'une noble pitié,
Des antiques bienfaits quels souvenirs fidèles,
  Quels beaux échanges d'amitié   60
Font digne de regrets l'habitacle des hommes ?
  La Peur blème et louche est leur dieu.
Le désespoir !... le fer. Ah ! lâches que nous sommes,
  Tous, oui, tous. Adieu, terre, adieu.
Vienne, vienne la mort ! Que la mort me délivre !   65

V. 47. [Ce nom de *Bavus* semble désigner quelque poëte démagogue,
peut-être Collot-d'Herbois, qui a écrit beaucoup de prose et quelques vers ;
ou plutôt Saint-Just, le redoutable Saint-Just, auteur d'un très-long
poëme, un peu trop libre, avec cette courte préface : « J'ai vingt ans,
j'ai mal fait ; je pourrai faire mieux. »   Boissonade.]
  Il faut reconnaître que ce nom de convention choque au milieu de ces
vers si nets de pensée et si énergiques d'expression. André Chénier, en
proie à la fureur patriotique, ne devait guère chercher d'atténuation à
son mépris dans des réminiscences à peu près antiques. Il faudrait sur ce
point consulter le manuscrit ; peut-être donne-t-il un autre nom plus
réel, ou peut-être, au lieu de Bavus, n'y a-t-il que des points.
  V. 62. « *Blême*. » Même sens actif que dans le *pallida mors* d'Horace.
  V. 64. Ovide, *Mét.*, XIII, 948 :

> *Terra, vale*, dixi ; corpusque sub æquora mersi.

  V. 65. Virgile, *En.*, IV, 547 :

> . . . . Ferroque averte dolorem.

Ainsi donc mon cœur abattu
Cède au poids de ses maux? Non, non, puissé-je vivre!
  Ma vie importe à la vertu ;
Car l'honnête homme enfin, victime de l'outrage,
  Dans les cachots, près du cercueil,   70
Relève plus altiers son front et son langage,
  Brillants d'un généreux orgueil.
S'il est écrit aux cieux que jamais une épée
  N'étincellera dans mes mains,
Dans l'encre et l'amertume une autre arme trempée   75
  Peut encor servir les humains.
Justice, vérité, si ma bouche sincère,
  Si mes pensers les plus secrets
Ne froncèrent jamais votre sourcil sévère,
  Et si les infâmes progrès,   80
Si la risée atroce ou (plus atroce injure!)
  L'encens de hideux scélérats
Ont pénétré vos cœurs d'une longue blessure,
  Sauvez-moi ; conservez un bras
Qui lance votre foudre, un amant qui vous venge.   85
  Mourir sans vider mon carquois !
Sans percer, sans fouler, sans pétrir dans leur fange

V. 66. Ce passage rappelle les héros antiques délibérant en eux-mêmes
et s'exhortant à la vertu. C'est ainsi qu'Ulysse (*Iliade*, XI, 407), hési-
tant entre la fuite et le combat, s'interroge :

> Ἀλλὰ τίη μοι ταῦτα φίλος διελέξατο θυμός;
> οἶδα γὰρ ὅττι κακοὶ μὲν ἀποίχονται πολέμοιο ·
> ὃς δέ κ' ἀριστεύῃσι μάχῃ ἔνι, τὸν δὲ μάλα χρεὼ
> ἑστάμεναι κρατερῶς, ἤτ' ἔβλητ' ἤτ' ἔβαλ' ἄλλον.

Bientôt, comme le héros d'Homère, André haranguera directement son
cœur.

V. 85. L'idée de faire de la foudre un attribut de la Justice est antique.
Voy. les vers d'Aristophane cités au vers 418 du *Jeu de Paume*.

V. 86. Voy. la même image dans la première strophe de l'Hymne V.

V. 87. André paraît s'inspirer ici des violentes imprécations que dans

Ces bourreaux barbouilleurs de lois,
Ces tyrans effrontés de la France asservie,
    Égorgée !... O mon cher trésor,   90
O ma plume ! Fiel, bile, horreur, dieux de ma vie !
    Par vous seuls je respire encor.

. . . .
    . . . .
. . . .   95
    . . . .
. . . .
    . . . .
. . . .
      100
. . . .
    . . . .
. . . .
    . . . .

Quoi ! nul ne restera pour attendrir l'histoire   105
    Sur tant de justes massacrés ;
Pour consoler leurs fils, leurs veuves, leur mémoire ;

Aristophane, *Chev.*, 251, le chœur des chevaliers lancent contre Cléon :

   Ἀλλὰ παῖε καὶ δίωκε καὶ τάραττε καὶ κύκα
   καὶ βδελύττου. . . . .

L'image que présente le second hémistiche du vers 87 est beaucoup plus énergique, mais conçue dans le même ordre d'idées, que celle contenue dans le mot βδελύττομαι. L'expression de *barbouilleurs de lois* traduit sans doute dans la pensée d'André l'injure que, dans ce chœur, les chevaliers lancent à plusieurs reprises à la face de Cléon. Ils l'appellent πανοῦργος, c'est-à-dire un propre-à-tout politique.

V. 88. Le mot *barbouilleur* est vieux dans la langue ; voy. Ménage. Au seizième siècle, il signifiait brouillon. On rencontre dans Voltaire l'expression de « barbouilleur d'écrits. »

V. 92. Après ce vers, il y a encore une lacune de quelques vers.

V. 107. Nous avons fait dans ce vers une correction qui nous a paru indispensable. Toutes les éditions portent :

    Pour consoler leurs fils, leurs veuves et leurs mères.

 Pour que des brigands abhorrés
Frémissent aux portraits noirs de leur ressemblance ;
 Pour descendre jusqu'aux enfers   110
Chercher le triple fouet, le fouet de la vengeance,
 Déjà levé sur ces pervers ;
Pour cracher sur leurs noms, pour chanter leur supplice !
 Allons, étouffe tes clameurs ;
Souffre, ô cœur gros de haine, affamé de justice. 115
 Toi, Vertu, pleure si je meurs.

V. 115. M. de Latouche avait, par timidité littéraire, altéré ce vers ;
la première édition donnait :

   Pour insulter leurs noms, pour chanter leur supplice !

gt cependant, bien avant Chénier, Malherbe (p. 7) avait employé ce mot
devant lequel M. de Latouche reculait :

   Le mépris effronté que ces bouches me crachent.

V. 115. Magnifique mouvement poétique ; il s'adresse à son cœur,
comme Ulysse (*Odyssée*, XX, 18) :

   Τέθλαθι δή, κραδίη · καὶ κύντερον ἄλλο πότ' ἔτλης....

Passage qu'avait remarqué Platon dans le *Phédon*, XLIII. — Et c'est
ainsi que dans Sophocle, *Trach.*, 1259, Hercule exhorte son âme à supporter la souffrance :

   Ἄγε νῦν, πρὶν τήνδ' ἀνακινῆσαι
   νόσον, ὦ ψυχὴ σκληρὰ, χάλυβος
   λιθοκόλλητον στόμιον παρέχουσ',
   ἀνάπαυσε βοήν, ὡς ἐπίχαρτον
   τελέουσ' ἀεκούσιον ἔργον.

V. 116. M. de Latouche a manqué de goût en scindant en trois parties cette belle et dernière élégie d'André Chénier. Quel plus beau vers
pourrait clore l'œuvre et la vie du poëte !

FIN.

INDEX

DES PRINCIPAUX AUTEURS CITÉS DANS LES NOTES.

———

Nota. — Quand nous avons jugé utile de faire des distinctions, les lettres L. S. indiquent que les passages cités se rapportent à des remarques concernant la Langue ou le Style, les lettres I. R. indiquent les passages Imités par André Chénier ou dont il s'est fortuitement Rapproché.

———

INDEX

---

[1] Nous n'avons pu dans les notes appeler l'attention du lecteur sur cette correction indispensable (*Tel que* au lieu de *Telle que*) faite au dernier moment. Le *Mais* nous à paru devoir être supprimé, sauf recours au manuscrit.

TABLE DES MATIÈRES

———

Nota. — Pour chaque pièce nous avons indiqué entre parenthèses la date
de la première publication.

———

POÉSIES D'ANDRÉ CHÉNIER.

ŒUVRES POSTHUMES.

POÉSIES ANTIQUES.

PETITS POËMES.

ÉLÉGIES.

IDYLLES.

ÉPIGRAMMES.

ÉTUDES ET FRAGMENTS.

ÉLÉGIES.

POËMES.

POÉSIES DIVERSES ET FRAGMENTS.

HYMNES ET ODES.

DERNIÈRES POÉSIES.

SAINT—LAZARE.

Ce volume,
le deux cent soixante-seizième
de la collection Poésie,
a été achevé d'imprimer sur les presses
de l'imprimerie Bussière à Saint-Amand (Cher),
le 27 juillet 2001.
Dépôt légal : juillet 2001.
1ᵉʳ dépôt légal dans la collection : décembre 1993.
Numéro d'imprimeur : 14654.
ISBN 2-07-032812-0./Imprimé en France.

5423